《神农本草经》校注

尚志钧 校注

北京科学技术出版社

本草古籍辑注丛书・第一辑

尚志钧／辑注
尚元胜 尚云飞
尚元藕 任何／整理

2018年度国家古籍整理出版专项经费资助项目

尚志钧百年诞辰典藏

尚志钧本草文献全集

图书在版编目（CIP）数据

本草古籍辑注丛书．第一辑．《神农本草经》校注 / 尚志钧校注．—北京：北京科学技术出版社，2019.1
ISBN 978－7－5304－9981－8

Ⅰ．①本… Ⅱ．①尚… Ⅲ．①本草－中医典籍－注释②《神农本草经》－注释
Ⅳ．①R281.2

中国版本图书馆 CIP 数据核字（2018）第 268708 号

本草古籍辑注丛书·第一辑．《神农本草经》校注

校　　注： 尚志钧
策划编辑： 侍　伟　白世敬
责任编辑： 杨朝晖　张　洁　董桂红　白世敬　朱会兰　吴　丹
责任印制： 张　良
责任校对： 贾　荣
出 版 人： 曾庆宇
出版发行： 北京科学技术出版社
社　　址： 北京西直门南大街 16 号
邮政编码： 100035
电话传真： 0086－10－66135495（总编室）
0086－10－66113227（发行部）
0086－10－66161952（发行部传真）
电子信箱： bjkj@bjkjpress.com
网　　址： www.bkydw.cn
经　　销： 新华书店
印　　刷： 北京七彩京通数码快印有限公司
开　　本： 787mm×1092mm　1/16
字　　数： 571 千字
印　　张： 32.25
版　　次： 2019 年 1 月第 1 版
印　　次： 2019 年 1 月第 1 次印刷
ISBN 978－7－5304－9981－8/R·2536

定　　价：860.00 元

校注前言

现行各家辑本《神农本草经》（以下简称《本经》）文，皆出于《证类本草》白字，此白字即源于《本草经集注》朱字，该朱字则是陶弘景将当时流行的多种《本经》文字整合而成。此结论来自以下的考察。

（一）陶弘景在《本草经集注》序录中言他所见的《本经》有三种，载药数分别为595、441、319，且分类混乱，药物主治功用各不相同，遂“苞综诸经”，收入《本草经集注》中。

（二）陶氏注文中引用的两个生姜资料不同。《新修本草》卷18韭条引陶氏注云：“生姜……言可常啖，但勿过多尔。”但《证类本草》卷28韭条中，无陶氏此注，而并入卷8生姜条下，两者内容不完全相同。这可以提示陶弘景是参阅了多种本草著作的。

（三）《证类本草》白字序文云：“上药一百二十种……中药一百二十种……下药一百二十五种……三品合三百六十五种，法三百六十五度，一度应一日，以成一岁。”查《养生论》《抱朴子》《博物志》《艺文类聚》《太平御览》等书所引《本经》有关资料，其仅言上、中、下三品，并无上品、中品各120种，下品125种的数字，更无“三百六十五种法三百六十五度”之语。这些话亦不见于陶氏以前的书中，仅见于陶氏《本草经集注》中。这些说法与道家思想有密切关系。据史书记载，陶弘景为道教中人，这些思想当会渗入本草著作中。

（四）药物分类次序：古文献如《汉书·艺文志》《太平御览》等书所论药物，皆以“草石”名之，而“草”为首，“石”次之，但《证类本草》白字各个药物排列顺序，是以玉石为首的，这显然与“草石”的含义是不相合的。从敦煌发现的《本草经集注》中七情畏恶药物排列次序，亦是以玉石为首的。这种以玉石为首的药物分类方法，可能是陶弘景看到当时各种《本经》药物分类的混乱，即“草石不分，虫兽无辨”才提出来的。

（五）从其他文献所引《本经》资料亦可知古代有很多种《本经》的内容没有被陶弘景收入书中。如晋代郭璞注《山海经》云：“门冬，一名满冬。”《抱朴子·内篇》卷11云：“术，一名山精，故《神农药经》曰：‘必欲长生，常服山精。’”《博物志》引曰：“药有大毒，不可入口、鼻、耳、目，入者即杀人，……二曰鸱，三曰阴命，四曰内童，五曰九鸩。”如此等等。以上诸书所引《本经》资料，皆不见于《证类本草》白字。

（六）陶弘景总结的《本经》条文内容、书写体例与以前的《本经》不同。陶弘景总结的《本经》，没有产地，没有药物性状、形态、生态，没有七情畏恶等内容；其书写体例为：正名→性味→主治功用→一名→生境。陶弘景以前的《本经》，在内容上，有产地，有药物性状、形态、生态，有七情畏恶等内容；其书写体例为：正名→一名→性味→产地→形态→主治功用。

陶弘景整理的《本经》药物条文，除散存于《证类本草》白字外，还见于《唐本草》中。但是现存卷子本《唐本草》，除敦煌出土的卷10残卷中《本经》文有朱书标记外，日本传抄卷子本《唐本草》中的《本经》文，全无标记，这就需要靠《证类本草》白字做指示标记，把《唐本草》中的《本经》文确定出来。本书之所以选择古代《本经》文，就是基于此。

书中药物条文，尽量以早出的本子为底本，以后出的本子为旁校本。例如燕屎、天鼠屎，以吐鲁番出土的《本草经集注》残简为底本；玉石、木、果、菜、米等类药物，以卷子本《新修本草》为底本；草类、虫鱼类药物，以《证类本草》为底本。并用现存的各种本草（包括明清以来国内外诸家所辑的《本经》）为旁校本。在校勘时，凡遇舛错、脱误、衍生、颠倒、误抄、误刻等，均做出校记，并将校记编成序码，附在每个药条文之后。校记中所引某某书，仅用书名的简称注之，而书名的简称，笔者在下文做以说明。

本书收录药物365条，每条标以阿拉伯数字序码，按上、中、下三品分类，其中1～120号为上品，121～240号为中品，241～365号为下品。各个药物的三品位置是根据下列三点定的：①《本草经集注》七情畏恶药物三品的位置；②《唐本草》药物三品的位置；③药物条文的内容及《本经》序文对上、中、下三品的定义。至于药物排列次序，是以敦煌出土《本草经集注》七情畏恶药物次序为主，并参考《唐本草》目录编排的。个别的药物，又按陶弘景注文和苏敬注文确定。

本书初成于1978年5月，定名为《神农本草经校点》；1981年9月由皖南医学院科研处铅印出版，供国内学术界交流，以后由尚元胜陆续整理，将书中论文重写，移于书末。1994年本书由华夏出版社并入《中医八大经典全注》并出版。后本书又重加修订，详校勘，明训诂，增加注释文一倍有余，由学苑出版社出版。由于本人水平所限，错误和缺点难免，请读者指正。

尚志钧

于皖南医学院弋矶山医院

2007年5月

辑校说明

《本经》是汉代本草官员的托名之作，当时有多种本子；后因战乱丧失，仅存4卷本（见陶隐居序）；经魏晋名医多次增修，又产生多种本子，即陶隐居序所称之“诸经”。陶弘景作《本草经集注》时，将“诸经”中的《本经》文整合为一体，收入书中。笔者以《本草经集注》为分界点，将《本草经集注》以前的多种《本经》称为陶弘景以前《本经》，将收载在《本草经集注》中的《本经》，称为陶弘景整理的《本经》。陶弘景整理的《本经》存于历代主流本草著作中，陶弘景以前的《本经》存于宋以前类书和文、史、哲古书的注文中。本书辑录的《本经》文，按出处分为两大部分：①历代主流本草著作所存陶弘景整理的《本经》文；②历代类书及文、史、哲注文所引的《本经》文。

陶弘景整理的《本经》文的内容，从现存《证类本草》白字《本经》文看，对产地作黑字标记，无药物性状、形态、生态，无采收时月，无剂型，无七情畏恶等内容，并且不含有名医增补的内容。其书写体例为：正名→性味→主治功用→一名→生境（自《唐本草》以后删）→产地（自《唐本草》以后删）。

陶弘景整理的《本经》文存于历代主流本草著作中。由于主流本草著作版本不同，所存《本经》文互有出入。本书辑注，以善本为主，并用同类版本校，具体做法如下。

（1）本书所辑资料，以最早所存《本经》佚文为底本，以后出本为校本。《本经》序录，以敦煌出土《本草经集注》为底本，以《大观本草》《政和本草》为校本。《本经》上、中、下三品药物条文，以卷子本《新修本草》为底本，以《大观本草》《政和本草》为校本，如果卷子本《新修本草》缺，即以《大观本草》为底本，以《政和本草》为校本。

（2）《本经》文和《别录》文区分。敦煌出土《本草经集注·序录》、卷子本《新修本草》及《千金翼》等书，俱无《本经》《别录》标记，故只有借助于各种版本《大观本草》《政和本草》中白字标记才能区分《本经》文和其他文。

《大观本草》《政和本草》白字标记，因版本不同而各异。如成化本《政和本草》、商务印书馆出版之《政和本草》中菖蒲、龙胆、白英、麝香、鹿茸、姑活等条文，均无白字标记。人民卫生出版社出版之《政和本草》曾青条，亦无白字标记。不仅这几味药白字标记缺落，而且很多药物条文，白字、黑字标记亦互有出入，只有根据他种版本《大观本草》《政和本草》互校之，才能确定，有时还须参考明清诸家《本经》辑本旁证之。

（3）关于《本经》药物产地，《证类本草》白字《本经》序明言“药物土地所出”，但《证类本草》白字《本经》药物产地俱作黑字《别录》文。陶弘景注“铅与锡”，谓《本经》云“生桂阳”。吐鲁番出土《本草经集注》将燕屎、天鼠屎产地俱作朱字《本经》文。敦煌出土《唐本草》是朱墨杂书，唯独产地墨书，《证类本草》沿袭《唐本草》例，将《本经》产地全作黑字《别录》文。说明《本草经集注》《本经》药原有产地，到《唐本草》编修时才被删掉。

按，唐初陆德明注《尔雅音义》云：“荼，《本经》云：苦菜，一名选，生益州山谷；《别录》云：一名游冬，出山陵道旁，凌冬不死。”文中划曲线文字，在《大观本草》《政和本草》俱作黑字《别录》文；而陆德明将“生益州山谷”注为《本经》文，将“山谷”以后产地“出山陵道旁”注为《别录》文。则陆氏所见《本经》当是《本草经集注》而不是《唐本草》。因《唐本草》药物产地俱作黑字《别录》文，分不出《本经》产地文。只有《本草经集注》对《本经》药物产地保留朱书，故能辨出《本经》产地。基于此，本书仿吐鲁番出土陶氏《本草经集注》及陆氏注《尔雅音义》荼例，将《证类本草》黑字产地“生某某山谷”订为《本经》文，山谷以后的产地订为《别录》文。

（4）在校勘时，如遇校本《本经》文和底本不同，又不能确定底本有误，仍以底本为正。

（5）在校勘时，如遇校本《本经》文和底本不同，但能确定底本有误，即依校本订正之。

（6）关于避讳字改正。有关《本经》药物条文中所用“治”或“主治”，在《新修本草》编纂时，因避唐高宗李治讳，将“治”字或删，或改为“疗”。后世本草书沿袭《新修本草》旧例，俱将“治”改为“疗”，“主治”改为“主”，省去“治”字。吐鲁番出土《本草经集注》残简燕屎、天鼠屎等条文中朱字《本经》文，仍作“主治”；然《大观本草》《政和本草》作“主”，无“治”字。其余各药物条文亦同此。本书辑录时，仿《本草经集注》体例，将各药物条文“病名”前的“主”字，改用“主治”，但“功效”名前“主”字不改。

（7）对《本经》原文中某些疑难词、字及病名等，予以注释。注释文与校勘文，按所在条文中顺序编号，列于当药条文之下。

（8）《本经》365 种具体药物及其三品分类，各书不一，本书据《本经》三品定义重加考订，确定《本经》365 种具体药及其三品位置，并将考订文附于药物总目之后，以供读者参考研究。

（9）关于《本经》分卷，据陶隐居序“今之所存，有此四卷，是其本经”定为 4 卷。卷 1 为序录，卷 2、卷 3、卷 4 为上、中、下三品药物。

（10）古书所存《本经》佚文，都是繁体字竖排，本书辑校时改为通行简体字横排。

（11）为使读者查阅方便，每味药物条文末附以底本页次，并用圆括号括之。

（12）本书初成于 1978 年 5 月，1981 年由皖南医学院科研处铅印出版，并在国内学术界交流，1994 年由华夏出版社并入《中医八大经典全注》中并出版，后本书又由学苑出版社重行修订后出版。

尚志钧

于皖南医学院弋矶山医院

2007 年 5 月

辑校底本、主校本、参校本简称

《本经》原书久佚，其文存于历代类书，古典文、史、哲书籍，及历代主流本草中。今日所见单行本《本经》，是明清时期国内外诸家辑本，其文均取自《证类本草》白字《本经》文。由于《证类本草》版本不同，其白字标记互异，加以原书久佚，无目录可据，因此，各家辑本在目录、药数、三品分类、内容、条文体例、词句结构等方面差异极大，故明清诸辑本俱不能作底本选用，只能将含《本经》佚文的历代主流本草本子，作为底本选用。

历代主流本草含的《本经》文，向上推溯源于陶弘景《本草经集注》朱书《本经》文，其文是陶氏苞综诸经（指陶氏用多种《本经》整理）而成。《本草经集注》的朱字《本经》文，通过《唐本草》《开宝本草》《嘉祐本草》，保存在《证类本草》白字中。但《证类本草》以前诸本草或亡或残缺。如《本草经集注》仅有出土残卷与断简，《唐本草》仅有出土的卷10残本及日本传抄残缺卷子本。《证类本草》有数十种版本，其间差异讹误亦多。现只能从现存最早的本子中选出底本，如最早本缺，以后出本为底本，用同种本为主校本，用其他本作参校本，今将底本、主校本、参校本列举如下。

底　本

《集注》断片　吐鲁番出土的《本草经集注》，仅存豚卵、燕屎、天鼠屎、鼹鼹鼠及部分注文。1952 年罗福颐影钞收入《西陲古方技书残卷汇编》。

《集注·序录》 1900 年敦煌出土《本草经集注·序录》（无具体药物条文）。1955 年群联出版社影印。

敦煌本《新修》 敦煌出土《新修本草》残卷，（仅存草部下品之上，即包括甘遂至白蔹等 30 味药）。1952 年罗福颐影钞收入《西陲古方技书残卷汇编》。

傅本《新修》 1955 年群联出版社据光绪十五年（1889）傅云龙在日本摹刻卷子本《新修本草》影印（缺草类、虫鱼类）。

刘《大观》 南宋嘉定四年（1211）刘甲据南宋淳熙十二年（1185）刊本校刻《经史证类大观本草》。

柯《大观》 1904 年武昌柯逢时影宋本并重校刊《经史证类大观本草》。

人卫《政和》 1957 人民卫生出版社据扬州季范董氏藏金泰和张存惠晦明轩刻《重修政和经史证类备用本草》影印。

主校本

《本草和名》 日本深江辅仁撰，日本古典全集刊行会影印。

武本《新修》 1936 年日本武田长兵卫用珂罗版复制印《新修本草》（仅存卷 4、5、12、15、17、19）。

罗本《新修》 1985 年上海古籍出版社据上虞罗氏藏日本森氏旧藏影写卷子本《新修本草》影印（缺玉石上品、草类、虫鱼类）。

玄《大观》 1775 年日本望草玄翻刻元大德六年（1302）宗文书院刻《经史证类大观本草》。

《大全》 明万历五年（1577）宣郡王大献刻《经史证类大全本草》。

成化《政和》 明成化四年（1468）原杰据晦明轩刻《重修政和经史证类备用本草》重刊。

万历《政和》 明万历十五年丁亥（1587）经厂刻本《重修政和经史证类备用本草》。

商务《政和》 1921—1929 年商务印书馆缩印金泰和刊《重修政和经史证类备用本草》。

《医心方》 日本天元五年（982）丹波康赖始撰，1955 年人民卫生出版社据浅仓屋藏版影印。该书收录我国隋唐及其以前中医古籍，并包含有亡佚古籍的佚文。

《千金方》 唐·孙思邈撰《备急千金要方》，1955年人民卫生出版社据江户医学影北宋本影印。该书卷26“食治”篇载有古本草资料。

真本《千金方》 唐·孙思邈撰，日本天保三年（1832）影刻卷子本，仅存卷1。该卷载有七情畏恶药例资料。

《千金翼》 唐·孙思邈撰《千金翼方》，1955年人民卫生出版社影印。

《御览》 李昉等参编《太平御览》，1935年上海商务印书馆四部丛刊三编影宋本。1960年中华书局据该本缩印。其中药部、百卉部、珍宝部、饮食部、兽部、羽族部、鳞介部俱载有《本经》资料。所引《本经》药物条文都是节录的残文，而条文和体例与主流本草中《本经》文不同。

参校本

《本草衍义》 宋·寇宗奭撰，1957年商务印书馆出版。

《图经衍义》 宋·寇宗奭撰，1924年上海涵芬楼影印正统道藏本。

《品汇》 明·刘文泰等编撰《本草品汇精要》，1936年商务印书馆排印本。

金陵版《纲目》 明·李时珍撰《本草纲目》，1590—1596年南京胡承龙首刻本。上海图书馆、中国中医科学院图书馆珍藏。该书是现存各种版本《纲目》的祖本。

江西版《纲目》 明·李时珍撰《本草纲目》，明万历三十一年癸卯（1603）夏良心、张鼎思等重刊本。

合肥版《纲目》 明·李明珍撰《本草纲目》，清光绪十一年（1885）合肥张氏味古斋重校刊本。1957年人民卫生出版社据该本缩印。

《本草经疏》 明·缪希雍撰《神农本草经疏》，清光绪辛卯（1891）皖南建德周学海校刊。

《本经疏证》 清·邹澍撰，1959年上海科学技术出版社铅印本。

《本经续疏》 清·邹澍撰，1959年上海科学技术出版社铅印本。

《本草经解》 清·叶天士撰，1957年上海科技卫生出版社排印。

问本 清·孙星衍等辑《神农本草经》，清嘉庆四年（1799）阳湖孙氏刊问经堂丛书本。

周本 清·孙星衍等辑《神农本草经》，清光绪十七年（1891）池阳周学海据问本刊刻周氏医学丛书初集本。

孙本 清·孙星衍等辑《神农本草经》，1955年上海商务印书馆据问本排印。

黄本 清·黄奭辑《神农本草经》，清光绪十九年（1893）黄奭刊刻汉学堂丛书子史钩沉本。实际上是黄氏据孙氏问本重刊，并非黄氏本人所辑。

顾本 清·顾观光辑《神农本草经》，刊在武陵山人遗书中，1955 年人民卫生出版社据以影印。

森本 日本嘉永七年（1854）福山森立之辑《神农本草经》，1955 年群联出版社影印，1957 上海卫生出版社据此重印。

汪本 汪宏辑注《注解神农本草经》，清光绪十四年（1888）刊本。

蔡本 蔡陆仙辑注《神农本草经》，1940 年中华书局排印本，收在《中国医药汇海》中。

曹本 曹元宇辑《神农本草经》，1987 年上海科学技术出版社出版。

尚本 尚志钧校点《神农本草经》，1981 年皖南医学院排印。

筠默本 王筠默辑注《神农本草经校证》，1988 年吉林科学技术出版社出版。

《别录》 尚志钧辑《名医别录》，1986 年人民卫生出版社出版。

《集注》 梁·陶弘景编《本草经集注》，尚志钧、尚元胜辑校，1994 年人民卫生出版社出版。

《新修》 唐·苏敬等撰《新修本草》，尚志钧辑校，1981 年安徽科学技术出版社出版。

《药对》 北齐·徐之才撰《雷公药对》，尚志钧、尚元胜辑，1994 年安徽科学技术出版社出版。

《炮炙论》 南朝刘宋·雷敩撰《雷公炮炙论》，尚志钧辑，1991 年安徽科学技术出版社出版。

《海药》 五代·李珣著《海药本草》，尚志钧辑校，1997 年人民卫生出版社出版。

《药性论》 唐·甄权撰，尚志钧辑校，1983 年皖南医学院油印本。

《拾遗》 唐·陈藏器撰《本草纲目拾遗》，尚志钧辑校，1983 年皖南医学院油印本。

《日华子》 五代·日华子撰《日华子诸家本草》，尚志钧辑校，1983 年皖南医学院油印本。

《病方药考》 尚志钧撰《五十二病方药物考释》，1983 年皖南医学院油印本。

《说郛》 元·陶宗仪辑，明·陶珽续辑《说郛三种》，1988 年上海古籍出版社将涵芬楼百卷本、明刻 120 卷本及续编 46 卷本汇集影印本。

《补辑〈肘后方〉》 晋·葛洪撰，梁·陶弘景增补，尚志钧辑校，1983年安徽科学技术出版社出版。

《开宝》 宋·马志等编，尚志钧辑《开宝本草》，1998年安徽科学技术出版社出版。

《证类》 宋·唐慎微撰，尚志钧、郑金生等校点《证类本草》，1993年华夏出版社出版。

《本草图经》 宋·苏颂撰，尚志钧辑校，1994年安徽科学技术出版社出版。

尚辑本 尚志钧辑《神农本草经》，1994年华夏出版社出版，刊入《中医八大经典全注》内。

马本 马继兴、谢海州、尚志钧《神农本草经辑注》，1995年人民卫生出版社出版。

狩本 日本狩谷望之志辑《神农本草经》，涩江籀斋订，抄本。南京古籍图书馆收藏。

卢本 明·卢复辑《神农本草经》，日本宽政十一年（1799）新镌。

徐本 清·徐大椿《神农本草经百种录》，1956年人民卫生出版社影印。

王本 清·王闿运辑《神农本草经》，清光绪十一年（1885）成都尊经书院刻本。

莫本 清·莫文泉辑《神农本草经校注》，清光绪二十六年（1900）莫氏家刻本。

姜本 清·姜国伊辑《神农本草经》，清光绪十八年（1892）成都黄氏茹古书局刊姜氏医学丛书本。该丛书有5种，其中第3种是《神农本草经》。

《本经逢原》 清·张璐纂述，1959年上海科学技术出版社出版。

《图考长编》 清·吴其濬撰《植物名实图考长编》，1959年商务印书馆重印本。该书收集很多植物资料。

《草木典》 清康熙年间敕修《古今图书集成·博物汇编·草木典》，中华书局影印本。该书收集很多植物药资料。

《禽虫典》 清康熙年间敕修《古今图书集成·博物汇编·禽虫典》，中华书局影印本。该书收集很多动物药资料。

《食货典》 清康熙年间敕修《古今图书集成·博物汇编·食货典》，中华书局影印本。该书收集很多矿物药资料。

《尔雅》 商务印书馆四部丛刊本。是书郭璞注时所引本草资料，与现存古本草中内容不同。

《尔雅疏》 宋·邢昺注《尔雅注疏》，中华书局聚珍仿宋版四部备要本。是书为邢昺注，所引本草资料与宋代本草内容同。其中释草、释木引本草资料较多。

《广雅疏证》 清·王念孙注《广雅疏证》，中华书局聚珍仿宋版四部备要本。该书卷10引有本草资料。

《急就篇》 汉·史游撰，唐·颜师古注，宋·王应麟补注，清光绪五年（1879）福山王氏刻本（天壤阁丛书）。该书记有西汉时药名、病名。

《淮南子》 西汉·刘安撰，东汉·高诱注，诸子集成本。该书收有自然科学史料，记有西汉时期名物。

《释名》 东汉·刘熙撰，四部丛刊影印明覆宋陈道人刊本。该书记有释疾病名。

《素问》 唐·王冰注《黄帝内经素问》，1956年人民卫生出版社影印本。

《难经》 《难经集注》，1956年人民卫生出版社影印。

《注解伤寒论》 汉·张仲景撰，金·成无已注解，1955年人民卫生出版社铅印。

《金匮要略》 汉·张仲景撰，1956年人民卫生出版社影印。

《肘后方》 东晋·葛洪撰，梁·陶弘景增补《肘后备急方》，1956年人民卫生出版社影印。

《诸病源候论》 隋·巢元方《巢氏诸病源候论》，清宣统周澂之校刻医学丛书本。

《古代疾病名候疏义》 余云岫编著，1953年人民卫生出版社排印。

《外台秘要》 唐·王焘撰，1955年人民卫生出版社影印。

《史讳举例》 陈垣著，1958年科学出版社排印。

《毛诗疏》 三国吴·陆玑撰，清·丁晏校《毛诗草木鸟兽虫鱼疏》，颐志斋丛书本。

《博物志》 晋·张华撰，清·黄丕烈据汲古阁影宋本翻刻，收入士礼居黄氏丛书本。

《齐民要术》 后魏·贾思勰撰，商务印书馆丛书集成初编本。

《颜氏家训集解》 北齐·颜之推撰，王利器集解，1982年上海古籍出版社出版。

《抱朴子》 晋·葛洪撰，清光绪十一年（1885）平津馆丛书本。

《养生论》 晋·嵇康撰，收在《嵇中散集》内，清末扫叶山房印本。

《范子计然》 清光绪十年（1884）李氏重刊玉函山房辑佚书本。

《艺文类聚》 唐·欧阳询等撰，1959年中华书局影宋绍兴本，该书卷81~97有本草资料。

《初学记》 唐·徐坚撰，1962年中华书局点校排印本。

《北堂书钞》 唐·虞世南撰，孔忠愍侯祠堂旧校影宋本，清光绪十四年（1888）南海孔广陶校注。

《白孔六帖》 唐·白居易撰，宋·孔传续撰，明刊本。

《编珠》 隋大业四年（608）杜瞻纂修。清康熙三十七年（1698）高士奇刻巾箱本。张心澂《伪书通考》页944云其是伪书。

《海录碎事》 南宋绍兴十九年（1149）叶廷珪撰，明万历戊戌（1598）刊本。是书卷14~22有本草资料。

《事类备要》 宋·谢维新撰《古今合璧事类备要》，明嘉靖丙辰（1556）夏氏据宋本覆刻。是书分前集、后集、续集、别集、外集五部分，其中别集有本草资料。

《事类赋》 宋·吴淑撰，清嘉庆癸酉（1813）聚秀堂翻刻剑光阁本。

《事文类聚》 宋·祝穆撰《新编古今事文类聚》，明翻刻元刊本。

《记纂渊海》 宋·潘自牧撰，明万历已卯（1579）胡维新刻本。是书卷90有本草资料。

《翰墨全书》 宋·刘省轩《新编事文类聚翰墨全书》，元刊本。是书分前集、后集两部。前集、后集各按甲、乙、丙等分为10集，共20集。其中后戊集卷1~4有本草资料。

《玉海》 南宋·王应麟编，清光绪年间浙江书局重刊本。

《永乐大典》（残本） 明·解缙、姚广孝等编，1960年中华书局将征集到的730卷影印出版，1986年又影印出版新征集的67卷。其中引医药书资料很多。

《锦绣万花谷》 佚名，《四库全书简明目录》谓该书原本成于南宋淳熙年间（1174—1189），明嘉靖十四年（1535）徽藩刊本。是书分前集、后集、续集三部。前集卷30~39有本草资料。

《渊鉴类函》 清康熙四十九年（1710）张英等奉敕纂，1917年同文图书馆复印本。

《昆虫草木略》 宋·郑樵撰《通志·昆虫草木略》，中华书局聚珍仿宋本。

《周易参同契考异》 宋·朱熹注，四库备要守山阁本。原书是东汉·魏伯阳所撰《周易参同契》，为古代炼丹专著。

《石药尔雅》 西蜀·梅彪撰于唐元和年间（806—820），1933年上海商务印书馆丛书集成初编本。

《和名类聚钞》 日本源顺撰，清光绪丙午（1906）龙璧勤刊印杨守敬所得抄本。

《梦溪笔谈》 宋·沈括撰，胡道静校注名《梦溪笔谈校证》，1957年上海古典文学出版社出版。是书卷26记有本草资料。

《类编》 宋·司马光撰，1987年上海古籍出版社据汲古阁本影印。

《经典释文》 唐·陆德明撰，1985年上海古籍出版社影印宋刻元修本。

《世说新语》 南朝刘宋·刘义庆编撰，梁·刘孝标注。四部丛刊影印明袁褧嘉趣堂仿宋刊本。

《文选》 梁·昭明太子撰，唐·李善注，中华书局聚珍仿宋版四部备要本。

《国语》 相传为春秋·左丘明撰，三国吴·韦昭注，1978年上海古籍出版社出版校点本。

《山海经》 作者不详，1979年上海古籍出版社出版袁珂《山海经校注》。

《庄子》 战国·庄周撰，清末扫叶山房石印郭庆藩辑《庄子集释》。

《荀子》 战国·荀况撰，1976年文物出版社影印宋浙刻本。

《管子》 旧题春秋·管仲撰，1956年科学出版社出版郭沫若等《管子集校》。

《楚辞》 西汉·刘向编屈原、宋玉等人作品为集。东汉·王逸著有《楚辞章句》。清光绪十七年（1891）湖北三余草堂刊湖北丛书本。

《吕氏春秋》 秦·吕不韦撰，四部丛刊本。

《史记》 汉·司马迁撰，1959年中华书局出版标点本。

《汉书》 汉·班固撰，1962年中华书局出版标点本。

《后汉书》 南朝刘宋·范晔撰，1965年中华书局出版标点本。

《三国志》 晋·陈寿撰，1959年中华书局出版标点本。

《论衡》 东汉·王充撰，1974年上海人民出版社排印本。

《潜夫论》 后汉·王符撰。1979年中华书局出版彭铎《潜夫论笺校正》。

《说文》 东汉·许慎撰《说文解字》。1981年上海古籍出版社出版清·段玉裁《说文解字注》。1986年中华书局出版南唐·徐锴《说文解字系传》。

《广韵》 宋·丘雍等奉诏修《大宋重修广韵》，1982年中国书店出版社据清代张士俊泽存堂刻本影印。

《集韵》 宋·丁度撰，1985年上海古籍出版社据述古堂影宋钞本影印。

《一切经音义》 ①唐·释玄应撰25卷本，②唐·释慧琳撰100卷本，③宋太宗时辽释希麟撰《续一切经音义》。1987年上海古籍出版社将释慧琳、释希麟二书合印为《正续一切经音义》，即为此。

《水经注》 北魏·郦道元撰，1985年巴蜀书社影印王氏合校本。

《中国历史地图集》 谭其骧主编，1982年地图出版社出版第一至第六册。含自古到宋、辽、金各个朝代古地名的分布。

《十三经注疏》 1980年中华书局影印本。

《双溪文集》 宋·王炎著，四库全书本。

《校雠通义》 清·章学诚撰，1985年中华书局出版。

《广校雠略》 张舜徽撰，1963年中华书局出版。

《五十二病方》 1979年文物出版社出版。

《治百病方》 武威汉代医简，1974年文物出版社出版。

在校注中，有些书名是转引，并非笔者直接参阅过的原书，如《蜀本草》《徐仪药图》等，此处俱不做详细介绍。

陶弘景整理《本经》药物目录考订

《本经》是我国最早的一部药物学专著，原书久佚。它的内容，通过《集注》《唐本草》《开宝》《嘉祐》，保存在《证类》中。《证类》白字即现存《本经》的经文。明清时期国内外学者所辑的几种《本经》，其条文皆取之于《证类》白字《本经》文。

各家辑本所用的《本经》目录，有三种情况：一是以《证类》白字药物次序为目录，如孙星衍等辑本；二是用《纲目》卷2所载的《本经》目录，如卢复、顾观光等辑本；三是用《唐本草》所载《本经》药物目次，如日本森立之辑本。

这三种目录都存在一些问题，或药物总数不符合365种数字，或符合365种总数，但涉及某些具体药物时则不相同，或上、中、下三品数字不同，或上、中、下三品药物位置不同。

所以讨论《本经》目录，就牵涉到《本经》药数，现行各种《本经》辑本药物三品分类现状，如何用《本经》上、中、下三品定义来衡量《本经》药三品位置，以及如何厘定《本经》药物目录等问题。现在把这几个问题分别讨论如下。

一、《本经》药物总数的讨论

《证类》卷1白字序文云："上药一百二十种，……中药一百二十种，……下药一百二十五种……"合计365种。但统计全书白字药名是367种。《证类》所载

《唐本草》注，亦说是367种。为什么会多出2种呢？这要从《集注》说起。

陶弘景作《集注》时，所选365种药名，其中有4个药名，是由两个药合并组成的。例如，《证类》卷5锡铜镜鼻条，陶注（即陶隐居注，下同）云："此药与胡粉（粉锡）异类，而今共条。"同书卷25赤小豆条，陶注云："大、小豆共条，犹如葱薤义也。"同书卷28薤条，陶注云："葱、薤异物，而今共条。"同书卷20文蛤条，陶注云："此即异类而同条，若别之，则数多，今以为附见，而在副品限也。凡有四物如此。"

从陶注可以看出，陶弘景作《集注》时，所选用的365种《本经》药，其中赤小豆、文蛤、锡铜镜鼻、薤，是分别并在其他药中的。到唐·苏敬作《唐本草》时，这些归并的药又被分开。

如《证类》卷25赤小豆条，《本草图经》曰："赤小豆旧与大豆同条，苏恭（即苏敬）分之。"文中"旧"字即指《集注》。《集注》是大、小豆共条的。苏敬修《唐本草》时，把赤小豆从大豆条中分出。

查卷子本《新修》卷19，大豆和赤小豆是分立为2条的。同书卷5，粉锡和锡铜镜鼻亦分立为2条。同书卷18，葱实、薤亦分立为2条，并在薤条下注云："谨按：薤乃是韭类，今云同类，不识所以然，……今别显于此。"从《唐本草》注可知，薤条是从《集注》"葱实"条中分出的。

《医心方》载有《唐本草》卷16虫鱼类目录，其中海蛤、文蛤亦分立为2条。由此可见，陶弘景所归并的药，到《唐本草》时，均被苏敬分开了。赤小豆、锡铜镜鼻、文蛤、薤被分条后，皆独立成条，这样就使《本经》药物总数在《唐本草》书中变多了，由365种加上4种，而成369种。

前面《唐本草》注讲过，《唐本草》收载《本经》药数是367种，这比369种要少2种。为什么会少2种呢？因为《唐本草》对另一些药进行了合并。

例如，卷子本《新修》卷19麻蕡条，《唐本草》注云："蕡即麻子，非花也，陶以为花，重出子条，误矣。"《唐本草》注所云"重出子条"，就意味着麻子在陶氏《集注》中，是单独立为1条的。麻子和麻蕡在古代本草中确是各自单独为1条的。《御览》卷995引《吴普》既有麻子条，又有麻蕡条。

又如《证类》卷1"诸病主治药"，在发秃落和虚劳两病名下，均有"麻子"药名，说明麻子在古代是单独作1味药来用的。苏敬认为麻子和麻蕡是同物异名，所以苏敬作《唐本草》时，把麻子并入麻蕡条中，使原来2条就变成1条了。

另外一种情况，即《本经》《别录》标记有误。《唐本草》对《本经》药标以朱字，对《别录》药标以墨字。由于传抄的错误，朱墨标记也会发生舛错。所以《开宝重定序》云："朱字墨字，无本得同。"宋代本草，用白字标记《本经》，用墨字标记《别录》。人卫《政和》卷3曾青条即无白字标记。商务《政和》卷6菖蒲、龙胆、白英，卷16麝香，卷17鹿茸，卷30姑活等条，均无白字标记。由此可见，《本经》药亦可因标记混乱或脱漏而误为《别录》药。

例如，升麻就因为标记的错误，而难以确定是《本经》药，还是《别录》药。《御览》《纲目》、孙本、森本、《本草经解》均视升麻为《本经》药；《纲目》所载《本经》目录，卢本、顾本皆不收升麻为《本经》药；《证类》升麻条无白字标记。但是同书卷1"诸病主治药"之"口疮"病名下，有"升麻"，且作白字《本经》药。

由于《唐本草》把麻子并入麻蕡中，同时因《本经》标记发生舛错，升麻变成了非《本经》药。这样就使《唐本草》书中所载《本经》药少2个，使《本经》药物总数由369种（其中有4味药被分条）变成367种。

宋代《开宝》《嘉祐》《证类》都是在《唐本草》基础上发展而来的，所以宋代本草书中有关《本经》药标记，都承袭《唐本草》，今日《证类》所载《本经》药，经统计，也是367种。在这367种药中，锡铜镜鼻、文蛤、薤、赤小豆皆分别独立成条。如果把锡铜镜鼻附在粉锡条内，文蛤附在海蛤条内，薤附在葱实条内，赤小豆附在大豆黄卷条内，其总数即变成363种。若再把《证类》卷24麻蕡条内的麻子拆出，并确认升麻为《本经》药，则《本经》药物总数即由363种加上升麻和麻子2条，而变成365种。

《本经》药物总数确定后，我们再来研究《本经》药物三品的位置。

二、《本经》药物三品分类的现状

《本经》药物三品分类，可以从《集注·序录》中七情畏恶药物，和《唐本草》目录及《证类》药物三品分类来考察之。

《集注》仅有敦煌石室出土的序录残卷，其中，有七情畏恶药物群（简称"七情药"）（1955年群联出版社影印，见该影印本页81～90）。这个"七情药"和《医心方》页21～24、《千金方》页5～9所录"七情药"大体相同。

《唐本草》目录载于《本草和名》《医心方》及《千金翼》中。

《证类》可以《大观》《政和》为代表。

《唐本草》目录和《证类》药物三品类别大体是相近的，与"七情药"三品类别不同。例如，水银、石龙芮、秦椒，“七情药”列在上品，《唐本草》《证类》列在中品。石钟乳、防风、黄连、沙参、丹参、决明子、桑螵蛸、海蛤、龟甲、檗木、五味子、芎䓖、续断、黄芪、杜若、薇衔，“七情药”列在中品，《唐本草》《证类》列在上品。巴戟天、飞廉、五加，“七情药”列在下品，《唐本草》《证类》列在上品。桔梗，“七情药”列在中品，《唐本草》《证类》列在下品。款冬花、牡丹、防己、女菀、泽兰、地榆，“七情药”列在下品，《唐本草》《证类》列在中品。

按，《集注》中“七情药”药物，是现存最早的三品分类，其次是《唐本草》，再次是《证类》。从上面列举药物的三品位置差异可以看出，《唐本草》和《证类》是一致的，《集注》的“七情药”与它们不同。这种不同的原因，有些可能是传抄的舛错，有些可能是对三品看法的不同。

例如水银，古代人认为它能炼丹，可以久服成仙，故列为上品；黄芪、续断并不能久服成仙，只有补虚羸，故列入中品；巴戟天、飞廉只能治愈疾病，故列入下品。但后人发现水银有毒，并不能多服久服，故改入中品；黄芪、续断、巴戟天无毒，能多服久服，故移入上品。由于人们对药物的作用和毒性认识不同，因此对药物三品分类也就产生了差异。这就是《唐本草》对前代本草三品分类进行更改的原因之一。

由于《唐本草》对前代药物三品分类做了变动，而《证类》沿袭《唐本草》之旧，所以《证类》药物三品分类和“七情药”也就有所不同了。《证类》药物三品分类，虽然是沿袭《唐本草》之旧，但也不完全相同。例如燕屎，《唐本草》列在下品，而《证类》改在中品。又如水蛭，《唐本草》列在中品，而《证类》列在下品。

宋代以后，由于《集注》和《唐本草》失传，人们所能见到的是《证类》，故宋代以后诸家本草摘录的《本经》资料，皆是从《证类》白字而来的。又由于《证类》版本很多，内容也互有出入，因此各个医家所据《证类》版本不同，抄录《本经》资料也不尽相同。加以传抄翻刻的舛错和各个医家主观意见的掺杂，《本经》药物三品分类就越来越混乱。

例如《纲目》《品汇》以及明清以来诸家所辑的《本经》，皆是摘录《证类》白字而成的。试比较这些书中三品分类，几乎很少是完全相同的。

这里值得一提的是，《纲目》卷2记载一个《本经》目录，在这个目录中，药物三品分类变动更多，和《纲目》全书中《本经》药物三品分类亦大不相同。

兹以孙本、森本、顾本三书为例，将各书药物三品分类不同者，比较如下。

（1）石胆、白青、扁青、柴胡、芎䓖、茜根、白兔藿、蓍实、木兰、发髲、牛黄、丹雄鸡、雁肪、蠡鱼、鲤鱼胆，孙本、森本列在上品，顾本列在中品。

（2）瓜蒂，孙本、森本列在上品，顾本列在下品。

（3）殷孽、孔公孽、铁、铁精、铁落、松萝、猬皮、蟹、樗鸡、蛞蝓、木虻、蜚虻、蜚蠊、大豆黄卷等药物，孙本、森本列在中品，顾本列在下品。

（4）桃核、杏核、豚卵、水靳、麋脂等药物，孙本、森本列在下品，顾本列在中品。

（5）薇衔、檗木、海蛤、文蛤，孙本列在上品，森本、顾本列在中品。

（6）燕屎、天鼠屎，孙本列在中品，森本、顾本列在下品。

（7）五加，孙本列在上品，顾本列在中品，森本列在下品。

又如，《纲目》《品汇》、孙本、黄本、王本原与《证类》白字分类相近，但是他们之间对于《本经》药物三品分类也略有差异。

兹列表如下。

药名	《证类》	《品汇》	《纲目》	孙本
石钟乳	上	中	上	上
龙　胆	上	上	中	上
白　胶	上	中	中	上
白　芷	中	中	上	中
龙　眼	中	下	中	中
白马茎	中	上	中	中
牛角鳃	中	上	中	中
麋　脂	下	中	下	下
卤　咸	下	中	下	下
石　灰	下	下	中	下
皂　荚	下	下	中	下
伏　翼	中	中	上	中

总之，按现存诸家本草，凡录有《本经》药物三品类别者，大致可分为以下四类。

第一类，《集注·序录》中“七情药”类。包括《医心方》《千金方》所载的

“七情药”。

第二类，《唐本草》类。包括《医心方》所载“唐本草目录”，《千金翼》所录《唐本草》药物以及森本、狩本。

第三类，《证类》类。包括《纲目》《品汇》、孙本、黄本、王本。

第四类，《纲目》卷2所载《本经》目录类。包括卢本、顾本、姜本。

在这四类中，第一类是比较原始的分类，第二、三类已有所变动，以第四类变动最大。换句话说，《本经》药物三品分类，随着历代传抄次数的增多而越来越混乱。盖陶弘景《集注》以后，诸家本草采集前人的书，多少都带一些主观的看法，往往会加以删改；而且在古代，书的流传又是靠手工抄写的，各人抄时所据的本子又不尽相同；且历代传写翻刻时会出现脱误等，很难保持原来的面目，因此，各家所引据《本经》资料，在药物三品分类上，当然就会产生混乱的现象。

本文所用的三品分类，主要是以《集注》所载“七情药”为主，如“七情药”中所缺，则依《唐本草》目录次序补之，并参考《证类》白字序文上、中、下三品定义拟订之。

例如，《证类》将地榆、黄芪列在上品，水银、秦椒、女菀列在中品，桔梗列在下品；本书根据“七情药”三品分类，将水银、秦椒列在上品，黄芪、桔梗列在中品，地榆、女菀列在下品。又如，《唐本草》退的姑活、别羇、淮木、屈草、翘根、石下长卿和《开宝》退的彼子，在《证类》中列在卷末有名无用类，没有注明三品类别。孙本、顾本、森本对此等药所标注的品类，各不相同。

兹将孙本、顾本、森本三书代表性药物品类比较如下。

	姑活	别羇	淮木	屈草	翘根	石下长卿	彼子
孙　本	上	上	上	上	中		下
顾　本	下	下	下	下	中	下	中
森　本	下	下	下	下	下	下	下

从表中可以看出，森本将上述七味药全列入下品；孙本缺石下长卿，将翘根列入中品，彼子列入下品，其余皆为上品；顾本将翘根、彼子列入中品，其余皆为下品。

孙、顾、森三家对上述七味药所订的品属，似无标准，而是各随自已主观意志来订的。本文根据《证类》白字序文上、中、下三品的定义，认为：姑活、屈草、翘根三药条文中均有“久服轻身益气耐老”等语，符合序文上品定义，应列为上品；别羇、石下长卿、彼子条文中有“治寒热邪气愈疾”等语，符合序文下品定义，应列入下品；淮木条中有“治伤中虚羸”等语，符合序文中品定义，应列入中品。

三、对照《本经》序文三品定义来确定《本经》药物三品位置

《本经》记载上品药120种，中品药120种，下品药125种。但统计《证类》目录白字《本经》药，上品是141种，较上多21种；中品药113种，较上少7种；下品药105种，较上少20种。

为什么会有多有少呢？就是三品位置被移动的缘故。为了使《证类》白字《本经》药物三品数字符合《本经》所言，笔者对《证类》白字《本经》药三品位置重新进行研究。研究的方法，就是用《证类》白字序文上、中、下三品定义，对《证类》中所涉及的《本经》药的白字条文进行考察，凡药物白字条文中有“久服轻身益气，不老延年”等语者，即归入上品；凡药物白字条文中有“补虚羸”等语者，即归入中品；凡药物白字条文中有“除寒热，破积聚”等语者，即归入下品。

查《证类》有关《本经》药物的白字条文，其三品位置，绝大部分是符合三品定义的，但也有些药物不符合所在品类的位置。兹将不符合三品定义的药物，讨论如下。

（一）不符合上品定义的药

1. 上品药移入中品

《唐本草》《证类》所言上品药，凡无“久服轻身益气，延年不老”，仅有补虚含义者，即移入中品。兹将此等药列举如下（药名后页次指1957年人民卫生出版社影印的《政和》的页次）。

石钟乳（页83）：有“益精”，符合中品定义，应入中品。

巴戟天（页165）：有“补中益气”，应入中品。

黄连（页175）：有“久服令人不忘”，应入中品。

五味子（页185）：有“主羸瘦，补不足”，应入中品。

芎䓖（页174）：无“久服轻身益气，延年不老”，不能列在上品，应入中品。

丹参（页183）：有“益气”，应入中品。按，古人不知道丹参有补血之功，后

人发现丹参功同四物汤，故把它列入上品。

沙参（页189）：有“补中益肺气”，应入中品。

五加（页301）：本条无“久服轻身益气，延年不老”，不能列在上品，应入中品。按，其黑字有“久服轻身耐老”，如确认本条为上品，则此等黑字应改为白字。

白菟藿（页190）：本条无“久服轻身益气，延年不老”，不能列入上品，应入中品。

营实（页182）：本条无“久服轻身益气，延年不老”，不能列入上品，应入中品。按，其黑字有“久服轻身益气”。

薇衔（页190）：本条无“久服轻身益气，延年不老”，不能列在上品，应入中品。按，其黑字有“久服轻身明目”。

发髲（页363）：本条无“久服轻身益气，延年不老”，不能列在上品，应入中品。

牛黄（页370）：本条无“久服轻身益气，延年不老”，不能列在上品，应入中品。按，本条黑字有“久服轻身增年”，如果本条确认为上品，则此等黑字应改为白字。《集注》《唐本草》《证类》均将之列入上品。

丹雄鸡（页397）：有“补虚”二字，并无“久服轻身益气延年”，应入中品。

桑螵蛸（页415）：有“益精生子”，并无“久服轻身益气延年”，应入中品。

海蛤（页416）：本条无“久服轻身益气延年”，不能列在上品。

蠡鱼（页417）：本条无“久服轻身益气延年”，不能列在上品。

橘柚（页461）：本条有“久服去臭下气通神”，应列入中品。按，其黑字有“久服轻身长年”，如确认本条为上品，则此等黑字应改为白字。

防风（页179）：有“久服轻身”，但无“益气延年不老”，应入中品。

决明子（页183）：有“久服轻身”，但无“益气延年不老”，列上品不够，应列入中品。

景天（页187）：有“花，轻身明目”，但无“久服益气，延年不老”，应入中品。按，本条另有黑字“久服通神不老”，如列上品，此等黑字应改为白字。

续断（页181）：有“补不足，久服益气力”，但无“久服延年不老”，应入中品。按，《集注》将之列在中品。

蘼芜（页175）：有“久服通神”，但无“久服轻身益气，延年不老”，不好列入上品，应列入中品。

飞廉（页184）：有“久服令人轻身”。《集注》入下品，《唐本草》《证类》列上品。按白字不应入下品，入上品也不够，应列入中品。

木香（页 160）：有“久服不梦寤魇寐”，应入中品。按，其黑字有“轻身致神仙”。

麝香（页 369）：有“久服除邪不梦寤魇寐”，无“久服轻身益气延年”等语，应入中品。

黄檗（页 299）：《唐本草》《证类》入上品，但本条白字无“久服轻气益气延年不老”，似不宜；《集注》入中品，本文从《集注》，入中品。按，本条黑字有“久服轻身延年通神”，如果确认本条为上品，则此等黑字应改为白字。

龟甲（页 413）：本条有“久服轻身不饥”，应入中品。《唐本草》《证类》入上品，《集注》入中品，本文从《集注》。

2. 上品药移入下品

《唐本草》《证类》所列上品药，既无“久服轻身益气，延年不老”，又无“补虚羸”等语者，即移入下品。兹举例如下。

木兰（页 306）：《唐本草》《证类》俱入上品，但本条白字只有“明耳目，主身火热”，并无“久服轻身益气，延年不老”，又无“补虚羸”，不能入上、中品，应入下品。

瓜蒂（页 503）：有“下水、吐下”，并无“久服轻身益气，延年不老”，又无“补虚羸”，应入下品。

（二）不符合中品定义的药

1. 中品药入上品

《唐本草》《证类》所列中品药，其条文白字，有“久服轻身益气，延年不老”等语者，符合上品定义，应入上品。如果仍列入中品，则“久服轻身延年不老”等语，应作黑字《别录》文，不应作白字《本经》文。如果承认此等白字确属《本经》文，则此等药入中品，必由《唐本草》《证类》所移动。今按《本经》序文三品定义，把《证类》的中品白字条文具有“久服轻身益气，延年不老”等语的药物，皆移入上品，兹举例如下。

水银（页 107）：有“久服神仙不死”，应列入上品。

龙眼（页 330）：有“久服轻身不老，通神明”，应入上品。

猪苓（页 328）：有“久服轻身耐老”，应入上品。

石龙芮（页208）：有“久服轻身不老”，应入上品。

水苏（页514）：有“久服轻身耐老”，应入上品。

秦椒（页326）：有“久服轻身好颜色，耐老增年”，应入上品。

合欢（页332）：有“久服轻身”，应入上品。

2. 中品药入下品

《唐本草》《证类》所列中品药，凡白字无“补虚羸”等语，或白字有“除寒热，破积聚”者皆移入下品。兹举例如下。

燕屎（页401）：《证类》入中品，但本条有“逐邪气，破五癃”，应入下品。按，《唐本草》亦将本品列入下品。则此条入中品，当由《证类》所移。

天鼠屎（页402）：《唐本草》《证类》入中品，但本条白字有“破寒热积聚”，符合下品定义，应入下品。

木虻（页433）：《唐本草》《证类》入中品，但本条白字有“主血闭寒热”，符合下品定义，应入下品。

蜚虻（页433）：《唐本草》《证类》入中品，但本条白字有“破癥瘕寒热”，符合下品定义，应入下品。

蜚蠊（页433）：《唐本草》《证类》入中品，但本条有“主血瘀癥坚寒热，破积聚”，符合下品定义，应入下品。

水蛭（页448）：《唐本草》《证类》入中品，但本条有“破血瘕积聚”，符合下品定义，应入下品。

马先蒿（页230）：《唐本草》《证类》入中品，但本条有“主寒热”，符合下品定义，应入下品。

肤青（页117）：《唐本草》《证类》入中品，但本条白字无“补虚羸”（中品定义），应入下品。

当归（页199）：《集注》《唐本草》《证类》俱入中品，但本条白字有“主寒热”，应属下品。张华《博物志》引《本经》曰：“下药治病，谓大黄除实，当归止痛。”据此应入下品。

假苏（页513）：本条白字有“主寒热，破积聚”，符合下品定义，应入下品。

麻黄（页199）：本条白字有“除寒热，破癥坚积聚”，应入下品。但《集注》《唐本草》《证类本草》俱入中品。如果确认麻黄为中品，则此等白字应为黑字之误。如果确认此等白字为《本经》文，则麻黄入中品，当由《集注》《唐本草》《证类》所改动。本文根据现有的白字，移入下品。

积雪草（页233）：本条白字有“主火热身热”，符合下品定义，应入下品。

款冬（页226）：本条白字有“主寒热邪气”，符合下品定义，应入下品。

牡丹（页227）：本条白字有“主寒热邪气，除癥坚”，符合下品定义，应入下品。

防己（页223）：本条白字有“主寒热除邪”，符合下品定义，应入下品。

黄芩（页207）：本条白字有“主诸热……逐水，下血闭”，符合下品定义，应入下品。

女菀（页237）：本条白字有“主风寒寒热”，符合下品定义，应入下品。

地榆（页220）：本条白字有“除恶肉”，应入下品。

蜀羊泉（页237）：本条白字有“主恶疮热气”，应入下品。

泽兰（页222）：本条白字有“主金疮痈肿疮肿”，应入下品。

紫参（页211）：本条白字有“主心腹积聚寒热邪”，应入下品。按，黑字有“益精”，《集注》亦入下品。

海藻（页221）：本条白字有“破散结气痈肿癥坚”，应入下品。

败酱（页210）：本条白字有“主暴热火疮”，应入下品。

（三）不符合下品定义的药

《唐本草》《证类》所言下品药，其白字有“补虚羸”中品含义者，应入中品。兹举例如下。

铅丹（页126）：有“久服通神明”等白字，此等白字符合中品定义，不应列在下品，应入中品。如果要列在下品，则此等白字应改成黑字。如果确认“久服通神明”白字为《本经》文，则铅丹入下品，当由《唐本草》《证类》所移动。今以现有白字为根据，将本条移入中品。

莨菪子（页249）：有“久服轻身益力”，暂入中品。按，莨菪子有毒，中毒后可令人产生幻觉。古人不认识，误幻觉为成仙的征兆。后人认识到它有毒，故入下品。

蜀椒（页340）：有“久服之，头不白，轻身增年”，暂入中品。按此等白字内容，应入上品，但《集注》《唐本草》《证类》俱列在下品。疑此等白字，为黑字之误，如不误，应改入上品。

药实根（页357）：有“续绝伤，补骨髓”，并无“除寒热邪气破积聚”等语，应入中品。

水靳（页519）：有“益气令人肥健嗜食”，入中品。按，陶注云：“论主治合是上品，未解何意乃在下。”本文据三品定义，列入中品。

桔梗（页249）：本条白字无“除寒热，破积聚”，不应入下品，应入中品。按，《集注》亦将本药列入中品。

杜若（页189）：本条白字有“久服轻身”，应入中品。

（四）其他一些药的三品讨论

1.《唐本草》退在有名无用类中的药

姑活（页545）：有“久服轻身益寿耐老”，符合上品定义，应入上品。

屈草（页546）：有“久服轻身益气耐老”，符合上品定义，应入上品。

翘根（页546）：有“久服轻身耐老”，符合上品定义，应入上品。

别羇（页545）：有“主风寒”，符合下品定义，应入下品。

石下长卿（页546）：有“主邪恶气”，符合下品定义，应入下品。

淮木（页546）：有“主虚羸”，符合中品定义，应入中品。

2. 宋退的彼子（页547）

有“主邪气”，符合下品定义，应入下品。

3.《证类》脱漏标记之升麻（页158）

根据《御览》引《本经》有“久服不夭”之语，符合中品定义，应入中品。本条，《证类》作黑字《别录》药。本文据《御览》引《本经》之言，订为《本经》药。

4.《唐本草》麻蕡条拆出的麻子（页482）

有“补中益气，久服肥不老”，符合上品定义，应入上品。

编校说明

（一）本书为尚志钧先生辑注的本草古籍。本次整理以尚志钧先生已出版的图书《〈神农本草经〉校注》为基础书稿。

（二）尚志钧先生原书有简化字本，也有繁体字本，本次统一使用简化字编排。对书稿进行编辑加工时，主要依据国家语言文字工作委员会文字规范文件（《简化字总表》《异体字整理表》等）的规定以及《汉语大字典》的相关释义，在不影响原义的情况下，将书稿中的繁体字、异体字、通假字等改为现行规范字。但对以下情况做变通或特别处理。

1. 简化字可能使字义淆错或不明晰的，不予简化。如中医病名“癥瘕”之“癥”不简化为“症”，“禹餘粮”之“餘”只简化为“馀”而不作“余”。

2. 《异体字整理表》等归并不当或关系有歧见的异体字，不做简单归并。如《异体字整理表》将“剉”并入“锉”，但中草药切制古只作“剉”，与“锉”使用的工具、加工的方式与结果都不相同，故不予归并；“鱓”与“鼍”“鳝”二字有关，不易确定古书中的指向，故保留原字。

3. 古书中的特有、习惯表达，不改为现代用字。如中医濡脉，“濡”同“软”，但“濡”字习用，故不改“软”。

4. 同一物名，若古今用字不同，作者已出注说明者，不予改动。尚志钧先生摘录古籍药名时为尊重古籍文字原貌，所写药名与现代规范药名不同者，也不做改动，如“芒消”“斑苗”“黄耆”等。但在非属引古籍条文部分，仍用现行规范名称表述。

（三）对于书稿中的明显的错别字以及常识性错误，编加时直接予以改正，不予出注。

（四）为方便读者阅读，古籍卷页均以阿拉伯数字表示。如卷4页14，卷999页2，等。

（五）本书涉及诸多古籍，为方便阅读，对部分本草古籍使用简称。如《本草纲目》简称为《纲目》，《本草拾遗》简称为《拾遗》，《证类本草》简称为《证类》，等。

（六）本书提到的诸多地名，因涉及复杂的地理、历史学知识，未轻易改动，以尊尚志钧先生文字原貌。在本书的校注中，尚志钧先生对同一名词的前后解释（如蛊毒）不甚相同，有些与现代的认识亦不甚相同（如五岳），本次编校时亦未做大的改动。

（七）书稿中部分引文前后不一致，但由于无从查证尚志钧先生当时所用底本，故尊原稿，不予改动。

（八）为方便查找及统计，尊重并保留原稿对古籍药物条文添加的编号。

（九）文中涉及的反切注音，悉尊原稿。

在本书的编辑整理过程中，得到了尚志钧先生弟子郑金生研究员以及国内多位中医文献学者、古籍出版专家的悉心指教。由于本书体量巨大，且出版时间紧促，编辑水平有限，疏漏谬误，恐所难免，欢迎广大读者批评指正，以期再版更正。

目　录

序录　卷第一

上药[1]一百二十种为君[2]，主养命[3]以应天[4]，无毒，多服[5]久服不伤人。欲轻身益气，不老延年者，本上经[6]。

中药[7]一百二十种为臣，主养性[8]以应人[9]，无毒有毒，斟[10]酌其宜。欲遏病[11]补虚羸者，本中经[12]。

下药一百二十五种为佐使，主治病以应地[13]，多毒，不可久服。欲除寒热邪气[14]，破积聚[15]愈疾者，本下经[16]。

三品合三百六十五种，法三百六十五度[17]，一度应一日，以成一岁[18]。（敦煌本《集注》页5，刘《大观》卷1页11，柯《大观》卷1页11）

【校注】

[1] **上药** 嵇康《养生论》引《神农》，《博物志》引《神农经》，《抱朴子·对俗》《抱朴子·至理》，均作“上药”。本节上药，与下文“中药”“下药”相对应。即上品药、中品药、下品药的简称。

[2] **君** 与下文“臣”“佐使”相对应。《素问·至真要大论》云：“主病之谓君，佐君之谓臣，应臣之谓使。非上、中、下三品之谓也。”文中指出君、臣、佐、使有两种含义：一指方剂组成关系，一指药物三品分类。王冰注《素问》云：“三品，上、中、下三品。此明药善恶不同性也。”此处君、臣、佐、使是指药物三品分类，而非方剂组成。

[3] **养命** 与下文“养性”“治病”相对应。《博物志》引《神农经》云：“上药养命，为五石之练形，六芝之延年也。”《抱朴子·内篇》引《神农四经》云：“上药令人身安命延。”即此义也。

[4] **应天** 与下文“应人”“应地”相对应。陶氏云：“上品药性，岁月常服，必获大益，病既愈矣，命亦兼申，天道仁育，故云应天。”此乃比喻上药如天有仁德之道，能化育万物也。

[5] **多服** 森本《本经·考异》云：“惟宗时俊医家千字文引《新修》无‘多服’二字。”

[6] **本上经** 与下文“本中经”“本下经”相对应。按陶氏序云：“今之所存，有此四卷，是其本经。”即陶氏所见《本经》为4卷本。卷1为序录，卷2、3、4分别为上、中、下三品药物。此言本上经，即本于《本经》上品药。

[7] **中药** 指中品药。陶氏序云："中品药性，祛病当速，延龄为缓。"

[8] **养性** 指调养性情。《博物志》引《神农经》云："中药养性，合欢蠲忿，萱草忘忧。"

[9] **应人** 陶氏序云："人怀性情，故云应人。"

[10] **斟** 敦煌本《集注·序录》作"斟"。

[11] **遏病** 阻止疾病发生、发展。

[12] **本中经** 此承上句。欲遏病补虚羸，即本于《本经》中品药。

[13] **应地** 陶氏序云："地体收杀，故云应地。"

[14] **寒热邪气** "邪"，敦煌本《集注》原作"耶"，据《大观》《政和》改。陶氏序云："夫病之所由来，皆关于邪，风寒暑湿……皆各是邪。"

[15] **积聚** 《集注》脱"聚"，据《大观》《政和》补。"积聚"，病名，出《灵枢·五变》，指腹内结块或胀或痛的病证。《张氏医通》云："积者五脏之所生，其始发有常处，其痛不离其部；聚者六腑之所成，其始发无根本，其痛无常处。"

[16] **本下经** 欲除寒、积聚，即本于《本经》下品药。

[17] **度** 躔（chán 蝉）度，用以标志日月星辰在天空运行的度数。古人将周天分为 365 个等分距离，称为 365 度。《尚书·尧典》云："周天三百六十五度，日行一度。"

[18] **三品……以成一岁** 共 25 字，《证类》作白字《本经》文，但宋代掌禹锡注云："此一节《别录》之文也，当作墨书矣，盖传写浸久，朱墨错乱之所致耳。"森本《本经·考异》云："一节文字，掌禹锡以为黑字之文，今据删正"。

药有君臣佐使，以相宣摄[1]。合和者[2]宜用[3]一君、二臣、三佐[4]、五使[5]，又可一君、三臣、九佐使也[6]。（敦煌本《集注》页 8，刘《大观》卷 1 页 12，柯《大观》卷 1 页 12）

【校注】

[1] **以相宣摄** 在制方中，由君、臣、佐、使各药组合，相互宣发摄制，使制方发挥最好的疗效。

[2] **合和者** "合和"，是制方时，配合药物调制的通称。"者"，《大观》《政和》无。

[3] **用** 《纲目》无"用"字。

[4] **三佐** 森本作"五佐"。敦煌本《集注》、《证类》《纲目》、孙本、顾本作"三佐"。

[5] **五使** 森本无此二字。敦煌本《集注》、《证类》《纲目》、孙本、顾本皆有"五使"二字。

[6] **使也** 森本无此二字。敦煌本《集注》、《证类》《纲目》、孙本、顾本有"使也"二字。森本《本经·考异》云："'使也'二字，今据真本《千金方》及释性全《顿医钞》正。"笔者认为森氏未见敦煌本《集注》，若据《千金方》《顿医钞》删正，反而变成错误了。

【按语】 本条是论制方组合，列举两个方案：一是"一君、二臣、五佐"；二是"一君、三臣、九佐"。《素问·至真要大论》亦列有几个方案。谓："君一、臣二，制之小也。君一、臣三、佐五，制之中也。君一、臣三、佐九，制之大也。”类似这样的组合方案，后世层出不穷，莫衷一是。故《梦溪笔谈·药议》云：“用药有一君、二臣、三佐、五使之说，其意以谓药虽众，主病专在一物，其他则节级相为用，大略相统制，如此为宜，不必尽然也。”

药有阴阳[1]配合，子母兄弟[2]，根叶[3]华实[4]，草石骨肉[5]。有单行者[6]，有相须者[7]，有相使者[8]，有相畏者[9]，有相恶者[10]，有相反者[11]，有相杀者[12]。凡此七情[13]，合和当视之[14]，相须、相使者良，勿用相恶、相反者。若有毒宜制[15]，可用相畏、相杀[16]；不尔，勿合用也[17]。（敦煌本《集注》页9，刘《大观》卷1页12，柯《大观》卷1页12）

【校注】

[1] **阴阳** 此指药物按阴阳分类。阴阳原是事物相对性分类，如动则为阳，静则为阴。《淮南子·天文训》云：“毛羽者，飞行之类，故属阳；介鳞者，蛰伏之类，故属阴。”在药物中，如辛温药，麻黄、桂枝为阳药；苦寒药，黄连、知母为阴药。

[2] **子母兄弟** “子母”，指药物衍生关系。如藕生莲，藕为母，莲为子。丹砂生水银，丹砂为母，水银为子。“兄弟”，指药物亲缘关系。如苍术与白术、羌活与独活等，为同科属植物，有亲缘关系，故喻为兄弟。

[3] **叶** 《证类》《纲目》、孙本、顾本、森本作“茎”。敦煌本《集注》、《顿医钞》作“叶”。从敦煌本《集注》为正。

[4] **华实** 《证类》《纲目》、顾本作“花实”。敦煌本《集注》、孙本、森本作“华实”。从敦煌本《集注》为正。

[5] **草石骨肉** 指药物自然属性类别，如草类、石类、动物骨、肉类。“草石”，《纲目》作“苗皮”。

[6] **有单行者** 用一味药即能发挥治疗效果名“单行”。如独参汤，单用人参能补气固脱。

[7] **有相须者** 两药合用，能相互促进疗效，名“相须”。如知母、黄柏合用能增强滋阴降火功效。

[8] **有相使者** 主药、辅药合用，辅药能增强主药作用，名“相使”。如黄芪使茯苓，合用能增强补气利尿作用。

[9] **有相畏者** 一药的毒副作用受另一药抑制，名“相畏”。如半夏畏生姜，生姜能抑制半夏的毒副作用。

[10] **有相恶者** 一药能破坏另一药功效，名“相恶”。如人参恶萝卜，萝卜能破坏人参补气药效。

[11] **有相反者** 两药同用能产生有害的作用，名“相反”。如甘草反芫花。

［12］**有相杀者** 一药能消除另一药毒性，名“相杀”。如绿豆能杀巴豆毒。

［13］**凡此七情** “此”，敦煌本《集注》脱，据《千金方》《大观》《政和》补。“七情”，指药物配伍后，所产生的作用，有单行、相须、相使、相畏、相恶、相反、相杀七种情况。

［14］**合和当视之** 《政和》《医心方》《纲目》、森本、顾本作“合和视之，当用”。森本作“合和时之，当用”。《千金方》作“合和之时，用意视之”。敦煌本《集注》作“合和当视之”。从敦煌本《集注》为正。

［15］**有毒宜制** 敦煌本《集注》作“有宜毒制”。

［16］**杀** 其后，《证类》《纲目》、孙本、森本、顾本均有“者”字，敦煌本《集注》无“者”字。

［17］**用也** 敦煌本《集注》缺此二字。《证类》《纲目》、孙本、顾本有此二字。

药有酸、咸、甘、苦、辛五味[1]，又有[2]寒、热、温、凉四气[3]，及有毒、无毒。阴干[4]、暴干，采治[5]时月生熟[6]，土地所出[7]，真伪陈新[8]，并各有法。(敦煌本《集注》页11，刘《大观》卷1页13，柯《大观》卷1页13)

【校注】

［1］**药有酸、咸、甘、苦、辛五味** “味”，原是口尝的感觉。古人通过长期临床实践，发现不同味的药物，有不同作用。酸味药有收敛作用，咸味药有软坚作用，甘味药有补养及缓和作用，苦味药有泻降及燥湿作用，辛味药有发散作用。因此中药的“味”，除味道外，还含有作用的概念。《素问·至真要大论》所云“辛散、酸收、甘缓、苦坚、咸软”，即是对五味作用进行的归纳。

［2］**有** 敦煌本《集注》原脱，据《大观》《政和》补。

［3］**寒、热、温、凉四气** “气”，指气势或趋势。某些药有抑制功能趋势，称之为寒或凉；某些药有亢进功能趋势，称之为温或热。在临床上，能治热证的药，其性寒或凉；能治寒证的药，其性温或热。温与热、寒与凉，都是作用强弱之分，温弱于热，寒强于凉。

［4］**阴干** 陶隐居序云：“经说阴干者，正是不露日，暴于阴影处干之。”但亦要根据具体情况对待。《唐本草》鹿茸条注云：“鹿茸夏收阴干，百不收一，纵得一干，臭不任用，破之火干大好。”

［5］**治** 《证类》《纲目》、孙本、顾本作“造”。此乃唐代人避唐高宗李治的讳，改“治”为“造”。敦煌本《集注》作“治”。从敦煌本《集注》为正。

［6］**时月生熟** “生”，敦煌本《集注》原作“至”，据《大观》《政和》改。按植物药生熟与全年时月、季节有关。陶隐居序云：“其根物多以二月、八月采，谓春初津润始萌，未冲枝叶，势力淳浓故也。至秋枝叶干枯，津润归流于下。春宁宜早、秋宁宜晚。华实茎叶，各随其成熟尔。”

［7］**土地所出** 此言药物产地之重要性。药物以原产地最佳，故原产地之药材又被后世称为道地药材。陶隐居序云：“诸药所生，皆的有境界。假令荆（今湖北）、益（今四川）不通，令用历阳（今安徽和县）当归，钱塘（今浙江钱塘）三建（天雄、乌头、附子合称），岂得相似。所以治病不及往人者，缘此故也。”

[8] **真伪陈新** “真伪”，指药有真假。陶隐居序云：“采送之家，传习治拙，真、伪、好、恶莫测。所以有螵蛸胶著桑枝，皆非事实。”“陈新”，指药有新陈，其中当年采者为新，隔年（前几年）采者为陈。除陈皮、半夏少数药宜用陈者外，一般宜用当年所采新者。

药[1]有宜丸者[2]，宜散[3]者，宜水煮[4]者，宜酒渍[5]者，宜膏煎[6]者，亦有一物兼宜者，亦有不可入汤酒者[7]，并随药性，不得违越[8]。（敦煌本《集注》页13，刘《大观》卷1页14，柯《大观》卷1页14）

【校注】

[1] **药** 其后，《证类》《纲目》、孙本、顾本有“性”字。敦煌本《集注》、《医心方》、森本无“性”字。从敦煌本《集注》为正。

[2] **宜丸者** “宜”，有两个含义：一指病人适宜服用某种剂型，即陶隐居序所谓“宜服”之义；二指药物适宜制成某种剂型。此处似指后者，因下文明言“并随药性，不得违越”。下同。“丸”，与下文散、水煮、酒渍、膏煎均指剂型而言。“宜丸者”，意为某些药适宜制成丸剂。

[3] **散** 即粉剂。

[4] **水煮** 相当于煎剂。“水”，森本《本经·考异》引真本《千金方》无此字。

[5] **酒渍** 即酒剂，俗称药酒，相当于西药酊剂。

[6] **膏煎** 即膏剂，分内服与外用。内服膏，将植物药水煮汁，去滓后，浓缩，熬成膏。外用膏，将药物和动物脂肪或植物油煎成膏。

[7] **亦有不可入汤酒者** 敦煌本《集注》页76有“药不宜入汤酒者”专题，列举朱砂、雄黄等数十味药不宜入汤酒。“可”，《医心方》无此字。

[8] **不得违越** 即不能超越规定的范围。

凡欲治病[1]，先察其源[2]，先候病机[3]。五脏未虚[4]，六腑未竭[5]，血脉未乱，精神未散，食药必活[6]。若病已成，可得半愈。病热已过，命将难全[7]。（敦煌本《集注》页13，刘《大观》卷1页14，柯《大观》卷1页14）

【校注】

[1] **凡欲治病** 《证类》《纲目》、孙本、顾本作“欲疗病”。森本作“欲治病”。敦煌本《集注》《千金方》作“凡欲治病”。从敦煌本《集注》为正。

[2] **先察其源** 此承上句，意即治病须先了解其根本原因。《素问·阴阳应象大论》云：“治病必求于本。”

[3] **先候病机** “先候”，《千金方》、森本作“候其”。“病机”，指疾病发生的机制。《素问·

至真要大论》云："审察病机，无失气宜。"

[4] **五脏未虚** "五脏"，即心、肝、脾、肺、肾。"未虚"，没有虚损。

[5] **六腑未竭** "六腑"，即胃、大肠、小肠、胆、膀胱、三焦。"未竭"，没有衰竭。

[6] **食药必活** "食"，《大观》《政和》作"服"。此句讲：当病人五脏、六腑、血脉、精神都正常，服药才有效。意为机体有抗病力，用药才有效。若机体全无抗病力，用任何药都无效。

[7] **命将难全** 此与上文"食药必活"相对应。此句讲：治病的时机不可失，当病势已过，错过治疗机会，命将难全了。

【按语】 本条讲治病：一要了解病源，二要早治。治疗越早，效果越佳；治疗越晚，效果越差。

若毒药治病[1]，先起如黍粟[2]，病去即止[3]，不去倍之，不去十之[4]，取去为度[5]。(敦煌本《集注》页17，刘《大观》卷1页15，柯《大观》卷1页15)

【校注】

[1] **若毒药治病** 《证类》《纲目》、孙本、森本、顾本作"若用毒药疗病"。

[2] **先起如黍粟** "如"，敦煌本《集注》原脱，据《大观》《政和》补。此句承上文，言毒药用量，在疾病初起宜小，如黍米、粟米样大小。

[3] **病去即止** 意为病愈即停药。

[4] **不去倍之，不去十之** 用毒药治病，先用小量如黍、粟，不效加倍用量，再不效，加十倍量用之。"十"，敦煌本《集注》原作"什"，为同音通假，义同"十"。

[5] **取去为度** 意为用毒药治病，应从小量开始，逐渐加大用量，加到不引起中毒而能治好病为止，即以除去疾病不伤身体为度。

【按语】 本条讲毒药剂量应由小而大，中病即止。一个药物毒性大小，看该药治疗量与中毒量比值，比值大，毒性小，比值小则毒性大。一般剧毒药，治疗量与中毒量极相近，用量达到疗效出现时，多有轻度中毒表现。

治寒以热药[1]，治热以寒药[2]，饮食不[3]消以吐下药，鬼疰[4]蛊毒[5]以毒药，痈肿疮瘤[6]以疮药，风湿[7]以风湿药[8]，各随其所宜[9]。(敦煌本《集注》页18，刘《大观》卷1页15，柯《大观》卷1页15)

【校注】

[1] **治寒以热药** "治"，《大观》《政和》作"疗"，此沿《唐本草》编修时，避唐高宗李治的

讳。后世本草皆袭用之。下同。“寒”，指寒证，是八纲中证候之一。“热药”，与上文“寒药”“吐下药”“毒药”“疮药”“风湿药”相对应，是把药物按疾病的证候来归类。所谓“热药”，即是治疗寒证的药物。如干姜、附子能治疗虚寒证，即属热药类。

［2］**治热以寒药**　“热”，即热证，是八纲中证候之一。“寒药”，即是治疗热证的药物。如石膏、知母能退热，即属寒药类。

［3］**不**　其后，敦煌本《集注》原衍“以”字，据《大观》《政和》删。

［4］**鬼疰**　一作“鬼注”。注、疰同音通假。《释名·释疾病》云：“注，一人死，一人复得，气相灌注也。”《诸病源候论·鬼疰候》云：“人有先无他病，忽被鬼排击，当时或心腹刺痛，或闷绝倒地，如中恶之类。”

［5］**蛊毒**　原指古代人通过畜养毒虫、毒蛇所做的毒物，现也泛指多种致病的病原体，如恙虫、血吸虫、阿米巴原虫等。蛊毒所致的病，症状复杂，变化不一，病情较重。

［6］**痈肿疮瘤**　即痈疽、肿毒、疮疡、瘤肿的合称。

［7］**风湿**　由风邪、湿邪相结合所致之病名风湿，亦称风湿证。《伤寒论》云：“风、湿相搏，骨节疼烦，掣痛不得屈伸，近之则痛剧。”

［8］**风湿药**　敦煌本《集注》原作“风药”，据《大观》《政和》改。

［9］**各随其所宜**　意为治病，宜对证选药。凡药与病证不相应，即不能投，应各随其病证所宜，选用对证药。

病在胸膈以上者[1]，先食后服药[2]；病在心腹以下[3]者，先服药后食[4]。病在四肢血脉者，宜空腹而在旦[5]；病在骨髓者，宜饱满而在夜[6]。（敦煌本《集注》页19，刘《大观》卷1页15，柯《大观》卷1页15）

【校注】

［1］**胸膈以上者**　指人体上焦部位，为心肺所在。“者”，《医心方》无。

［2］**先食后服药**　意为先进饮食，然后服药。亦称食后服药。

［3］**心腹以下**　指人体下焦部位，为肝肾所在。

［4］**先服药后食**　意为先服药，后进饮食。亦称食前服药。“药”，其后，《证类》、《纲目》、孙本、森本、顾本有“而”字。敦煌本《集注》、森本《本经·考异》引真本《千金方》、《顿医钞》无“而”字。

［5］**旦**　早晨日出时。

［6］**夜**　夜晚日没以后。

夫大病之主[1]，有中风[2]、伤寒[3]、寒热[4]、温疟[5]、中恶[6]、霍乱[7]、大腹水肿[8]、肠澼[9]、下利[10]、大小便不通[11]、贲㹠上气[12]、咳逆[13]、呕吐、黄疸[14]、消渴[15]、留饮[16]、癖食[17]、坚积[18]、癥瘕[19]、惊邪[20]、癫痫[21]、鬼疰[22]、喉痹[23]、齿痛[24]、耳聋[25]、目盲[26]、金创[27]、踒折[28]、痈肿[29]、恶疮[30]、痔瘘[31]、瘿瘤[32]；男子五劳七伤[33]、虚乏羸瘦，女子带下[34]、崩中[35]、血闭[36]、阴蚀[37]；虫蛇蛊毒[38]所伤。此皆[39]大略宗兆[40]，其间变动枝叶[41]，各依端绪以取之[42]。（敦煌本《集注》页20，刘《大观》卷1页16，柯《大观》卷1页16）

【校注】

[1] **夫大病之主** 《千金方》作“夫百病之本”。

[2] **中风** 即卒中。见《灵枢·邪气脏腑病形》。症见猝然昏倒，不省人事，或突然口眼㖞斜，半身不遂，言语不利等。

[3] **伤寒** 为外感热证之通称。《素问·热论》言：“人之伤于寒，则为病热，《伤寒论》以伤寒命名，即包括多种外感热病。“伤寒”，《千金方》作“伤风”。

[4] **寒热** 《诸病源候论·寒热候》：“夫阳虚则外寒，阴虚则内热；阳盛则外热，阴盛则内寒。”又云：“因于露风，乃生寒热。凡小骨弱肉者，善病寒热。”

[5] **温疟** 是疟疾之一。《素问·疟论》：“此先伤于风，而后伤于寒，故先热而后寒，亦以时作，名曰温疟。”

[6] **中恶** 中邪恶之病。出《肘后方·救卒中恶死方》。症见突然手足冷，面青，神志错乱，或妄言，或牙紧口噤，或眩晕昏倒。

[7] **霍乱** 见《灵枢·五乱》。症见起病突然，大吐大泻，烦闷不舒，津液暴失，转筋（即两腿肚抽筋）。在昔日无补液抢救，多因失水虚脱死亡。

[8] **大腹水肿** 《诸病源候论·大腹水肿候》：“三焦闭塞，小便不能，水气流溢于肠外，乃腹大而肿，四肢小，阴下湿，腰痛，上气咳嗽烦疼，故云大腹水肿。”

[9] **肠澼** “肠”，敦煌本《集注》原作“腹”，据《大观》《政和》改。“澼”指垢腻黏滑似涕似脓的液体，因自肠排出澼澼有声，故名。“肠澼”，即痢疾的古称，出《素问·通评虚实论》等篇。

[10] **下利** 《伤寒论》将痢疾与泄泻通称为下利。症见大便次数增多而量少，腹痛，里急后重，下黏液及脓血样大便为痢疾；大便稀，次数少而量多为泄泻。“利”，《千金方》《大观》《政和》《纲目》作“痢”，敦煌本《集注》作“利”。

[11] **大小便不通** 指大便秘结，小便癃闭不通。

[12] **贲㹠上气** “贲㹠”亦作“奔豚”，古病名，出《灵枢》《难经》《金匮要略》，是一时性发作的病。症见气从下腹上冲胸咽，胸闷，心悸，气急，腹痛，烦躁，头昏目眩，发作过后如常。

[13] **咳逆** 由多次反复咳嗽，引起肺气上逆，出现喘闷感，名咳逆。

[14] **黄疸** 一名黄瘅。出《素问·平人气象论》等篇。症见全身皮肤、眼白、指甲、口腔黏膜、小便俱黄。

［15］**消渴**　一名三消。出《素问·奇病论》。症见多饮、多食、多尿。

［16］**留饮**　因饮邪日久不化，留而不去，故名。是痰饮病的一种。由于留的部位不同，其症各异。饮留于背，则背寒；饮留于胁，则胁下痛；饮留于胸，则短气而喘；饮留经络，则四肢历节痛；饮留于脾，则腹肿身重；饮留于肾，则阴囊肿、足胫肿。

［17］**癖食**　《千金方》作“宿癖”，是消化不良之中医病名。《诸病源候论·癖食不消候》：“癖者，冷气也。冷气久乘于脾，使人羸瘦不能食，时泄利，腹内痛，气力乏弱，颜色黧黑是也。”“癖食”，森本《本经·考异》引真本《千金方》作“宿癖”。

［18］**坚积**　指腹内结块明显的病证。《难经·五十五难》：“其始发有常处，其痛不离其部，上下有所终结，左右有所穷处。”

［19］**癥瘕**　指体内结块。结块不移动，痛有定处为癥；结块能移动，痛无定处为瘕。《诸病源候论·癥瘕候》：“聚结在内，盘牢不移动者，是癥。其癥不转动者必死。积在腹内，结块瘕痛，随气移动是也。”

［20］**惊邪**　“邪”，敦煌本《集注》原作“耶”，据《大观》《政和》改。

［21］**癫痫**　指癫证与痫证之合称。癫，指精神错乱一类疾病；痫，指发作性的神志异常疾病。

［22］**鬼疰**　“疰”，通注。《释名·释疾病》：“注病，一人死，一人复得，气相灌注也。”《诸病源候论·鬼注候》：“人有先无他病，忽被鬼排击，当时或心腹刺痛，或闷绝倒地。其得差之后，余气不歇，有时发动，连滞停注，乃至于死，死后注易傍人，谓之鬼注。”

［23］**喉痹**　一作喉闭。出《素问·阴阳别论》等篇。为咽喉肿痛病之统称，多见咽喉红肿疼痛，吞咽不顺利，声音低哑等。

［24］**齿痛**　即牙痛。见《灵枢·杂病》等篇。齿痛有多种：外感风火牙痛，患齿得凉痛轻；虚火牙痛，牙齿浮动隐痛；龋齿痛，时发时止。

［25］**耳聋**　见《素问·缪刺论》等篇。有虚、实两类。虚证耳聋，伴有耳鸣、头晕、腰膝酸软；实证耳聋，伴有头痛、鼻塞、口苦。

［26］**目盲**　《诸病源候论·目青盲候》：“眼本无异，瞳子黑白分明，直不见物耳。”

［27］**金创**　“创”，《大观》《政和》作“疮”，创、疮为通假字。金创是由金属器械或刀斧所伤形成的创伤。“创”，《证类》《纲目》、顾本作“疮”。

［28］**踒折**　指足折伤。《说文》云：“踒，足跌也。”

［29］**痈肿**　指疮面浅而大，有红肿胀、焮热、疼痛及成脓等症。

［30］**恶疮**　凡疮疡表现为焮肿痛痒，溃烂后浸淫不休，经久不愈者，统称为恶疮。

［31］**痔瘘**　即痔疮和肛瘘的合称。痔疮，指初生肛门未破者。肛瘘，指疮破溃而出脓血，黄水浸淫淋漓久不止者。

［32］**瘿瘤**　指瘿与瘤合称。或单指瘿。《说文》云：“瘿，颈瘤也。”

［33］**五劳七伤**　“五劳”，各书所记不一，兹从最早文献《素问·宣明五气》所言。五劳指久视、久卧、久坐、久立、久行五种过劳所致之病。“七伤”，指男子肾亏之七个症状：一曰阴寒，二曰阴痿，三曰里急，四曰精连连，五曰精少，六曰精清，七曰小便苦数，临事不卒。

［34］**带下**　妇女从阴道流出黏液，绵绵如带而下，故名带下。

［35］**崩中**　指妇女不在经期，忽然阴道大量出血。

［36］**血闭**　即经闭。妇女除妊娠、哺乳期外，三个月以上不来月经者，称为经闭。

[37] **阴蚀** 一名阴疮。指妇女外阴部溃疡。症见外阴部溃烂，脓血淋漓，或痛或痒，肿胀坠痛，多伴有赤白带下，小便淋漓。

[38] **蛊毒** 病名，出《肘后方》。其病症状复杂，变化不一，病情一般较重。像血吸虫病、阿米巴痢疾、重症肝炎、肝硬化等，在古代都属于蛊毒。

[39] **皆** 《证类》《纲目》、孙本、顾本无此字。敦煌本《集注》、《千金方》有此字。

[40] **宗兆** 意为纲领、主要。此指上述诸证是纲领性的主要病证。

[41] **其间变动枝叶** 此指上述诸证因变动又形成多种病证。陶隐居序云："中风有数十种，伤寒有二十余条。"即每个主证下又含多种病证。

[42] **各依端绪以取之** 此指对主证下诸病用药，要依主证用药来取舍。陶隐居序云："更复就中求其例类，大体归其始终，以本性为根源，然后配合诸证，以命药耳。""各"，其后，《证类》《纲目》、孙本、森本、顾本有"宜"字，敦煌本《集注》无"宜"字。

【按语】 此篇是《本经》总论部分，后世历代本草总论，均由此篇发展而成。陶氏作《集注》，将此篇发展成卷首1卷，题为"序录"。《唐本草》将之发展成2卷，题为"卷一序""卷二例"。宋代本草以后，统以"序例"为题。《纲目》除题"序例"外，又将其中《本经·序录》单独立为子目，题为"神农本经名例"。

此篇序录据敦煌出土陶弘景《集注》末所题"本草集注第一序录"新加，主要论述药物三品分类，药有阴阳、配伍、七情、四气、五味、有毒、无毒、采制、剂型、用药方法，以及药物主治病证等。

上品药　卷第二

1 玉泉[1]

味甘，平。主治五脏[2]百病[3]，柔筋[4]强骨，安魂魄[5]，长肌肉，益气[6]。久服耐寒暑[7]，不饥渴，不老神仙[8]。人临时服五斤，死三年[9]色不变。一名玉札[10]。生蓝田山谷[11]。(《新修》页6，刘《大观》卷3页12，柯《大观》卷3页9)

【校注】

[1] **玉泉** 陶隐居云："此当是玉之精华，可消为水，故名玉泉。"《本草图经》引苏恭（即苏颂）云："玉泉者，玉之泉液也。"《开宝》作"玉浆"，《吴普》作"玉屑"。

[2] **五脏** 《御览》无"五"字。

[3] **百病** 义为各种病。"百"，指多数。如神农尝百草的"百草"，即指多种草。

[4] **柔筋** "柔"，森本《本经·考异》引《顿医钞》作"和"。"柔筋"，使筋脉柔和，运动自如。

[5] **安魂魄** 即安定人的精神。古代谓精神离形体而存在者为魂，依形体而存在者为魄。"魄"，《御览》无。

[6] **益气** 《御览》无此二字。"益"字后，《纲目》《食货典》有"利血脉"三字，并注为《本经》文。《大观》《政和》将此三字作黑字《别录》文。

[7] **耐寒暑** "耐"，《御览》作"能忍"。按，《御览》引"耐"多作"能"，"能""耐"古本草通用。

[8] **久服……神仙** 刘《大观》、柯《大观》、《大全》皆误刻为黑字《别录》文。

[9] **死三年** 《纲目》《顿医钞》脱"死"字。"年"，问本、黄本作"秊"。按"秊"为古"年"字。

[10] **札** 《御览》卷988作"澧"，卷805作"醴"；《顿医钞》作"礼"；《初学记》作桃；孙本、顾本、问本、周本作"札"；《新修》《纲目》、森本作"札"。应从《新修》为是。

[11] **生蓝田山谷** "蓝田"，战国时地名，在今陕西蓝田以西。吐鲁番出土《集注》残片中天鼠屎条"生合蒲山谷"作朱书《本经》文。陶弘景注滑石"生赭阳山谷"为《本经》文。唐·陆德

明《尔雅音义》注苦菜条“生益州山谷”为《本经》文。据此本书将《大观》中的黑字“生某某山谷”亦录为《本经》文。本条“生蓝田山谷”亦据此录。全书皆仿此。

2 丹沙[1]

味甘，微寒[2]，主治身体五脏百病[3]，养精神，安魂魄[4]，益气，明目，杀精魅[5]邪恶鬼[6]。久服通神明，不老[7]。能化为汞[8]。生符陵[9]山谷。(《新修》页4，刘《大观》卷3页3，柯《大观》卷3页1)

【校注】

[1] **丹沙** “丹”，《说文》《五十二病方》作“丹”，《淮南子·地形训》作“赤丹”，《山海经》作“丹粟”。“沙”，刘《大观》、柯《大观》、《政和》作“砂”。丹砂为天然的长砂矿石，主要成分是硫化汞，因其呈朱红色，后人又称为朱砂。

[2] **味甘，微寒** 《本草经解》作“气微寒，味甘，无毒”。《吴普》引《神农》作“甘”。

[3] **五脏百病** 见玉泉注[2][3]。

[4] **安魂魄** 见玉泉注[5]。

[5] **精魅** 森本《本经·考异》云：“《顿医钞》无‘精魅’二字。”“魅”，传说山林中害人的怪物。《左传·宣公三年》：“螭魅罔两。”注：“魅，怪物。”“精魅”即指传说中的山林中害人的怪物。

[6] **邪恶鬼** “邪”，《新修》原作“耶”，据《证类》改。“鬼”，森本改作“气”。“恶鬼”，多指鬼疰传染病，人得此病必死，死后疰易他人亦死，很凶恶，故古人称之为恶鬼。

[7] **久服通神明，不老** 此乃古代方士服食药物以求长生不老之语。汉代本草官与方士同朝共事，有机会将方士的话收入本草书中。

[8] **能化为汞** “汞”，即水银。丹砂是硫化汞，加热炼制可得水银。此皆方士炼丹的经验，与医疗无关。但汉代本草官和方士同朝共事，有机会将方士的经验收入书中。按，《汉志》收载方士著述十家205卷，作《本经》者有机会参阅方士之书。

[9] **符陵** 今重庆涪陵。录符陵为《本经》文，详玉泉注[11]。

【按语】 东汉·郑玄注《周礼·五药》，谓丹砂合雄黄、石胆、矾石、磁石等炼制后以注创，恶肉破骨尽出，则丹砂到东汉时已作疮药。而《本经》所谓丹砂“久服通神明不老，能化为汞”，乃方士之言。作《本经》者，受方士影响，收录此言，并将丹砂列为上品。盖作《本经》之时代，应在方士盛行之时，即在汉代方士、本草待诏盛行之时（见本书后记）。

3 水银[1]

味辛，寒[2]。主治疥瘙[3]，痂疡白秃[4]，杀皮肤中虫虱[5]，堕胎，除热。

杀金、银、铜、锡毒，熔化还复为丹[6]。久服神仙不死[7]。生符陵[8]平土。（《新修》页40，刘《大观》卷4页16，柯《大观》卷4页14）

【校注】

[1] **水银** 《说文》作“澒”，《淮南子·地形训》作“赤澒”，《广雅》作“汞”。“水银”，《集注》之七情畏恶药。森本列在上品，其他各本列在中品。

[2] **味辛，寒** 《药性论》作“有大毒”，《纲目》作“辛、寒，有毒”，《御览》作“无毒”。在古代，水银为炼丹神仙不死之药，故认为无毒。后人发现水银有毒，故说水银有毒，并从上品移入中品。

[3] **疥瘙** 玄《大观》、人卫《政和》、《大全》《图经衍义》《本草经疏》、孙本、问本、周本、狩本作“疥瘘”，成化《政和》、万历《政和》、商务《政和》、《品汇》、合肥版《纲目》、黄本、姜本作“疹瘘”，傅本《新修》、罗本《新修》、森本作“疥瘙”。应从《新修》等为正。

[4] **痂疡白秃** “痂”，《说文》：“疥也。”指有虫作痒的疮痂。“疡”，《说文》：“头创也。”头创即头疮。“痂疡”，犹结痒痂头疮，实即头癣。“白秃”，指头癣脱发。《诸病源候论·白秃候》：“头生疮有虫，白痂甚痒，其上发并秃落不生，故谓之白秃。”

[5] **虫虱** 《证类》《图经衍义》《纲目》《本草经疏》脱“虫”字。《新修》、森本作“虫虱”。

[6] **还复为丹** 陶隐居注：“还复为丹，事出《仙经》。”《仙经》是方士著述，说明作《本经》者，参考过方士所撰的《仙经》。

[7] **久服神仙不死** 这是方士们鼓吹水银为长生不死之药。李时珍批评说：“六朝以下贪生者服食，致成废笃而丧厥躯，不知若干人矣。方士固不足道，本草岂可妄言哉？”盖西汉政府同设方士、本草官职，本草官在当时，受方士们写的神仙著作影响，遂将“神仙不死”的话引入本草书中，并列在上品。后世通过长期实践，方知水银有毒，才把水银从上品移到中品。

[8] **符陵** 今重庆涪陵。录“符陵”为《本经》文，详玉泉注[11]。

4 空青[1]

味甘[2]，寒。主治青盲[3]，耳聋[4]，明目，利九窍[5]，通血脉，养精神[6]。久服轻身，延年，不老[7]。能化铜、铁、铅、锡作金[8]。生益州[9]山谷。（《新修》页6，刘《大观》卷3页29，柯《大观》卷3页25）

【校注】

[1] **空青** 为蓝铜矿的矿石，汉代方士极重视之。陶隐居亦云：“诸石药中，惟此最贵，医方乃稀用。”“空青”，《山海经》作“青”。

[2] **甘** 其后，《纲目》有“酸”字。《大观》《政和》录“酸”为《别录》文，《吴普》引《神农》作“甘”。

[3] **青盲** 孙本改作“眚盲”。《诸病源候论·目青盲候》：“青盲者，眼本无异，瞳子黑白分明，

直不见物耳。”

[4] **耳聋** 《诸病源候论·耳聋候》：“耳聋者，其候耳内煇煇焞焞也。”煇煇焞焞，形容听觉模糊，耳内有声。

[5] **九窍** 指头面部眼、耳、鼻、口七窍及下部前、后阴二窍。

[6] **神** 其后，《纲目》有“益肝气”三字，并注为《本经》文。《大观》《政和》注此三字为《别录》文。

[7] **久服轻身，延年，不老** 此乃方士之言。方士盛行于汉代，方士的话渗入《本经》中，说明作《本经》者，为西汉人。

[8] **能化铜、铁、铅、锡作金** 此乃方士炼丹的话。陶隐居亦云：“空青，又以合丹成，则化铅为金矣。”又，《纲目》注此文为《别录》文，其他各本注为《本经》文。

[9] **益州** 今四川。

5 曾青[1]

味酸，小寒[2]。主治目痛，止泪出，风痹[3]，利关节，通九窍，破癥坚[4]积聚[5]。久服轻身，不老[6]。能化金铜[7]。生蜀中山谷[8]。(《新修》页8，刘《大观》卷3页30，柯《大观》卷3页26)

【校注】

[1] **曾青** 《荀子》：“南海则有曾青。”杨倞注：“曾青，铜之精。”杨倞（liàng亮）是唐代人，唐代人已知曾青为铜的物质。今日的曾青为蓝铜矿矿石成层者。“曾青”，人卫《政和》曾青条全文作黑字《别录》文。

[2] **味酸，小寒** 《纲目》作“味酸，小寒，无毒”。《五行大义》作“味酸”。《大观》《政和》将“无毒”二字作黑字《别录》文。

[3] **风痹** 一名行痹。见《素问·痹论》等篇。其症肢节疼痛、麻木、屈伸不利，其痛游走不定。

[4] **癥坚** 指癥块坚硬。《诸病源候论·癥候》言：“聚结在内，渐生块段，盘牢不移动者，是癥也。”

[5] **积聚** 见《灵枢·五变》。腹内积块明显，痛胀较甚，固定不移的为积；积块隐现，攻窜作胀，痛无定处的为聚。积、聚合称为积聚。

[6] **久服轻身，不老** 此乃方士之言，《本经》有此言，说明《本经》与方士处于同时代。方士盛行于汉代，则《本经》当成于汉代。

[7] **能化金铜** 《纲目》注为《别录》文，其他各本注为《本经》文。按，能化金铜是方士炼丹的话，与医疗无关。《本经》收录此文，说明作《本经》者受方士影响。

[8] **生蜀中山谷** “蜀中”，即今四川。“生”“山谷”，狩本、顾本无此三字。“生蜀中山谷”，《御览》作“生蜀郡名山，其山有铜者，曾青出其阳，青者铜之精”。

6 白青[1]

味甘，平[2]。主明目，利九窍，耳聋[3]，治心下邪气[4]，令人吐[5]，杀诸毒，三虫[6]。久服通神明，轻身，延年不老[7]。生豫章[8]山谷。(《新修》页9，刘《大观》卷3页40，柯《大观》卷3页33)

【校注】

[1] **白青** 《淮南万毕术》云："白青得铁，即化为铜。"据此，白青是含铜盐的矿物。铜盐中含铜离子，铜离子能置换铁，其中铜离子本身还原成金属铜，镀在铁的表面，使铁在外观上变成铜。

[2] **味甘，平** 《纲目》作"甘，酸，咸，平，无毒"。《吴普》引《神农》作"甘，平"。

[3] **耳聋** 见空青注[4]。

[4] **邪气** "邪"，《新修》原作"耶"，据《证类》改。

[5] **令人吐** 白青有催吐作用。按，硫酸铜亦令人吐，说明白青是铜盐类。

[6] **三虫** 《诸病源候论·三虫候》："三虫者，长虫、赤虫、蛲虫也。长虫，蛔虫也……赤虫，状如生肉，动则肠鸣……蛲虫至细微，居胴肠（直肠）间……"

[7] **延年不老** 《纲目》脱此四字。《御览》无"不老"二字。

[8] **豫章** 今江西南昌。《颜氏家训》："譬犹本草，神农所述，而有豫章、朱崖、赵国、常山、奉高、真定、临淄、冯翊等郡县名。"

7 扁青

味甘，平[1]。主目痛[2]，明目，折跌[3]痈肿[4]，金创不瘳[5]，破积聚[6]，解毒气[7]，利精神。久服轻身，不老[8]。生朱崖[9]山谷。(《新修》页10，刘《大观》卷3页44，柯《大观》卷3页37)

【校注】

[1] **味甘，平** 《吴普》引《神农》作"小寒，无毒"。

[2] **目痛** 即目赤痛，是多种眼病之共同见症。

[3] **折跌** 指折伤、跌伤合称。"跌"，成化《政和》、商务《政和》、万历《政和》作"趺"。

[4] **痈肿** 见《内经》。疮面浅而大者为痈。其症有红肿、焮热、疼痛、成脓。

[5] **金创不瘳** "创"，《千金翼》《证类》《纲目》、顾本、狩本、徐本作"疮"，《新修》、孙本、问本、黄本、周本作"创"。按，"疮""创"义同，古本草通用。"金创"，即金属器械刀刃所致之外伤。"不瘳"，即不愈。

[6] **积聚** 见曾青注[5]。

[7] **解毒气** 《御览》卷988作"辟毒"。

[8] **久服轻身，不老** 见曾青注[6]。

[9] **朱崖** 今海南岛。

8 石胆[1]

味酸，寒[2]。主明目，目痛，金创[3]，诸痫痓[4]，女子阴蚀痛[5]，石淋[6]寒热，崩中[7]，下血[8]，诸邪[9]毒气，令人有子。炼饵服之，不老[10]。久服增寿神仙[11]。能化铁为铜，成金银[12]。一名毕石[13]。生羌道[14]山谷。(《新修》页11，刘《大观》卷3页27，柯《大观》卷3页23)

【校注】

[1] **石胆** 为硫酸盐类矿物胆矾的晶体，成分是硫酸铜。

[2] **味酸，寒** 《纲目》、姜本作“味酸、辛，寒，无毒”。《吴普》引《神农》作“酸，小寒”。

[3] **金创** 即金属器械刀刃所致之外伤。“创”，《新修》、森本、孙本、问本作“创”，其余各本皆作“疮”。

[4] **诸痫痓** “痫”，《诸病源候论·痫候》：“痫者，其发之状，或口眼相引而目睛上摇。或手足掣纵，或背脊强直，或颈项反折。”“痓”，出《灵枢·经筋》等篇，又称“痉”，其症项背强直，口噤，四肢抽搐，角弓反张。

[5] **阴蚀痛** 指女子外阴部溃疡，脓水淋漓，或痒痛，或肿胀坠痛。

[6] **石淋** 淋证之一。其症尿出困难，阴中痛引少腹，若有砂石排出，则痛解，尿多黄赤，或尿血。

[7] **崩中** 妇女不在经期，阴道大流血，名崩中。

[8] **下血** 泛指大小便出血。

[9] **邪** 《新修》原作“耶”，据《千金翼》《证类》改。

[10] **炼饵服之，不老** 《御览》在“成金银”之后；“服”，《御览》作“食”。盖《御览》所存的《本经》佚文，是陶弘景以前的《本经》；历代本草书中存的《本经》佚文，是陶弘景整理的文字，它们的编排体例、文字结构、内容多寡各不相同。

[11] **久服增寿神仙** 玄《大观》、柯《大观》、《大全》刻为黑字《别录》文。人卫《政和》、商务《政和》、成化《政和》、万历《政和》、《纲目》、森本、顾本、孙本等皆注为《本经》文。

[12] **能化铁为铜，成金银** 《纲目》注为《别录》文。“成”字前，《御览》《纲目》有“合”字。本条是方士炼丹的经验，与治病无关。《本经》有此文，说明作《本经》者受方士影响，同时也说明，《本经》写作时代是在汉代。因汉代设有方士、本草官，他们被诏、被罢，都同时进退。

[13] **毕石** 其前，《纲目》有“黑石”，并注为《本经》文，《大观》《政和》作《别录》文。

[14] **羌道** 今甘肃岷县一带。

9 云母[1]

味甘，平。主治身皮死肌[2]，中风[3]寒热，如在车船上[4]，除邪气[5]，安五脏，益子精，明目。久服轻身，延年[6]。一名云珠，一名云华，一名云英，一名云液，一名云砂，一名磷石。生太山[7]山谷。（《新修》页13，刘《大观》卷3页6，柯《大观》卷3页4）

【校注】

［1］**云母**　为硅酸盐类矿物白云母。陶隐居云：“按《仙经》，云母乃有八种。”《仙经》既收载云母，说明云母是古代方士神仙家服食之物。

［2］**身皮死肌**　指肌肤枯槁失养失润。“皮”，合肥版《纲目》作“痹”。

［3］**中风**　见《灵枢·邪气脏腑病形》等篇。指突然昏倒，不省人事，或突然口眼㖞斜，半身不遂，言语不利的病证。

［4］**如在车船上**　指类似轻度眩晕，坐立皆不稳。“车船上”，《本经疏证》作“舟车上”。

［5］**除邪气**　“邪”，《新修》原作“耶”，据《千金翼》《证类》改。

［6］**久服轻身，延年**　为方士之言。

［7］**太山**　在今山东泰安。录“太山”为《本经》文，详见玉泉注［11］。

10 朴消[1]

味苦，寒[2]。主治百病，除寒热邪气[3]，逐六腑[4]积聚[5]，结固留癖[6]。能化七十二种石[7]。炼饵服之，轻身，神仙[8]。生益州[9]山谷。（《新修》页16，刘《大观》卷3页21，柯《大观》卷3页18）

【校注】

［1］**朴消**　《吴普》《御览》作“朴硝石”。本品是硫酸盐类矿物芒硝族粗制品。

［2］**味苦，寒**　《纲目》作“苦、寒，无毒”，《吴普》引《神农》作“无毒”。

［3］**邪气**　“邪”，《新修》原作“耶”，据《大观》改。按“耶”为“邪”之古体。“邪气”，是与人体正气相对而言，泛指各种致病因素及其病理损害。《素问·评热病论》：“邪之所凑，其气必虚。”

［4］**六腑**　江西版《纲目》作“六脏”。“六腑”，即胃、胆、大肠、小肠、膀胱、三焦。

［5］**积聚**　见曾青注［5］。

［6］**结固留癖**　《御览》作“结癖”。《御览》所引《本经》佚文，在体例、文句结构、内容上，与陶弘景整理的《本经》文不同。本条即是例证。

［7］**主治百病……能化七十二种石**　《本经逢原》移此文入消石条内，并注云：“诸家本草，皆

错简在朴消条内，详化七十二种石，岂朴消能之。”关于这个问题，梁代陶弘景早已有察觉，其注云：“《仙经》惟云消石能化他石，今此亦云能化石，疑必相似，可试之。”

[8] **炼饵服之，轻身，神仙** 此原是方士求长生不死之服食法，与治病无关。而《本经》收此文，说明作《本经》者受方士影响；同时也说明，《本经》写作时间当为汉代，与方士同时代。因汉代设有方士、本草等职，他们被诏、被罢同时进退。

[9] **益州** 今四川。录“益州”为《本经》文，详见玉泉注［11］。

11 消石[1]

味苦[2]，寒。主治五脏积热[3]，胃胀闭[4]，涤去蓄结饮食，推陈致新[5]，除邪气[6]。炼之如膏，久服轻身[7]。一名芒消[8]。生益州山谷。（《新修》页18，刘《大观》卷3页18，柯《大观》卷3页15）

【校注】

[1] **消石** 为矿物消石，经炼制而成之结晶体，主要成分为硝酸钾。

[2] **味苦** 《吴普》引《神农》作“苦”。“苦”字前，《御览》有“酸”字。《御览》所引的《本经》，是陶弘景以前的《本经》，其文与陶弘景总结的《本经》文不尽相同。本条是其例证。

[3] **五脏积热** 指内脏有积热，俗称内火盛，宜用泻下药泻热。消石是硝酸钾，有毒，不可内服。

[4] **胀闭** “胀”，孙本、问本、周本、黄本作“张”。“闭”，《图经衍义》误作“间”。

[5] **涤去蓄结饮食，推陈致新** 此乃泻下作用。消石主要含硝酸钾，若误服可中毒死亡。

[6] **五脏积热……除邪气** 《本经逢原》移在朴消条内，并注云：“向错简在消石条内，今正之。详治五脏等证，皆热邪固积，并非消石所能。”“邪”，《新修》原作“耶”，据《证类》改。《本经逢原》所言极是。以上［3］［4］［5］注，皆是朴消作用，而非消石之功。

[7] **炼之如膏，久服轻身** 此是方士炼丹服食之词。

[8] **一名芒消** 人卫《政和》、商务《政和》、《大全》《纲目》注为《别录》文。孙本、顾本不取此四字为《本经》文。柯《大观》、玄《大观》、森本注为《本经》文。按，《证类》消石条《唐本草》注云：“《本经》一名芒消。”同书芒消条陶注云：“《神农本经》……消石名芒消。”据此“一名芒消”应为《本经》文。

12 矾石[1]

味酸[2]，寒。主治[3]寒热[4]，泄利[5]，白沃[6]，阴蚀[7]，恶疮[8]，目痛[9]，坚骨齿[10]。炼饵服之[11]，轻身，不老增年。一名羽硁[12]。生河西[13]山谷。（《新修》页22，刘《大观》卷3页15，柯《大观》卷3页12）

【校注】

［1］**矾石**　《御览》《证类》《纲目》作"矾石"。《新修》《本草和名》《医心方》、森本作"樊石"。孙本据郭璞注《山海经》引作"涅石"，并以"涅石"为本条正名。

［2］**酸**　其上，《御览》有"鹹"字。

［3］**治**　《唐本草》编修时，因避唐高宗李治讳，省去"治"字，宋代本草沿袭《唐本草》旧例，凡"主治"，皆省去"治"，作"主"。今补之。下同。

［4］**寒热**　泛指热性病过程中出现寒、热症状。《诸病源候论·寒热候》："因于露风，乃生寒热。"又云："夫阳虚则外寒，阴虚则内热；阳盛则外热，阴盛则内寒。"

［5］**泄利**　即下利。《伤寒论》将泄泻与痢疾通称下利。"泄"，指大便稀薄，次数增多。"痢"，指大便次数增多而量少，腹痛，里急后重，下黏液及脓血样大便。

［6］**白沃**　即白沫。《诸病源候论·水谷痢候》："下白沫，脉沉则生。"白沃即水谷痢的症状之一。

［7］**阴蚀**　即妇女外阴部溃疡。

［8］**恶疮**　见《刘涓子鬼遗方》。凡疮疡表现为焮肿痛痒，溃烂后浸淫不休，经久不愈者，统称为恶疮。"疮"，孙本作"创"。

［9］**目痛**　即目赤痛，是多种眼病之共同见症。

［10］**坚骨齿**　《御览》作"坚骨"，孙本作"坚筋骨齿"。

［11］**服之**　《御览》作"久服"。

［12］**羽碮**　原是秦地方用名。《山海经·西山经》："女床之山，其阴多碮石。"晋·郭璞注："即矾石也。楚人名碮石，秦名为羽碮也。《本经》亦名曰碮石也。"《本经》有多种本子，郭璞所见的《本经》有碮石异名，陶弘景所见的《本经》可能无碮石异名，所以陶弘景整理的《本经》亦无碮石异名。郝懿行《山海经笺疏》谓今《本经》矾石条脱漏碮石之名。因《御览》引《本经》矾石亦无碮石之名。

［13］**河西**　黄河流经山西、陕西之间，呈南北向，分两侧为河东、河西。河西即今陕西。录"河西"为《本经》文，详见玉泉注［11］。

13　滑石[1]

味甘，寒[2]。主治身热，泄澼[3]，女子乳难[4]，癃闭[5]，利小便，荡胃中积聚寒热[6]，益精气。久服轻身，耐饥，长年。生赭阳山谷[7]。(《新修》页23，刘《大观》卷3页26，柯《大观》卷3页22)

【校注】

［1］**滑石**　为硅酸盐类矿物滑石矿。

［2］**味甘，寒**　"甘"，《御览》作"苦"。此条，《本草经解》作"气寒，味甘，无毒"。

［3］**泄澼**　即泄利。见矾石注［5］。

［4］**乳难**　即产难古称，亦称难产。

[5] **癃闭** 见《素问·五常政大论》。指排尿困难，点滴而下，甚则闭塞不通的病证。

[6] **荡胃中积聚寒热** 此乃泻下作用。按，硬滑石含氧化硅、氧化镁，而氧化镁有致泻之功。《本经》记载滑石能荡胃中积聚寒热，说明在《本经》时代用的滑石是硬滑石。

[7] **生赭阳山谷** “赭阳”，陶隐居注：“赭阳县先属南阳，汉哀帝（前6—前1）置，明《本经》所注郡县，必是后汉时也。”由此可见，陶氏所见《本经》有产地。吐鲁番出土《集注》残简，产地全作朱书；敦煌出土《新修》，产地全作墨书，后世《证类》同。盖《本经》文省去产地，始于《新修》。今据吐鲁番出土《集注》朱书《本经》，补辑产地。

14 紫石英[1]

味甘，温[2]。主治心腹咳逆[3]邪气[4]，补不足，女子风寒在子宫，绝孕[5]十年[6]无子。久服温中[7]，轻身，延年。生太山[8]山谷。(《新修》页25，刘《大观》卷3页36，柯《大观》卷3页30)

【校注】

[1] **紫石英** 为氟化物类矿物萤石矿，主要成分是氟化钙，杂有氧化铁。森本《本经·考异》引真本《千金方》无“英”字。

[2] **味甘，温** 《本草经解》修改为“气温，味甘”。

[3] **心腹咳逆** 《素问·咳论》：“心咳之状，咳则心痛。……三焦咳状，咳而腹满。”“咳逆”，《御览》作“呕逆”。《御览》所引《本经》与陶弘景整理的《本经》不是同一种本子，故其文亦异。

[4] **邪气** 泛指各种致病因素及其病理损害。邪气与正气是相对而言。《素问·评热论》：“邪之所凑，其气必虚。”“邪”，傅本《新修》、罗本《新修》作“耶”。

[5] **绝孕** 即不孕。《素问·空骨论》：“督脉其生病，女子不孕。”

[6] **年** 问本、黄本作“季”。季、年义同。

[7] **温中** 温胃肠，亦说温五脏。杨上善注《太素·人迎脉口诊·寸口主中》云：“中，谓五脏。”

[8] **太山** 见云母注[7]。

15 白石英[1]

味甘，微温。主治消渴[2]，阴痿[3]不足，咳逆[4]，胸膈间久寒[5]，益气，除风湿痹[6]。久服轻身，长年[7]。生华阴[8]山谷。(《新修》页26，刘《大观》卷3页34，柯《大观》卷3页28)

【校注】

[1] **白石英** 为氧化物类矿物石英矿石，主要含二氧化硅。

[2] **消渴** 见《素问·奇病论》，泛指多饮、多食、多尿的病证。

[3] **阴痿** 见《灵枢·邪气脏腑病形》等篇，后世称阳痿。指男子未到性功能衰退时期，出现阴茎不举，或举而不坚、不久的病证。

[4] **咳逆** 《御览》作“呕逆”。盖《御览》所引《本经》文与陶弘景整理的《本经》文不同，此其例也。“咳逆”，指反复咳嗽，引起肺气上逆出现喘闷感。

[5] **胸膈间久寒** 《御览》缺“胸”字，并移此文置“除风湿痹”之后。“间”，孙本、问本、周本、黄本作“闲”。

[6] **除风湿痹** 玄《大观》误作“除二山痹”。《御览》无“风”字。

[7] **久服轻身，长年** 此是汉代方士著述中关于神仙的内容。

[8] **华阴** 今陕西华阴。录“华阴”为《本经》文，详见玉泉注[11]。

16 青石、赤石、黄石、白石、黑石脂[1]

味甘，平。主治黄疸[2]，泄利[3]，肠澼[4]脓血，阴蚀[5]，下血赤白[6]，邪气痈肿[7]，疽痔[8]，恶疮[9]，头疡[10]，疥瘙[11]。久服补髓，益气，肥健，不饥，轻身，延年。五石脂各随五色补五脏。生南山之阳[12]山谷中。(《新修》页28，刘《大观》卷3页36，柯《大观》卷3页30)

【校注】

[1] **青石、赤石、黄石、白石、黑石脂** 此五石合称五石脂。陶隐居注云：“此五石脂如《本经》，疗体亦相似，《别录》各条。”《大观》《政和》另有五条石脂文字，俱作黑字《别录》文。《御览》对青、赤、黄、白、黑等五条文字（《证类》作黑字《别录》），皆冠以“本草经曰”。与此相邻的石脾、石肺条文（《证类》作有名无用药），《御览》亦冠以“本草经曰”。陶弘景认为这些条文，是名医在《本经》中附经为说的文字，是《别录》文，非《本经》文。同样石脾、石肺虽冠有“本草经曰”，也是名医附经为说《别录》文，非《本经》文。

[2] **黄疸** 见《素问·平人气象论》等篇。其症全身皮肤、眼白、指甲、口腔黏膜、小便等俱黄。

[3] **泄利** 见矾石注[5]。

[4] **肠澼** 痢疾古称，出《素问·通评虚实论》。所下垢腻黏滑似涕似脓的液体，因自肠排出澼澼有声，故名。

[5] **阴蚀** 指女子外阴部溃疡，症见脓水淋漓，或痒痛，或肿胀坠痛。

[6] **下血赤白** 一般泛指妇女带下赤白。

[7] **痈肿** 见《内经》，症见患处红肿、焮热、疼痛、成脓。

[8] **痔** 即痔疮。初生肛门不破者为痔，破溃出脓血者为痔疮。

[9] **恶疮** 见矾石注[8]。

[10] **头疡** 即头疮。唐·贾公彦《周礼疏》：“疕，头疡，谓头上有疮含脓血者。”

[11] **疥瘙** 指疥疮瘙痒。《诸病源候论·疥候》：“疥疮，多生手足指间，染渐生至身体，痒有

脓汁。”

[12] **南山之阳** 指秦岭主峰之一终南山的阳面。

17 太一禹馀粮[1]

味甘，平。主治咳逆上气[2]，癥瘕[3]，血闭[4]，漏下[5]，除邪气[6]。久服耐寒暑，不饥，轻身，飞行千里，神仙[7]。一名石脑。生太山[8]山谷。(《新修》页33，刘《大观》卷3页32，柯《大观》卷3页27)

【校注】

[1] **太一禹馀粮** “太”，《医心方》、森本作“大”。“禹”，《新修》《证类》《纲目》、孙本皆脱。敦煌本《集注》、《医心方》、森本皆有“禹”字。应从敦煌本《集注》等为是。

[2] **咳逆上气** 指咳嗽气逆而喘。《诸病源候论·咳嗽上气候》：“其状，喘咳上气，多涕唾而面目胕肿也。”

[3] **癥瘕** 指体内结块。结块不移动，痛有定处为癥；结块能移动，痛无定处为瘕。

[4] **血闭** 即经闭。妇女除妊娠、哺乳期外，三个月以上不来月经者，称为经闭。

[5] **漏下** 指妇女不在月经期，阴道持续淋漓不断出血。

[6] **除邪气** “除”，孙本、问本误作“余”；“邪”，《新修》原作“耶”，据《证类》改；“气”，《御览》无此字。又，《大全》注“邪气”二字为《别录》文。“气”字后《纲目》有“肢节不利”四字，并注为《本经》文，其他各本注为《别录》文。

[7] **久服耐寒暑……神仙** 此乃方士神仙书的话。“耐”，《御览》作“能忍”。

[8] **太山** 在今山东泰安。录“太山”为《本经》文，详见玉泉注[11]。

18 禹馀粮[1]

味甘，寒。主治咳逆[2]，寒热烦满[3]，下利赤白[4]，血闭[5]，癥瘕[6]，大[7]热。炼饵服之，不饥，轻身延年[8]。生东海池泽[9]。(《新修》页34，刘《大观》卷3页32，柯《大观》卷3页26)

【校注】

[1] **禹馀粮** 为氧化物类矿物褐铁矿的一种矿石。陶隐居注：“言昔禹行山乏食，采此以充粮而弃其馀。”

[2] **咳逆** 指反复咳嗽，引起肺气上逆。

[3] **寒热烦满** 指热病时，心烦胸满闷。

[4] **下利赤白** 《伤寒论》将痢疾与泄泻通称为下利。痢疾症见大便次数多而量少，腹痛，里急后重，下黏液及脓血样大便。下脓冻者为白痢，下脓血者赤痢。“下利”，《大观》原脱，据《御览》

补，森本、黄本同。

[5] **血闭** 即经闭，又称闭经。

[6] **癥瘕** 见太一禹馀粮注[3]。

[7] **大** 《千金翼》作“太”。

[8] **炼饵服之，不饥，轻身延年** 《御览》作“久服轻身”。

[9] **生东海池泽** “东海”，在长江口以南，台湾海峡以北，凡江苏南部、浙江、福建之海岸，皆其区域。又，“泽”后，森本有“及山岛中”四字。

19 青芝[1]

味酸，平。主明目[2]，补肝气[3]，安精魂[4]，仁恕。久食轻身[5]，不老延年[6]，神仙[7]。一名龙芝[8]。生泰山。

20 赤芝

味苦，平。主治胸中结[9]，益心[10]气，补中[11]，增智慧[12]，不忘。久食[13]轻身，不老延年[14]，神仙[15]。一名丹芝。生霍山。

21 黄芝

味甘，平。主治心腹五邪[16]，益脾[17]气，安神，忠信[18]，和乐。久食[19]轻身，不老延年，神仙[20]。一名金芝。生嵩山。

22 白芝

味辛，平。主治咳逆上气[21]，益肺[22]气，通利口鼻，强志意，勇悍，安魄。久食轻身，不老延年[23]，神仙。一名玉芝。生华山。

23 黑芝

味咸，平。主治癃[24]，利水道，益肾[25]气，通九窍[26]，聪察。久食[27]轻身，不老延年，神仙。一名玄芝[28]。生常山。

24 紫芝

味甘，温。主治耳聋，利关节，保神，益精气[29]，坚筋骨，好颜色。久服轻身，不老延年[30]，神仙[31]。一名木芝。生高夏山谷[32]。（刘《大观》卷6页90~91，柯《大观》卷6页86，人卫《政和》卷6页168）

【校注】

[1] **青芝** 与下条赤芝、黄芝、白芝、黑芝、紫芝合称六芝。古代方士视为仙药。陶隐居注："此六芝皆仙草之类。"各条皆有"久服轻身，不老延年，神仙"内容。说明作《本经》者受方士著述影响。

[2] **目** 万历《政和》误作"日"。

[3] **补肝气** 中医认为情志、筋、指甲、眼的黑瞳仁与肝有关。"气"，指功能、能量。补肝气，可使人情志、情绪稳定，不生气，不发脾气，不怒，筋强健，指甲润。

[4] **精魂** 即精神。"魂"，古人谓魂是人的精神，能离开人体而存在。

[5] **久食轻身** 《御览》作"食之轻身"。

[6] **延年** 《御览》无此二字。

[7] **仙** 其后，《图经衍义》有"不忘强志"四字。

[8] **一名龙芝** 《纲目》注为《别录》文，其他各本皆注为《本经》文。

[9] **胸中结** 《千金翼》作"胸腹结"。

[10] **心** 中医认为神志、思维、血脉、舌等皆与心有关。

[11] **补中** 此处"中"，有两重含义：一指五脏，如杨上善注《太素 · 人迎脉口诊 · 寸口主中》云："中谓五脏"；一指胃肠，因胃肠居人体正中，故名。

[12] **智慧** 成化《政和》、万历《政和》、商务《政和》、《品汇》《图考长编》、孙本、黄本、顾本作"慧智"。柯《大观》、玄《大观》、《大全》、人卫《政和》、《纲目》、森本、狩本作"智慧"。应从《大观》等为是。又，"慧"，《千金翼》作"惠"。

[13] **久食** 《御览》作"食之"，《文选》注同。

[14] **轻身，不老延年** 《御览》无此文。"年"，黄本、问本作"秊"。

[15] **神仙** 《御览》作"为神仙"。

[16] **五邪** 《灵枢 · 五邪》谓五脏病邪为五邪。《难经 · 四十九难》谓中风、伤暑、饮食劳倦、伤寒、中湿为五邪。《难经 · 五十难》又以虚邪、实邪、贼邪、微邪、正邪为五邪。《金匮》以风、寒、湿、雾、伤食为五邪。

[17] **脾** 中医认为消化、吸收功能，水的运行，口唇，四肢，思虑怀念等皆与脾有关。

[18] **信** 顾本作"和"。

[19] **久食** 《御览》作"食之"。

[20] **不老延年，神仙** 《御览》无此文。"年"，问本、黄本作"秊"。

[21] **咳逆上气** 指反复咳嗽致肺气上逆。

[22] **肺** 中医认为喉、鼻、眼白、皮肤、悲哀等皆与肺相关。

[23] **年** 问本、黄本作"秊"。

[24] **癃** 指排尿困难，点滴而下。

[25] **肾** 中医认为生殖器官及功能、精液、骨、齿、头发、瞳孔、视觉、听觉、恐惧等均与肾

有关。

[26] **九窍** 两耳、两目、两鼻孔、一口为七窍，加上前后二阴，合称九窍。

[27] **食** 合肥版《纲目》作“服”。

[28] **玄芝** 孙本、问本、黄本作“元芝”。此为避清代康熙皇帝玄烨的“玄”字讳，将“玄”改为“元”。

[29] **气** 顾本无此字。

[30] **不老延年** 《御览》无此四字。“年”，问本、黄本作“季”。

[31] **神仙** 《证类》原脱，据《御览》增。《纲目》、孙本、顾本无“神仙”二字。森本有“神仙”二字。

[32] **生高夏山谷** “高夏”，陶隐居注：“按，郡县无高夏名。”西汉《淮南子》云：“巫山之上，顺风纵火，膏夏、紫芝与焦艾并死。”东汉·高诱注：“膏夏，乔木。”则膏夏（高夏）是植物名，非地名。古无标点，将“膏夏紫芝”理解为膏夏地方产的紫芝。作《本经》者同误，谓紫芝生高夏山谷。这里说明《本经》写作时间，当在西汉《淮南子》之后。实际上应是西汉本草待诏时代（见本书后记）。从本条中青芝、白芝、赤芝、黑芝、黄芝等五芝诸般联系，亦得佐证。

【按语】 此五芝以五色（青、白、赤、黑、黄）命名，五色又与五岳（太山，今山东泰山；华山，今陕西华山；衡山，今湖南衡山；常山，今河北元氏县；嵩山，今河南登封）、五味（酸、辛、苦、咸、甘）、五脏（肝、肺、心、肾、脾）相配（见上五条内容）。其中赤芝生南岳衡山，衡山属湖南，汉武帝以衡山辽旷，遂移祠天柱山。《史记·封禅》：“登礼潓之天柱山，号曰南岳。”天柱山，即霍山（今安徽潜山）。作《本经》者，书赤芝生霍山。陶隐居注：“南岳本是衡山，汉武帝始以霍山代之。”由此可见，赤芝生霍山，当在汉武帝以后，同时也说明《本经》的写作时间，是在汉武帝以后。

五芝与五色、五位（方位）、五味、五脏相配，和《内经》五行、五色、五味、五脏相配是一致的。说明作《本经》者有意用《内经》思想编写五芝内容。作《本经》者之所以如此来写，疑与汉代本草待诏有关。他们这样做，可以获得更好的应诏机会。

25 合欢[1]

味甘[2]，平。主安五脏[3]，和心志[4]，令人欢乐无忧。久服轻身，明目[5]，得所欲[6]。生益州川谷[7]。（《新修》页134，刘《大观》卷13页52，柯《大观》卷13页44）

【校注】

[1] **合欢** 《新修》《证类》《纲目》、孙本、森本列在中品。本书根据《博物志》及本条文中有“久服轻身”等语，将之移在上品。

[2] **甘** 《御览》作“甜”。

[3] **五脏** 即心、肝、脾、肾、肺。

[4] **和心志** 《证类》《品汇》《本草经疏》、顾本、孙本作“利心志”。傅本《新修》、罗本《新修》、《艺文类聚》《纲目》、姜本、《图考长编》、森本作“和心志”。“志”，《御览》作“气”。

[5] **目** 玄《大观》误刻为“日”。

[6] **得所欲** 《御览》《艺文类聚》无此文。

[7] **川谷** 《证类》《图考长编》、孙本作“山谷”。《新修》《御览》《艺文类聚》、森本作“川谷”。从《新修》为正。

26 赤箭[1]

味辛，温。主杀鬼精物[2]，蛊毒[3]，恶气[4]。久[5]服益气力，长服肥健，轻身，增年[6]。一名离母，一名鬼督邮[7]。生陈仓[8]山谷。（刘《大观》卷6页86，柯《大观》卷6页81，人卫《政和》页166）

【校注】

[1] **赤箭** 《御览》作“鬼督邮”。陶隐居云：“此草亦是芝类。云茎赤如箭杆，叶生其端，根如人足。”赤箭根名天麻，为兰科植物天麻。陈承《别说》：“今医家见用天麻，即是此赤箭根。”

[2] **鬼精物** 迷信传说中将“螭（山神）、魅（鬼怪）、罔两（水神）”一类害人之物，称为鬼精物。

[3] **蛊毒** 森本作“治蛊毒”。《御览》作“治虫”。森本《本经·考异》引《香药钞》、《药种钞》作“虫毒”。按，蛊毒是病名，出《肘后方》。其病症状复杂，变化不一，病情一般较重。像血吸虫病、阿米巴痢疾、重症肝炎、肝硬化等，在古代都属于蛊毒。

[4] **恶气** 古人认为某些原因不明、带有传染性的急性疾患都为恶气所致。

[5] **久** 商务《政和》误作“义”。

[6] **轻身，增年** 《纲目》注为《别录》文。《御览》无“增年”二字，并移“轻身”在“久服”之后。

[7] **鬼督邮** 李时珍曰：“因其主鬼病，犹司鬼之督邮也。古者设传舍有督邮之官主之。”《通典·职官》谓督邮为汉所设，是郡守属吏。由此可见督邮的名称出自汉代。则作《本经》者，当是汉代人。

[8] **陈仓** 在今陕西宝鸡东。录“陈仓”为《本经》文，详见玉泉注［11］。

27 龙眼[1]

味甘，平。主治五脏邪气[2]，安志厌食[3]。久服强魂魄[4]，聪察[5]，轻身，

不老[6]，通神明。一名益智。生南海[7]山谷。(《新修》页124，刘《大观》卷13页47，柯《大观》卷13页38)

【校注】

[1] **龙眼** 为无患子科植物龙眼。《纲目》《草木典》将龙眼条全文，注为《别录》文。

[2] **五脏邪气** 指心、肝、脾、肺、肾之致病因素。

[3] **安志厌食** "安志"，即安定神志。"厌食"，不思饮食。又"食"字后，《纲目》《本草经解》有"除蛊毒，去三虫"六字。按，此六字原出于《蜀本草》，非《本经》文。

[4] **魄** 《大观》《纲目》《本草经疏》、孙本、顾本无"魄"字。《新修》有"魄"字。

[5] **察** 《大观》《纲目》《本草经疏》、孙本、顾本作"明"。《新修》、森本作"察"。从《新修》为正。

[6] **老** 傅本《新修》、罗本《新修》原脱，据《大观》补。

[7] **南海** 古代南海，指广东、广西地区。录"南海"为《本经》文，详见玉泉注[11]。

28 猪苓[1]

味甘[2]，平。主治痎疟[3]，解毒，辟蛊疰不祥[4]，利水道。久服轻身，耐老[5]。一名猳猪矢[6]。生衡山[7]山谷。(《新修》页126，刘《大观》卷13页40，柯《大观》卷3页33)

【校注】

[1] **猪苓** 为多孔菌科真菌猪苓菌核。《御览》作"腊零"。古"零""苓"通用。晋·司马彪注《庄子》云："豕橐，一名猪苓，其根似猪矢。"按，庄子是战国时人，则"豕橐"当是战国时用名，与后世文献用名不相近。而《本经》以"猪苓"为正名，此与汉代医书用名同。说明《本经》写作年代是汉代。

[2] **甘** 其后，人卫《政和》、《本经疏证》有"苦"字，作《本经》文。

[3] **痎(jiē 阶)疟** 见《素问·疟论》。《说文》："痎，二日一发疟也。"

[4] **辟蛊疰不祥** "蛊"，指古代通过畜养毒虫、毒蛇制成的毒物，见《周礼·秋官庶氏》。"疰"，主要指劳瘵，《释名·释疾》："注病，一人死，一人复得，气相灌注也。""疰不祥"，《新修》原作"不注祥"，据《千金翼》《证类》改。"辟蛊疰不祥"，《证类》《纲目》《品汇》《本草经疏》《本经疏证》无"辟"字。

[5] **耐老** 《新修》原作"能老"，据《千金翼》《证类》改。

[6] **矢** 《证类》《纲目》、孙本、顾本作"屎"。《新修》《本草和名》《御览》、森本作"矢"。

[7] **衡山** 即湖南衡山。录"衡山"为《本经》文，详见玉泉注[11]。

29 茯苓[1]

味甘，平。主胸胁逆气[2]。忧恚，惊邪恐悸[3]，心下结痛[4]，寒热，烦满[5]，咳逆[6]，止[7]口焦舌干，利小便。久服安魂魄[8]养神，不饥，延年[9]。一名伏菟[10]。生太山[11]山谷。（《新修》页86，刘《大观》卷12页20，柯《大观》卷12页17）

【校注】

[1] **茯苓** 为多孔菌科真菌茯苓菌核，古人认为其由松的神灵之气伏结而成，故名。《史记·龟策传》作“伏灵”。

[2] **胸胁逆气** 狩本脱“胸胁”二字。“逆气”，《御览》作“疝气”。

[3] **忧恚，惊邪恐悸** 《御览》作“忧患惊恐”。“忧恚”，即忧愁和忿恨。《说文》云：“恚，恨也。”

[4] **心下结痛** 《御览》作“下结痛”。此处心下，指胃部。心下结痛，指胃部满急痛。

[5] **烦满** 《诸病源候论·烦满候》：“烦满者，心烦，胸间气满急也。”

[6] **咳逆** 反复咳嗽，引起肺气上逆，出现喘促。

[7] **止** 《证类》《纲目》《本草经疏》《本经疏证》《品汇》《图考长编》、孙本、顾本无“止”字。《新修》、森本有“止”字。

[8] **魂魄** 迷信者，谓人的精神离开人体而存在为魂，精神依附人体而存为魄。“魄”，《证类》《纲目》《品汇》《本草经疏》、孙本、顾本、《图考长编》无此字，《新修》、森本有此字。

[9] **年** 黄本、问本作“季”。

[10] **一名伏菟** 《大观》《大全》注为《别录》文，人卫《政和》作白字《本经》文。从《政和》为正。

[11] **太山** 在今山东泰安。录“太山”为《本经》文，详见玉泉注［11］。

30 松脂

味苦，温[1]。主治痈疽[2]，恶疮[3]，头疡[4]，白秃[5]，疥瘙[6]，风气，安五脏[7]，除热。久服轻身，不老[8]延年[9]。一名松膏，一名松肪。生太山[10]山谷。（《新修》页90，刘《大观》卷12页9，柯《大观》卷12页6）

【校注】

[1] **味苦，温** 《艺文类聚》无性味，仅言“渴”。《御览》作“温”，衍“中”字。

[2] **痈疽** 病名，见《灵枢·痈疽》。痈为疮面浅而大者，分内痈、外痈，临床有红肿、焮热、疼痛及成脓等症；疽为疮面深而恶者，多发于肌肉、筋骨之间。古代的疽仅指无头疽。“痈疽”，《大观》《政和》《本草经疏》、孙本、黄本作“疽”，无“痈”字；《新修》、森本作“痈疽”。

[3] **恶疮** 《诸病源候论·恶疮候》：“疮痒痛，焮肿，而疮汁多，身体壮热，谓之恶疮。”又“疮”，孙本、问本、黄本作“创”。

[4] **头疡** 即头疮。唐·贾公彦《周礼疏》：“疕，头疡，谓头上有疮含脓血者。”

[5] **白秃**　《诸病源候论·白秃候》:"头疮有虫，痂白，头发秃落，谓之白秃。"

[6] **疥瘙**　指疥疮瘙痒。《诸病源候论·疥候》:"疥疮，多生手足指间，染渐生至身体，痒有脓汁。""疥瘙",《新修》原作"疼瘙"，据《大观》改。"瘙"，孙本、问本、周本、黄本作"搔"。

[7] **安五脏**　《新修》原脱"五"，据《大观》补。

[8] **不老**　《初学记》《艺文类聚》无"不老"二字。

[9] **年**　黄本、问本作"季"。

[10] **太山**　在今山东泰安。录"太山"为《本经》文，详见玉泉注 [11]。

31　柏子[1]

味甘，平。主治惊悸[2]，安五脏[3]，益气，除风湿痹[4]。久服令人润[5]泽美色，耳目聪明，不饥，不老，轻身，延年[6]。生太山[7]山谷。(《新修》页 92，刘《大观》卷 12 页 18，柯《大观》卷 12 页 14)

【校注】

[1] **柏子**　为柏科植物侧柏。《说文》:"柏，椈也。"《尔雅》:"柏，椈。"《本经》柏子条无"椈"异名，魏子才《六书精蕴》:"万木皆向阳，而柏独西指。"陆佃《埤雅》:"柏之指西，独针之指南。"在五行中，西方属白色，其木之名从白"柏"。"柏子",《新修》《证类》《纲目》、孙本、森本、顾本作"柏实"。敦煌本《集注·序录》、《医心方》《千金方》作"柏子"。从《集注·序录》为正。

[2] **惊悸**　指由于惊骇而悸。"悸"，指心跳，心慌，悸动不安。

[3] **安五脏**　《纲目》在"除风湿"之后。

[4] **风湿痹**　孙本脱"风"字。《纲目》《本经疏证》《本草经解》、姜本均无"痹"字。"痹"字后，成化《政和》、万历《政和》、商务《政和》有"疗恍惚虚"四字，并作白字《本经》文，人卫《政和》、《大观》对此四字作黑字《别录》文。"风湿痹"，指风痹、湿痹合称。症见肢节疼痛，屈伸不利。其痛游动，不固定于一处，为风痹。其痛固定不移，肢体重着，肌肤麻木，阴雨加重，为湿痹。

[5] **润**　孙本、问本、黄本、周本作"悦"。

[6] **年**　黄本、问本作"季"。

[7] **太山**　在今山东泰安。录"太山"为《本经》文，详见玉泉注 [11]。

32　天门冬[1]

味苦，平[2]。主治诸暴风湿偏痹[3]，强骨髓，杀三虫[4]，去伏尸[5]。久服轻身，益气延年[6]。一名颠勒[7]。生奉高[8]山谷。(刘《大观》卷 6 页 23，柯《大观》卷 6 页 20，人卫《政和》页 147)

【校注】

[1] **天门冬** 为百合科植物天门冬。敦煌本《集注·序录》:“《本经》有直云茱萸、门冬者,无以辨山、吴、天、麦之异,咸宜各题其条。”从陶序可知,陶弘景所见《本经》,并无“天门冬”药名。这个“天门冬”药名,是陶弘景作《集注》时苞综诸经整理而成的。由此可见,陶弘景整理《本经》文,与陶氏所见诸经文不同(详见本书后记)。

[2] **味苦,平** 《本草经解》作“气平,味苦,无毒”。

[3] **风湿偏痹** 《诸病源候论·风湿痹候》:“风湿痹病之状,或皮肤顽厚,或肌肉酸痛,风、寒、湿三气杂至,合而成痹。其风湿气多而寒气少者,为风湿痹也。”

[4] **三虫** 见白青注[6]。

[5] **伏尸** 《诸病源候论·伏尸候》:“伏尸者,谓其病隐伏在人五脏内,积年不除。未发时,身体平调,都如无患。若发动,则心腹刺痛,胀满喘急。”

[6] **年** 其后,《纲目》《本草经解》有“不饥”二字,注为《本经》文,《大观》作黑字《别录》文。

[7] **一名颠勒** 此乃《本经》异名。郭璞注《尔雅》:“《本草》,门冬,一名满冬。”据此,《本经》应有“满冬”异名。《说文解字系传·通释》藩条亦云:“今《本草》有天门冬、麦门冬,并无满冬之名。”

[8] **奉高** 在今山东泰安东。《颜氏家训》:“譬犹本草,神农所述,而有豫章、朱崖、赵国、常山、奉高、真定、临淄、冯翊等郡县名。”《汉书·地理志》谓泰山郡,高帝置,县二十四,有奉高。汉高帝在位于公元前206—公元前195年,则奉高为西汉时地名。则作《本经》者,当在汉高帝以后。但颜氏认为本草书为神农所述,其产地名称为后人所羼入。

33 麦门冬[1]

味甘,平[2]。主治心腹结气[3],伤中[4],伤饱[5],胃络脉绝[6],羸瘦[7],短气[8]。久服轻身,不老,不饥[9]。生函谷川谷[10]。(刘《大观》卷6页52,柯《大观》卷6页48,人卫《政和》页156)

【校注】

[1] **麦门冬** 为百合科植物沿阶草。敦煌出土陶弘景《集注·序录》:“《本经》有直云茱萸、门冬者,无以辨山、吴、天、麦之异,咸宜各题其条。”由此可知,陶氏所见《本经》,并无麦门冬药名,这个药名,是陶氏作《集注》时苞综诸经整理而成的。(详见本书前言)

[2] **味甘,平** 《本草经解》作“气平,味甘,无毒”。

[3] **心腹结气** 古时称疝气。颜师古注《汉书·艺文志·五脏六腑疝》:“疝,心腹结气病。”“结”有固着、结聚之义。《战国策·秦策》:“不足以结秦。”韦注:“结,固也。”

[4] **伤中** “中”,指五脏。杨上善注《太素·人迎脉口诊·寸口主中》云:“中,谓五脏。”伤中即伤五脏。五脏受伤,使人消瘦衰弱。“伤”,人卫《政和》、江西版《纲目》作“肠”,森本《本经·考异》引《顿医钞》亦作“肠”。成化《政和》、万历《政和》、商务《政和》、《大观》、合肥版

《纲目》、孙本、森本、顾本皆作“伤”。

[5] **伤饱** 即伤于饮食。如暴饮、暴食，使消化功能受伤。

[6] **胃络脉绝** 络脉是经脉细小者，如网络，为气血输布的通路。胃络脉绝，指输布胃部气血的网络中断。又“络”，《御览》无此字。“脉”，《本经疏证》作“血”字。

[7] **羸瘦** 即虚弱消瘦。《御览》无此文。

[8] **短气** 指呼吸短促。《御览》无此文。

[9] **久服轻身，不老，不饥** 《本经疏证》注为《别录》文。“不老，不饥”，《御览》作“不饥，不老”。“饥”，顾本误作“肌”。

[10] **生函谷川谷** “函谷”，即函谷关，在今河南灵宝西南。余见玉泉注[11]。又，“川谷”之后，孙本有“及堤坂”三字。

【按语】 本条原有“秦名羊韭，齐名爱韭，楚名马韭，越名羊蓍”先秦用名，《大观》《政和》作黑字。黑字向上推溯，原出《集注》墨书文，为名医所益。按先秦药名应为《本经》文，不应作黑字，疑后世传抄标记舛误。不论此等先秦药名是否原为《本经》文，抑或名医所益，但在条文中，都列为异名，由此可见本条以汉代通行名麦门冬为正名，将先秦名降为异名，说明写作《本经》应在汉代。

34 术[1]

味苦，温[2]。主治风寒湿痹[3]，死肌，痉[4]，疸[5]，止汗，除热，消食。作煎饵。久服轻身，延年[6]，不饥[7]。一名山蓟[8]，生郑山[9]山谷。（刘《大观》卷6页31，柯《大观》卷6页31，人卫《政和》页151）

【校注】

[1] **术** 为菊科植物苍术、白术的通称。《尔雅》：“术，山蓟。”《抱朴子·仙药篇》：“术，一名山精。故《神药经》曰：必欲长生，长服山精。”

[2] **味苦，温** 《本草经解》作“气温，味甘，无毒”。

[3] **风寒湿痹** 指风痹、寒痹、湿痹之统称。

[4] **痉** 见《灵枢·经筋》等篇，又称痓。其症项背强急，口噤，四肢抽搐，角弓反张。

[5] **疸** 即黄疸，症见皮肤、眼白、指甲、口腔黏膜、小便等皆黄。“疸”，《千金翼》《本经疏证》作“疽”。

[6] **年** 问本、黄本作“秊”。《正字通》：“秊，年之本字，俗作年。”

[7] **不饥** 《艺文类聚》在“久服”之后。

[8] **蓟** 《本草和名》作“荆”。《艺文类聚》作“葪”。森本《本经·考异》云：“《香药钞》背记作葪，《香要钞》作茢。”

[9] **郑山** 陶隐居注云：“郑山即南郑也。”南郑即今陕西南部。录“郑山”为《本经》文，详见玉泉注[11]。

【按语】本条正名用术，异名用山蓟。术是汉代通行药名。《武威医简》《伤寒论》《金匮要略》方中皆用术，未用山蓟药名。山蓟出先秦书《尔雅》。作《本经》者，以通行名“术”为主名，将先秦书用名降为异名。据此可知，《本经》写作时间，当为汉代。事物用名与时代有关，后代人写书要取前代用名，但前代人写书不会有后代用名。

35　女萎[1]

味甘，平[2]。主治中风暴热[3]，不能动摇，跌筋[4]结肉[5]，诸不足。久服[6]去面黑皯[7]，好颜色，润泽，轻身，不老[8]。生太山川谷[9]。（刘《大观》卷6页44，柯《大观》卷6页41，人卫《政和》页154）

【校注】

[1] **女萎**　女萎有同名异物，一是《本经》“女萎”，一是《唐本草》新增的药“女萎”。女萎又有同物异名，如陶弘景注云：“按《本经》有女萎，无萎蕤。《别录》无女萎，有萎蕤，而为用正同，疑女萎即萎蕤也，惟名异尔。”今日以玉竹名之。玉竹为百合科黄精属植物。

[2] **味甘，平**　《御览》作“辛”。

[3] **中风暴热**　此指外感风邪突然发热。《伤寒论·辨太阳病脉证并治》：“太阳病，发热，汗出，恶风，脉缓者，名曰中风。”

[4] **跌筋**　孙本、问本、黄本误作“趺筋”。莫本注云：“跌，当作胅。”《说文》：“胅，骨差也。”意为挫伤。跌筋，指筋跌伤。

[5] **结肉**　“结”指固结。《战国策·秦策》：“不足以结秦。”韦注：“结，固也。”“结肉”，指肌肉结固，如肿块、瘤肿等。

[6] **久服**　《御览》、森本将之置于“润泽”之后。

[7] **皯**　《千金翼》作“皯”，孙本、问本、黄本作“皯”，均为异写。

[8] **不老**　《御览》作“能老”。按，“能”即“耐”之意。

[9] **生太山川谷**　“太山”，今山东泰山。“川谷”，《大观》、孙本作“山谷”，《御览》、森本作“川谷”。从《御览》为正。录“太山”为《本经》文，详见玉泉注[11]。

【按语】本条正名“女萎”，不见于先秦。苏颂《本草图经》云：“《尔雅》谓荧，委萎。敦璞注云：药草也。亦无女萎之别名。”据此，女萎之名不见于先秦，当为汉代用名。作《本经》者以当时习用名女萎为正名，则《本经》写作时代当为汉代。吴普修订《本经》时，亦以女萎为正名，将先秦用名“荧”，降为别名。

36　干地黄[1]

味甘，寒[2]。主治折跌，绝筋[3]，伤中[4]，逐血痹[5]，填骨髓[6]，长肌肉。

作汤除寒热积聚，除痹[7]。生者尤良[8]。久服轻身，不老。一名地髓[9]。生咸阳[10]川泽。（刘《大观》卷6页29，柯《大观》卷6页26，人卫《政和》页149）

【校注】

[1] **干地黄**　《御览》《纲目》作“地黄”。《尔雅》：“苄，地黄。”郭璞注：“一名地髓，江东呼苄。”

[2] **味甘，寒**　《本草经解》作“气寒，味甘，无毒”。

[3] **折跌，绝筋**　《纲目》移此文在“除痹”之后。“跌”，孙本、问本误作“趺”。“折跌”指折伤、挫伤、跌伤。“绝筋”即断筋。《千金方·治腕折四肢骨碎及筋蹉跌方》单用生地黄敷伤处。

[4] **伤中**　“中”，指五脏。杨上善注《太素·人迎脉口诊·寸口主中》云：“中，谓五脏。”《素问·诊要经终论》：“凡刺胸腹者必避五脏。……中（zhòng仲）膈者，皆为伤中。”

[5] **血痹**　《金匮要略·血痹虚劳病脉证并治》谓血痹病，身体不仁，肢节疼痛，脉微涩，尺脉小紧。

[6] **填骨髓**　即填补骨髓以健骨。古代以干地黄为主制成六味地黄丸，可治骨病。

[7] **痹**　由风、寒、湿所致筋骨疼痛之通称。

[8] **生者尤良**　《纲目》在“不老”之后。“尤”，《本草经疏》作“犹”。

[9] **地髓**　此名是郭璞用以释地黄，所以地髓名称出现较晚，疑是名医所益，应作黑字《别录》文。《大观》《政和》作白字《本经》文，可能标记有误。

[10] **咸阳**　秦古都，今陕西咸阳。录“咸阳”为《本经》文，详见玉泉注[11]。

37　菖蒲[1]

味辛，温[2]。主治风寒湿痹[3]，咳逆上气[4]，开心孔[5]，补五脏，通九窍[6]，明耳目[7]，出音声[8]。久服轻身，不忘，不迷惑[9]，延年[10]。一名昌阳[11]。生上洛[12]池泽。（刘《大观》卷6页11，柯《大观》卷6页8，人卫《政和》页143）

【校注】

[1] **菖蒲**　为天南星科植物多种菖蒲的通称。《淮南子·说山训》：“昌羊去蚤虱。”本条，成化《政和》、万历《政和》、商务《政和》、《大全》等皆无《本经》《别录》标记。

[2] **味辛，温**　《本草经解》作“气温，味辛，无毒”。

[3] **风寒湿痹**　见《素问·痹论》等篇，指由风、寒、湿三邪侵袭肢体经络，导致肢节疼痛、麻木、屈伸不利的病证。风盛，疼痛游动不定；寒盛，疼痛有定处，遇寒痛甚；湿盛，疼痛固定不移，阴雨天加重。

[4] **咳逆上气**　反复咳嗽，引起肺气上逆，有喘闷感。

[5] **开心孔**　即开窍。中医以神志为心。病者神志不清，中医认为心窍闭塞，治宜开窍。《肘后方》治卒中客忤，用菖蒲生根捣汁灌之，立瘥。

[6] **九窍** 《周礼·天官·疾医》："两以九窍之变。"郑玄注："九窍，阳窍七（眼、耳、口、鼻），阴窍二（前后二阴）。"

[7] **明耳目** 《御览》在"久服轻身"之后。

[8] **出音声** 孙本作"出声音"。"声"字后，《纲目》《本草经解》有"主耳聋痈疮，温肠胃，止小便利"，注为《本经》文；《大观》、人卫《政和》将此十二字作黑字《别录》文。

[9] **惑** 孙本、问本、黄本作"或"。

[10] **年** 问本、黄本作"秊"。"年"字后，《纲目》《本草经解》有"益心智，高志不老"，注为《本经》文；《大观》、人卫《政和》将此七字作黑字《别录》文。

[11] **昌阳** 《淮南子·说山训》作"昌羊"。

[12] **上洛** 在今陕西商洛。余详见玉泉注[11]。

【按语】 菖蒲，先秦简称昌。《周礼·醢人》云："昌本。"郑玄注："昌本，昌蒲根。"《春秋左传》："响以昌歜。"汉·杜预注："昌歜，昌蒲俎。"《吕氏春秋》云："冬至后五旬七日昌始生。"由此可见，菖蒲，先秦称昌，汉代称昌蒲。《本经》以昌蒲为正名，则《本经》写作年代当为汉代。

38 远志[1]

味苦，温[2]。主治咳逆[3]，伤中[4]，补不足，除邪气[5]，利九窍[6]，益智慧[7]，耳目聪明，不忘，强志，倍力。久服轻身，不老[8]。叶名小草[9]，一名棘菀，一名葽绕，一名细草。生太山[10]川谷。（刘《大观》卷6页72，柯《大观》卷6页69，人卫《政和》页163）

【校注】

[1] **远志** 为远志科植物。《尔雅》云："葽绕，棘菀。"郭璞注："今远志也"。

[2] **味苦，温** 《本草经解》作"气温，味苦，无毒"。

[3] **咳逆** 指反复咳嗽引起肺气上逆喘促。

[4] **伤中** 见干地黄注[4]。

[5] **邪气** 泛指多种致病的病原。

[6] **九窍** 见菖蒲注[6]。

[7] **智慧** 森本《本经·考异》云："《香药钞》《药种钞》《长生疗养方》并作'慧智'。""慧"，《千金翼》作"惠"。

[8] **不老** 《御览》作"不忘"。

[9] **叶名小草** "叶"，《纲目》、姜本作"苗"。"小"，森本《本经·考异》云："《顿医钞》作'少'。"

[10] **太山** 今山东泰山。录"太山"为《本经》文，详玉泉注[11]。

【按语】 事物得名，有时代性。写作者，多以当时通行名为正名，将前代用名，多降为异名。联系本条，作《本经》者将汉代通行名远志作正名，将先秦用名棘菀、葽绕，降为别名。这就提示《本经》写作时间，当在汉代。

39　泽泻[1]

味甘，寒[2]。主治风寒湿痹[3]，乳难[4]，消水[5]，养五脏，益气力，肥健。久服耳目聪明，不饥，延年[6]，轻身，面生光，能行水上[7]。一名水泻[8]，一名芒芋，一名鹄泻。生汝南[9]池泽。（刘《大观》卷6页68，柯《大观》卷6页66，人卫《政和》页162）

【校注】

[1] **泽泻**　为泽泻科植物。刘向《九叹》有载“筐泽泻”，王逸注：“泽泻，恶草也。”刘向、王逸皆汉代人，汉代人用泽泻名，则泽泻为汉代通用名。

[2] **味甘，寒**　《本草经解》作“气寒，味甘，无毒”。

[3] **风寒湿痹**　见菖蒲注［3］。

[4] **乳难**　即产难，或称难产。“乳”，商务《政和》误作“孔”。

[5] **消水**　《纲目》《本草经解》移“消水”在“肥健”之后。“消水”，意为利水。

[6] **年**　黄本、问本作“季”。《正字通》：“季，年本字，俗作年。”

[7] **能行水上**　森本《本经·考异》引《香字钞》作“步行水上”。此文指泽泻利水后的功效。中医认为体内水湿过盛，则身体重着难行，通过利水后，湿去身轻，易健行。

[8] **水泻**　《毛诗》云：“言采其荬。”《传》云：“荬，水泻也。”陆玑注：“水泻，今泽泻也。”按，陆玑以泽泻释水泻，则水泻的名称早于泽泻。

[9] **汝南**　陶隐居云：“汝南郡属豫州。”汝南即今河南汝南。录“汝南”为《本经》文，详玉泉注［11］。

【按语】本条正名泽泻是汉代用名，此处将比泽泻更早的“水泻”降为异名。则《本经》写作时间，当为汉代。

40　薯蓣[1]

味甘，温[2]。主治伤中[3]，补虚羸[4]，除寒热邪气[5]，补中，益气力，长肌肉[6]。久服耳目聪明，轻身，不饥，延年。一名山芋[7]。生嵩高[8]山谷。（刘《大观》卷6页65，柯《大观》卷6页62，人卫《政和》页160）

【校注】

[1] **薯蓣**　为薯蓣科植物，秦、楚名“玉延”，郑、越名“土藷”，《金匮要略》名“署预”，

《品汇》《草木典》名“山药”。按寇宗奭《本草衍义》山药条云：“上一字犯英庙讳，下一字曰蓣，唐代宗名豫，故改下一字为药，今人遂呼为‘山药’。”所谓“英庙讳”，即指北宋第五个皇帝英宗名赵曙（1064—1067），故后世凡遇“曙”或与“曙”字音相同者，如“树”，都改用别的字。“唐代宗名豫”，即唐代宗名李豫（762—779），凡遇“豫”字或与“豫”字同音者，亦改用别的字。

[2] **味甘，温** 《本草经解》作“气温，味甘，无毒”。

[3] **伤中** 见干地黄注［4］。

[4] **补虚羸** 《御览》无“补”字。“虚羸”，即虚弱羸瘦。

[5] **除寒热邪气** 《御览》作“除邪气寒热”，在“长肌肉”之后。

[6] **长肌肉** “肉”字后，《纲目》《本草经解》有“强阴”二字，注为《本经》文。《证类》将此二字作黑字《别录》文。又“肉”字后，《艺文类聚》有“除邪气”三字。

[7] **山芋** 《纲目》注“山芋”二字为《吴普》文。

[8] **嵩高** 在今河南登封。录“嵩高”为《本经》文，详玉泉注［11］。

【按语】 本条原有“秦、楚名玉延，郑越名土藷”，其中先秦药名，《大观》《政和》作黑字。黑字向上推溯，原出《集注》墨书文，为名医所益。按先秦药名应为《本经》文，不应作黑字，疑后世传抄，标记舛误。不论此等先秦名是否原为《本经》文，抑或名医所益，但在条文中，都列为异名。由此可见本条以汉代通行名薯蓣为正名，将先秦名降为异名，说明《本经》写作时间为汉代。

41 菊花[1]

味苦，平[2]。主治风头眩[3]肿痛，目欲脱[4]，泪出，皮肤死肌[5]，恶风湿痹[6]。久服利血气，轻身，耐老延年。一名节华[7]。生雍州[8]川泽。（刘《大观》卷6页14，柯《大观》卷6页11，人卫《政和》页144）

【校注】

[1] **菊花** 为菊科植物野菊。《尔雅》云：“蘜，治墙。”郭璞注：“今之秋华菊。”《初学记》、《御览》引《本经》皆作“菊”。又“花”，孙本作“华”。按，“花”“华”古本草通用。

[2] **味苦，平** 《本草经解》作“气平，味甘、苦，无毒”。

[3] **风头眩** 《纲目》《本草经解》作“诸风头眩”。《大全》、森本作“风头，头眩”。《诸病源候论·风头眩候》：“风头眩者，由血虚，风邪入脑，而引目系急成眩。”

[4] **目欲脱** 此为“风头眩”续发症状。从注［3］“风邪入脑，而引目系急成眩”来看，同样风邪入脑亦会引起目系急，使目胀满欲脱出。

[5] **皮肤死肌** 指皮肤麻木不仁。《素问·痹论》：“皮肤不营，故为不仁。”

[6] **风湿痹** “风湿痹”，指风痹、湿痹合称。症见肢节疼痛，屈伸不利。其痛游动，不固定于一处，为风痹。其痛固定不移，肢体重着，肌肤麻木，阴雨加重，为湿痹。

[7] **节华** 万历《政和》、成化《政和》、商务《政和》、《大全》、柯《大观》、《图经衍义》

《本草经疏》作“节花”。

[8] **雍州** 即今陕西、甘肃一带，《尚书·禹贡》：“黑水西河为雍州。”录“雍州”为《本经》文，详玉泉注 [11]。

42 甘草[1]

味甘，平[2]。主治五脏六腑[3]寒热邪气，坚筋骨，长肌肉[4]，倍力[5]，金疮，尰[6]，解毒[7]。久服轻身，延年[8]。生河西川谷[9]。(刘《大观》卷6页25，柯《大观》卷6页23，人卫《政和》页148)

【校注】

[1] **甘草** 为豆科植物多种甘草的通称。《诗·邶风》：“隰有苓。”《毛传》：“苓，大苦。”《尔雅》：“蘦（通苓），大苦。”郭璞注：“今甘草也。”《淮南子》《武威医简》《金匮要略》《伤寒论》所用皆是甘草之名。

[2] **味甘，平** 《本草经解》作“气平，味甘，无毒”。

[3] **五脏六腑** “五脏”，即心、肝、脾、肺、肾。“六腑”，即胃、大肠、小肠、膀胱、胆、三焦。

[4] **长肌肉** 《淮南子·览冥训》：“甘草主生肉之药。”

[5] **倍力** 《纲目》作“倍气力”。

[6] **金疮，尰** “金”，莫本作“销”。“尰”，《本经疏证》作“肿”。自膝至踝及趾俱肿名尰（见《诸病源候论》）。

[7] **毒** 其后，《图考长编》有“温中”二字，注为《本经》文；《大观》对此二字作黑字《别录》文。

[8] **年** 问本、黄本作“秊”。《正字通》：“秊，年之本字，俗作年。”

[9] **生河西川谷** 黄河流经山西、陕西之间，呈南北向，位于黄河东为河东，位于黄河以西者为河西，河西即今陕西。余见玉泉注 [11]。

【按语】 甘草在先秦称“苓”“蘦”“大苦”，汉代称甘草。作《本经》者，以甘草为正名，则《本经》写作时间，当为汉代。

43 人参[1]

味甘，微寒[2]。主补五脏，安精神，定魂魄[3]，止惊悸，除邪气[4]，明目，开心益智[5]。久服轻身延年[6]，一名人衔[7]，一名鬼盖[8]。生上党[9]山谷。(刘《大观》卷6页18，柯《大观》卷6页15，人卫《政和》页145)

【校注】

[1] **人参** 为五加科植物。"参",《说文》作"蓡",或省作"蓡"。《说文解字系传》:"作参字异者,人形也。"

[2] **微寒** 《吴普》引《本经》作"小寒"。此与陶氏作《集注》所引《本经》药性不同。

[3] **安精神,定魂魄** 《御览》作"安定精神魂魄"。古人迷信,谓人精神离形体而存为魂,依形体而存为魄。

[4] **止惊悸,除邪气** 《御览》作"除邪止惊"。"惊悸",指因惊恐而致心跳、心慌、心动不安。

[5] **开心益智** 意为开心窍,使人聪明,增智慧。

[6] **年** 问本、黄本作"秊"。《正字通》:"秊,年之本字,俗作年。"

[7] **人衔** 《本草和名》作"人銜",森本《本经·考异》云:"《顿医钞》作术。"

[8] **鬼盖** 《御览》无。

[9] **上党** 今山西长治。录"上党"为《本经》文,详见玉泉注[11]。

44 石斛[1]

味甘,平[2]。主治伤中[3],除痹[4]。下气,补五脏虚劳羸瘦,强阴[5]。久服厚肠胃,轻身,延年[6]。一名林兰。生六安[7]山谷。(刘《大观》卷6页80,柯《大观》卷6页76,人卫《政和》页164)

【校注】

[1] **石斛** 为兰科植物多种石斛之通称。"斛",《和名类聚钞》引本草书作"蔛"。

[2] **味甘,平** 《吴普》引《本经》同;《本草经解》作"气平,味甘,无毒"。

[3] **伤中** "中",指五脏。杨上善注《太素·人迎脉口诊·寸口主中》:"中,谓五脏。""伤中"即伤五脏。

[4] **除痹** 《御览》在"久服"之后。

[5] **阴** 其后,《纲目》《本草经解》有"益精"二字,注为《本经》文。《证类》对"益精"二字,作黑字《别录》文。森本、孙本、顾本皆不取"益精"为《本经》文。

[6] **久服厚肠胃,轻身,延年** 《御览》无"厚""轻身,延年"五字。"年",黄本、问本作"秊"。又,《纲目》《草木典》注"轻身,延年"为《别录》文。

[7] **六安** 今安徽六安。辑"六安"为《本经》文,详见玉泉注[11]。

45 石龙芮[1]

味苦,平[2]。主治风寒湿痹[3],心腹邪气,利关节,止烦满。久服轻身,明目,不老。一名鲁果能,一名地椹[4]。生太山[5]川泽。(刘《大观》卷8页52,柯《大

观》卷 8 页 45，人卫《政和》页 208）

【校注】

［1］**石龙芮** 为毛茛科植物石龙芮。“芮”，《本草和名》《医心方》《和名类聚钞》作“黄”。本条，《御览》分引两处：卷 992 引作“石龙芮，一名水姜苔”，卷 993 地椹条亦引。

［2］**味苦，平** 《吴普》引《本经》同；森本《本经·考异》引《顿医钞》作“小辛，苦”。

［3］**主治风寒湿痹** 《御览》作“治风寒”。风寒湿痹，见《素问·痹论》等篇，指由风、寒、湿三邪侵袭肢体经络，导致肢节疼痛、麻木、屈伸不利的病证。

［4］**一名鲁果能，一名地椹** 《御览》作“地椹，一名石龙芮，一名食果能”。鲁果能，合肥版《纲目》注为《别录》文，《大观》《政和》及其他各本俱作《本经》文。

［5］**太山** 今山东泰山。录“太山”为《本经》文，详玉泉注［11］。

46 石龙蒭[1]

味苦，微寒[2]。主治心腹邪气，小便不利，淋闭[3]，风湿，鬼疰[4]，恶毒。久服补虚羸，轻身，耳止聪明，延年[5]。一名龙须[6]，一名草续断[7]，一名龙珠[8]。生梁州[9]山谷。（刘《大观》卷 6 页 55，柯《大观》卷 6 页 50，人卫《政和》页 190）

【校注】

［1］**石龙蒭** 蒭（chú 除）：《本草和名》作“菖”，《永乐大典》、孙本、问本、黄本、姜本、莫本俱作“刍”。“石龙蒭”，《吴普》作“龙蒭”，无“石”字（见《御览》续断条引《吴普》）。

［2］**味苦，微寒** 《吴普》引《本经》作“小寒”。

［3］**淋闭** 指排尿难。点滴而下为淋，排不出为闭。

［4］**鬼疰** “疰”，森本作“注”。《释名·释疾病》：“注病，一人死，一人复得，气相灌注也。”“鬼疰”，《诸病源候论·鬼注候》：“人有先无他病，忽被鬼排击，或心腹刺痛，或闷绝倒地。得瘥后，余气不歇，有时发动，连滞停住，乃至于死，死后注易旁人。”

［5］**年** 黄本、问本作“秊”。《正字通》：“秊，年之本字，俗作年。”

［6］**龙须** 《吴普》作“龙鬚”。《御览》龙须条引《本经》曰：“西超山多龙循，一名续断。”

［7］**草续断** 《吴普》、森本、《御览》“龙须”条引《本经》俱作“续断”，无“草”字，《本草和名》同。

［8］**一名龙珠** 《大观》《大全》《本经续疏》注为《别录》文。森本不取此四字为《本经》文。人卫《政和》、成化《政和》、万历《政和》、商务《政和》、《纲目》、孙本、问本、周本、黄本、顾本、《图考长编》皆注为《本经》文。

［9］**梁州** 今陕西及四川北部。录“梁州”为《本经》文，详见玉泉注［11］。

47 落石[1]

味苦，温[2]。主治风热，死肌[3]，痈伤[4]，口干舌焦，痈肿不消，喉舌肿不通[5]，水浆不下。久服轻身，明目，润泽，好颜色，不老延年[6]。一名石鲮[7]。生太山[8]川谷。（刘《大观》卷7页12，柯《大观》卷7页11，人卫《政和》页176）

【校注】

［1］**落石**　《千金翼》《大观》《政和》《大全》《纲目》、孙本、顾本、《图考长编》作“络石”。敦煌本《集注·序录》“七情药例”、《医心方》“唐本草目录”、《千金方》“七情药例”、《吴普》《本草和名》《御览》、森本等俱作“落石”。玄《大观》脱“络”字。从敦煌本《集注》为正。

［2］**味苦，温**　《吴普》引《本经》作“苦，小温”。

［3］**死肌**　指肌肤麻木不仁。

［4］**痈伤**　“伤”，通“疡”。《左传·襄十七年》：“以杖抉其伤。”《释文》：“伤本作疡。”“痈伤”，即痈疡，指痈肿溃烂。

［5］**喉舌肿不通**　《大观》《政和》将前三字刻为白字《本经》文，后二字刻为黑字《别录》文。森本、孙本、顾本、《图考长编》取前三字为《本经》文。《品汇》注此五字为《本经》文。《纲目》作“喉舌肿闭”，并注为《本经》文。按，“不通”二字，不能独立成句，当从属于“喉舌肿”。据此，录“不通”为《本经》文。

［6］**久服轻身……不老延年**　《纲目》《草木典》注为《别录》文。“好颜色”，《御览》无“颜”字。“年”，问本、黄本作“季”。

［7］**石鲮**　《吴普》《御览》、黄本作“鲮石”，《纲目》中“石鲮”二字缺《本经》标注。

［8］**太山**　今山东泰山。录“太山”为《本经》文，详玉泉注［11］。

48　水苏[1]

味辛，微温[2]，主下气，杀谷，除饮食[3]，辟口臭[4]，去毒[5]，辟恶气[6]。久服通神明，轻身，耐老[7]。生九真[8]池泽。（刘《大观》卷28页16，柯《大观》卷28页13，《新修》页277）

【校注】

［1］**水苏**　诸本皆列在中品。但本条文中有“久服通神明，轻身，耐老”等语，应入上品。

［2］**微温**　傅本《新修》、罗本《新修》作“温”，无“微”字。刘《大观》、柯《大观》、《千金翼》、人卫《政和》、成化《政和》、商务《政和》俱作“微温”。从《大观》为正。

［3］**下气，杀谷，除饮食**　人卫《政和》、商务《政和》注为《别录》文。孙本、顾本、《图考长编》取前二字“下气”为《本经》文。《大观》《纲目》、森本注为《本经》文。从《大观》为正。

［4］**辟口臭**　“辟”，排除。“辟口臭”，即排除口臭。

［5］**去毒**　《纲目》、姜本作“去邪毒”。

［6］**辟恶气**　孙本无“气”字。

［7］**耐老**　傅本《新修》、罗本《新修》作“能老”，《千金翼》《大观》《政和》作“耐老”。

在古代，“能”通“耐”。《汉书·晁错传》：“其生能寒。”颜师古注：“能，读曰‘耐’。”

［8］**九真** 今越南顺化以北地区。录“九真”为《本经》文，详玉泉注［11］。

【按语】 本条以水苏为正名。《吴普》及《御览》引《本经》皆以芥葅为正名，以水苏为别名。《大观》《政和》以水苏为正名，芥葅降为别名。《大观》《政和》中《本经》文、《别录》文原出《集注》，则《集注》文亦当如此。这种差异疑为陶弘景苞综诸经所致。这就提示陶氏作《集注》所整理的《本经》文，与陶氏以前诸经中文字是不完全相同的。

49 龙胆[1]

味苦，寒[2]。主治骨间[3]寒热，惊痫[4]，邪气，续绝伤，定五脏，杀蛊毒[5]。久服益智，不忘，轻身，耐老[6]。一名陵游[7]。生齐朐[8]山谷。（刘《大观》卷6页75，柯《大观》卷6页72，人卫《政和》页163）

【校注】

［1］**龙胆** 成化《政和》、商务《政和》龙胆条全作墨字，缺《本经》《别录》标记。

［2］**寒** 《大全》、成化《政和》、万历《政和》、《本草经疏》《图考长编》、顾本作“涩”。《千金翼》《大观》、人卫《政和》、《本经疏证》、森本、狩本作“寒”。《纲目》作“涩，大寒，无毒”。应从《千金翼》等为是。

［3］**间** 孙本、问本、黄本、周本作“闲”。

［4］**痫** 《图经衍义》误作“耀”。

［5］**杀蛊毒** 卢本、王本作“杀虫毒”。“蛊毒”，古人通过畜养毒虫、毒蛇而制造的毒物。

［6］**久服益智，不忘，轻身，耐老** 《纲目》《草木典》、姜本注为《别录》文，其他各本皆作《本经》文。“智”，莫本作“老”。

［7］**陵游** 《本草和名》作“凌淤”。合肥版《纲目》缺《本经》标记。

［8］**齐朐** 今山东临朐。

50 牛膝[1]

味苦[2]。主治寒[3]湿痿痹[4]，四肢拘挛，膝痛不可屈伸[5]，逐血气，伤热[6]，火烂[7]，堕胎。久服轻身，耐老[8]。一名百倍。生河内[9]川谷。（刘《大观》卷6页40，柯《大观》卷6页37，人卫《政和》页152）

【校注】

［1］**膝** 《本草知名》、《医心方》所载“新修目录”、真本《千金方》作“膝”，孙本、黄本作

“卻”，《千金翼》《大观》《政和》《纲目》作“膝”，蔡本作“藤”。今通行字作“膝”。

[2] **味苦** 《吴普》引《本经》作“甘”。《千金翼》卷2“味”上有“为君”二字。《纲目》《本草经解》作“味苦、酸，平，无毒”。成化《政和》、万历《政和》、商务《政和》、孙本、顾本作“味苦，酸”。柯《大观》、玄《大观》、森本作“味苦，平”。《御览》作“味苦，辛”。人卫《政和》、刘《大观》作“味苦”。本书从人卫《政和》、刘《大观》为正。

[3] **寒** 其上，《御览》有“伤”字。

[4] **痿痹** “痿”，痿弱无力，偏枯不用。《汉书》韩王信传有云：“如痿人不忘起。”颜师古注：“痿，风痹病也。”《吕氏春秋·重己篇》：“多阳则痿。”高诱注云：“痿躄不能行也。”“痹”，有麻木，有疼痛。“痿痹”，段玉裁注《说文》云：“古多痿痹联言，因痹而痿也。”

[5] **伸** 顾本脱“伸”字。

[6] **伤热** “伤”，《说文》：“伤，创也。”《礼记月令·孟秋之月》：“命理瞻伤。”郑玄注云：“创之浅者曰伤。”“伤热”，因创伤感染发热。

[7] **火烂** 指火烧灼而溃烂。

[8] **耐老** 《御览》作“能老”。按，“能”“耐”，古本草通用。

[9] **河内** 今河北一带。《史记正义》：“古帝王之都，多在河东（黄河以东）、河北（黄河以北），故呼河北为河内。”录“河内”为《本经》文，详玉泉注[11]。

51 卷柏[1]

味辛，温[2]。主治五脏邪气，女子阴中寒热痛，癥瘕[3]、血闭[4]、绝子[5]。久服轻身，和颜色。一名万岁[6]。生常山山谷[7]。（刘《大观》卷6页92，柯《大观》卷6页88，人卫《政和》页168）

【校注】

[1] **卷柏** 《本草和名》作“卷柏”，《图经衍义》误作“眷柏”。

[2] **辛，温** 《吴普》引《神农》作“辛，平”。姜本亦作“辛，平”。“温”字后，孙本重出“生山谷”三字。

[3] **癥瘕** 见太一禹馀粮注[3]。

[4] **血闭** 即经闭。妇女除妊娠、哺乳期外，三个月以上不来月经者，称为经闭。

[5] **绝子** 即绝孕。“绝子”，《品汇》作“无子”。

[6] **万岁** 合肥版《纲目》注为《别录》文。《证类》作白字《本经》文。各种辑本《本经》皆取“万岁”为《本经》文。

[7] **生常山山谷** 孙本作“生山谷石间”。“常山”，古郡名，即今河北元氏县。按，常山原名恒山，远在汉代避汉文帝讳，改为常山。后又避唐代穆宗李恒、宋代真宗赵恒之讳而改为常山。《范子计然》：“卷柏出三辅。”三辅，今陕西中部地区。录“常山”为《本经》文，详玉泉注[11]。

52 箘桂[1]

味辛，温。主治百疾[2]，养精神，和颜色，为诸药先聘通使[3]。久服轻身，不老，面生光华媚好[4]，常如童子[5]。生交趾[6]、桂林[7]山谷。（《新修》页93，刘《大观》卷12页6，柯《大观》卷12页5）

【校注】

[1] **箘桂** 《千金翼》《证类》《纲目》、孙本、顾本作“菌桂”。傅本《新修》、武本《新修》、《本草和名》《医心方》、森本作“箘桂”。从《新修》为正。

[2] **百疾** 《证类》、万历《政和》、《纲目》《本经疏证》《图考长编》、孙本、顾本作“百病”。《新修》、孙本、森本作“百疾”。从《新修》为正。

[3] **为诸药先聘通使** 晋·刘逵注《蜀都赋》引《本经》作“为众药通使”。“聘”，森本作“娉”，犹聘请、聘求。“通使”，古代对外使臣。《左传·襄公二十六年》：“声子通使于晋。”“为诸药先聘通使”，意即犹后世本草引药，引诸药力达其病所。

[4] **媚好** 王本作“娟好”。“媚好”，艳丽悦目。“媚”，即美。《文选·张衡赋》：“竞媚取客。”

[5] **童子** 未成年的人。《诗·卫风·芄兰》：“芄兰之支，童子佩觿。”

[6] **交趾** 《汉书·武帝纪》：“汉武帝元鼎六年（前111）冬，置交趾、九真、日南、朱崖等九郡。”交趾，本指五岭以南一带地方。相传其地人卧时头外向，足在内而相交，故称交趾。其他相当于今越南北部。

[7] **桂林** 秦置，汉改为郁林郡。其地相当于今广西及广东西部一带。辑“桂林”为《本经》文，详玉泉注[11]。

【按语】 本条中“为诸药先聘通使”，与刘逵所见《本经》作“为众药通使”，文句不同。说明陶弘景所据《本经》与刘逵所见《本经》，不是同一种本子。

53 牡桂[1]

味辛，温[2]。主治上气咳逆，结气，喉痹[3]，吐吸[4]，利关节，补中益气。久服通神明，轻身，不老。生南海[5]山谷。（《新修》页94，刘《大观》卷12页7，柯《大观》卷12页5）

【校注】

[1] **牡桂** 《本草经解》作“桂枝”。郭璞注《尔雅·梫木桂》：“今江东呼桂厚皮者为桂。”郝懿行疏：“本草作牡桂，牡、木音相近也。”《南方草木状》：“桂叶似枇杷者为牡桂。”

[2] **味辛，温** 《本草经解》作“气温，味辛，无毒”。

[3] **喉痹** 出《素问·阴阳别论》等篇，一作“喉闭”。为咽喉肿痛病证的统称，症见咽喉红肿

疼痛，吞咽不顺利，声音低哑等。

［4］**吐吸**　森本《本经·考异》引《香药钞》作“呕吐”。傅本《新修》、罗本《新修》、《大观》《政和》、卢本、孙本、问本、黄本、顾本、姜本、王本、森本、莫本、各种版本《纲目》俱作“呕吸”。

［5］**南海**　即今广东、广西一带。辑“南海”为《本经》文，详玉泉注［11］。

54　杜仲［1］

味辛，平。主治腰脊痛［2］，补中［3］，益精气［4］，坚筋骨，强志，除阴下痒湿［5］，小便余沥［6］。久服轻身，耐老［7］。一名思仙［8］。生上虞［9］山谷。（《新修》页98，刘《大观》卷12页42，柯《大观》卷12页36）

【校注】

［1］**杜仲**　《纲目》云：“昔有杜仲服此得道，因以名之。”

［2］**腰脊痛**　“腰”，孙本、黄本、问本作“要”。“脊”，《纲目》《图考长编》《本草经解》、姜本作“膝”。

［3］**补中**　补五脏。杨上善注《太素·人迎脉口诊·寸口主中》云：“中，谓五脏。”“中”，王本作“虚”。

［4］**精气**　王本互倒。

［5］**除阴下痒湿**　“除”，《新修》原脱，据《证类》补。“痒湿”，卢本、黄本、莫本倒置。“阴下痒湿”，指阴部瘙痒，搔破流黄汁，浸淫久不愈。

［6］**小便余沥**　小便难。《诸病源候论·小便难候》：“小便难，有余沥也。”“沥”，《说文》：“沥，水下滴沥。”

［7］**耐老**　《新修》原作“能老”，据《千金翼》《证类》改。按，“能”“耐”古本草通用。

［8］**一名思仙**　《吴普》作“一名思仲”。思仙、思仲，均指思杜仲。杜仲原是人名，因服此药得道成仙，遂以杜仲名其药。

［9］**上虞**　陶隐居云：“上虞在豫州虞虢之虞，非会稽上虞县也。”今河南虞城。辑“上虞”为《本经》文，详玉泉注［11］。

55　干漆［1］

味辛，温，无毒［2］。主治绝伤［3］，补中，续筋骨，填髓脑，安五脏，五缓六急，风寒湿痹［4］。生漆：去长虫［5］。久服轻身，耐老［6］。生汉中［7］川谷。（《新修》页99，刘《大观》卷12页33，柯《大观》卷12页28）

【校注】

［1］**干漆** 敦煌本《集注·序录》页84作“乾洓”。

［2］**无毒** 顾本、卢本、徐本脱“无毒”二字。按，《证类》药物条文中，“无毒”二字皆作黑字，唯“干漆”条的“无毒”二字作白字。

［3］**绝伤** 折伤。段玉裁《说文解字注》：“断之则为二是曰绝。”此与下文“续筋骨”义合。

［4］**风寒湿痹** 见菖蒲注［3］。“湿”，《新修》原误作“温”，据《千金翼》、刘《大观》、柯《大观》、人卫《政和》改。

［5］**长虫** 蛔虫。《诸病源候论·三虫候》：“长虫，蛔虫也，长一尺，动则吐清水，出则心痛，贯心则死。”

［6］**耐老** 《新修》原作“能老”，据《千金翼》、刘《大观》、柯《大观》、人卫《政和》改。

［7］**汉中** 今陕西汉中。辑“汉中”为《本经》文，详玉泉注［11］。

56 细辛[1]

味辛，温[2]。主治咳逆[3]。头痛脑动[4]，百节拘挛[5]，风湿痹痛[6]，死肌[7]。久服[8]明目，利九窍[9]，轻身，长年[10]。一名小辛[11]。生华阴[12]山谷。（刘《大观》卷6页78，柯《大观》卷6页74，人卫《政和》页164）

【校注】

［1］**细辛** 《山海经·中山经·浮戏之山》：“上多少辛。”郭璞注：“细辛也。”细辛在战国时称“少辛”。“细”，王本作“䌷”。

［2］**味辛，温** 《吴普》引《本经》作“味辛，小温”。《本草经解》作“气温，味辛，无毒”。则吴普所见《本经》与陶隐居所见《本经》不是同一种本子。

［3］**咳逆** 其后，《纲目》《本草经解》、卢本、莫本、姜本有“上气”二字。

［4］**脑动** 《御览》引《本经》无。此言头痛剧烈，引起脑动。

［5］**百节拘挛** 犹全身关节拘紧挛急，喻外感风寒初起症状。

［6］**风湿痹痛** 风湿痹导致的身体疼痛。“风湿痹”，指风痹、湿痹合称。症见肢节疼痛，屈伸不利。其痛游动，不固定于一处，为风痹。其痛固定不移，肢体重着，肌肤麻木，阴雨加重，为湿痹。

［7］**死肌** 指肌肤麻木不仁。

［8］**久服** 森本在“利九窍”之后，《御览》同。

［9］**利九窍** 《御览》作“通利九窍”。九窍，指两耳、双目、二鼻孔、一口、前后二阴。

［10］**年** 黄本、问本作“秊”。《正字通》：“秊，年之本字，俗作年。”

［11］**小辛** 《御览》作“少辛”，《山海经》《吴普》同。但《管子·地员篇》作“小辛”。据此“小辛”为先秦时用名，《本经》将先秦时用名降为别名，可见《本经》并非先秦时书。

［12］**华阴** 今陕西华阴。辑“华阴”为《本经》文，详玉泉注［11］。

57　独活[1]

味苦，平[2]。主治风寒所击，金疮[3]止痛，贲豚[4]，痫痓[5]，女子疝瘕[6]。久服轻身，耐老。一名羌活，一名羌青，一名护羌使者[7]。生雍州[8]川谷。（刘《大观》卷6页55，柯《大观》卷6页52，人卫《政和》页157）

【校注】

［1］**独活**　陶弘景云："一茎直上，不为风摇，故曰独活。"

［2］**味苦，平**　《本草经解》作"气平，味苦，甘，无毒"。《纲目》作"味苦、甘，平，无毒"。成化《政和》、万历《政和》、商务《政和》、《图考长编》《本经疏证》作"味苦、甘，平"。人卫《政和》、森本、孙本、顾本、卢本、《御览》作"味苦，平"。《吴普》引《本经》作"苦，无毒"。王本、姜本作"味苦，甘，平"。

［3］**金疮**　森本作"金创"。

［4］**贲豚**　《纲目》《本草经解》作"奔豚"。"贲豚"，古病名，出《灵枢》《难经》，是一过性发作的病，症见气从下腹上冲胸咽，胸闷，心悸，气急，腹痛，烦躁，头昏目眩，发作过后如常。

［5］**痫痓**　卢本、莫本、森本、《本草经解》作"痫痉"。

［6］**疝瘕**　《诸病源候论·疝瘕候》："疝者痛也，瘕者假也。其结聚浮假而痛，推移而动。妇人病之，有异于丈夫者，多挟有血气而成也。"

［7］**护羌使者**　即护羌校尉之使者也。西汉平定西羌后，置护羌校尉，掌管西羌事务。按，本条独活源于陶氏《集注》，条文以汉代官职名为药名，则陶氏所见《本经》当为汉代人所写。

［8］**雍州**　《尚书·禹贡》："黑水西河惟雍州。"此雍州即今陕西、甘肃地区。《御览》引《本经》作"益州"。汉置益州，即今四川。则《御览》所见《本经》与陶弘景所见《本经》非同一种本子。《御览》所见《本经》亦为汉代人所写。辑"雍州"为《本经》文，详玉泉注［11］。

58　茈胡[1]

味苦，平[2]。主治心腹，去肠胃中结气[3]，饮食积聚[4]，寒热邪气，推陈致新。久服轻身，明目，益精。一名地薰[5]。生弘农[6]川谷。（刘《大观》卷6页49，柯《大观》卷6页46，人卫《政和》页155）

【校注】

［1］**茈胡**　《纲目》："茈有柴、紫二者。茈姜、茈草之茈音紫。茈胡之茈音柴。茈胡苗名芸蒿，根名柴胡。"古本《伤寒论》、敦煌本《集注·七情药例》、真本《千金方·七情药例》、《本草和名》《千金翼》《医心方》《和名类聚钞》《炮炙论》《大观》《政和》《吴普》、《御览》引《本经》、《纲目》俱作"茈胡"。《本草图经》作"柴胡"。

[2] **味苦，平** 其上，《千金翼》有“为君”二字。《吴普》引《本经》作“苦，无毒”。

[3] **去肠胃中结气** “去”，《御览》作“祛”，《纲目》、顾本、森本、狩本、《本草经解》省“去”字。《御览》无“中”字。“结气”，犹气郁、郁结，《本经疏证》作“积气”。《诸病源候论·结气候》：“结气病者，忧思所生，心有所存，神有所止，气留而不行，故结于内。”

[4] **积聚** 见曾青注 [5]。

[5] **熏** 《御览》作“重”。

[6] **弘农** 汉置，在今河南灵宝南。辑“弘农”为《本经》文，详玉泉注 [11]。

59 房葵[1]

味辛，寒[2]。主治疝瘕[3]，肠泄[4]，膀胱热结，溺不下[5]，咳逆，温疟[6]，癫痫[7]，惊邪[8]，狂走[9]。久服坚骨髓，益气，轻身。一名梨盖[10]。生临淄[11]川谷。（刘《大观》卷6页46，柯《大观》卷6页43，人卫《政和》页155）

【校注】

[1] **房葵** 《唐本草》注：“草根叶似葵花子根，香味似防风，故名防葵。”《大观》《政和》《纲目》、孙本、顾本、《图考长编》作“防葵”。《本草和名》《御览》《医心方》、森本作“房葵”。

[2] **味辛，寒** 《吴普》引《本经》作“苦，无毒”。按本条性味源于陶氏《集注》，则陶氏所据《本经》，与吴普所引《本经》不是同一种本子。

[3] **疝瘕** 《诸病源候论·疝瘕候》：“疝者，痛也，瘕者假也。其结聚浮假而痛，推移而动。妇人病之，有异于丈夫者，多挟有血气而成也。”

[4] **肠泄** 犹泄泻，症见大便稀薄，次数增多。

[5] **膀胱热结，溺不下** “溺”，即小便。此句言小便难。《诸病源候论·小便难候》：“膀胱热，水气则涩，故小便难。”

[6] **温疟** 《纲目》、姜本作“湿瘖”。温疟是疟疾之一。《素问·疟论》：“此先伤于风，而后伤于寒，故先热而后寒，亦以时作，名曰温疟。”

[7] **癫痫** 指癫证与痫证合称。“癫”，指精神错乱一类疾病；“痫”，指发作性的神志异常疾病。

[8] **惊邪** 由惊恐致病为惊邪。如中恶突然昏倒，多由惊吓所致。

[9] **狂走** 指精神错乱一类疾患。《难经》：“重阳者狂。”

[10] **梨盖** 《御览》作“犁盖”，莫本、顾本作“黎盖”，卢本作“梨差”，《吴普》作“方盖”。

[11] **临淄** 今山东临淄。辑“临淄”为《本经》文，详玉泉注 [11]。

60 酸枣[1]

味酸，平[2]。主治心腹寒热，邪结气[3]，四肢酸疼[4]湿痹[5]。久服安五[6]脏，轻身，延年[7]。生河东[8]川泽。（《新修》页115，刘《大观》卷12页26，柯《大观》卷12页22）

【校注】

[1] **酸枣** 《本草和名》同。敦煌本《集注·七情药例》、真本《千金方·七情药例》、傅本《新修》、罗本《新修》、《医心方》作“酸来”。其他各本作“酸棗”。《尔雅》:“樲，酸棗”。

[2] **平** 《本草衍义》作“微热”。

[3] **气** 其下,《证类》《纲目》《品汇》《图考长编》《本草经疏》《本经疏证》有“聚”字。《新修》、森本无“聚”字。从《新修》为正。

[4] **疼** 《纲目》《本草经解》作“痛”，姜本同。因姜本据《纲目》辑，故其文同。

[5] **湿痹** “痹”，指风、寒、湿邪侵袭肢体经络，导致肢节疼痛、麻木、屈伸不利的病证。其湿邪偏胜者名湿痹，亦称著痹。《素问·痹论》:“湿气胜者为著痹也。”

[6] **五** 傅本《新修》、罗本《新修》原脱，据刘《大观》、柯《大观》补。

[7] **年** 黄本、问本作“秊”。《正字通》:“秊，年之本字，俗作年。”

[8] **河东** 今山西。黄河流经山西、陕西之间，呈南北向，其东侧为河东，西侧为河西。山西位黄河以东，故称河东。《孟子·梁惠王上》:“河内凶，则移其民于河东，移其粟于河内，河东凶亦然。”辑“河东”为《本经》文，详见玉泉注[11]。

61 槐实[1]

味苦，寒[2]。主治五内[3]邪气热，止涎唾[4]，补绝伤[5]，治五痔[6]，火疮[7]，妇人乳瘕[8]，子脏急痛[9]。久服明目，益气，头不白，延年[10]。生河南[11]平泽。(《新修》页116，刘《大观》卷12页11，柯《大观》卷12页9)

【校注】

[1] **槐实** 敦煌本《集注·七情药例》、真本《千金方·七情药例》、《日华子》俱作“槐子”。傅本《新修》、罗本《新修》、《本草和名》《医心方》、刘《大观》、柯《大观》、人卫《政和》、《本草衍义》俱作“槐实”。《纲目》以“槐”为正名，其下分槐实、槐胶、槐花。

[2] **寒** 卢本、黄本、莫本作“平”。

[3] **五内** 指五脏，《后汉书·董祀妻传》:“见此崩五内，恍惚生狂痴。”亦指内心，《三国志·蜀志·杨仪列传》:“怨愤形于声色，难咤之音发于五内。”

[4] **唾** 《长生疗养方》作“吐”。

[5] **补绝伤** 《图经衍义》作“补五伤”，《长生疗养方》作“补伤”。

[6] **治五痔** 《纲目》、姜本注为《别录》文。“五痔”，《诸病源候论》作“诸痔”，包含牡痔、牝痔、脉痔、肠痔、血痔；《外台·五痔方》谓包括牡痔、酒痔、肠痔、血痔、气痔。

[7] **火疮** 《诸病源候论·火疮候》:“凡被汤火烧者，初慎勿以冷物淋拓之，其热气得冷即却，深搏至骨，烂人筋也。”“疮”，孙本、问本、周本、王本、黄本作“创”。

[8] **妇人乳瘕** 一指妇人产乳(分娩)后所致瘕证。《诸病源候论·产后血瘕痛候》:“新产后，有血气相击而痛者，谓之瘕痛。瘕之言假也。”一指妇人乳房结块。

[9] **子脏急痛** “子脏”，即妇女子宫。《诸病源候论·子脏冷无子候》:“风冷之气，乘其经血，

结于子脏，子脏则冷。”“子脏急痛”，《品汇》注为《别录》文，刘《大观》、柯《大观》、人卫《政和》作白字《本经》文。

［10］**久服明目，益气，头不白，延年** 此十一字，《证类》《纲目》注为《别录》文，孙本、顾本、森本皆不取为《本经》文。但槐实条，诸本草皆列在上品。按，《证类》白字总论云：“上药……久服不伤人，欲轻身益气，不老延年者，本上经。”槐实既属上品，则“久服明目，益气，头不白，延年”应属《本经》文，不应注为《别录》文。

［11］**河南** 黄河流经山西风陵渡，折向东，呈东西线，其以南之地为河南。辑“河南”为《本经》文，详玉泉注［11］。

62 蓍实[1]

味苦[2]，平。主益气[3]，充肌肤[4]，明目[5]，聪慧，先知。久服[6]不饥，不老，轻身。生少室[7]山谷。（刘《大观》卷6页90，柯《大观》卷6页85，人卫《政和》页167）

【校注】

［1］**蓍实** 森本、曹本作“著实”。《草木典》《纲目》作“蓍”，其“实”“叶”列为分目。

［2］**苦** 其下，《御览》引《本经》、《吴普》《纲目》、姜本有“酸”字；刘《大观》、柯《大观》、人卫《政和》注“酸”为黑字《别录》文。按，本条源于陶氏《集注》，则陶氏所见《本经》与《御览》所引、吴普所见《本经》不是同一种本子。说明陶弘景以前《本经》有多种本子。

［3］**益气** “益”字前，森本有“阴痿水肿”四字。按此四字原属楮实条，森氏并蓍实、楮实为一条，更名为“著实”。

［4］**充肌肤** 充实肌肤，使丰满。

［5］**明目** 森本《本经·考异》云：“此二字，《长生疗养方》在充肌之上。”

［6］**久服** 顾本误作“久肌”。

［7］**少室** 今河南登封。辑“少室”为《本经》文，详玉泉注［11］。

63 枸杞[1]

味苦，寒[2]。主治五内邪气[3]，热中[4]，消渴[5]，周痹[6]。久服[7]坚筋骨，轻身，耐老[8]。一名杞根[9]，一名地骨，一名苟忌[10]，一名地辅[11]。生常山[12]平泽。（《新修》页119，刘《大观》卷12页114，柯《大观》卷12页11）

【校注】

［1］**枸杞** 傅本《新修》、罗本《新修》、《医心方》作“枸杞”。森本《本经·考异》云：“枸，《长生疗养方》作椇。与《本草和名》异。”《本草经解》作“枸杞子”。《尔雅》：“杞，枸檵。”郭璞

注："今枸杞也。"

［2］**味苦，寒** 《药性论》作"味甘，平"。

［3］**五内邪气** 犹五脏邪气。"五内"，即五脏。《后汉书·董祀妻传》："见此崩五内，恍惚生狂痴。"

［4］**热中** 《素问·风论》："风之伤人，或为寒热，或为热中，热中而目黄。"《灵枢·五邪》："热中善饥。"

［5］**消渴** 《诸病源候论·消渴候》："夫消渴病，渴不止，小便多是也。"

［6］**周痹** 万历《政和》、王本作"风痹"。"痹"字后，《纲目》《本经续疏》《本草经解》有"风湿"二字，注为《本经》文；《大观》《政和》注"风湿"二字为《别录》文。"周痹"，为痹证之一。《灵枢·周痹》："周痹之在身，上下移徙，随脉其上下，左右相应，间不容空。"

［7］**久服** 《御览》作"服之"。

［8］**耐老** 《新修》原作"能老"。《御览》、森本作"耐老"。《证类》《纲目》《品汇》《图考长编》《本草经疏》《本经续疏》、孙本、顾本作"不老"。"老"字后，《纲目》《本草经解》、莫本有"耐寒暑"三字，并注为《本经》文，刘《大观》、柯《大观》、人卫《政和》注"耐寒暑"为黑字《别录》文。

［9］**杞根** 森本《本经·考异》云："杞，《香药钞》作枸。"《药种钞》作"抱根"。

［10］**苟忌** 《御览》无此文。"苟"，《证类》《纲目》、孙本、顾本作"枸"，《新修》《本草和名》、森本作"苟"。

［11］**地辅** 《纲目》、姜本作"地节"。

［12］**常山** 汉置恒山郡，汉文帝改曰常山，即今河北元氏县。辑"常山"为《本经》文，详玉泉注［11］。

64 菴蕳子[1]

味苦，微寒[2]。主治五脏瘀血[3]，腹中水气，胪胀[4]，留热[5]，风寒湿痹[6]，身体诸痛[7]。久服轻身，延年[8]不老。生雍州[9]川谷。（刘《大观》卷6页88，柯《大观》卷6页83，人卫《政和》页167）

【校注】

［1］**菴蕳子** 《广雅》《吴普》《御览》作"奄闾"；《纲目》作"阉蕳"；孙本、黄本、问本、王本作"奄闾子"；《长生疗养方》作"奄蕳子"；敦煌本《集注·七情药例》、《本草和名》《医心方》作"菴芦子"。

［2］**味苦，微寒** 《吴普》引《本经》作"酸、咸，有毒"。可见吴氏所见《本经》与陶氏所见《本经》非同一种本子。

［3］**瘀血** 指血滞于脉内，或溢于脉外，积存于组织间隙，或积于器官内，症状复杂。如肌肤青紫，或干枯如鳞状，或面目黧黑，舌紫暗或有瘀点。有瘀血处，多呈固定性刺痛，拒按。瘀在胸胁则撑痛；瘀在腹，则小腹硬满，小便黑，或经闭腹痛。

[4] **胪胀** “胪”，万历《政和》误作“肿”。“胀”，孙本、问本、黄本、周本作“张”。“胪”，《广韵》：“腹前曰胪。”“胪胀”，《通雅》：“胪胀，谓腹鼓胀。”

[5] **留热** 发热不退为留热。如热性病过程中稽留热、结核病低热。

[6] **风寒湿痹** 见菖蒲注[3]。

[7] **诸痛** 《图考长编》作“俱痛”。

[8] **延年** 黄本、问本作“延秊”，《御览》无此二字。“秊”为年之本字，俗作年，见《正字通》。

[9] **雍州** 见独活注[8]。辑“雍州”为《本经》文，详玉泉注[11]。

65 薏苡人[1]

味甘，微寒[2]。主治筋急拘挛[3]，不可屈伸，风湿痹[4]，下气。久服轻身益气[5]。其根[6]：下三虫[7]。一名解蠡[8]。生真定[9]平泽。（刘《大观》卷6页66，柯《大观》卷6页63，人卫《政和》页161）

【校注】

[1] **薏苡人** 《千金翼》、柯《大观》、卢本、孙本、顾本、蔡本作“薏苡仁”，《本草和名》《医心方》、森本作“薏苡子”，《一切经义》引本草书作“薏苡实”，《纲目》作“薏苡”，《说文》作“蓄苢”，《广雅》作“菩吕”。

[2] **微寒** 《千金方·食治·谷米第四》作“温，无毒”。《续一切经音义·薏苡》引本草书作“性平”。《本草经解》作“气微寒”。

[3] **筋急拘挛** 《千金方·食治》、《续一切经音义》引本草书作“筋拘挛”。“筋急”，证名，出《素问·五脏生成》，指筋脉紧急不柔，屈伸不利，可见于破伤风、痉病、痹、惊风等。“拘挛”，证名，出《素问·缪刺论》，指四肢牵引拘急，活动不能自如。

[4] **风湿痹** “风”字前，《千金方·食治》《纲目》《图考长编》《本草经解》《本经疏证》有“久”字。“痹”，玄《大观》误作“痺”。

[5] **益气** 《千金方·食治》作“益力”。

[6] **其根** 《千金方·食治》作“其生根”。

[7] **下三虫** 《图经衍义》作“下二虫”。三虫，《诸病源候论·三虫候》：“三虫者，长虫、赤虫、蛲虫也。长虫，蛔虫也……赤虫，状如生肉……蛲虫，至细微，居胴肠间。”

[8] **解蠡** 《本草和名》作“解蚉”。其下旁注：“蚉音礼。”按，蠡、蚉二字形近音同，故蚉疑为日本人简写。

[9] **真定** 汉置，今河北正定。辑“真定”为《本经》文，详玉泉注[11]。

【按语】 有人认为薏苡仁是东汉马援南征载归，遂以为薏苡仁是外来药，从而确认《本经》是东汉时书，这是一个误解。殊不知《说文》有“蓄，蓄苢”记载。东汉赵晔《吴越春秋》，记载春秋吴国、越国民间传说，谓“鲧取有莘氏女嬉，年壮未孳，嬉于砥山吞苡仁而妊”。说明春秋时民间已有薏苡仁。《本经》谓薏苡仁生真定。真定乃西汉高帝置。药物产地有历史性，那就是说，在真定的地方，未立真定名之前，已有薏苡仁生长了，这个时间，比东汉马援南征，早出200余年。说明薏苡仁在马援南征前，早已有了。

66 车前子[1]

味甘，寒[2]。主治气癃[3]，止痛，利水道小便，除湿痹[4]。久服轻身，耐老[5]。一名当道[6]。生真定[7]平泽。（刘《大观》卷6页59，柯《大观》卷6页56，人卫《政和》页159）

【校注】

[1] **车前子** 《诗经》《尔雅》《说文》作“芣苢”，《纲目》作“车前”，郭璞注《尔雅》作“车前草”，《御览》引《本经》作“车前实”。

[2] **甘，寒** 《药性论》作“甘，平”。《纲目》作“甘，寒，无毒”。《本草经解》作“气寒，味甘”。“寒”字后，商务《政和》注“无毒”二字为白字《本经》文。

[3] **气癃** 即气淋。《诸病源候论·气淋候》：“气淋者，膀胱小便皆满，尿涩常有余沥是也。亦曰气癃。”

[4] **除湿痹** 见酸枣注[5]。

[5] **轻身，耐老** 《尔雅释文》引《本经》作“令人身轻不老”。

[6] **一名当道** 陆玑《毛诗疏》：“此草好生道边及牛马迹中，故有车前、当道、马舄、牛遗之名。”

[7] **真定** 今河北正定。汉初置东垣县，高帝更名真定，清代改名正定。辑“真定”为《本经》文，详玉泉注[11]。

67 蛇床子[1]

味苦，平[2]。主治妇人阴中肿痛[3]，男子阴痿[4]湿痒[5]，除痹[6]气，利关节，治癫痫[7]，恶疮[8]。久服轻身[9]。一名蛇粟[10]，一名蛇米。生临淄[11]川泽。（刘《大观》卷7页40，柯《大观》卷7页42，人卫《政和》页186）

【校注】

[1] **蛇床子** “蛇”，敦煌本《集注·七情药例》、真本《千金方·七情药例》、《广雅》《吴普》《本草和名》《医心方》《长生疗养方》俱作“虵”。《广韵》：“虵，蛇俗字。”“床”，孙本、问本、黄本、莫本、《吴普》作“牀”。“蛇床子”，《纲目》作“蛇床”，《尔雅》作“虺床”。

［2］**味苦，平**　《药性论》作“君，有小毒”。《本经疏证》脱“苦”字。

［3］**妇人阴中肿痛**　《纲目》在“湿痒”之后。

［4］**阴痿**　见白石英注［3］。

［5］**湿痒**　多指湿疹瘙痒，症见患处皮损潮湿，瘙痒不止，搔破滋水浸淫。

［6］**痹**　见菖蒲注［3］。

［7］**癫痫**　见房葵注［7］。“癫”，孙本、问本、黄本、周本作“瘨”。

［8］**主治妇人阴中肿痛……癫痫，恶疮**　《大全》注为《别录》文。“疮”，孙本、问本、周本、黄本作“创”。

［9］**身**　其后，合肥版《纲目》有“好颜色”三字，注为《本经》文。

［10］**一名蛇粟**　《大观》《纲目》、森本、狩本注为《本经》文。商务《政和》、人卫《政和》、《本经疏证》《图考长编》注为《别录》文。孙本、顾本不取此四字为《本经》文。

［11］**临淄**　今山东临淄。辑“临淄”为《本经》文，详玉泉注［11］。

68　菟丝子[1]

味辛，平[2]。主续绝伤[3]，补不足，益气力，肥健[4]。汁[5]：去面皯[6]。久服明目，轻身，延年[7]。一名菟芦。生朝鲜[8]川泽[9]。（刘《大观》卷6页36，柯《大观》卷6页33，人卫《政和》页151）

【校注】

［1］**菟丝子**　《尔雅》：“唐蒙，女萝；女萝，兔丝。”《说文》：“蒙，玉女。”汉代王逸注《楚辞》、高诱注《淮南子》、《吴普》作“兔丝”。《医心方》作“菟糸子”。

［2］**辛，平**　《纲目》作“辛，平，无毒”。

［3］**续绝伤**　犹续断伤。段玉裁《说文解字注》：“断之则为二是曰绝。”

［4］**健**　其下，《纲目》《本草经解》、顾本、姜本有“人”字。

［5］**汁**　《纲目》作“研汁涂面”。

［6］**去面皯（gǎn 敢）**　“皯”，孙本、问本、黄本作“皯”。《说文》：“皯，面黑气也。”森本《本经·考异》云：“皯，《长生疗养方》作点。”《诸病源候论·面皯䵳候》：“人面皮上，或有如乌麻，或如雀卵上之色是也。”“面皯”，犹面黧黑无华。

［7］**久服明目，轻身，延年**　《纲目》《草木典》注为《别录》文。“目”，黄本误作“日”。“年”，黄本改作“秊”。《正字通》：“秊，年之本字，俗作年。”

［8］**朝鲜**　西汉置，后汉、晋因之。今朝鲜平壤。辑“朝鲜”为《本经》文，详玉泉注［11］。

［9］**川泽**　《御览》引《吴普》、森本作“生山谷”。刘《大观》、柯《大观》、人卫《政和》、孙本作“生川泽”。按，本条文字最早源于陶弘景《集注》，则陶氏所见《本经》与吴普所见《本经》，不是同一种本子。

69 菥蓂子[1]

味辛，微温[2]。主明目，目痛，泪出，除痹[3]，补五脏，益精光[4]。久服轻身，不老。一名蔑菥[5]，一名大蕺，一名马辛[6]。生咸阳[7]川泽[8]。（刘《大观》卷6页89，柯《大观》卷6页84，人卫《政和》页167）

【校注】

［1］**菥蓂子**　《尔雅》《说文》《广雅》《吴普》作“析蓂”，孙本、问本、黄本作“析蓂子”，《本草和名》《医心方》作“菥冥子”，敦煌本《集注·七情药例》作“析冥”，《纲目》作“菥蓂”。

［2］**辛，微温**　《吴普》引《本经》作“辛”。

［3］**痹**　见菖蒲注［3］。

［4］**益精光**　犹增益目力，与上文“明目”义同。

［5］**蔑菥**　《本草和名》作“蔑菥”，孙本、问本、黄本、莫本作“蔑菥”。《纲目》无此名。

［6］**一名马辛**　《纲目》缺《本经》标记。

［7］**咸阳**　古秦地。辑“咸阳”为《本经》文，详玉泉注［11］。

［8］**川泽**　《图考长编》作“山泽”。

70 茺蔚子[1]

味辛，微温[2]。主明目，益精，除水气[3]。久服轻身。茎：主治瘾疹痒[4]，可作浴汤。一名益母[5]，一名益明，一名大札[6]，生海滨池泽。（刘《大观》卷6页41，柯《大观》卷6页38，人卫《政和》页153）

【校注】

［1］**茺蔚子**　《尔雅》《说文》作“萑，蓷”。郭璞注《尔雅》：“今茺蔚也。”陆玑《毛诗疏》、邢昺《尔雅疏》、《和名类聚钞》《纲目》作“茺蔚”，俱无“子”字。孙本、问本、黄本、曹本作“充蔚子”。

［2］**辛，微温**　《纲目》、姜本作“辛、甘，微温”。

［3］**水气**　指浮肿、水肿。《素问·评热病论》：“诸有水气者，微肿先见于目下也。”

［4］**瘾疹痒**　合肥版《纲目》、姜本脱“痒”字。“瘾疹”，病名，出《素问·四时刺逆从论》，症见皮肤现风疹块，小如麻粒，大如豆瓣，甚或成块成片，剧痒，时隐时现。

［5］**益母**　《广雅》：“益母，茺蔚也。”《韩诗》《三苍》悉云益母，曾子见益母而感。按，《广雅》是三国魏·张揖撰，张揖以茺蔚释益母，说明益母是古名，茺蔚名晚于益母。作《本经》者以后出名茺蔚为正名，将先秦古名益母降为异名，说明《本经》非先秦人所写。

［6］**大札**　《纲目》作“火杴（xiān先）”。

71 地肤子[1]

味苦，寒。主治膀胱热[2]，利小便，补中[3]，益精气。久服耳目聪明，轻身，耐老。一名地葵[4]。生荆州[5]平泽。(刘《大观》卷7页45，柯《大观》卷7页41，人卫《政和》页187)

【校注】

[1] **地肤子** 《本草和名》作“地肤”，无“子”字，《纲目》同。《医心方》作“地虜子”。郑樵云：“地肤曰落帚。《尔雅》云荓，马帚。即此也。”又《尔雅》“葥，王蔧”，郭璞注：“江东呼之曰落帚。”

[2] **膀胱热** 膀胱有热，则小便难。《诸病源候论·小便难候》：“小便难者，此是肾与膀胱热故也。”

[3] **补中** 即补五脏。杨上善注《太素·人迎脉口诊·寸口主中》云：“中，谓五脏。”

[4] **地葵** 《御览》作“地蔡”，其上有“一名地脉，一名地华”。按“地脉”，《大观》《政和》作“地麦”，并注为《别录》文。又“地华”，《大观》《政和》无。查地肤条最早源于陶弘景《集注》，则陶氏所见《本经》，与《御览》所引《本经》非同一种本子。《广雅》：“地葵，地肤也。”《广雅》是三国魏·张揖所撰，张揖以地肤释地葵，则地葵当是古名。作《本经》者，以后出名为正名，将古名降为异名，这就提示《本经》非先秦时书。

[5] **荆州** 今湖北一带。辑“荆州”为《本经》文，详玉泉注［11］。

72 青蘘[1]

味甘，寒[2]。主治五脏邪气，风寒湿痹[3]，益气，补脑髓[4]，坚筋骨[5]。久服耳目聪明，不饥[6]，不老，增寿。巨胜苗也[7]。生中原[8]川谷。(《新修》页289，刘《大观》卷24页3，柯《大观》卷24页3)

【校注】

[1] **青蘘** 《唐本草》注：“青蘘，《本经》在草部上品中，既堪啖，今从胡麻条下”。是《唐本草》将青蘘从草部移到米谷部胡麻条内，《证类》沿袭之。今拨出列入草类上品。《御览》引《吴普》青蘘条有“一名蔓”，《证类》胡麻条引《吴普》青蘘条有“一名梦神”。

[2] **味甘，寒** 《吴普》引《本经》、《本经续疏》作“苦”。

[3] **风寒湿痹** 见菖蒲注［3］。

[4] **髓** 《品汇》作“体”。

[5] **坚筋骨** 《新修》原脱“坚”字，据《证类》补。

[6] **不饥** 森本《本经·考异》云：“《谷类钞》无此二字。”

[7] **巨胜苗也** 《纲目》注为《别录》文。“巨”，《新修》误作“臣”，据刘《大观》、柯《大观》、人卫《政和》改。《纲目》云：“巨胜即胡麻之角巨如方胜者。”方胜，古代妇女饰物，用两菱形彩绸压角相叠组成彩结。“巨胜苗”，即胡麻苗。《抱朴子·仙药篇》：“《孝经援神契》曰：巨胜一名胡麻。”

[8] **中原** 指黄河南北地方。我国在上古之时，多建都于黄河南北，后世称其地为中原。辑“中原”为《本经》文，详玉泉注[11]。

73 蒺梨子[1]

味苦，温[2]。主治恶血[3]，破癥结[4]，积聚[5]，喉痹[6]，乳难[7]。久服长肌肉，明目，轻身。一名旁通，一名屈人，一名止行，一名犲羽[8]，一名升推[9]。生冯翊[10]平泽。（刘《大观》卷7页14，柯《大观》卷7页13，人卫《政和》页177）

【校注】

[1] **蒺梨子** 《尔雅》《说文》《御览》《和名类聚钞》、森本、顾本、《品汇》《图考长编》《本经续疏》作“蒺藜”，《本草和名》《医心方》《千金翼》、狩本作“蒺梨子”，孙本、问本、周本、黄本作“疾藜子”，《本草经解》作“白蒺藜”，敦煌本《集注·七情药例》、莫本作“蒺梨子”。

[2] **味苦，温** 《本草经解》作“气温，味苦，无毒”。《药性论》作“味甘，有小毒”。

[3] **恶血** 体内出血，未能及时排出，使人致病者，称为恶血。

[4] **破癥结** 江西版《纲目》、姜本无“结”字。合肥版《纲目》作“破癥瘕”。《图考长编》作“破癥瘕结”。“癥”，《诸病源候论·癥候》：“癥者，聚结在内，染渐生长块段，盘牢不移动者，是癥也。”

[5] **积聚** 见曾青注[5]。

[6] **喉痹** 见牡桂注[3]。

[7] **乳难** 即产难古称，又称难产。

[8] **犲羽** 合肥版《纲目》作“休羽”。《御览》无“犲羽”之名。

[9] **一名升推** 《纲目》缺《本经》标注。“推”，《御览》作“雅”。其后，《御览》又有“一名水香”。

[10] **冯翊** 西汉置，今陕西大荔。辑“冯翊”为《本经》文，详玉泉注[11]。

74 茜根[1]

味苦，寒[2]。主治寒湿风痹[3]，黄疸[4]，补中[5]。久服益精气，轻身。生乔山[6]川谷。（刘《大观》卷7页36，柯《大观》卷7页33，人卫《政和》页184）

【校注】

[1] **茜根**　《尔雅》："茹藘，茅蒐。"郭璞注："今蒨（茜的异体）也。"《广雅》："茹藘，蒨也。"陆玑《毛诗疏·茹藘》："齐人谓之茜。""茜根"，蔡本作"茜草根"。

[2] **味苦，寒**　《药性论》作"味甘"。

[3] **寒湿风痹**　即风寒湿痹，见菖蒲注［3］。

[4] **黄疸**　《诸病源候论·黄疸候》："黄疸之病，身体、面目及爪甲、小便尽黄。"孙本、问本、周本、黄本、森本作"黄疸"。

[5] **补中**　即补五脏。"中"，其后，刘《大观》、柯《大观》、人卫《政和》有"久服益精气，轻身"，《证类》作黑字《别录》文。但茜根原属上品，按《本经·序录》"欲轻身益气，不老延年者，本上经"，则茜根条中"久服益精气，轻身"等语当是《本经》文。

[6] **乔山**　《大观》《政和》漏芦条，陶隐居注云："乔山应是黄帝所葬处。"今陕西黄陵有黄帝墓。则乔山当在陕西黄陵。一说"乔山"是高山。"乔"，高也。《尚书·禹贡》："厥草惟夭，厥木惟乔。"辑"乔山"为《本经》文，详玉泉注［11］。

【按语】 本条源于陶氏《集注》，则陶氏所见《本经》以茜根为正名，将先秦用名"茹藘、茅蒐"降为异名，由此可见，陶氏所见《本经》，当是汉代人所写。

75　白英[1]

味甘，寒[2]。主治寒热，八疸[3]，消渴[4]，补中[5]，益气。久服轻身，延年[6]。一名谷菜[7]。生益州[8]山谷。（刘《大观》卷6页82，柯《大观》卷6页78，人卫《政和》页165）

【校注】

[1] **白英**　《本草和名》《医心方》、森本作"白莫"。按，古本抄本"英""莫"两字相似易舛错，日本抄本多作"白莫"，中国本草文献多作"白英"。白英条全文，成化《政和》、万历《政和》、商务《政和》、《品汇》均缺《本经》《别录》标记。《唐本草》注："此鬼目草也。"《尔雅》："苻，鬼目。"郭璞注："今江东有鬼目草。"《大观》《政和》《新修》有名无用类药有鬼目条。则《唐本草》注将白英、鬼目视为一物。

[2] **味甘，寒**　《纲目》谓白英根苗味甘，寒，其子味酸，平。

[3] **八疸**　"八"，江西版《纲目》作"入"；"疸"，人卫《政和》、孙本作"疸"。

[4] **消渴**　症名，见《素问·奇病论》，以多饮、多食、多尿为特点。

[5] **补中**　即补五脏。

[6] **年**　黄本、问本作"季"。

[7] **谷菜**　《御览》无此名。合肥版《纲目》注谷菜为《别录》文。

[8] **益州**　今四川。辑"益州"为《本经》文，详玉泉注［11］。

【按语】本条源于陶弘景《集注》，陶氏所据《本经》以白英为正名，以谷菜为异名。《御览》引《本经》以槃菜为正名，以白英为异名。陶本无槃菜异名，《御览》无谷菜异名。可见陶氏所据《本经》与《御览》所据《本经》非同一种本子。

76 白蒿[1]

味甘，平[2]。主治五脏邪气[3]，风寒湿痹[4]，补中[5]益气，长毛发令黑，治心悬[6]，少食常饥。久服轻身，耳目聪明，不老。生中山[7]川泽[8]。（刘《大观》卷6页84，柯《大观》卷6页79，人卫《政和》页166）

【校注】

[1] **白蒿** 《毛诗》作“蘩”，《尔雅》：“蘩，皤蒿。”郭璞注：“白蒿也。”王逸注《楚辞》：“艾，白蒿。”陆玑《毛诗疏》：“凡艾白色者为皤蒿。”《和名类聚钞》并《尔雅》“蘩”“皤蒿”为一名“蘩皤蒿”。

[2] **甘，平** 《食疗本草》作“寒”。《千金方·食治》作“苦、辛”。

[3] **治五脏邪气** 《千金方·食治》作“养五脏”，无“邪气”二字。

[4] **风寒湿痹** 见菖蒲注[3]。

[5] **补中** 即补五脏。

[6] **心悬** 指虚弱病人在心衰时，自觉心跳失控，似有悬挂之感。孙本、问本、黄本、周本作“心县”。

[7] **中山** 陶弘景注石灰条云：“中山属代郡。”代郡，战国属赵，秦为代郡，今河北蔚县一带。战国时有中山国，在今河北定州。陶云“中山属代郡”，则中山似是今河北定州。又，秦汉有中山，在今陕西淳化东南一带，不知何处为是，姑并存之。辑“中山”为《本经》文，详玉泉注[11]。

[8] **生中山川泽** 《千金翼》无此文，刘《大观》、人卫《政和》作小字注文，柯《大观》作大字正文。

77 茵陈蒿[1]

味苦，平[2]。主治风寒湿热邪气，热结[3]黄疸[4]。久服轻身，益气，耐老[5]。生太山[6]。（刘《大观》卷7页49，柯《大观》卷7页45，人卫《政和》页188）

【校注】

[1] **茵陈蒿** 《吴普》《广雅》作“因尘”，孙本、问本、黄本作“因陈”。《拾遗》：“茵陈经冬不死，因旧苗而生，故名茵陈，后加蒿字。”《本草和名》《医心方》作“茵陈蒿”。

［2］**味苦，平**　《吴普》引《本经》作“苦，无毒”，《药性论》作“苦、辛，有小毒”，《日华子》作“苦、凉，无毒”，《御览》无“平”字，《本草经解》作“气平，微寒，味苦，无毒”。

［3］**热结**　《御览》无“热”字。“热结”，指热性病之高热。《伤寒论·太阳病脉证并治》：“热结在里，表里俱热，时恶风，大渴，舌干燥而烦。”

［4］**黄疸**　病名，见《素问·平人气象论》等篇。症见全身皮肤、眼白、指甲、口腔黏膜、小便等俱黄。

［5］**耐老**　《御览》作“能老”。“老”字后，《纲目》有“面白悦长年，白兔食之仙”，注为《本经》文；《本草经解》有“面白悦长年”，注为《本经》文。《大观》《政和》、森本、孙本、顾本皆不取此等文为《本经》文。又“老”字后，孙本有“生丘陵阪岸上”。

［6］**太山**　今山东泰山。辑“太山”为《本经》文，详玉泉注［11］。

78　漏卢[1]

味苦，寒[2]。主治皮肤热[3]，恶疮[4]，疽痔，湿痹[5]，下乳汁[6]。久服轻身，益气，耳目聪明，不老延年[7]。一名野兰。生乔山[8]山谷。（刘《大观》卷7页29，柯《大观》卷7页27，人卫《政和》页181）

【校注】

［1］**漏卢**　《广雅》：“飞廉，漏芦也。”《御览》引《本经》作“漏卢”，《纲目》同。李时珍曰：“屋之西北黑处谓之漏，凡物黑色谓之卢。此草秋后即黑，故名漏卢。”

［2］**味苦，寒**　《纲目》作“味咸，寒，无毒”。《政和》、孙本、姜本、《图考长编》作“味苦、咸，寒”。《大观》《本经续疏》、森本、顾本、狩本作“味苦，寒”。应从《大观》为正。

［3］**皮肤热**　《纲目》作“皮肤热毒”。

［4］**恶疮**　《诸病源候论·恶疮候》：“疮痒焮肿，而疮多汁，身体壮热，谓之恶疮。”孙本、问本、黄本、周本作“恶创”。

［5］**湿痹**　见酸枣注［5］。

［6］**下乳汁**　即通乳。

［7］**年**　问本、黄本作“季”。年、季为同义异文字。

［8］**乔山**　陶隐居注：“乔山应是黄帝所葬处。”今陕西黄陵有黄帝墓，则乔山当在陕西黄陵。一说乔山是高山。《尚书·禹贡》：“厥草惟夭，厥木惟乔。”辑“乔山”为《本经》文，详玉泉注［11］。

79　旋花[1]

味甘，温[2]。主益气[3]，去面皯[4]黑色，媚好[5]。其根：味辛[6]，主治腹中寒热邪气，利小便。久服不饥，轻身[7]。一名筋根花[8]，一名金沸[9]。生豫州[10]平泽。（刘《大观》卷7页41，柯《大观》卷7页38，人卫《政和》页185）

【校注】

[1] **花** 《御览》、孙本、问本、黄本、森本作“华”。

[2] **味甘，温** 《纲目》作“花：甘。根：辛，温，无毒。”

[3] **益气** 《纲目》将之放在“媚好”之后。

[4] **去面皯** 合肥版《纲目》脱“去”字。“皯”，森本作“皯”。“面皯”，即面黧黑无华。“皯”，亦作“皯”。《说文》：“皯，面气也。”

[5] **黑色，媚好** 《御览》作“令人色悦泽”。

[6] **其根：味辛** 《御览》作“根”，无“其”“味辛”三字。

[7] **利小便。久服不饥，轻身** 合肥版《纲目》《草木典》注为《别录》文。

[8] **筋根花** 《御览》作“葥根”，《本草和名》作“蓟根”，《纲目》作“筋根”，森本作“筋根华”。

[9] **一名金沸** 合肥版《纲目》旋花条“正误”引《别录》曰：“花，一名金沸。”按，《别录》当为《本经》之误，因各本皆注“一名金沸”为《本经》文。

[10] **豫州** 今河南。辑“豫州”为《本经》文，详玉泉注[11]。

80 蓝实[1]

味苦，寒[2]。主解诸毒，杀蛊蚑[3]、疰鬼[4]、螫毒[5]。久服头不白，轻身。生河内[6]平泽。（刘《大观》卷7页4，柯《大观》卷7页3，人卫《政和》页173）

【校注】

[1] **蓝实** 《毛诗》《周礼》《说文》作“蓝”。《尔雅》：“葴，马蓝。”郭璞注：“今大叶冬蓝。”

[2] **味苦，寒** 《药性论》作“君，味甘”。

[3] **杀蛊蚑** “蛊”，《诸病源候论·诸蛊候》：“取虫、蛇之类，以器皿盛贮，任其自相啖食，唯有一物独在者，即谓之为蛊。”《一切经音义》：“蛊，虫物病害人也。”“蚑”，《政和》注云：“蚑音其，小儿鬼也。”《纲目》、孙本、问本、卢本、王本、姜本、莫本、《千金翼》作“蚑”。《说文》作“魃”。蚑、蚑、魃通假。

[4] **疰鬼** 孙本、问本、黄本作“注鬼”。注、疰通假。“疰鬼”，多指具有传染性和病程长的慢性病。《释名·释疾病》：“注病，一人死，一人复得，气相灌注也。”

[5] **螫（shì 释）毒** 蛇、虫、蜂蜇（zhē 遮）人，注射毒汁，谓之螫毒。

[6] **河内** 今河北一带。《史记正义》：“古帝王之都，多在河东（黄河以东）、河北（黄河以北），故呼河北为河内。”辑“河内”为《本经》文，详玉泉注[11]。

81 天名精[1]

味甘，寒[2]。主治瘀血[3]，血瘕欲死[4]，下血[5]，止血，利小便，除小虫，去痹，除胸中结热，止烦渴[6]。久服轻身，耐老。一名麦句姜，一名虾蟆蓝，一名豕首[7]。生平原[8]川泽。（刘《大观》卷7页31，柯《大观》卷7页29，人卫《政和》页182）

【校注】

[1] **天名精** 《尔雅》："菵蘣，豕首。"郭璞注："《本经》曰：彘卢，一名�兰，今江东呼稀首"。则菵蘣、豕首为天名精的先秦时用名。在本条中，天名精为正名，先秦名豕首降为异名，说明天名精条非先秦人所写。

[2] **味甘，寒** 《吴普》引《本经》作"甘、辛，无毒"。《药性论》作"使，味辛"。《纲目》作"味甘，寒，无毒"。

[3] **瘀血** 见菴蕳子注[3]。

[4] **血瘕欲死** 多由妇人产后血瘕痛所致。《诸病源候论·产后血瘕痛候》："新产后，有血气相击而痛者，谓之瘕痛，瘕之言假也，其痛，浮假无定处也"。

[5] **下血** 泛指大小便出血。

[6] **除小虫……止烦渴** 成化《政和》、万历《政和》、商务《政和》、《纲目》《图考长编》注为《别录》文。孙本、顾本不取此文为《本经》文。《大观》、人卫《政和》、《品汇》注为《本经》文。森本取此文为《本经》文。应从《大观》等为是。"渴"，人卫《政和》误刻为黑字《别录》文。

[7] **豕首** 既是天名精别名，又是蠡实异名。《御览》卷992豕首标题下，既引《本经》蠡实，又引《吴普》天名精，此由同名异物豕首舛误所致。

[8] **平原** 秦时地名，今山东平原。辑"平原"为《本经》文，详玉泉注[11]。

【按语】 郭璞注《尔雅》"菵蘣，豕首"引《本经》曰"彘卢"。本条天名精源于陶氏《集注》，陶氏认为彘卢为名医所益，故墨书为《别录》文。可见郭璞时并无《别录》书存在。如有，则郭璞应注"《别录》曰"，不应注"《本经》曰"。

82 王不留行[1]

味苦[2]。主治金创[3]，止血[4]，逐痛[5]，出刺[6]，除风痹内寒[7]。久服轻身，耐老[8]，增寿[9]。生太山[10]山谷。（刘《大观》卷7页59，柯《大观》卷7页54，人卫《政和》页191）

【校注】

[1] **王不留行** 《御览》引《吴普》作"王不流行"。李时珍曰："此物性走而不住，虽有王命不能留其行。《吴普》作一名王不流行，盖误也。"合肥版《纲目》、《草木典》将此条全文注为《别录》文。

[2] **味苦** 《御览》引《吴普》及《本经》、孙本、问本、黄本作“味苦，平”。

[3] **金创** 指金属器械所致之外伤。

[4] **止血** 由瘀血所致出血，用王不留行能止血，此所谓祛瘀生新。

[5] **逐痛** 由异物如瘀血所致痛，驱逐异物，则痛止，故曰逐痛。

[6] **出刺** 王不留行性走而不住，亦能使停留的刺外出，故曰出刺。

[7] **风痹内寒** “风痹”，刘孝标注《世说新语》引《本经》作“风”，无“痹”字。“内寒”，莫本注：“内寒当为内塞。”此言极是。王不留行味苦，焉能治内寒？王不留行性走而不住，治内塞很合拍。

[8] **耐老** 《御览》作“能老”。

[9] **增寿** 《御览》无此二字。

[10] **太山** 今山东泰山。辑“太山”为《本经》文。详玉泉注[11]。

83 蒲黄[1]

味甘，平[2]。主治心腹膀胱寒热，利小便，止血[3]，消瘀血[4]。久服轻身，益气力，延年神仙[5]。生河东[6]池泽。（刘《大观》卷7页23，柯《大观》卷7页21，人卫《政和》页180）

【校注】

[1] **蒲黄** 陶隐居注：“此即蒲厘花上黄粉。”《玉篇》：“蒚，谓今蒲头，有台，台上有重台，中出黄，即蒲黄”。

[2] **味甘，平** 《纲目》作“味甘，平，无毒”。

[3] **止血** 《长生疗养方》引《本经》作“止崩中、痢血、鼻衄”。按此六字，原出《药性论》，非《本经》文。可见《长生疗养方》所引《本经》，杂有其他《本经》文字。

[4] **瘀血** 见菴蕳子注[3]。

[5] **久服轻身，益气力，延年神仙** 此文为方士之言。

[6] **河东** 见酸枣注[8]。辑“河东”为《本经》文，详玉泉注[11]。

84 香蒲[1]

味甘，平[2]。主治五脏心下邪气，口中烂臭[3]，坚齿[4]，明目，聪耳。久服轻身，耐老[5]。一名雎[6]。生南海[7]池泽[8]。（刘《大观》卷7页24，柯《大观》卷7页22，人卫《政和》页180）

【校注】

[1] **香蒲** 《说文》《玉篇》作“菩”，《吴普》作“醮”，《医心方》作“香蒱”。《本草图经》：

“香蒲，蒲黄苗也。”

［2］**味甘，平** 《吴普》引《本经》作“甘”，《纲目》作“甘，平，无毒”。

［3］**口中烂臭** 指口疮糜烂发臭。

［4］**坚齿** 按香蒲是香草，能除口臭，清洁口腔，从而起到坚齿作用。

［5］**耐老** 《御览》《香药钞》作“能老”。

［6］**一名睢** 《御览》作“一名睢蒲”。《图考长编》香蒲条，在《本经》栏下录此三字，在《别录》栏下亦录此三字。《纲目》脱漏“一名睢”。

［7］**南海** 秦置，今广东一带。广义的南海，指中国最南沿海地方。《尚书·禹贡》：“入于南海。”《诗·大雅》：“于疆于理，至于南海。”辑“南海”为《本经》文，详玉泉注［11］。

［8］**池泽** 《吴普》作“池泽中”。

【按语】《大观》《政和》香蒲条有“一名醮”，并作《别录》文。而《御览》卷993引《吴普》，以醮为正名，以香蒲为异名。到陶氏作《集注》，以香蒲为正名，降醮为《别录》文。

85 兰草[1]

味辛，平[2]。主利水道[3]，杀蛊毒[4]，辟不祥[5]。久服益气，轻身，不老，通神明。一名水香[6]。生大吴[7]池泽。（刘《大观》卷7页42，柯《大观》卷7页38，人卫《政和》页186）

【校注】

［1］**兰草** 《说文》《夏小正》作“蘭（繁体）”，《毛诗》《广雅》、陆玑《毛诗疏》作“蕑”，《香药钞》作“蘭香”，《御览》“草蘭”。

［2］**味辛，平** 王冰注《素问·奇病论》“治之以蘭”，引《本经》作“味辛，热，平”。

［3］**主利水道** “利”，森本、王冰注《素问》引《本经》无。“利水道”，即利小便。按，水道即小肠，小肠能泌别清浊。清者输布全身，水液入膀胱；浊者下注大肠。

［4］**蛊毒** 见赤箭注［3］。

［5］**辟不祥** 《初学记》引《韩诗章句》：“郑国之俗，三月上巳于溱、洧两水之上，秉（执）兰（兰草）拂除不祥。”陆玑《毛诗疏》：“蕑（即蘭）藏衣、著书中，辟白鱼也”。

［6］**水香** 《纲目》作“蕑水香”。

［7］**大吴** 陶隐居注：“大吴应是吴国太伯所居，故呼大吴。”按《史记·吴太伯世家》，太伯是吴国创始人。大吴，其地在今江苏南部。辑“大吴”为《本经》文，详玉泉注［11］。

86 肉苁蓉[1]

味甘，微温[2]。主治五劳[3]七伤[4]，补中[5]，除茎中寒热痛[6]，养五脏，强阴[7]，益精气，多子，妇人癥瘕[8]。久服轻身。生河西[9]山谷。（刘《大观》卷7页18，柯《大观》卷7页16，人卫《政和》页179）

【校注】

[1] **肉苁蓉** 《医心方》《本草和名》、森本作“肉苁蓉”。孙本、问本、黄本、曹本作“肉松蓉”。

[2] **味甘，微温** 《吴普》引《本经》作“咸”。

[3] **五劳** 各书所记不一，兹以最早文献《素问·宣明五气》为准。五劳指久视、久卧、久坐、久立、久行五种过劳所致之病。

[4] **七伤** 有几种说法。《诸病源候论·虚劳候》谓大饱伤脾；大怒气逆伤肝；强力举重，久坐湿地伤肾；形寒，寒饮伤肺；忧愁思虑伤心；风雨寒暑伤形；大恐惧不节伤志。

[5] **补中** 即补五脏。

[6] **茎中寒热痛** 指淋证小便涩痛。《诸病源候论·石淋候》：“肾客沙石，热则成淋，小便则茎里痛，尿不能卒出，痛引少腹。”“痛”，《御览》无此字。

[7] **强阴** 此处之“阴”泛指精血、津液。“强阴”，指补精血，生津液。

[8] **癥瘕** 见太一禹馀粮注［3］。

[9] **河西** 黄河流经山西、陕西间，呈南北线，黄河以西地方为河西，主要指陕西。辑“河西”为《本经》文，详玉泉注［11］。

87 云实[1]

味辛，温[2]。主治泄痢[3]，肠澼[4]，杀虫、蛊毒[5]，去邪恶结气，止痛，除寒热[6]。花[7]：主治见鬼精物[8]，多食令人狂走。久服轻身[9]，通神明。生河间[10]川谷。（刘《大观》卷7页57，柯《大观》卷7页52，人卫《政和》页190）

【校注】

[1] **云实** 《广雅》：“天豆，云实也。”

[2] **味辛，温** 《吴普》引《本经》作“辛，小温”。温，莫本、卢本、黄本作“平”。

[3] **泄痢** 《御览》作“泄利”，孙本、问本、周本、黄本作“洩利”。

[4] **肠澼** 《御览》作“胀癖”。

[5] **杀虫、蛊毒** 《千金翼》作“杀蛊、蛊毒”，卢本作“杀虫毒”。

[6] **除寒热** 孙本、问本、周本作“除热”，无“寒”字。

[7] **花** 孙本、问本、黄本、森本作“华”。

[8] **鬼精物** 合肥版《纲目》作“鬼精”，无“物”字。

[9] **久服轻身** 李时珍曰：“云实花既能令人见鬼发狂，岂有久服轻身之理，此古书之讹也。”按，“久服轻身，通神明”原属方士之言。《本经》中收载方士之言者，不仅是本条，几乎绝大部分

上品药，都杂有方士“久服不老，延年神仙”之语。

[10] **河间** 今河北河间。辑“河间”为《本经》文，详玉泉注 [11]。

88 徐长卿[1]

味辛，温[2]。主治鬼物百精[3]，蛊毒[4]，疫疾[5]，邪恶气，温疟[6]。久服强悍，轻身。一名鬼督邮[7]。生太山[8]山谷。（刘《大观》卷7页55，柯《大观》卷7页50，人卫《政和》页190）

【校注】

[1] **徐长卿** 《吴普》云：“徐长卿，一名石下长卿。”《大观》《政和》有名无用类药物，另有石下长卿。《纲目》认为二者乃一物，遂将石下长卿并入徐长卿条中，但石下长卿味咸、性平，有毒，疑与徐长卿并非一物。

[2] **味辛，温** 《吴普》引《本经》作“辛”，《纲目》作“辛，温，无毒”。

[3] **鬼物百精** 古人将某些原因不明的神经疾患，或精神疾患，以及慢性传染病如鬼疰、尸疰等，都视为鬼物百精。

[4] **蛊毒** 病名，出《肘后方》。其症状复杂，变化不一，病情一般较重。如血吸虫病、重症肝炎、肝硬化、肠道寄生虫等，都属蛊毒。

[5] **疫疾** 指流行性传染病。《御览》作“疾疫”。

[6] **温疟** 《诸病源候论·温疟候》：“先热而后寒，名曰温疟。”“疟”，《御览》作“鬼”，成化《政和》、万历《政和》、商务《政和》作“瘧”。“温”，卢本作“瘟”。

[7] **鬼督邮** 既是徐长卿异名，又是赤箭异名。《唐本草》另有鬼督邮，与此是同名异物。李时珍曰：“因其专主鬼病，犹司鬼之督邮也。古者传舍有督邮之官主之。”《通典·职官》谓督邮为汉所设，是郡守属吏。由此可见，督邮的名称出自汉代。《本经》以督邮为药名，则《本经》写作时间，当为汉代。

[8] **太山** 今山东泰山。辑“太山”为《本经》文，详玉泉注 [11]。

89 姑活[1]

味甘，温。主治大风邪气[2]，湿痹[3]寒痛。久服轻身，益寿[4]耐老[5]。一名冬葵子[6]。生河东[7]川泽[8]。（《新修》页360，刘《大观》卷30页18，柯《大观》卷30页15）

【校注】

[1] **姑活** 《纲目》将姑活条全文注为《别录》文。“活”，江西版《纲目》作“沽”。森本、顾本将姑活列在下品，但本条文中有“久服轻身，益寿耐老”等语，应列入上品。姑活近似名有固

活。《水经·注解县》引《神农本草》："地有固活。"《大观》《政和》钩吻条，引《本经》文"一名野葛"，引《别录》文"一名固活"。陶隐居注"姑活"云："方药亦无用此者，乃有固活丸，即野葛。"《本草和名》："钩吻，一名固活，折之青烟出。"按，《水经注》"固活"应是钩吻别名，非姑活。姑活味辛温，久服能轻身益寿；而钩吻味辛温有大毒，治恶疮疥虫、杀鸟兽，二者绝非一物。

[2] **邪气** 《新修》原作"耶气"，据《大观》《政和》改。

[3] **湿痹** 见酸枣注[5]。

[4] **益寿** 合肥版《纲目》作"益气"。王本作"增寿"，并将此二字置"耐老"之后。

[5] **耐老** "耐"，《新修》原作"能"，据《千金翼》、刘《大观》、柯《大观》、《政和》改。

[6] **一名冬葵子** 《大观》《政和》别有冬葵子条。陶隐居注："此又名冬葵子，非葵菜之冬葵子，疗体乖异。"

[7] **河东** 今山西。黄河流经山西、陕西间呈南北走向，河以东为河东。辑"河东"为《本经》文，详玉泉注[11]。

[8] **川泽** 《大观》《政和》《纲目》、孙本、问本、黄本、周本无此二字。《新修》、森本有此二字。

90 屈草[1]

味苦，微寒[2]。主治胸胁下痛，邪气，肠间寒热[3]，阴痹[4]。久服轻身，益气[5]，耐老[6]。生汉中[7]川泽。(《新修》页365，刘《大观》卷30页20，柯《大观》卷30页16)

【校注】

[1] **屈草** 《御览》作"屈草实根"。森本、顾本将屈草列在下品。但本条文中有"久服轻身，益气，耐老"等语，应列入上品。

[2] **微寒** 《御览》《纲目》、姜本、森本、顾本有此二字。人卫版《政和》将此二字录作《别录》文。"寒"字后，《纲目》有"无毒"二字，并注为《本经》文。

[3] **肠间寒热** 孙本作"腹间寒热"。《御览》作"腹间寒"，无"热"字。

[4] **阴痹** 病名。《素问·至真要大论》："太阴司天，湿淫所胜……胕肿，骨痛，阴痹。"《灵枢·五邪》："邪在肾，则病骨痛，阴痹。阴痹者，按之而不得，腹胀，腰痛，大便难，肩背颈项痛，时眩。"

[5] **益气** 《御览》作"补益"。

[6] **耐老** 傅本《新修》、罗本《新修》、《御览》作"能老"。

[7] **汉中** 战国时地名，今陕西南郑以东。辑"汉中"为《本经》文，详玉泉注[11]。

91 翘根[1]

味甘，寒、平[2]。主下热气，益阴精[3]，令人面悦好[4]，明目。久服轻身，

耐老[5]。生嵩高[6]平泽。(《新修》页363，刘《大观》卷30页19，柯《大观》卷30页16)

【校注】

[1] **翘根** “翘”，《吴普》《御览》《纲目》、孙本、问本、黄本、曹本作“翘”；《新修》《本草和名》《千金翼》《大观》《政和》作“藴”。“翘根”，《纲目》并在连翘条下，孙本、顾本列在中品，森本列在下品。但本条文中有“久服轻身，耐老”等语，应列入上品。

[2] **味甘，寒、平** 《御览》作“味苦”，无“寒、平”二字。森本、顾本无“平”字。《吴普》引《本经》作“甘，有毒”。

[3] **益阴精** 补益阴液、津液、精血。

[4] **悦好** 孙本、问本、周本、黄本作“说好”。

[5] **耐老** 《新修》原作“能老”，据《千金翼》《大观》《政和》改。

[6] **嵩高** 今河南登封。辑“嵩高”为《本经》文，详玉泉注[11]。

92 秦椒[1]

味辛，温。主治风邪气[2]，温中[3]，除寒痹[4]，坚齿长发[5]，明目。久服轻身，好颜色[6]，耐老[7]增年，通神。生太山[8]川谷。(《新修》页135，刘《大观》卷13页32，柯《大观》卷13页28)

【校注】

[1] **秦椒** “椒”，《新修》《本草和名》作“枡”，《医心方》作“枡”，孙本、问本、黄本、《说文》作“茮”，《毛诗》《山海经》《淮南子》《范子计然》作“椒”。“秦椒”，《新修》《大观》《政和》《纲目》、孙本、顾本列在中品。但本条文中有“久服轻身，好颜色，耐老增年，通神”等语，应列入上品。卷子本《新修》蜀椒条陶注云：“又有秦椒黑色在上品中。”

[2] **风邪气** 《纲目》作“除风邪气”。

[3] **温中** 温胃肠，亦说温五脏。

[4] **除寒痹** 《绍兴本草》作“除痹”，《纲目》、姜本作“去寒痹”。

[5] **坚齿长发** 《千金翼》、柯《大观》、刘《大观》、《品汇》《纲目》《图考长编》、卢本、莫本、王本、顾本、孙本作“坚齿发”，无“长”字。傅本《新修》、罗本《新修》、森本作“坚齿长发”。姜本作“坚发齿”。

[6] **好颜色** 《证类》《品汇》《纲目》《图考长编》、森本、孙本、顾本作“好颜色”。傅本《新修》、罗本《新修》作“好色”。

[7] **耐老** 傅本《新修》、罗本《新修》原作“能老”，据《千金翼》、刘《大观》、柯《大观》、人卫《政和》改。

[8] **太山** 今山东泰山。辑“太山”为《本经》文，详玉泉注[11]。

93　蔓荆实[1]

味苦，微寒[2]。主治筋骨间寒热，湿痹[3]，拘挛[4]，明目，坚齿，利九窍[5]，去白虫[6]。久服轻身，耐老[7]。小荆实亦等[8]。(《新修》页100，刘《大观》卷12页38，柯《大观》卷12页32)

【校注】

[1] **蔓荆实**　“蔓”，敦煌本《集注·七情药例》、《新修》《本草和名》《医心方》作“蔓”。“蔓荆实”，《本草经解》作“蔓荆子”；《千金方》作“荆实”，无“蔓”字；《纲目》作“蔓荆”，无“实”字。

[2] **味苦，微寒**　《纲目》作“气味苦，微寒，无毒”。

[3] **湿痹**　见酸枣注[5]。“湿”，孙本、问本、黄本、周本无。

[4] **拘挛**　证名，见《素问·缪刺论》，指肢体牵引不适，或自觉紧缩感，以至影响肢体不能自如活动。

[5] **九窍**　见菖蒲注[6]。

[6] **去白虫**　“去”，《大全》作“云”。“白虫”，《诸病源候论·九虫候》：“白虫相生，子孙转大，长至四五尺，亦能杀人。”按，白虫即绦虫，其节片不断生长增多，故云：“白虫相生，子孙转大。”

[7] **耐老**　《新修》原作“能老”，据《千金翼》《证类》改。按，“能”“耐”古本草通用。

[8] **小荆实亦等**　《品汇》注为《别录》文。《图考长编》《绍兴本草》、王本无此文。“亦”，卢本作“又”。

94　女贞实[1]

味苦，平[2]。主补中[3]，安五脏[4]，养精神，除百疾[5]。久服肥健，轻身，不老。生武陵[6]川谷[7]。(《新修》页104，刘《大观》卷12页45，柯《大观》卷12页38)

【校注】

[1] **女贞实**　《说文》《山海经》作“桢”；郭璞注《山海经》作“女桢”；《本草和名》《医心方》《纲目》作“女贞”，无“实”字。

[2] **味苦，平**　《纲目》作“味苦，平，无毒”。

[3] **补中**　即补养五脏。

[4] **安五脏**　《新修》《绍兴本草》、森本作“安脏”，刘《大观》、柯《大观》、人卫《政和》、《纲目》、孙本、问本、王本、顾本、卢本作“安五脏”。

[5] **疾**　《纲目》、姜本、莫本作“病”。

[6] **武陵** 西汉地名，今湖南溆浦。辑“武陵”为《本经》文，详玉泉注［11］。

[7] **川谷** 孙本、问本、周本、黄本作“山谷”。

95 桑上寄生[1]

味苦[2]，平。主治腰痛，小儿背强，痈肿，安胎[3]，充肌肤[4]，坚发齿，长须眉。其实：明目[5]，轻身，通神。一名寄屑，一名寓木[6]，一名宛童[7]。生弘农[8]川谷。(《新修》页104，刘《大观》卷12页41，柯《大观》卷12页35)

【校注】

[1] **桑上寄生** 《毛诗》《说文》作“茑”。《尔雅》《山海经》作“寓木”。“桑”，《新修》《本草和名》《医心方》作“桒”。

[2] **苦** 卢本、莫本作“辛”。

[3] **安胎** 《纲目》在“长须眉”之后。

[4] **充肌肤** 充实肌肤，使丰满。

[5] **明目** 《本草经疏》、徐本、莫本作“主明目”。

[6] **一名寓木** 《山海经·中山经》：“龙山上多寓木。”《尔雅》：“宛木，宛童。”此等名皆先秦用名，《本经》将之降为异名。而桑寄生的名称出现在汉代。作《本经》者以汉代用名为正名，将先秦名降为异名，则作《本经》者当是汉代人，其书亦当成于汉代。

[7] **一名宛童** 《大观》《大全》《图考长编》《本经续疏》、绍兴本注为《别录》文。卢本不取此四字为《本经》文。

[8] **弘农** 汉置，今河南灵宝。辑“弘农”为《本经》文，详玉泉注［11］。

96 蕤核[1]

味甘，温[2]。主治心腹邪结气[3]，明目，目痛赤伤[4]泪出[5]。久服轻身，益气[6]，不饥[7]。生函谷[8]川谷。(《新修》页106，刘《大观》卷12页48，柯《大观》卷12页41)

【校注】

[1] **蕤核** “蕤”，《说文》作“桵，白桵”，《尔雅》作“棫，白桵”，《一切经音义》作“蕤”，《本草和名》作“蕤”，傅本《新修》、罗本《新修》、《医心方》作“蕤”，《御览》《吴普》作“蕤”，曹本作“苏”。“蕤核”，蔡本作“蕤核仁”。

[2] **味甘，温** 《吴普》引《本经》作“甘、平，无毒”，《纲目》作“气味甘，温，无毒”。

[3] **邪结气** 《纲目》、卢本、姜本作“邪热结气”。孙本、问本、黄本作“邪气”。

[4] **目痛赤伤** 《证类》《品汇》《图考长编》《本草经疏》作“目赤痛伤”。《御览》脱“目”

字。《新修》、森本作“目痛赤伤”。

[5] **出** 其后，《纲目》《草木典》有“目肿眦烂”四字，并注为《本经》文。

[6] **益气** 《本经续疏》作“耐老”。

[7] **饥** 《绍兴本草》讹作“肌”。

[8] **函谷** 今河南灵宝。辑“函谷”为《本经》文，详玉泉注[11]。

97 辛夷[1]

味辛，温[2]。主治五脏身体寒风[3]，风头脑痛[4]，面䵟[5]。久服下气，轻身，明目，增年[6]耐老[7]。一名辛矧[8]，一名侯[9]桃，一名房木[10]。生汉中[11]川谷。(《新修》页111，刘《大观》卷12页39，柯《大观》卷12页33)

【校注】

[1] **辛夷** 《史记·司马相如传》作“流夷”；《汉书·扬雄赋》《文选》作“新雉”；《五十二病方》23条作“薪夷”，572条作“薪雉”。

[2] **味辛，温** 《图考长编》脱“辛”字。《医心方·食物五菜部》无“温”字。

[3] **寒风** 《千金翼》《证类》《纲目》《品汇》、狩本、徐本、顾本作“寒热”。《新修》《医心方》、孙本、森本作“寒风”。从《新修》为正。

[4] **风头脑痛** 合肥版《纲目》、《图考长编》作“头风脑痛”。孙本、问本、周本、黄本作“头脑痛”。森本《本经·考异》云：“《万安方》作头脑风”。

[5] **面䵟** 指面黧黑无华。“䵟”，卢本作“黚”，孙本、问本、黄本作“皯”。

[6] **年** 问本、黄本作“季”。

[7] **耐老** 《新修》作“能老”，《千金翼》、刘《大观》、柯《大观》、《政和》《纲目》作“耐老”。

[8] **矧** 《御览》作“引”，《纲目》《图考长编》、姜本、莫本作“雉”。

[9] **侯** 《新修》作“喉”，《千金翼》、刘《大观》、柯《大观》、人卫《政和》、《纲目》作“侯”，《本草和名》作“候”，卢本作“棰”。

[10] **房木** 王本无。

[11] **汉中** 今陕西汉中。

98 榆皮[1]

味甘，平[2]。主治大小便不通，利水道[3]，除邪气。久服[4]轻身，不饥。其实尤良。一名零榆[5]。生颍川[6]山谷。(《新修》页114，刘《大观》卷12页25，柯《大观》卷12页21)

【校注】

[1] **榆皮** 《毛诗》作“枌”，《尔雅》《说文》作“榆，白枌”。《纲目》作“榆”，称其皮为白皮，蔡本同。

[2] **味甘，平** 《纲目》作“白皮，气味甘，平，滑利，无毒”。姜本有“性滑利”。按，“性滑利”，刘《大观》、柯《大观》、人卫《政和》作黑字《别录》文，非《本经》文。

[3] **利水道** 《医心方·食物五菜部》作“水道”，无“利”字。

[4] **服** 其下，《纲目》、姜本有“断谷”二字，并注为《本经》文。按“断谷”二字，原出于陶弘景注，非《本经》文。

[5] **零榆** 王安石《字说》：“榆，其荚飘零，故曰零榆。”又薯蓣子亦名零余，音同而物异。

[6] **颍川** 今河南禹县。辑“颍川”为《本经》文，详玉泉注[11]。

99 龙骨[1]

味甘，平[2]。主治心腹鬼疰[3]，精物[4]，老魅[5]，咳逆，泄痢脓血[6]，女子漏下[7]，癥瘕坚结[8]，小儿热气惊痫[9]。龙齿[10]：主治小儿[11]、大人惊痫[12]，癫疾狂走[13]，心下结气，不能喘息，诸痉[14]，杀精物。久服轻身，通神明，延年[15]。生晋地[16]川谷[17]。(《新修》页181，刘《大观》卷16页2，柯《大观》卷16页1)

【校注】

[1] **龙骨** 《纲目》作“龙”，龙骨为龙下的子目。“龙”，《新修》作“龍”，《医心方》作“兺”。

[2] **味甘，平** 《纲目》作“气味甘，平，无毒”。《药性论》作“有小毒”。

[3] **鬼疰** 《诸病源候论·鬼疰候》：“人有先无他病，忽被鬼排击，当时或心腹刺痛，或闷绝倒地。其差后，有时发动，连滞停注，乃至于死，死后注易旁人，谓之鬼疰。”“疰”，罗本《新修》、傅本《新修》作“注”。《释名·释疾病》：“注病，一人死，一人复得，气相灌注也。”

[4] **精物** 指害人的妖精怪物。

[5] **老魅** 传说中山林里能害人的老怪物，或称为鬼怪。亦有人称木石之怪为魅。《龙龛手鉴·鬼部》：“魅，亦鬼神怪也。”

[6] **泄痢脓血** 指下脓血的痢疾。《诸病源候论·脓血痢候》：“积热蕴结，血化为脓，肠虚则泄，故成脓血痢也。”

[7] **漏下** 《诸病源候论·漏下候》：“血非时而下，淋沥不断，谓之漏下。”

[8] **癥瘕坚结** 指体内结块。

[9] **小儿热气惊痫** 指小儿发热出现惊风。症见小儿身热，目上视，身强，手足拳，发搐。

[10] **龙齿** 刘《大观》、柯《大观》、人卫《政和》、《绍兴本草》、孙本、顾本作“齿”，《新修》《纲目》、森本作“龙齿”。

[11] **小儿** 《纲目》作“小儿五惊十二痫”，移在“不能喘息”之后，并注为《本经》文；《大观》《政和》作《别录》文。

[12] **惊痫** 指痫证类型之一。《千金方》：“起于惊怖大啼，乃发作者，此惊痫也。”其状，或口眼相引，或手足掣纵（抽动），或背脊强直，或颈项反折。

[13] **癫疾狂走** “癫疾”，病名，见《灵枢·癫狂》。癫者，多静默，精神抑郁，言语错乱，哭笑无常，不知秽洁，幻想幻觉。狂者多躁动，狂妄自大，少卧不饥，或狂走，怒骂号叫，或毁物打人，越墙上屋，力大倍常。癫证与狂证都是精神病之一种类型。“狂走”，多见于狂证。

[14] **痓** 病名，出《内经》，又称痉，以项背强急、口噤、四肢抽搐、角弓反张为主要表现。

[15] **久服轻身，通神明，延年** 《纲目》作“龙角”的主治，并注为《别录》文。

[16] **晋地** 即今山西。

[17] **川谷** 《御览》、孙本、问本、周本、黄本、《千金翼》作“山谷”。

100 熊脂[1]

味甘，微寒[2]。主治[3]风痹不仁[4]，筋急[5]，五脏腹中积聚[6]，寒热，羸瘦[7]，头疡[8]，白秃[9]，面皯皰[10]。久服强志，不饥，轻身[11]。生雍州[12]山谷。（《新修》页191，刘《大观》卷16页9，柯《大观》卷16页7）

【校注】

[1] **熊脂** 《说文》《纲目》作“熊”。《千金方·食治》作“熊肉”。《御览》《艺文类聚》引《本经》曰“一名熊白”。《大观》《政和》熊脂条正文无“一名熊白”，但陶注文中有“此脂即熊白”。由此可见，《御览》《艺文类聚》所据《本经》，与陶弘景作《集注》时所见《本经》，不是同一种本子。这也说明，在陶弘景时，有多种《本经》存在。

[2] **微寒** 《御览》《艺文类聚》作“微温，无毒”。

[3] **治** 《艺文类聚》作“止”。

[4] **风痹不仁** 指风邪闭阻肢体、经络，导致肢节麻木、屈伸不利。

[5] **筋急** 证名，出《素问·五脏生成》，指筋脉紧急不柔，屈伸不利。《灵枢·经脉》：“脉弗荣，则筋急。”

[6] **五脏腹中积聚** 《千金方·食治》作“五缓若腹中有积聚”。“积聚”，见曾青注［4］。

[7] **羸瘦** 指虚弱消瘦。

[8] **头疡** 《千金方·食治》作“其脂味甘，微寒，疗法与肉同，又去头疡”。“疡”，姜本作“伤”。“头疡”，犹头疮。唐·贾公彦《周礼疏》：“疕，头疡，谓头上有疮含脓血者。”

[9] **白秃** 指头癣发落不生。《诸病源候论·白秃候》：“头生疮，有虫，白痂甚痒，其上发并秃落不生，故谓之曰白秃。”

[10] **面皯皰** 指面部黑暗无华，长像水疱一样的小疙瘩。《大全》作“面皯抱”，《纲目》、姜本作“面上皯皰”，卢本、莫本作“面皯皰皺”，《千金方·食治》作“面皯黯”。

[11] **身** 其后，《纲目》《品汇》有“长年”二字，并注为《本经》文。刘《大观》、柯《大

观》、人卫《政和》对“长年”二字作黑字《别录》文。

[12] **雍州** 即今陕西、甘肃一带。辑“雍州”为《本经》文，详玉泉注[11]。

101 石蜜[1]

味甘，平[2]。主治心腹邪气[3]，诸惊痫痓[4]，安五脏，诸不足[5]，益气，补中[6]，止痛，解毒[7]，除众病，和百药[8]。久服强志，轻身，不饥，不老[9]。一名石饴[10]。生武都[11]川谷。（刘《大观》卷20页3，柯《大观》卷20页1，人卫《政和》页410）

【校注】

[1] **石蜜** 《说文》《五十二病方》作“䘑”，《武威医简》作“密”，《吴普》《北堂书钞》作“食蜜”“石蜜”，《纲目》、蔡本作“蜂蜜”。

[2] **味甘，平** 《吴普》引《本经》作“甘，气平”。《纲目》作“甘，平，无毒”。“平”，其后，柯《大观》有“微温”，作白字《本经》文，刘《大观》、人卫《政和》作黑字《别录》文。《北堂书钞》食蜜条作“甘，微温”。

[3] **主治心腹邪气** 《御览》《北堂书钞》作“治主心邪”。

[4] **诸惊痫痓** 《御览》无此文。“痓”，《千金方·食治》《品汇》《本草经解》、森本作“痉”。

[5] **诸不足** 《千金方·食治》作“治诸不足”。

[6] **补中** 即补五脏。《北堂书钞》作“补内”。

[7] **止痛，解毒** 《千金方·食治》作“止腹痛，解诸药毒”。“止痛”，《北堂书钞》作“定气，养脾”。

[8] **除众病，和百药** 《御览》无此文。“除众病”，《北堂书钞》作“除百病”。

[9] **不老** 《千金方·食治》作“耐老”，“老”字后，《纲目》《本草经解》有“延年神仙”四字，并注为《本经》文。

[10] **石饴** 《说文》《玉篇》《御览·食蜜》作“甘饴”，《五十二病方》作“蠭饴”。

[11] **武都** 今甘肃武都。辑“武都”为《本经》文，详玉泉注[11]。

【按语】 石蜜、食蜜，《吴普》《御览》《北堂书钞》皆分为二物。陶隐居注：“石蜜即崖蜜，高山岩石间作之，色青赤，味小醶，食之心烦。又木蜜呼为食蜜，悬树枝作之，色青白。树空及人家养作之者，亦白而浓厚，味美。”

102 蜜蜡[1]

味甘，微温[2]。主治下痢脓血[3]，补中[4]，续绝伤[5]，金创[6]，益气，不饥，耐老[7]。生武都[8]山谷。（刘《大观》卷20页6，柯《大观》卷20页5，人卫《政和》

页 412）

【校注】

［1］**蜜蜡** 敦煌本《集注·七情药例》作“蝎蜜”，《本草和名》《医心方》作“臈蜜”，真本《千金方·七情药例》、森本作“蠟蜜”，《千金翼》、刘《大观》、柯《大观》、《政和》、孙本、问本、黄本作“蜜蠟”。陶隐居云：“此蜜蠟生于蜜中，故谓蜜蠟。”蝎、臈、蠟皆蜡字之古体字。

［2］**味甘，微温** 《药性论》作“味甘，平，无毒”。

［3］**下痢脓血** 指下脓血的痢疾。《诸病源候论·脓血痢候》：“积热蕴结，血化为脓，肠虚则泄，故成脓血痢也。”

［4］**补中** 即补五脏。《品汇》脱“中”字。

［5］**续绝伤** 连接断伤。

［6］**金创** 指金属器械所致之外伤。“创”，《大观》《政和》《纲目》、顾本作“疮”，孙本、问本、周本、黄本、森本作“创”。

［7］**益气，不饥，耐老** 此为方士神仙之语。陶隐居云：“蜜蜡，《仙经·断谷》最为要用。”按，方士盛行于汉代，《汉书·艺文志》记载方士书十家 205 卷。《本经》收载方士之言，说明作《本经》者，当是汉代人，其书亦当成于汉代。

［8］**武都** 今甘肃武都。辑“武都”为《本经》文，详玉泉注［11］。

103　蜂子[1]

味甘，平[2]。主治风头[3]，除蛊毒[4]，补虚羸[5]，伤中[6]。久服令人光泽，好颜色，不老。大黄蜂子：主治心腹胀满痛，轻身，益气[7]。土蜂子[8]：主痈肿[9]。一名蜚零。生武都[10]山谷。（刘《大观》卷 20 页 6，柯《大观》卷 20 页 4，人卫《政和》页 411）

【校注】

［1］**蜂子** 《五十二病方》212 行作“逢卵”，236 行作“丰卵”。“蜂”，《说文》作“蠭”，《礼记·檀弓》作“范”，郑注：“范，蠭也。”敦煌本《集注·七情药例》、真本《千金方·七情药例》、《医心方》作“蜂子”，其他各本作“蜂子”。

［2］**味甘，平** 《纲目》作“气味甘，平，微寒，无毒”。按“微寒无毒”，《大观》《政和》作黑字《别录》文，非《本经》文。

［3］**风头** 合肥版《纲目》、姜本作“头疯”。《绍兴本草》作“风头痛”。

［4］**蛊毒** 见赤箭注［3］。

［5］**虚羸** 指虚劳羸瘦。《诸病源候论·虚劳羸瘦候》：“虚劳之人，精髓萎竭，血气虚弱，不能充盛肌肤，此故羸瘦也。”

［6］**伤中** 见干地黄注［4］。

[7] **大黄蜂子……益气** 《纲目》注为《别录》文。"胀",《大全》作"服",孙本、问本、黄本作"复",周本作"张"。"痛"字后,《纲目》有"干呕"二字。

[8] **土蜂子** 《尔雅》"土蠭",郭璞注:"今江南大蠭在地中作房者为土蠭,啖其子。"

[9] **痈肿** 见扁青注[4]。

[10] **武都** 今甘肃武都。辑"武都"为《本经》文,详玉泉注[11]。

104 白胶[1]

味甘,平。主治伤中[2],劳绝[3],腰痛[4],羸瘦[5],补中[6]益气,妇女血闭[7]无子,止痛[8],安胎。久服轻身延年[9]。一名鹿角胶。生云中[10]。(《新修》页192,刘《大观》卷16页11,柯《大观》卷16页9)

【校注】

[1] **白胶** 《五十二病方》《御览》作"胶"。单言胶,不够明确。《礼记·考工记》:"鹿胶青白,马胶赤白,牛胶火赤,鼠胶黑,鱼胶饵,犀胶黄。"则《礼记·考工记》"鹿胶",即本条白胶。

[2] **伤中** 即伤五脏。森本《本经·考异》云"伤",《香字钞》作"湯"。

[3] **劳绝** 指劳伤过度,导致精气耗损欲绝。《素问·举痛论》:"劳则气耗,……喘息汗出,外内皆越,故气耗矣。"

[4] **腰痛** "腰",孙本、问本、黄本作"要"。

[5] **羸瘦** 《御览》无"羸"字。

[6] **补中** 即补五脏。

[7] **血闭** 即经闭。或因血亏,月经日渐减少,日久无血下达,遂成经闭,症见食少,皮肤干燥,形体消瘦;或因气郁血滞,冲脉、任脉闭阻,经血不能下达而经闭,症见面色紫暗,小腹痛拒按,或痛连两胁。"血闭",《御览》无此二字。

[8] **止痛** "止",《大全》误作"正"。

[9] **年** 黄本、问本作"秊"。《正字通》:"秊,年之本字,俗作年。"

[10] **云中** 秦时地名,即今内蒙古托克托。辑"云中"为《本经》文,详玉泉注[11]。

105 阿胶[1]

味甘,平[2]。主治心腹内崩[3],劳极洒洒如疟状[4],腰腹痛[5],四肢酸疼[6],女子下血[7],安胎。久服轻身,益气。一名傅[8]致胶。出东阿[9]。(《新修》页193,刘《大观》卷16页14,柯《大观》卷16页11)

【校注】

[1] **阿胶** 陶隐居注:"出东阿,故曰阿胶。"

[2] **味甘，平** 《纲目》作“气味甘，平，无毒”。“甘”，玄《大观》误作“廿”。“平”，其后，森本有“出东阿”三字。森本仿《御览》引《本经》文排列。《御览》所引《本经》体例，即药名下直列一名，次举气味，次记出处，次录主治。森本“气味”下列“出东阿”，即仿《御览》体例排的。

[3] **内崩** 指下血。《素问·阴阳别论》：“阴虚阳搏谓之崩。”王冰注：“阳脉不足，阳盛搏则内崩，而血流下。”

[4] **劳极洒洒如疟状** “劳极”，是虚损重症，近似后世劳瘵，症见恶寒，潮热，食少，消瘦，疲乏无力。“洒洒”，《素问·诊要经终论》有言“令人洒洒时寒”，王冰注：“洒洒，寒貌。”“如疟状”，如疟疾症状时寒时热，此言重症虚损者，恶寒潮热如疟状。“洒洒”，《新修》作“洒”，脱一个“洒”字。“疟”，《新修》作“瘧”。

[5] **腰腹痛** “腰”，孙本、黄本、问本作“要”。“痛”，《绍兴本草》作“痠痛”。

[6] **疼** 《纲目》、姜本作“痛”。

[7] **女子下血** 女子不在月经期，阴道出血即为下血。大量出血为崩中，持续淋滴不断出血为漏下。下血是崩中漏下的统称。

[8] **傅** 卢本作“传”，《绍兴本草》作“倢”。

[9] **东阿** 秦时地名，今山东阳谷东北。辑“东阿”为《本经》文，详玉泉注[11]。

106 鴈肪[1]

味甘，平[2]。主治风击[3]，拘急[4]，偏枯[5]，气不通利[6]。久服益气不饥，轻身，耐老[7]。一名鶩肪[8]。生江南[9]池泽。（《新修》页230，刘《大观》卷19页9，柯《大观》卷19页8）

【校注】

[1] **鴈肪** 顾本列在中品，但本条文中有“久服益气，不饥，轻身，耐老”等语，应列入上品。“鴈”，《说文》载“鴈，鹅也”“雁，鸿雁”。段玉裁注：“今字雁、鴈不分久矣。”《尔雅》：“舒鴈，鹅。”“鴈肪”，孙本、问本、黄本、蔡本、曹本、《纲目》作“雁肪”，莫本作“鹰肪”。

[2] **味甘，平** 《吴普》引《本经》作“甘，无毒”。《纲目》作“气味甘，平，无毒”。

[3] **风击** 《证类》《纲目》、孙本、顾本作“风挛”。《新修》、森本、《医心方》作“风击”。

[4] **拘急** 病证名，出《素问·六元正纪大论》，指肢体牵引不适，或自觉紧缩感，以至影响活动。

[5] **偏枯** 病证名，见《灵枢·刺节真邪》等篇。即半身不遂，身一侧上下肢偏废不用，或兼疼痛，久则患肢肌肉枯瘦，神志正常。

[6] **气不通利** “气”，其上，《千金方·食治》《纲目》、姜本、莫本有“血”字。“利”，《御览》《医心方·食物五肉部》无此字。

[7] **轻身，耐老** 《御览》作“耐老，轻身”。“耐”，傅本《新修》、罗本《新修》作“能”。“耐老”，《千金方·食治》作“耐暑”。

[8] **鹜肪** 陶隐居注："鹜，即家鸭。""鹜肪"，既是鸭肪主名，又是鴈肪的异名。

[9] **江南** 泛指长江以南。辑"江南"为《本经》文，详玉泉注［11］。

107 牡蛎[1]

味咸，平[2]。主治伤寒[3]、寒热[4]，温疟洒洒[5]，惊恚怒气[6]，除拘缓[7]，鼠瘘[8]，女子带下[9]赤白。久服强骨节，杀邪鬼[10]，延年[11]。一名蛎蛤。生东海[12]池泽。(刘《大观》卷20页8，柯《大观》卷20页6，人卫《政和》页412)

【校注】

[1] **牡蛎** 《说文》作"蠇，蚌属"，又云："秦谓之牡厲。"筠默本亦作"牡厲"。

[2] **味咸，平** 《纲目》、姜本作"味咸，平，微寒，无毒"。

[3] **伤寒** 泛指外感热证之通称。《素问·热论》："人之伤于寒，则为病热。"《伤寒论》以伤寒命名，即包括多种外感热病。

[4] **寒热** 《诸病源候论·寒热候》："夫阳虚则外寒，阴虚则内热；阳盛则外热，阴盛则内寒。"又云："因于露风，乃生寒热。凡小骨弱肉者，善病寒热。"

[5] **温疟洒洒** "温疟"，《诸病源候论·温疟候》："先热而后寒，名曰温疟。""洒洒"，恶寒貌。《医心方·食物五肉部》无"洒洒"二字。

[6] **惊恚怒气** "恚"，《说文》："恚，恨也。""惊恚怒气"，指惊恐、怨恨、愤怒一些情志变化。

[7] **拘缓** 指肌肉收缩伸张不协调。《素问·生气通天论》："緛短为拘，弛张为痿。"王冰注："缩短故拘挛而不伸，引长故痿弱而无力。"

[8] **鼠瘘** 一名瘰疬，即颈项腋下淋巴结结核。《灵枢·寒热》："寒热瘰疬在于颈腋者，皆鼠瘘之毒气也。""鼠瘘"，《品汇》误作"鼠瘘"。

[9] **女子带下** 《医心方·食物五肉部》作"女子下血"。

[10] **杀邪鬼** 《纲目》、孙本、问本、黄本、周本、顾本、姜本、莫本、森本作"杀邪气"。

[11] **年** 黄本、问本作"秊"。《正字通》："秊，年之本字，俗作年。"

[12] **东海** 西汉地名，今东海。辑"东海"为《本经》文，详玉泉注［11］。

108 鲤鱼胆[1]

味苦，寒[2]。主治目热赤痛[3]，青盲[4]，明目。久服强悍[5]，益志气，生九江[6]池泽。(刘《大观》卷20页25，柯《大观》卷20页19，人卫《政和》页419)

【校注】

[1] **鲤鱼胆** 《毛诗》作"鳣"，《说文》《尔雅》作"鲤"。郭璞注《尔雅》作"赤鲤鱼"。

《本草和名》、《医心方》引《唐本草》目录及食物五肉部、《纲目》作“鲤鱼”。本条，顾本列在中品。

[2] **味苦，寒** 《纲目》作“气味苦寒，无毒”。

[3] **目热赤痛** 《诸病源候论·目赤痛候》：“肝气有热，热冲于目，故令赤痛。”“赤痛”，合肥版《纲目》作“赤肿”。

[4] **青盲** 《医心方·食物五肉部》作“清盲”。《诸病源候论·目青盲候》：“青盲者，眼本无异，瞳子黑白分明，直不见物耳。”

[5] **强悍** 即坚强勇敢。

[6] **生九江** “生”，《图经衍义》作“主”。“九江”，为秦时地名，即今江西九江。辑“九江”为《本经》文，详玉泉注[11]。

109 葡萄[1]

味甘，平[2]。主治筋骨湿痹[3]，益气倍力[4]，强志，令人肥健，耐饥[5]，忍风寒[6]，久食[7]轻身，不老[8]延年。可作酒。生陇西[9]山谷。(《新修》页242，刘《大观》卷23页14，柯《大观》卷23页10)

【校注】

[1] **葡萄** 《史记·大宛列传》《艺文类聚》《御览》、孙本、问本、周本、黄本作“蒲萄”，《新修》、森本、筠默本作“蒲陶”，《千金方·食治》作“蒲桃”，《本草和名》《医心方》作“蒱陶”。

[2] **味甘，平** 《纲目》、姜本作“味甘、平，涩，无毒”。

[3] **筋骨湿痹** “筋骨”，《绍兴本草》作“节骨”。“湿痹”，《千金方·食治》作“温痹”。“痹”，指风、寒、湿邪侵袭肢体经络，导致肢节疼痛、麻木、屈伸不利的病证。其湿邪偏胜者名湿痹，亦称著痹。《素问·痹论》：“湿气胜者为著痹也。”

[4] **倍力** 《艺文类聚》《御览》无。

[5] **耐饥** 《艺文类聚》作“少饥”。卢本作“耐老”。

[6] **忍风寒** 莫本无“风”字。

[7] **久食** “久”，《新修》讹作“人”。“食”，王本、徐本作“服”。

[8] **老** 《大全》误作“者”。

[9] **陇西** 秦时地名，今甘肃临洮。辑“陇西”为《本经》文，详玉泉注[11]。

【按语】《史记·大宛列传》，谓张骞于元鼎二年（前115）出使西域，“携苜蓿、蒲萄归”，后人遂疑《本经》有外来药。但《周礼·场人》有言“树之果蓏、珍异之物”，郑玄注：“珍异：蒲萄、枇杷之属。”则中国本有此。大宛品殊常，故汉使特取回种之。中国古有葡萄，则《本经》“葡萄”，未必是外来药。

110 蓬蘽[1]

味酸，平[2]。主安五脏，益精气，长阴令坚[3]，强志，倍力，有子。久[4]服轻身，不老。一名覆盆[5]。生荆山[6]平[7]泽。(《新修》页243，刘《大观》卷23页16，柯《大观》卷23页12)

【校注】

[1] **蓬蘽** 《尔雅》《说文》作“堇，缺盆”，郭璞注《尔雅》作“覆盆”，《大观》《政和》、孙本、问本、黄本作“蓬蘽”，《毛诗》作“葛藟”，《新修》《本草和名》《医心方》、森本、筠默本作“蓬蘽”，《吴普》作“缺盆”，《甄氏本草》作“覆盆子”。

[2] **味酸，平** 柯《大观》、刘《大观》、《绍兴本草》《大全》《本经续疏》作“味酸，咸”。人卫《政和》、成代《政和》、万历《政和》、《纲目》、孙本、问本、森本作“味酸，平”，俱无“咸”字。《药性论》作“味酸，辛”。

[3] **令坚** 《纲目》、姜本、顾本、邹本作“令人坚”，《本经续疏》作“令人”。

[4] **久** 傅本《新修》、罗本《新修》作“人”，疑为“久”字缺笔。刘《大观》、柯《大观》、人卫《政和》、诸家《本经》辑本俱作“久”。

[5] **覆盆** 合肥版《纲目》、《草木典》注为《别录》文。“盆”，《新修》《本草和名》作“瓫”。按，覆盆既是覆盆子正名，又是蓬蘽的别名。

[6] **荆山** 春秋时地名，今湖北南漳以西。辑“荆山”为《本经》文，详玉泉注[11]。

[7] **平** 《图经衍义》误作“卑”。

111 大枣[1]

味甘，平[2]。主治心腹邪气，安中[3]，养脾[4]，助十二经[5]，平胃气[6]，通九窍，补少气少津[7]，身中不足，大惊，四肢重，和百药[8]。久服轻身长年[9]。叶[10]：覆麻黄，能[11]出汗。生河东[12]平泽。(《新修》页245，刘《大观》卷23页10，柯《大观》卷23页7)

【校注】

[1] **大枣** 《尔雅》：“洗，大棗。”《说文》：“棗，羊棗。”《素问》《毛诗》《山海经》《五十二病方》《纲目》皆统称“棗”。傅本《新修》、罗本《新修》作“大棗”。《本草和名》《医心方》作“大枣”。《医心方·食物五果部》作“干枣”，《千金方·食治》作“大棗”。

[2] **味甘，平** 《千金方·食治》作“味甘，辛，热，滑，无毒”。

[3] **安中** 《吴普》作“调中”，《御览》《事类赋》作“补中”。

[4] **养脾** 《千金方·食治》《纲目》、姜本、《本草经解》作“养脾气”。《吴普》作“益脾

气”。《御览》《事类赋》作“益气”。

［5］**助十二经** 《医心方·食物五果部》作“助十二经脉”。“助”，孙本讹作“肋”。

［6］**平胃气** 傅本《新修》、罗本《新修》无“平”字。

［7］**少津** 《证类》《纲目》、孙本、顾本作“少津液”。《新修》《医心方》、森本作“少津”。《千金方·食治》作“津液”。

［8］**和百药** 《千金方·食治》作“可和百药”。

［9］**久服轻身长年** 《初学记》《御览》作“久服神仙”。“久”，《初学记》误作“九”。“长年”，《纲目》、姜本、《草木典》作“延年”，《证类》、孙本、森本、顾本作“长年”，《医心方·食物五果部》作“长年神仙”，《新修》作“长季”。从《证类》为正。

［10］**叶** 《绍兴本草》作“草”。其后，姜本有“气味甘温”四字。

［11］**能** 其后，《大观》《政和》《纲目》、孙本、顾本有“令”字；《新修》、森本无“令”字。

［12］**生河东** “生”，《新修》脱。“河东”，今山西。辑“河东”为《本经》文，详玉泉注［11］。

112 藕实茎[1]

味甘，平[2]。主补中养神[3]，益气力[4]，除百疾[5]。久服轻身，耐老，不饥，延年[6]。一名水芝丹[7]。生汝南[8]平泽。（《新修》页247，刘《大观》卷23页5，柯《大观》卷23页2）

【校注】

［1］**藕实茎** 《说文》：“藕，夫渠根；莲，夫渠实；茄，夫渠茎。”《千金方·食治》《医心方·食物五果部》《本草和名》《万安方》作“藕实”，无“茎”字。《纲目》作“莲藕”。《齐民要术》、陆德明注《经典释文》、李善注《文选》、《药性论》《食疗本草》《日华子》均作“藕”。

［2］**味甘，平** 《千金方·食治》作“味苦、甘”。《纲目》“莲实”分目作“气味甘，平，涩，无毒”。“平”，玄《大观》讹作“乎”。

［3］**主补中养神** 《千金方·食治》无“主”字，森本无“补”字，《齐民要术》作“安中补脏，养神强志”。补中，即补五脏。

［4］**益气力** 《千金方·食治》作“益气”，无“力”字。

［5］**疾** 《千金方·食治》作“病”。森本《本经·考异》云：“疾，《万安方》作病。”《齐民要术》作“病，益精神，耳目聪明”。

［6］**延年** 《齐民要术》作“轻身耐老”。“年”，黄本、问本作“季”。

［7］**水芝丹** 《千金方·食治》《纲目》莲实分目作“水芝”，无“丹”字。

［8］**汝南** 西汉地名，今河南汝南之东南。辑“汝南”为《本经》文，详玉泉注［11］。

113　鸡头实[1]

味甘，平[2]。主治湿痹[3]，腰[4]脊膝痛，补中[5]，除暴疾[6]，益精气[7]，强志[8]，令[9]耳目聪明。久服轻身，不饥，耐老神仙[10]，一名雁喙实[11]。生雷泽[12]池泽。(《新修》页247，刘《大观》卷23页15，柯《大观》卷23页11)

【校注】

[1] **鸡头实**　《说文》《周礼》作“芡”，《方言》作“葰芡”，《庄子》作“鸡壅”，《淮南子》《食疗》作“鸡头”，《古今注》作“雁头”，韩退之作“鸿头”，《纲目》作“芡实”。

[2] **味甘，平**　《纲目》、姜本作“甘、平，涩，无毒”。

[3] **主治湿痹**　《医心方·食物五果部》作“主疗湿痹”。

[4] **腰**　孙本、黄本、问本作“要”。

[5] **补中**　即补五脏。

[6] **除暴疾**　傅本《新修》、罗本《新修》作“除疾”，无“暴”字。“暴疾”，指突然发作的疾病。

[7] **益精气**　《医心方》卷末食物五果部作“益精”，无“气”字。

[8] **强志**　《千金方·食治》作“强志意”。

[9] **令**　傅本《新修》、罗本《新修》、《千金方·食治》《医心方》卷末食物五果部俱无此字，刘《大观》、柯《大观》、人卫《政和》、《纲目》、诸家《本经》辑本俱有此字。

[10] **神仙**　《千金方·食治》无。

[11] **一名雁喙实**　《御览》无“喙”字，《纲目》无“实”字。

[12] **雷泽**　在今山东济阴。《史记·五帝纪》：“舜耕历山，渔雷泽。”注：“雷泽，属济阴。”《汉书·地理志》：“济阴郡成阳，雷泽在其北。”辑“雷泽”为《本经》文，详玉泉注[11]。

114　白瓜子[1]

味甘，平[2]。主令人悦泽[3]，好颜色，益气，不饥[4]。久服轻身，耐老[5]。一名水芝[6]。生嵩高[7]平泽。(《新修》页262，刘《大观》卷27页9，柯《大观》卷27页8)

【校注】

[1] **白瓜子**　《说文》作“瓣”，《广雅》作“瓟”，《千金方·食治》《吴普》、孙本、问本、黄本作“瓜子”，《艺文类聚》作“水芝”，曹本作“甘瓜子”，卢本作“白冬瓜子”，《新修》《医心方》食物五菜部作“白犊子”。《纲目》有冬瓜条，并列白瓜子为子目。

[2] **味甘，平**　《医心方》食物五菜部作“味甘，平，寒，无毒”。《纲目》作“气味甘，平，无毒”。

[3] **悦泽** 孙本误作“说泽”。《千金方·食治》作“光泽”。

[4] **不饥** 《千金翼》作“不肌”。

[5] **耐老** 傅本《新修》、罗本《新修》作“能老”，刘《大观》、柯《大观》、人卫《政和》、《纲目》、诸家《本经》辑本作“耐老”。

[6] **一名水芝** 《本经续疏》《草木典》注为《别录》文。“水芝”，《广雅》作“地芝”，《御览》作“土芝”，《纲目》将“水芝”列为“冬瓜”异名。

[7] **嵩高** 今河南登封。辑“嵩高”为《本经》产地，详玉泉注[11]。

115 冬葵子[1]

味甘，寒[2]。主治五脏六腑寒热[3]，羸瘦，五癃[4]，利小便。久服坚骨[5]，长肌肉，轻身，延年[6]。生少室山[7]。（《新修》页265，刘《大观》卷27页2，柯《大观》卷27页1）

【校注】

[1] **冬葵子** 《尔雅》作“莃”，《广雅》作“藈”，《五十二病方》作“葵种”，《肘后方》作“葵子”，《礼记》《左传》《淮南子》作“葵”，《医心方·食物五菜部》作“葵菜”。《纲目》在葵条下，列冬葵子为分目。

[2] **味甘，寒** 《纲目》、姜本作“味甘，寒，滑，无毒”。盖姜本据《纲目》文辑，故其文与《纲目》同。

[3] **寒热** 见牡蛎注[4]。

[4] **五癃** 《千金方·食治》、莫本作“五淋”。癃、淋古医药书互用。《武威医简》记有石癃、血癃、膏癃、泔癃。《诸病源候论·诸淋候》记有石淋、劳淋、血淋、气淋、膏淋、寒淋、热淋。《外台》引《集验》记有石淋、劳淋、气淋、膏淋、热淋。都不能确指五癃（五淋）具体病名是哪五种。

[5] **坚骨** 《千金方·食治》无此二字。《医心方》页706引《神农经》作“利骨气”。

[6] **年** 黄本、问本作“秊”。《正字通》：“秊，年之本字，俗作年。”

[7] **少室山** 在今河南登封，位于嵩山之西。辑“少室山”为《本经》产地，详玉泉注[11]。

116 苋实[1]

味甘，寒[2]。主治青盲[3]，明目，除邪[4]，利大小便，去寒热[5]。久服益气力，不饥，轻身。一名马苋[6]。生淮阳[7]川泽。（刘《大观》卷27页11，柯《大观》卷27页10，人卫《政和》页500）

【校注】

[1] **苋实** 《说文》《和名类聚钞》《纲目》作“苋”，《尔雅》作“蕢”，《医心方》食物五菜

部、陶隐居注引李云作“苋菜”，《千金方·食治》作“苋菜实”。“苋实”，《新修》目录中有其名，但正文中漏其全文。

［2］**味甘，寒** 《唐本草》注：“赤苋味辛，寒，无毒。”

［3］**青盲** “盲”，狩本误作“音”，《大全》、玄《大观》注“盲”为《别录》文，盲字后，柯《大观》有“白瞖”二字作《本经》文，刘《大观》、人卫《政和》、成化《政和》、商务《政和》、万历《政和》皆注“白瞖”为黑字《别录》文。诸家《本经》辑本亦不取此二字为《本经》文。

［4］**除邪** 《千金方·食治》作“除邪气”。

［5］**热** 其后，《千金方·食治》有“杀蚘虫”三字。

［6］**一名马苋** 陶隐居注苋实云：“今马苋别一种，布地生，实至微细，俗呼为马齿苋，恐非今苋实。”《纲目》别立马齿苋一条，并以马苋为马齿苋异名。故后世“马苋”，既是苋实异名，又是马齿苋别名。

［7］**淮阳** 西汉地名，今河南淮阳。辑“淮阳”为《本经》产地，详玉泉注［11］。

117 苦菜[1]

味苦，寒[2]。主治五脏邪气，厌谷[3]，胃痹[4]，久服[5]安心，益气，聪察，少卧[6]。轻身，耐老[7]。一名荼草[8]，一名选。生益州峪[9]。（《新修》页266，刘《大观》卷27页15，柯《大观》卷27页13）

【校注】

［1］**苦菜** 同名异物有二，一指苦苣，一指茶。《纲目》释苦菜为苦苣，孙本释苦菜为茶。从本条“聪察，少卧”看，本条所指实物当是“茶”。由于茶、苦苣品种不同，其生态、形态各异，各家所指实物各不相同。

［2］**味苦，寒** 《千金方·食治》作“味苦，大寒，滑，无毒”。

［3］**厌谷** 犹厌食，食欲不振，不想吃食物。

［4］**胃痹** 是脏腑痹证之一，指胃的气机受邪闭阻，导致食欲不振、厌食等。《汉书·艺文志·方技略》载有《五脏六腑痹十二病方》30卷。胃为六腑之一，其书当包含有胃痹。《素问·痹论》记有心、肝、脾、肺、肾、肠、胞等痹。

［5］**久服** 《千金方·食治》作“久食”。

［6］**聪察，少卧** 指苦菜能提神，使人精神兴奋不眠。惟茶才有此作用。陶隐居注：“此（苦菜）即是今茗，茗一名荼，又令人不眠。”

［7］**耐老** 傅本《新修》、罗本《新修》作“能老”。

［8］**一名荼草** 《千金翼》作“一名荼苦”。《纲目》无“草”字。

［9］**生益州峪** 唐·陆德明《经典释文·尔雅音义》：“荼，《本经》云：苦菜，一名荼草，一名选。生益州山谷。《别录》云：一名游冬，生山陵道旁，冬不死。”其所引“《本经》云”“《别录》云”，与《大观》《政和》白字《本经》文、黑字《别录》文完全符合，唯“生益州山谷”，陆氏列

为《本经》文。这说明陆氏所见《本经》，其中“生某某山谷”是朱书，其余产地是为墨书。本书据此取“生某某山谷”为《本经》文。

118 胡麻[1]

味甘，平[2]。主治伤中[3]，虚羸[4]，补五内[5]，益气力[6]，长肌肉，填髓脑[7]。久服轻身，不老。一名巨胜[8]。叶名青蘘[9]。生上党[10]川泽。（《新修》页288，刘《大观》卷24页2，柯《大观》卷24页1）

【校注】

[1] **胡麻** 《梦溪笔谈·药议》：“张骞始有自大宛得油麻种归，以胡麻别之，谓汉麻为大麻。”《弘决外典钞》作“麻”。《广雅》作“狗虱，藤弦”。《吴普》《大观》《政和》《纲目》、诸家《本经》辑本作“胡麻”，《千金方·食治》作“胡麻人”。

[2] **味甘，平** 《吴普》引《本经》作“甘，平，无毒”。“平”，《弘决外典钞》作“中”。

[3] **伤中** 即伤五脏。

[4] **虚羸** 指虚劳羸瘦。

[5] **补五内** 《御览》作“补五脏”。

[6] **益气力** 《千金方·食治》作“益力”，《御览》作“益气”。

[7] **填髓脑** 敦煌出土《新修》作“慎髓𦡊”。

[8] **巨胜** 《御览》作“钜胜”。《御览》卷989引《列仙传》曰：“关令尹喜与老子俱之流沙，服钜胜实。”又引《孝经援神契》曰：“钜胜延年。”钜胜之名，早在老子时代已有，其名称出现，应早于胡麻。说明中国原有此物。

[9] **叶名青蘘** “叶”，傅本《新修》、罗本《新修》、敦煌出土《新修》作“菜”。“青蘘”，见前青蘘条。

[10] **上党** 战国时地名，在今山西东南部。地极高，与天为党，故名。辑“上党”为《本经》产地，详苦菜注[9]。

【按语】 本条以后出之名胡麻为正名，将先出之名巨胜降为异名。胡麻之名始汉代，则写《本经》人，当是汉代人，其书亦当成于汉代。

119 麻蕡[1]

味辛，平[2]。主治五劳[3]七伤[4]，利五脏，下血寒气[5]，多食令人[6]见鬼狂走[7]。久服通神明，轻身[8]，一名麻勃[9]。生太山[10]山谷。（《新修》页290，刘《大观》卷24页4，柯《大观》卷24页3）

【校注】

[1] **麻蕡** 《吴普》："麻黄，一名麻蕡"。陶隐居注："麻蕡即牡麻，牡麻无实，今人作布及履用之"。

[2] **味辛，平** 《吴普》引《本经》作"辛"。

[3] **五劳** 见肉苁蓉注[3]。傅本《新修》、罗本《新修》、森本无。

[4] **七伤** 见肉苁蓉注[4]。

[5] **利五脏，下血寒气** 《纲目》、姜本注为《别录》文。《御览》无"寒"字。

[6] **多食令人** "食"，《纲目》、姜本作"服"。《大全》《图考长编》无"令"字。《大观》《政和》、顾本、王本无"人"字。

[7] **见鬼狂走** 此句承上文，多食使人产生幻觉，见鬼狂走。

[8] **久服通神明，轻身** 《纲目》注为《别录》文。姜本据《纲目》辑，《纲目》注此文为《别录》，所以姜本不录此文为《本经》文。"轻身"，《御览》在"久服"之后。

[9] **一名麻勃** 《吴普》："麻勃一名花。"《唐本草》注："陶以一名麻勃谓勃勃然如花者，即以为花，重出子条。"《唐本草》认为麻勃不是花，而是麻实（指麻蕡）的别名。

[10] **太山** 今山东泰山。辑"太山"为《本经》产地，详苦菜注[9]。

120 麻子[1]

味甘，平[2]。主补中[3]益气，久服[4]肥健不老[5]。生太山[6]川谷。（《新修》页290，刘《大观》卷24页4，柯《大观》卷24页3）

【校注】

[1] **麻子** 傅本《新修》、罗本《新修》、刘《大观》、柯《大观》、人卫《政和》、成化《政和》、商务《政和》、万历《政和》、《纲目》、诸家《本经》辑本皆并在麻蕡条中。麻子并在麻蕡条中，始于《唐本草》。陶氏作《集注》时，麻子单独立为一条。《唐本草》对陶氏单立麻子一条批评说："陶以一名麻勃谓勃勃然如花者，即以为花，重出子条，误矣。""麻子"，《吴普》作"麻子中人"，《纲目》作"麻仁"，《千金方·食治》作"白麻子"。

[2] **味甘，平** 《吴普》引《本经》作"辛"。森本无"味甘，平"三字。

[3] **补中** 即补五脏。

[4] **久服** 《大观》《政和》作黑字《别录》文。孙本、问本、黄本亦不取其为《本经》文。

[5] **不老** 其后，《纲目》、孙本、顾本、姜本、莫本有"神仙"二字，注为《本经》文，刘《大观》、柯《大观》、人卫《政和》、成化《政和》、万历《政和》作黑字《别录》文。

[6] **太山** 今山东泰山。辑"太山"为《本经》产地，详苦菜注[9]。

中品药　卷第三

121　雄黄[1]

味苦，平，寒[2]。主治寒热[3]，鼠瘘[4]，恶疮[5]，疽[6]痔，死肌[7]，杀精物，恶鬼[8]，邪气，百虫，毒肿[9]，胜五兵[10]。炼食之[11]，轻身，神仙。一名黄食石[12]。生武都[13]山谷。（《新修》页51，刘《大观》卷4页3，柯《大观》卷4页2）

【校注】

[1] **雄黄**　《吴普本草》："雄黄生山之阳，是丹之雄，故名雄黄。"

[2] **味苦，平，寒**　《药性论》作"味辛，有大毒"；《纲目》作"味苦、平，寒，有毒"；《五行大义》、《吴普》引《本经》作"苦"。卢本、森本、顾本、王本、莫本无"寒"字，孙本有"寒"字。《大观》《政和》注"寒"字为白字《本经》文。

[3] **寒热**　见牡蛎注［4］。

[4] **鼠瘘**　即瘰疬，出《灵枢·寒热》。多生于颈项、腋、胯之间，溃破后难收口，形成瘘管，相当于淋巴结核。

[5] **恶疮**　《诸病源候论·恶疮候》："疮痒痛，焮肿，而疮汁多，身体壮热，谓之恶疮。""疮"，孙本、问本、周本、黄本作"创"。

[6] **疽**　黄本、罗本《新修》、武本《新修》误作"疸"，《千金翼》《大观》《政和》作"疽"。

[7] **死肌**　多指疮疡溃后的腐肉。或指痹证肌肤麻木不仁如死。

[8] **精物，恶鬼**　古人将某些慢性传染病如鬼疰、尸疰等都视为精物、恶鬼。人得此病必死，死后疰易他人亦死，很凶恶，故古人称之为恶鬼。

[9] **肿**　《证类》《纲目》《品汇》《本草经疏》《本经疏证》、孙本、顾本皆脱此字。傅本《新修》、罗本《新修》、武本《新修》、森本有此字。应从《新修》为是。

[10] **胜五兵**　此句承上文，言雄黄药力胜过五种兵器。"五兵"，各书所记不一。高诱《淮南子·时则训》认为五兵为刀、剑、矛、戟、矢。郑玄注《周礼·夏官·司兵》认为五兵为戈、殳、戟、酋矛、弓矢。

[11] **之**　其后，《品汇》衍"者"字。

[12] **黄食石** 《纲目》、姜本、卢本、顾本作“黄金石”。

[13] **武都** 西汉时地名，指今甘肃武都。辑“武都”为《本经》产地，详苦菜注[9]。

122 雌黄[1]

味辛，平[2]。主治恶疮[3]，头秃[4]，痂疥[5]，杀毒虫虱，身痒，邪气[6]，诸毒[7]。炼之，久服轻身，增年不老[8]。生武都[9]山谷。(《新修》页43，刘《大观》卷4页14，柯《大观》卷4页13)

【校注】

[1] **雌黄** 《御览》作“雌黄石金”。陶隐居注：“出武都仇池谓为仇池黄，出扶南林邑谓为崑仑黄。”

[2] **味辛，平** 《纲目》作“味辛，平，有毒”。《长生疗养方》作“寒，有毒”。

[3] **恶疮** 《诸病源候论·恶疮候》：“疮痒痛，焮肿，而疮汁多，身体壮热，谓之恶疮。”“疮”，孙本、王本作“创”。

[4] **头秃** 即白秃，指头癣脱发。

[5] **痂疥** 即干疥。《诸病源候论·疥候》：“干疥者，但痒，搔之皮起作干痂。”《五十二病方》338行冶雄黄治加(痂)，与此义合。

[6] **邪气** 《新修》作“耶气”。唐代抄本中，“邪”皆作“耶”。

[7] **诸毒** 森本作“诸毒蚀”。森氏《本经·考异》云：“蚀原黑字，今正。”按《证类》卷4雄黄条，“蚀”字原属下文“鼻中息肉”，不应续在“诸毒”之后。

[8] **炼之，久服轻身，增年不老** 此乃方士之言。“炼之”，指方士以雌黄炼丹。按雌黄为三硫化二砷，难溶于酸性水液中，经火炼后，变成三氧化二砷(即砒霜)，能溶于胃酸中，剧毒，可杀人。所以雌黄、雄黄均忌见火。

[9] **武都** 西汉时地名，指今甘肃武都。辑“武都”为《本经》产地，详苦菜注[9]。

123 石钟乳[1]

味甘，温[2]。主治咳逆上气[3]，明目，益精[4]，安五脏，通百节，利九窍[5]，下乳汁[6]。生少室[7]山谷。(《新修》页15，刘《大观》卷3页13，柯《大观》卷3页10)

【校注】

[1] **石钟乳** 敦煌本《集注·七情药例》、《千金方·七情药例》《吴普》《医心方》作“钟乳”，无“石”字。

[2] **味甘，温** 《吴普》引《本经》作“辛”。陶氏所见《本经》与吴普所见《本经》，在性味

方面不同，当非同一种本子。

[3] **咳逆上气** 指咳嗽气逆而喘。

[4] **明目，益精** 《御览》在“咳逆”之前。“益精”，补益精髓。

[5] **安五脏，通百节，利九窍** 《御览》作“安五脏百节，通利九窍”。“通百节”，《绍兴本草》作“通百筋”。“百”，指多数。

[6] **下乳汁** 义为催乳。

[7] **少室** 今河南登封，位于嵩山西边。辑“少室”为《本经》产地，详苦菜注 [9]。

【按语】 本条，《新修》《证类》列在上品。但本条无“久服轻身益气，不老延年”等语，不符合上品定义，故入中品。又本条参考的《新修》是傅云龙摹刻本，其中卷3是据日本小岛宝素补辑本，非日本传抄的古本。罗氏《新修》不收小岛氏辑本，故罗氏《新修》无卷3。

124 殷孽[1]

味辛，温[2]。主治烂伤[3]，瘀血[4]，泄痢[5]，寒热[6]，鼠瘘[7]，癥瘕[8]，结气[9]。一名姜石[10]。生赵国[11]山谷。(《新修》页44，刘《大观》卷4页32，柯《大观》卷4页28)

【校注】

[1] **孽** 孙本、问本、黄本、周本作“孼”，为“孽”的异体。《纲目》作“蘖”。

[2] **味辛，温** 《纲目》作“辛，温，无毒”。卢本作“味辛”，无“温”字。

[3] **烂伤** 指汤火灼烂伤。《诸病源候论·汤火疮候》：“汤火热气深搏至骨，烂人筋也。”

[4] **瘀血** 见菴蔺子注 [3]。

[5] **泄痢** 泄泻与痢疾之统称。

[6] **寒热** 见牡蛎注 [4]。

[7] **鼠瘘** 见雄黄注 [4]。

[8] **癥瘕** 《新修》作“瘕”，无“癥”字。

[9] **结气** 其后，合肥版《纲目》有“脚冷疼弱”四字，并注为《本经》文，刘《大观》、柯《大观》、人卫《政和》、成化《政和》作黑字《别录》文。

[10] **一名姜石** 《纲目》缺《本经》标注。《唐本草》注：“此即石堂下孔公孽根也，盘结如姜，故名姜石。”

[11] **赵国** 东周时国名，今河北邯郸。辑“赵国”为《本经》产地，详苦菜注 [9]。

125 孔公孽[1]

味辛，温[2]。主治伤食不化，邪结气[3]，恶疮[4]，疽瘘痔[5]，利九窍，下

乳汁[6]。生梁山[7]山谷。(《新修》页45，刘《大观》卷4页32，柯《大观》卷4页28)

【校注】

[1] **孔公孽** 孙本、问本、黄本、周本作“孼”，《吴普》《御览》《纲目》作“蘖”。陶注云：“此即今钟乳床也。”

[2] **味辛，温** 《吴普》引《本经》作“辛”。陶氏、吴普所见《本经》载本药性味不同，则二者亦非同一种本子。

[3] **主治伤食不化，邪结气** 《御览》作“治食化气”。“邪”，《新修》作“耶”。

[4] **疮** 孙本、问本、周本、黄本作“创”。

[5] **疽瘘痔** 《御览》作“疽瘘”，无“痔”字。“疽”，指深部脓疡。《诸病源候论·疽候》：“疽肿深厚，血肉腐坏，化而为脓，乃致伤骨烂筋。”“瘘”，古代指颈肿病。《说文》：“瘘，颈肿也。”《淮南子·说山训》有载“鸡头（芡实）已瘘”。高诱注：“瘘，颈肿疾。”“痔”，即痔疮。

[6] **下乳汁** 即催乳。

[7] **梁山** 陶隐居注：“梁山属冯翊郡。”冯翊是西汉时地名，指今陕西大荔。辑“梁山”为《本经》产地，详苦菜注［9］。

126 石硫黄[1]

味酸，温[2]。主治妇人阴蚀[3]，疽痔[4]，恶血[5]，坚筋骨，除头秃[6]。能化金、银、铜、铁奇物[7]。生东海牧羊山谷中[8]。(《新修》页47，刘《大观》卷4页12，柯《大观》卷4页10)

【校注】

[1] **石硫黄** 傅本《新修》、罗本《新修》《本草和名》《医心方》《御览》《香要钞》、森本、李善注《南都赋》作“石流黄”，《吴普》、刘逵注《吴都赋》作“流黄”。

[2] **味酸，温** 《吴普》引《本经》作“咸，有毒”。陶隐居、吴普所见《本经》，其性味不同，其书当非同一种本子。说明古代托神农者，不止一家。

[3] **阴蚀** 见石胆注［5］。

[4] **疽痔** 傅本《新修》、罗本《新修》、《香要钞》作“疸痔”。

[5] **血** 森本《本经·考异》云：“《香药钞》脱‘血’字。”

[6] **坚筋骨，除头秃** 《新修》原无“骨”“除”二字，据《证类》补。森本删去“骨”“除”二字，并注云：“原有‘骨’‘除’二字，今据《新修》《香药钞》《香要钞》《香字钞》删正。”“头秃”，即白秃。

[7] **能化金、银、铜、铁奇物** 《御览》作“能作金银物”。“银铜”，《新修》颠倒。按，“能化金、银、铜、铁奇物”一句，是方士炼丹中一些化学反应，与医疗无关。《本经》收录此文，当是受方士影响。

[8] **生东海牧羊山谷中** 李善注《文选·南都赋》引《本经》曰同。李善所据《本经》，可能有三种：一是古本《本经》，二是《集注》，三是《新修》。古本《本经》，将"生谷中""生东海"分开置于条文中两处。如《御览》、李当之药录即是分开写的。而《新修》《集注》是合并写的。则李善所引《本经》，当非古本。《集注》对产地作朱书，《新修》对产地作墨书。墨书分辨不出《本经》文。李善既言《本经》曰，则李善所见《本经》文，当是《集注》朱书文字。这就提示《集注》中《本经》文是有产地的。所以本书定"生东海牧羊山谷中"为《本经》文。"东海"，两汉时地名，即今东海。

127 磁石[1]

味辛，寒[2]。主治周痹[3]，风湿肢节中[4]痛，不可持物[5]，洗洗酸痟[6]，除大热烦满[7]，及耳聋。一名玄石[8]。生太山[9]川谷。（《新修》页53，刘《大观》卷4页26，柯《大观》卷4页23）

【校注】

[1] **磁石** 《新修》《本草和名》《医心方》《和名类聚钞》、森本、孙本、问本、王本、黄本、筠默本、蔡本作"慈石"，《一切经音义》作"礠石"。

[2] **味辛，寒** 王本作"味辛，咸"。

[3] **周痹** 是痹证之一，见《灵枢·周痹》，症见周身痛，麻木，项背强急。

[4] **中** 卢本作"肿"。

[5] **不可持物** 此句承上文，指风湿痛导致手不能握。

[6] **洗洗酸痟** "洗洗"，王本作"洒洒"。二者义同，指恶寒貌。"痟"，《大全》、万历《政和》、《纲目》《本草经疏》、顾本、徐本作"消"，傅本《新修》、罗本《新修》、武本《新修》、玄《大观》、柯《大观》、成化《政和》、商务《政和》、人卫《政和》、《品汇》《本经续疏》作"痟"。《周礼·天官疾医》注："痟，酸削也。"即指酸痛。

[7] **烦满** 指大热导致心烦满闷。《长生疗养方》无"烦满"二字。

[8] **玄石** "玄"，孙本、问本、周本、黄本作"元"。此因避清朝康熙皇帝玄烨讳，改玄为元。

[9] **太山** 今山东泰山。辑"太山"为《本经》产地，详苦菜注[9]。

128 凝水石[1]

味辛，寒[2]。主治身热[3]，腹中积聚邪[4]气，皮中如火烧烂[5]，烦满，水饮之。久服[6]不饥。一名白水石[7]。生常山[8]山谷。（《新修》页50，刘《大观》卷4页29，柯《大观》卷4页26）

【校注】

[1] **凝水石** 陶隐居注："此石末置水中，夏月能为冰者佳。"《本草衍义》云："凝水石又谓之寒水石。陶隐居言夏月能为冰者佳。如此，则举世不能得，似乎失言。"

[2] **味辛，寒** 《吴普本草》引《本经》作"辛"。陶隐居、吴普所见《本经》，其性味不同，说明不是同一种本子。

[3] **身热** 指热证所出现的症状。包含时气热、胃中热、五脏伏热。

[4] **邪** 武本《新修》作"耶"。

[5] **皮中如火烧烂** 《御览》无此六字。"烂"，《证类》《图经衍义》《纲目》《品汇》、孙本、顾本、《本草经疏》《本经疏证》皆无此字，傅本《新修》、罗本《新修》、森本有此字。

[6] **久服** 《御览》无"久服"二字。

[7] **白水石** 傅本《新修》、罗本《新修》、武本《新修》作"泉"，其他各本皆作"白水"。从凝水石《别录》文"一名寒水石，一名凌水石"情况看来，"泉"字似由"白水"笔误所致。

[8] **常山** 陶隐居注："常山即恒山，属并州。"张晏注《汉书·地理志·常山郡》云："恒山在西，避文帝讳，故改曰常山。"辑"常山"为《本经》产地，详苦菜注[9]。

129 石膏

味辛[1]，微寒。主治中风寒热[2]，心下逆气[3]，惊喘[4]，口干舌焦不能息[5]，腹中[6]坚痛，除邪鬼[7]，产乳[8]，金创[9]。生齐山[10]山谷。（《新修》页48，刘《大观》卷4页18，柯《大观》卷4页16）

【校注】

[1] **味辛** 森本《本经·考异》云："具平亲王《弘决外典钞》脱辛字。"

[2] **中风寒热** 指外感中风之恶寒发热。

[3] **心下逆气** 指心下气上逆，作恶心欲吐。"气"，《御览》无此字。

[4] **惊喘** 指高热时出现惊、呼吸喘促等症。

[5] **口干舌焦不能息** "舌焦"，孙本、问本、周本作"苦焦"。"舌"，《御览》无此字。"不能息"，不能安宁休息。

[6] **中** 傅本《新修》、罗本《新修》无。

[7] **除邪鬼** 莫本注："疑鬼字乃气之误"。莫本之怀疑有一定理由。查云母注[5]、消石注[6]均作"邪气"。

[8] **产乳** 泛指妇人临产及产后。古有产乳专书。宋代郭稽中补订《产育保庆集》，其下卷为"产乳备要"，记述妇产科杂病证治。《北史·流求国传》："妇人产乳，必食子衣，产后以火自炙令汗出，五日便平复"。

[9] **创** 《证类》《千金翼》《纲目》《品汇》、顾本、《本草经解》《本经疏证》作"疮"。傅本《新修》、罗本《新修》、孙本、森本、黄本、问本、周本作"创"。

[10] **齐山** 先秦地名，今山东历城。辑"齐山"为《本经》产地，详苦菜注[9]。

130 阳起石[1]

味咸，微温[2]。主治崩中[3]，漏下[4]，破子脏中血[5]，癥瘕[6]，结气，寒热，腹痛，无子，阴阳痿不合[7]，补不足[8]。一名白石。生齐山[9]山谷。（《新修》页48，刘《大观》卷4页31，柯《大观》卷4页27）

【校注】

[1] **阳起石** 为硅酸盐类矿物阳起石。

[2] **味咸，微温** 《吴普》引《本经》作“酸，无毒”，《御览》作“酸”。陶隐居、吴普、《御览》皆承《本经》讲药性，但其性味各异，说明他们所据的《本经》不是同一种本子。

[3] **中** 其后，《御览》有“补足内挛”四字。

[4] **漏下** 《御览》将此二字置于“腹痛”之后。

[5] **破子脏中血** 即除去子宫中瘀血。“破子”，《御览》无此二字。

[6] **癥瘕** “癥”，《新修》原作“瘦”，据《千金翼》《证类》改。《御览》无“癥瘕”二字。

[7] **阴阳痿不合** 《证类》《纲目》《品汇》《本草经疏》《本经疏证》、孙本、顾本作“阴痿不起”。《御览》作“阴阳不合”。傅本《新修》、罗本《新修》、森本作“阴阳痿不合”。应从《新修》等为是。森本《本经·考异》云：“阴字上，《顿医钞》有易字。”“合”，《顿医钞》作“发”。

[8] **补不足** 《御览》无此三字。

[9] **齐山** 先秦地名，今山东历城。辑“齐山”为《本经》产地，详苦菜注[9]。

131 理石[1]

味辛[2]，寒。主治身热[3]，利胃，解烦，益精，明目，破积聚[4]，去三虫[5]。一名立制石[6]。生汉中[7]山谷。（《新修》页55，刘《大观》卷4页38，柯《大观》卷4页34）

【校注】

[1] **理石** 《纲目》云：“理石即石膏之类”。今日理石为硫酸盐类矿物石膏中的纤维石膏。

[2] **味辛** 合肥版《纲目》、姜本作“味甘”。盖姜本据《纲目》辑复，故其性味相同。

[3] **主治身热** 《纲目》：“石膏、理石性气皆寒，俱能去大热”。

[4] **积聚** 见曾青注[5]。

[5] **去三虫** 傅本《新修》、罗本《新修》原脱“三”字，据《千金翼》《证类》补。“去”，合肥版《纲目》作“杀”。

[6] **一名立制石** 陶隐居注：“石胆，《仙经》一名立制石”。则立制石既是理石异名，又是石胆别名。

[7] **汉中** 战国时地名，今陕西汉中。辑“汉中”为《本经》地名，详苦菜注 [9]。

132 长石[1]

味辛，寒[2]。主治身热，四肢寒厥[3]，利小便，通血脉，明目，去翳眇[4]，去[5]三虫，杀蛊毒[6]。久服不饥。一名方石。生长子[7]山谷。（《新修》页 56，刘《大观》卷 4 页 41，柯《大观》卷 4 页 37）

【校注】

[1] **长石** 《纲目》云：“硬石膏者，长石也”。今长石为硫酸盐类矿物硬石膏。

[2] **味辛，寒** 《纲目》、姜本作“味辛、苦，寒”。盖姜本据《纲目》辑复，故其性味相同。“寒”，《御览》无此字。

[3] **身热，四肢寒厥** 在热病深重阶段，高热手足逆冷，为寒厥。中医认为正气受伤，热伏于内，阳气被热邪阻抑，不能向四肢透达，故手足厥冷。

[4] **去翳眇** 目翳偏遮一瞳子为翳眇。《诸病源候论·目眇候》：“翳障偏覆一瞳子，偏不见物，谓之眇目”。“去”，傅本《新修》、罗本《新修》作“目”，刘《大观》、柯《大观》、人卫《政和》作“去”。

[5] **去** 《证类》《图经衍义》《品汇》《纲目》、孙本、周本、黄本、问本、顾本皆作“下”，傅本《新修》、罗本《新修》、森本作“去”。

[6] **蛊毒** 《图经衍义》作“虫毒”。

[7] **长子** 先秦地名，今山西长子。辑“长子”为《本经》产地，详苦菜注 [9]。

133 铁[1]

主坚肌，耐痛[2]。

134 铁精[3]

平[4]。主明目[5]，化铜[6]。

135 铁落[7]

味辛，平[8]。主治风热[9]，恶疮[10]，疡疽[11]疮痂，疥气在皮肤中。生牧羊平泽。（《新修》页 75，刘《大观》卷 4 页 34～36，柯《大观》卷 4 页 30～32）

【校注】

［1］**铁**　《说文》："铁，黑金。"森本把铁、铁精并在铁落条下，孙本把铁落、铁并在铁精条下，顾本将铁列入下品，卢本录铁作"銕"。"铁"，其后，《纲目》、姜本有"气味辛，平，有毒"。盖姜本据《纲目》辑，故其文与《纲目》同。

［2］**耐痛**　《新修》原作"能痛"，据《千金翼》《证类》改。按，"能""耐"古本草通用。

［3］**铁精**　孙本将铁落、铁并在铁精条下，森本将铁精、铁并在铁落条下，顾本将铁精列在下品。陶隐居云："铁精出锻灶中，如尘紫色轻者为佳"。

［4］**平**　《新修》原脱，据《千金翼》《证类》补。森本无"平"字。森本《本经·考异》云："平，系后人羼入，今据《新修》删正"。又"平"字下，《纲目》、姜本有"微温"二字。《证类》将"微温"二字录作黑字《别录》文。

［5］**明目**　森本《本经·考异》云："《长生疗养方》作'目明'。"

［6］**化铜**　古时以铁釜煮含铜矿的水液，则铁斧表面成铜色。此因铁能置换矿水中铜离子，使铜离子还原成金属铜。

［7］**铁落**　森本将铁精、铁并在铁落条下，孙本将铁落、铁并在铁精条下，顾本将铁精列在下品。王冰注《素问·病能论》引《本经》作"铁洛"，《和名类聚钞》作"銕落"。

［8］**味辛，平**　《纲目》作"气味辛，平，无毒"。王冰注《素问·病能论》引《本经》作"味辛，微温，平"。《本草经解》作"铁衣，气平，味辛、甘，无毒"。

［9］**风热**　是引起外感病的病因，其症初起发热重，恶寒轻。

［10］**恶疮**　"恶"，傅本《新修》、罗本《新修》讹作"忠"。"疮"，孙本、问本、黄本、周本作"创"。

［11］**疽**　傅本《新修》、罗本《新修》作"疸"。

136　铅丹[1]

味辛，微寒[2]。主治咳[3]逆，胃反[4]，惊痫[5]，癫疾[6]，除热，下气。练化还成九光[7]。久服通神明[8]。生蜀郡[9]平泽。(《新修》页75，刘《大观》卷5页11，柯《大观》卷5页8)

【校注】

［1］**铅丹**　《说文》："铅，青金也"。陶隐居注："熬铅所作黄丹也"。"铅"，傅本《新修》、罗本《新修》、《本草和名》《医心方》《千金翼》《御览》、顾本、王本作"鈆"。鈆即铅之异体。"铅丹"，《新修》《证类》《纲目》、孙本、顾本、森本均列在下品。但本条文中有"久服通神明"（《御览》作"久服成仙"），似属上品，本书移入中品。

［2］**味辛，微寒**　《纲目》作"气味辛，微寒，无毒"。《日华子》作"凉，无毒"。

［3］**咳**　孙本、问本误作"土"，《千金翼》《证类》《品汇》《纲目》、顾本作"吐"，《新修》、森本作"咳"。从《新修》为正。

［4］**胃反**　亦称反胃。食后即吐，或朝食暮吐，暮食朝吐，或积至一日一夜，原物不化吐出。吐

物多酸臭。《金匮要略·呕吐哕下利病脉证并治》："朝食暮吐，暮食朝吐，宿谷不化，名曰胃反。"

［5］**惊痫**　见龙骨注［12］。

［6］**癫疾**　见龙骨注［13］。"癫"，《图经衍义》无此字。

［7］**九光**　"九"，《新修》原误作"丸"，据武本《新修》、《千金翼》《证类》改。"光"，黄本误作"元"。"九光"，为炼丹术语。陶隐居注："铅丹惟《仙经》涂丹釜所须。云化成九光者，当谓九光丹以为釜耳"。

［8］**练化还成九光，久服通神明**　以上11字，森本无。"通神明"，《御览》作"成仙"。

［9］**蜀郡**　秦时地名，今四川成都。辑"蜀郡"为《本经》产地，详苦菜注［9］。

137　防风[1]

味甘，温[2]。主治大风[3]头眩痛，恶风[4]，风邪[5]，目盲无所见，风行周身，骨节疼痹[6]，烦满[7]。久服轻身。一名铜芸[8]。生沙苑[9]川泽。（刘《大观》卷7页21，柯《大观》卷7页19，人卫《政和》页179）

【校注】

［1］**防风**　《纲目》："防，御也。其功疗风最要，故名"。

［2］**味甘，温**　《吴普》引《本经》作"甘，无毒"。吴普、陶氏同据《本经》言药性，但其性味不同，说明他们所据的《本经》不是同一种本子。又"味甘，温"，《本草经解》作"气温，味甘，无毒"。"温"字后，《纲目》、孙本有"无毒"二字。《证类》对"无毒"二字作黑字《别录》文。

［3］**大风**　即麻风。《素问·长刺节论》："病大风，骨节重，须眉堕，名曰大风"。《外台》恶疾大风方、《圣惠方》大风鬓眉堕落方，都是治麻风的方。麻风重症，则眉落，目损，鼻崩，唇裂，足底穿。

［4］**恶风**　指证名，音wù，出《素问·风论》，指外感初起，出现头痛、鼻塞、怕风。或指病邪名，音è，出《素问·脉要精微论》，指风邪中人之凶恶者。"恶风"，《御览》无。

［5］**风邪**　《诸病源候论·风邪候》："风邪者，发则不自觉知，狂惑妄言，悲喜无度是也"。《御览》无"风邪"二字。

［6］**痹**　《纲目》《本草经解》、徐本、《御览》作"痛"。

［7］**烦满**　《纲目》《草本典》注为《别录》文。《本草经解》脱"烦满"二字。《御览》将此二字置于在"无所见"之后。

［8］**一名铜芸**　以上四字，《本经疏证》注为《别录》文。《水经注·涑水注》引《神农本草》："地有固活、女疏、铜芸、紫菀之族也。"

［9］**沙苑**　今陕西大荔。辑"沙苑"为《本经》产地，详苦菜注［9］。

138　秦艽[1]

味苦，平[2]。主治寒热邪气[3]，寒湿风痹[4]，肢节痛[5]，下水，利小便。

生飞乌[6]山谷。(刘《大观》卷8页34，柯《大观》卷8页30，人卫《政和》页203)

【校注】

[1] **秦艽** 敦煌本《集注·七情药例》作“秦利”，萧炳《四声本草》引《本经》作“秦瓜”。“艽”，《本草和名》《医心方》《大观》《政和》作“艽”，《千金方·七情药例》《千金翼》作“胶”，《玉篇》、孙本作“芁”。则萧炳所见《本经》与陶氏所据《本经》亦非同一种本子。这也提示，陶作《集注》苞综诸经时，未能把所有《本经》内容全部收入《集注》中。

[2] **味苦，平** 《纲目》作“气味苦，平，无毒”。《日华子》作“苦，冷”。

[3] **寒热邪气** 泛指各种致病因素及其病理损害。

[4] **寒湿风痹** 即风寒湿痹，见菖蒲注[3]。

[5] **肢节痛** 即四肢关节痛。“肢”，《图经衍义》作“枝”。

[6] **飞乌** 西汉时地名，今四川中江西南。辑“飞乌”为《本经》产地，详苦菜注[9]。

139 黄耆[1]

味甘，微温[2]。主治痈疽[3]，久败疮[4]排脓止痛，大风癞疾[5]，五痔[6]，鼠瘘[7]，补虚[8]，小儿百病。一名戴糁[9]。生蜀郡[10]山谷。(刘《大观》卷7页16，柯《大观》卷7页15，人卫《政和》页178)

【校注】

[1] **黄耆** 《证类》《纲目》、孙本、顾本列在上品。《集注·七情药例》《医心方·七情药例》、森本列在中品。本书从《集注》为正。“黄耆”，《五十二病方》271行作“黄蓍”，275行作“黄菅”。《本经》另有“耆实”，非本条黄耆之实，而是古代卜筮用的耆。

[2] **味甘，微温** 《纲目》作：“根，气味甘，微温，无毒。白水者冷补”。

[3] **痈疽** 见松脂注[2]。

[4] **久败疮** 疮疡溃烂，久不收口，名久败疮。“疮”，孙本、问本、周本、黄本作“创”。

[5] **大风癞疾** “癞”，《说文》：“恶疾也”。“大风癞疾”即大风恶疾，简称大风。

[6] **五痔** 《千金方·痔漏·五痔》：“一曰牡痔，二曰牝寿，三曰脉痔，四曰肠痔，五曰血痔”。

[7] **鼠瘘** 见牡蛎注[8]。

[8] **补虚** 补益虚劳羸瘦。

[9] **戴糁** 《五十二病方》289行作“戴檠”。

[10] **蜀郡** 今四川成都地区。

140 巴戟天[1]

味辛，微温[2]。主治大风[3]，邪气，阴痿不起[4]，强筋骨，安五脏，补

中[5]，增志[6]，益气。生巴郡[7]山谷。（刘《大观》卷6页82，柯《大观》卷6页77，人卫《政和》页165）

【校注】

[1] **巴戟天** 《证类》原列在上品，森本列在下品，但本条文中有“补中”“益气”无“久服轻身，延年不老”等语，故移入中品。《千金方·七情药例》作“巴戟”，蔡本作“巴蕺天”。

[2] **味辛，微温** 《纲目》、姜本作“味辛甘，微温，无毒”。姜本据《纲目》辑，故其性味相同。

[3] **大风** 见防风注[3]。

[4] **阴痿不起** 即阳痿，指性功能衰弱。

[5] **补中** 即补五脏。

[6] **增志** 增强神志活动。

[7] **巴郡** 今重庆。辑“巴郡”为《本经》产地，详苦菜注[9]。

141 吴茱萸[1]

味辛，温[2]。主温中[3]下气[4]，止痛[5]。咳逆，寒热[6]，除湿血痹[7]，逐风邪，开腠理[8]。根：杀三虫[9]。一名藙[10]。生上谷川谷。（《新修》页131，刘《大观》卷13页12，柯《大观》卷13页8）

【校注】

[1] **吴茱萸** 《食疗本草》、《御览》引《本经》、《经典释文·尔雅音义》引《本经》作“茱萸”。陶氏《集注》云：“《本经》有直云茱萸、门冬者，无以辨其山、吴、天、麦之异，咸宜各题其条。”由此可见，此药在《本经》中原名茱萸，陶作《集注》才题名吴茱萸。又，《五十二病方》271行作“朱臾”，275行作“树臾”。

[2] **味辛，温** 《纲目》作“辛，温，有小毒”，《药性论》作“味苦、辛，大热，有毒”。

[3] **温中** 温胃肠，亦说温五脏。

[4] **下气** 下降胃气上逆所致呃逆、恶心、呕吐。

[5] **止痛** 止胃、肠寒痛。

[6] **咳逆，寒热** 《纲目》《本草经解》将此四字置于“开腠理”之后。

[7] **血痹** 见干地黄注[5]。

[8] **开腠理** “开”，《御览》作“间”。“腠理”，指皮肤肌理，包括汗孔。

[9] **杀三虫** “杀”，《御览》作“去”。“虫”字后，《御览》有“久服轻身”四字。

[10] **一名藙** 《纲目》、姜本无。《经典释文·尔雅音义》引本草、《说文》《尔雅》作“榝”，《五十二病方》109行作“杀本”。《礼记·内则》作“藙”，其有载：“三牲用藙”。

142 黄连[1]

味苦，寒[2]。主治热气[3]，目痛，眦伤[4]，泣出[5]，明目，肠澼[6]，腹痛，下痢[7]。妇人阴中肿痛[8]。久服令人不忘。一名王连[9]。生巫阳[10]川谷。（刘《大观》卷7页9，柯《大观》卷7页8，人卫《政和》页175）

【校注】

[1] **黄连**　“连”，《艺文类聚》《长生疗养方》作“莲”。

[2] **味苦，寒**　《吴普》引《本经》作“苦，无毒”。陶氏与吴普所据《本经》，其性味不同，则其本子亦各异。

[3] **热气**　《艺文类聚》无“气”字。

[4] **眦伤**　“眦”，指上下眼睑相合之处，俗称眼角。近鼻为内眦，近两鬓为外眦。“眦伤”，指眼角睑缘之慢性炎症。

[5] **泣出**　《图经衍义》误作“此出”。《千金翼》《本草经疏》、合肥版《纲目》、《本草经解》、徐本作“泪出”。

[6] **肠澼**　见五石脂注［4］。

[7] **下痢**　亦作“下利”，指痢疾与泄泻之统称。

[8] **阴中肿痛**　《诸病源候论·阴肿候》：“虫食则痛，其状成疮；风痛，无疮，但痛而已”。

[9] **一名王连**　以上四字，《御览》引《本经》置“黄连”之后。这就提示，《御览》所据《本经》与陶氏整理之《本经》，在体例上不相同。

[10] **巫阳**　西汉时地名，今重庆巫山。辑“巫阳”为《本经》产地，详苦菜注［9］。

143 五味子[1]

味酸，温[2]。主益气，咳逆上气[3]，劳伤羸瘦[4]，补不足，强阴[5]，益男子精。生齐山[6]山谷。（刘《大观》卷7页40，柯《大观》卷7页36，人卫《政和》页185）

【校注】

[1] **五味子**　《尔雅》：“菋，荎藸”，郭璞注：“五味也”。《本草和名》《医心方》《吴普》、敦煌本《集注·七情药例》、《御览》引《本经》、森本、筠默本、《抱朴子·仙药篇》俱作“五味”。

[2] **味酸，温**　《五行大义》引本草作“味酸”。《唐本草》注：“五味：皮肉甘、酸，核中辛、苦。都有咸味”。

[3] **咳逆上气**　指咳嗽之逆而喘。

[4] **劳伤羸瘦**　即虚劳羸瘦。

[5] **强阴**　义同壮阳。《千金方》治阳事不起，“末五味子酒服方寸匕”。

[6] **齐山** 今山东历城。辑“齐山”为《本经》产地，详苦菜注[9]。

144 决明子[1]

味咸，平[2]。主治青盲[3]，目淫肤[4]赤白膜[5]，目赤痛[6]泪出。久服益精光[7]，轻身。生龙门[8]川泽。（刘《大观》卷7页34，柯《大观》卷7页31，人卫《政和》页183）

【校注】

[1] **决明子** 《尔雅》作“薢茩，芙茪”，《御览》作“草决明”，《医心方》《本草和名》、森本作“决明”。

[2] **味咸，平** 《御览》引《本经》作“味咸”。

[3] **盲** 玄《大观》误作“音”。

[4] **目淫肤** 指角膜生胬肉浸润眼睑内肌肤。《诸病源候论·目息肉淫肤候》：“目生息肉在于白睛、肤睑之间，谓之息肉淫肤”。“淫”，万历《政和》误作“涩”。

[5] **赤白膜** 即角膜上所生翳膜，有赤色、白色之分。赤色多因血管新生浸润所致。

[6] **目赤痛** “赤”，玄《大观》误作“土”。《纲目》无“痛”字。

[7] **久服益精光** 《御览》引《本经》作“理目球精”。《御览》所据《本经》与陶氏所据《本经》，在决明条所言主治不同，说明他们所据的本子不是同一种本子。又“精”，《图经衍义》误作“鯖”。

[8] **龙门** 先秦时地名，在今陕西韩城与山西河津之间。辑“龙门”为《本经》产地，详苦菜注[9]。

145 芍药[1]

味苦，平[2]。主治邪气腹痛[3]，除血痹[4]，破坚积[5]，寒热[6]，疝[7]瘕，止痛，利小便，益气。生中岳[8]川谷。（刘《大观》卷8页25，柯《大观》卷8页22，人卫《政和》页201）

【校注】

[1] **芍药** 敦煌本《集注·七情药例》、《医心方》、森本、曹本、筠默本作“勺药”，《万安方》作“芍茉”，《广雅》作“挛夷”，《五十二病方》271行作“芍乐”。《艺文类聚》引《本经》有“一名白犬”，陶氏所据《本经》无此文，说明他们所据的本子，不是同一种本子。

[2] **味苦，平** 《本草经解》作“气平，味苦，无毒”。《纲目》作“味苦，平，无毒”。《大观》、孙本、森本、顾本作“味苦，平”。成化《政和》、万历《政和》、商务《政和》、人卫《政和》、《图考长编》作“味苦”。《御览》作“味苦，辛”。《吴普》引《本经》作“苦”。

［3］**邪气腹痛** 外感风寒邪所致腹痛。

［4］**血痹** 见干地黄注［5］。

［5］**坚积** 指腹内结块明显的病证。《难经·五十五难》："其始发有常处，其痛不离其部，上下有所终结，左右有所穷处"。

［6］**寒热** 见牡蛎注［4］。

［7］**疝** 《御览》无此字。

［8］**中岳** 即嵩山，在今河南登封。辑"中岳"为《本经》产地，详苦菜注［9］。

146 桔梗[1]

味辛，微温[2]。主治胸胁[3]痛如刀刺，腹满[4]，肠鸣幽幽[5]，惊恐悸气[6]。生嵩高[7]山谷。（刘《大观》卷10页25，柯《大观》卷10页20，人卫《政和》页249）

【校注】

［1］**桔梗** 《说文》、森本作"桔"，《尔雅》作"苨"，《广雅》作"犂如"。《纲目》在桔梗释名下，增荠苨，注出《本经》。《纲目》另有"荠苨"条。则荠苨既是桔梗异名，又是荠苨主名。莫本取犂如、荠苨为《本经》文。

［2］**味辛，微温** 《吴普》引《本经》作"苦，无毒"。此与陶氏所见《本经》性味不同，可见他们所据的《本经》非同一种本子。

［3］**胸胁** 《品汇》作"胸膈"。森本《本经·考异》云："胁，《长生疗养方》作腹"。

［4］**腹满** 《御览》无。

［5］**幽幽** 《御览》无。

［6］**惊恐悸气** 《御览》作"惊悸"。《御览》所引《本经》和陶氏作《集注》所据的《本经》，对桔梗主治内容不同，说明他们所引的《本经》不是同一种本子。

［7］**嵩高** 即嵩山，在今河南登封。

147 芎䓖[1]

味辛，温[2]。主治中风入脑头痛[3]，寒痹[4]，筋挛缓急[5]，金创[6]，妇人血闭[7]无子。生武功[8]川谷。（刘《大观》卷7页7，柯《大观》卷7页6，人卫《政和》页174）

【校注】

［1］**芎䓖** 《说文》作"营"，敦煌本《集注·七情药例》作"穹䓖"，《左传》作"鞠穷"，《五十二病方》259行作"麋芜本"。郭璞注《山海经》云："芎䓖一名'江蓠'。"

［2］**味辛，温** 《吴普》引《本经》作"辛，无毒"，此与陶作《集注》所见《本经》性味不

同。说明吴普、陶氏所据《本经》不是同一种本子。

[3] **入脑头痛** 《御览》作“入头脑痛”。

[4] **寒痹** 《灵枢·寿夭刚柔》:“寒痹之为病，留而不去，时痛而皮不仁”。

[5] **筋挛缓急** 指筋脉痉挛拘急。“筋”,《御览》无。《素问·痿论》:“筋膜干，则筋急而挛”。

[6] **金创** 即金疮。由金属器械刀斧所伤，感染成疮。

[7] **血闭** 即经闭。

[8] **武功** 西汉时地名，今陕西武功。辑“武功”为《本经》产地，详苦菜注[9]。

148 藁本[1]

味辛，温[2]。主治妇人疝瘕[3]，阴中寒肿痛，腹中急，除风头痛[4]，长肌肤，悦颜色[5]。一名鬼卿，一名地新[6]。生崇山[7]山谷。(刘《大观》卷8页71，柯《大观》卷8页60，人卫《政和》页212)

【校注】

[1] **藁本** 《山海经》作“藁茇”，敦煌本《集注·七情药例》作“膏本”，《万安方》《医心方》作“蒿本”，孙本、周本、筠默本作“稾本”，《广雅》作“山茝”。樊光注《尔雅》云:“藁本一名麋芜”。则麋芜既是藁本异名，又是另一药蘪芜(即蘼芜)正名。

[2] **味辛，温** 《纲目》作“辛，温，无毒”。

[3] **疝瘕** 病名，见《素问·玉机真脏论》。其症腹皮隆起，推之可移，腹痛牵引腰背。又《诸病源候论·疝瘕候》:“疝者痛也，瘕者假也。其结聚浮假而痛，推移而动。妇人病之，有异于丈夫者，多挟有血气所成也”。

[4] **风头痛** 《本草经解》作“头风痛”。

[5] **悦颜色** “悦”，孙本、问本、周本作“说”。

[6] **地新** 江西版《纲目》、姜本作“鬼新”。姜本据《纲目》辑，故其文同。

[7] **崇山** 先秦时地名，今湖南大庸。辑“崇山”为《本经》文，详苦菜注[9]。

149 景天[1]

味苦，酸[2]，平。主治大热，火疮[3]，身热烦，邪恶气[4]。花[5]:主治女人漏下[6]赤白[7]，轻身，明目[8]。一名戒火，一名慎火[9]。生太山[10]川谷。(刘《大观》卷7页47，柯《大观》卷7页43，人卫《政和》页187)

【校注】

[1] **景天** 同名异物有二，一是萤火的异名，如《艺文类聚》引《吴普本草》言:“萤火，一名景天”;二是本条的正名。《五十二病方》176行有景天。

[2] **酸** 刘《大观》、柯《大观》、《大全》作白字《本经》文。人卫《政和》、商务《政和》作黑字《别录》文。从《大观》为正。

[3] **火疮** 王本作“大仓”。“疮”，孙本、问本、黄本、周本作“创”。

[4] **邪恶气** 即邪气、恶气合称。

[5] **花** 孙本、问本、周本、黄本作“华”。

[6] **漏下** 指妇女阴道淋漓不断下血。

[7] **赤白** 指妇女带下赤色或白色。

[8] **轻身，明目** 《御览》作“明目，轻身”。

[9] **一名慎火** 《御览》无，但《御览》引《本经》有“一名水母”。《大观》《政和》《千金翼》无“一名水母”。由此可见，《御览》所引《本经》，与历代本草所存《本经》文不同，历代本草中《本经》文，皆祖于陶氏《集注》中朱书《本经》文，则陶氏所据《本经》，与《御览》所引《本经》不是同一种本子。

[10] **太山** 今山东泰山。辑“太山”为《本经》产地，详苦菜注[9]。

150 葛根[1]

味甘，平[2]。主治消渴[3]，身大热[4]，呕吐，诸痹[5]，起阴气[6]，解诸毒[7]。葛谷[8]：治下痢[9]十岁已上。一名鸡齐根[10]。生汶山[11]川谷。(刘《大观》卷8页9，柯《大观》卷8页8，人卫《政和》页196)

【校注】

[1] **葛根** “葛”，《本草和名》《医心方》作“葛”，敦煌本《集注·七情药例》作“萛”。《纲目》以“葛”为正名，无“根”字。

[2] **味甘，平** 《纲目》、姜本作“甘、辛，平，无毒”。姜本据《纲目》辑，故性味同。《吴普》引《本经》作“甘”。

[3] **消渴** 证名，见《素问·奇病论》，典型症状为多饮、多食、多尿。

[4] **身大热** 指外感发热。

[5] **诸痹** 即各种痹证。“痹”，《图经衍义》作“痺”。

[6] **起阴气** 病有向上、向下趋势。向上为阳，如高血压；向下为阴，如痿弱、子宫下垂。葛根能改变向下趋势，使其向上，称之为起阴气。

[7] **解诸毒** 《御览》作“解毒”。

[8] **葛谷** 《唐本草》注：“葛谷，即是实尔”。“谷”，其后，《纲目》、姜本有“味甘，平”。姜本据《纲目》辑，故其文同。

[9] **下痢** 孙本、问本、王本、黄本、森本、莫本作“下利”。

[10] **鸡齐根** 《纲目》无“根”字。

[11] **汶山** 西汉时地名，今四川理县。辑“汶山”为《本经》产地，详苦菜注[9]。

151 知母[1]

味苦，寒[2]。主治消渴[3]热中[4]，除邪气，肢体浮肿，下水，补不足，益气。一名蚳母[5]，一名连母，一名野蓼[6]，一名地参、一名水参，一名水浚[7]，一名货母，一名蝭母[8]。生河内[9]川谷。（刘《大观》卷8页40，柯《大观》卷8页34，人卫《政和》页205）

【校注】

[1] **知母** 《范子计然》作“提母”，《玉篇》作“莐母”。

[2] **味苦，寒** 《吴普》引《本经》作“无毒”。

[3] **消渴** 证名，见《素问·奇病论》，典型症状为多饮、多食、多尿。

[4] **热中** 即消渴。《素问·腹中论》：“夫热中消中，不可服膏梁、芳草、石药。”王冰注：“多饮，溲（尿）数，谓之热中。”《灵枢·五邪》：“热中，善饥。”

[5] **蚳母** 《说文》作“芪母”。莫本作“蚳母”，并注曰：“蚳母，即蝭母。古者是、氏通用”。

[6] **野蓼** 《纲目》注为《别录》文。

[7] **水浚** “浚”，万历《政和》、《本经疏证》作“浽”。莫本注：“浚，当即蓡字之误。”

[8] **蝭母** 《吴普》作“提母”，《玉篇》作“莐母”。《纲目》云：“蝭母，蝭音匙，又音提，或作莐。”

[9] **河内** 西汉时地名，今河南武陟以南。辑“河内”为《本经》产地，详苦菜注［9］。

152 贝母[1]

味辛，平[2]。主治伤寒[3]，烦热[4]，淋沥[5]，邪气[6]，疝瘕[7]，喉痹[8]，乳难[9]，金创[10]，风痉[11]。一名空草[12]。生晋地[13]。（刘《大观》卷8页43，柯《大观》卷8页36，人卫《政和》页205）

【校注】

[1] **贝母** 《尔雅》《说文》作“莔（méng萌）”，《毛诗》作“虻”，《广雅》作“贝父，药实”。

[2] **味辛，平** 《唐本草》注：“江南诸州亦有，味甘、苦，不辛。”“味辛，平”，《本草经解》作“气平，味甘、辛，无毒”。“平”字后，《纲目》《本经疏证》有“无毒”二字。《证类》对此二字作黑字《别录》文。

[3] **伤寒** 病名，为多种外感热病的总称。《素问·热论》：“今夫热病者，皆伤寒之类也。”《伤寒论》以伤寒命名，即包括多种外感热病在内。

[4] **烦热** 犹身热而烦。

[5] **淋沥** 通常指小便急迫、短、数、涩、痛的病证。其症欲尿而不能出，胀急痛；不欲尿而点

滴淋沥。

[6] **邪气** 泛指各种致病因素及其病理损害。

[7] **瘕瘕** 见藁本注 [3]。

[8] **喉痹** 见牡桂注 [3]。

[9] **乳难** 即产难古称，又称难产。

[10] **金创** 即金疮。指金属器械所致之外伤。

[11] **风痉** 病名。《灵枢·热病》：“风痉，身反折”。《诸病源候论·风痉候》：“风痉者，口噤不开，背强而直，如发痫之状”。

[12] **空草** 合肥版《纲目》注为《别录》文。

[13] **晋地** 今山西。辑“晋地”为《本经》文，详苦菜注 [9]。

153 栝楼[1]

味苦，寒[2]。主治消渴[3]，身热烦满，大热[4]，补虚[5]，安中[6]，续绝伤[7]。一名地楼[8]。生弘农[9]川谷。（刘《大观》卷8页12，柯《大观》卷8页10，人卫《政和》页197）

【校注】

[1] **栝楼** 《毛诗》《尔雅》作“果蠃”，《说文》作“苦蒌”，《本草经解》作“天花粉”。《吕氏春秋》作“王善”，高诱注：“王善，瓠瓠也。”《千金方·七情药例》作“菰瓠”，《大观》《政和》、孙本、问本、顾本作“栝楼根”。《吴普》《本草和名》《医心方》《御览》、森本、《纲目》俱作“栝楼”，无“根”字。盖栝楼包含有“栝楼实”“栝楼根”。

[2] **味苦，寒** 《纲目》作“气味苦，寒，无毒”。

[3] **消渴** 证名，见《素问·奇病论》，典型症状为多饮、多食、多尿。

[4] **身热烦满，大热** 都是热病的症状。同一栝楼治疗同一热病，为何用不同的症状名之。这就提示，本条栝楼的主治取自不同的本子。

[5] **补虚** 补益虚劳羸瘦。

[6] **安中** 义同补中，即补五脏。

[7] **续绝伤** 《本经疏证》作“绝续伤”。

[8] **地楼** 《经典释文·尔雅音义》引本草作“他楼”。

[9] **弘农** 西汉时地名，今河南灵宝。辑“弘农”为《本经》文，详苦菜注 [9]。

154 丹参[1]

味苦，微寒[2]。治心腹邪气[3]，肠鸣幽幽如走水[4]，寒热[5]，积聚[6]，破癥[7]，除瘕[8]，止烦满[9]，益气。一名郄蝉草[10]。生桐栢山[11]川谷。（刘《大观》卷7页36，柯《大观》卷7页32，人卫《政和》页183）

【校注】

[1] **丹参** “参”，敦煌本《集注》作“条”，《说文》作“蔆”。蔡本从《说文》作“丹蔆”。《纲目》云：“丹参入心曰赤参。”萧炳曰：“丹参治风软脚，可逐奔马，故名奔马草”。

[2] **味苦，微寒** 《吴普》引《本经》作“苦，无毒”，此与陶氏所据《本经》性味不同。说明他们所据《本经》，不是同一种本子。

[3] **邪气** 古人将某些致病原因不明者，统称之为邪气。

[4] **肠鸣幽幽如走水** 形容肠内鸣声幽隐似流动的水。

[5] **寒热** 见牡蛎注［4］。

[6] **积聚** 见曾青注［5］。

[7] **癥** 《诸病源候论·癥候》：“癥者，聚结在内，渐生长块段，盘牢不移动者，是癥也。积引岁月，人即柴瘦。其癥不转动者必死”。“癥”，《图经衍义》误作“瘕”。

[8] **瘕** 《诸病源候论·瘕病候》：“积在腹内，结块瘕痛，随气移动是也”。

[9] **烦满** 烦闷胀满。

[10] **郄蝉草** 《广雅》作“郤蝉”。“郄”，《吴普》、孙本、森本、问本、黄本、周本作“郤”。

[11] **桐栢山** 先秦时地名，在今河南桐柏。辑“桐栢山”为《本经》文，详苦菜注［9］。

155 厚朴[1]

味苦，温[2]。主治中风寒热[3]，头痛寒热[4]，惊悸气[5]，血痹[6]，死肌[7]，去三虫[8]。生交趾[9]。（《新修》页125，刘《大观》卷13页28，柯《大观》卷13页23）

【校注】

[1] **厚朴** 《说文》作“朴，被”，《广雅》作“重皮”。

[2] **味苦，温** 《本草经解》作“气温，味苦，无毒”。《吴普》引《本经》作“苦，无毒”。

[3] **中风寒热** 指外感中风之恶寒发热。

[4] **头痛寒热** 《御览》无“头痛寒”三字。

[5] **惊悸气** 《御览》无此三字，《新修》、森本无“悸”字。

[6] **血痹** 见干地黄注［5］。

[7] **死肌** 见菊花注［5］。

[8] **去三虫** 《御览》作“去虫”。“三虫”，即长虫、赤虫、蛲虫。

[9] **交趾** 先秦时地名，今越南北部。辑“交趾”为《本经》文，详苦菜注［9］。

156 竹叶[1]

味苦，平[2]。主[3]治咳逆上气[4]，溢筋急[5]，恶疡[6]，杀小虫。根：作汤，益气，止渴，补虚，下气[7]。汁[8]：治风痓[9]，痹[10]。实：通神明，轻身，益

气。生益州[11]。(《新修》页127，刘《大观》卷13页8，柯《大观》卷13页5)

【校注】

[1] **竹叶** 《说文》《纲目》作“竹”。《新修》《医心方》作“竹䓣，芹竹䓣”，《千金翼》《长生疗养方》、蔡本作“簟竹叶”，《万安方》作“竹䓣”。按叶字繁体为“葉”，因避唐太宗李世民的“世”字讳，将“葉”中世改成云，即成“䓣”。《五十二病方》525行作“秋竹”。

[2] **味苦，平** 《新修》作“味辛，平”。《千金翼》、柯《大观》、刘《大观》、人卫《政和》作“味苦，平”。

[3] **主** 其后，《本草经疏》有“胸中痰热”四字。

[4] **咳逆上气** 指咳嗽气逆而喘。

[5] **溢筋急** 傅本《新修》、罗本《新修》作“溢筋”，无“急”字，森本同。“溢”，《小尔雅广诂》：“溢，没也”。“溢筋急”，即筋急消失。《纲目》云：“竹叶煎汤，熨霍乱转筋”。

[6] **恶疡** 恶疮。见矾石注[8]。

[7] **下气** 傅本《新修》、罗本《新修》作“气”，无“下”字。

[8] **汁** 即竹汁，名医称之为“沥”。

[9] **风痓** 《纲目》注“风痓”为《别录》文。“痓”，卢本、顾本、森本作“痉”。

[10] **痹** 《大观》《政和》《纲目》、诸家《本经》辑本俱无此字，傅本《新修》、罗本《新修》、森本有此字。

[11] **益州** 西汉时地名，今四川。辑“生益州”为《本经》文，详苦菜注[9]。

157 玄参[1]

味苦，微寒[2]。主治腹中寒热积聚[3]，女子产乳余疾[4]，补肾气[5]，令人目明[6]。一名重台[7]。生河间[8]川谷。(刘《大观》卷8页30，柯《大观》卷8页27，人卫《政和》页203)

【校注】

[1] **玄参** “参”，敦煌本《集注·七情药例》作“叅”，《说文》作“蔆”。“玄参”，蔡本从《说文》作“玄蔆”；孙本、问本、黄本、周本作“元参”，此因避清代康熙皇帝玄烨讳，改玄为元。清代翻刻的本草，如《草木典》《本经续疏》《图考长编》俱作“元参”。

[2] **味苦，微寒** 《吴普》引《本经》作“苦，无毒”。此与陶氏作《集注》所据《本经》性味不同。说明他们所据的《本经》，不是同一种本子。

[3] **积聚** 《御览》无此二字。

[4] **女子产乳余疾** 《御览》作“女子乳”。

[5] **肾气** 泛指人的生长、发育及性功能的活动。《素问·上古天真论》：“女子七岁肾气盛，齿更发长，……丈夫八岁肾气实，发长齿更。二八肾气盛，天癸至，精气溢泻，阴阳和，故能有子”。

[6] **目明** 《纲目》、姜本、《图考长编》作“明目”。姜本据《纲目》辑，故其文同。

[7] **一名重台** 《吴普》有此四字，王本无此四字。

[8] **河间** 西汉时地名，今河北河间。辑“河间”为《本经》文，详苦菜注[9]。

158 沙参[1]

味苦，微寒[2]。主治血积[3]，惊气[4]，除寒热[5]，补中[6]，益肺气[7]。久服利人[8]。一名知母[9]。生河内[10]川谷。（刘《大观》卷7页53，柯《大观》卷7页48，人卫《政和》页189）

【校注】

[1] **沙参** “参”，《说文》作“薓”。“沙参”，敦煌本《集注·七情药例》作“沙条”，《吴普》《范子计然》作“白沙参”，蔡本从《说文》作“沙薓”，《广雅》作“苦心”。

[2] **味苦，微寒** 《吴普》引《本经》作“无毒”。此与陶氏作《集注》所据《本经》性味不同，说明吴普、陶氏所据《本经》不是同一种本子。

[3] **血积** 江西版《纲目》、《本草经解》、卢本、姜本、莫本作“血结”。“血积”，义同瘀血。

[4] **惊气** 义同惊邪，能导致恐惧，心悸等症。

[5] **寒热** 见牡蛎注[4]。

[6] **补中** 即补五脏。

[7] **益肺气** 补益肺气。如生津润肺，使人不患咳嗽。

[8] **久服利人** 《纲目》《草木典》注为《别录》文，《证类》作白字《本经》文，孙本、森本、顾本亦作《本经》文。

[9] **知母** 既是沙参别名，又是另一药知母的正名。

[10] **河内** 西汉时地名，今河南武陟。辑“河内”为《本经》文，详苦菜注[9]。

159 苦参[1]

味苦，寒[2]。主治心腹结气[3]，癥瘕[4]，积聚[5]，黄疸[6]，溺有余沥[7]，逐水[8]，除痈肿[9]，补中[10]，明目，止泪，一名水槐[11]，一名苦蘵[12]。生汝南[13]山谷。（刘《大观》卷8页16，柯《大观》卷8页14，人卫《政和》页198）

【校注】

[1] **苦参** 蔡本作“苦薓”。

[2] **味苦，寒** 《纲目》作“气味苦，寒，无毒”。

[3] **心腹结气** 见麦门冬注[3]。

[4] **癥瘕** 见太一禹馀粮注[3]。

[5] **积聚** 见曾青注 [5]。

[6] **黄疸** 见茵陈蒿注 [4]。

[7] **溺有余沥** 排尿时，小便不能排尽。

[8] **逐水** 义同除水湿。张元素曰："苦参能逐湿"。

[9] **痈肿** 见扁青注 [4]。

[10] **补中** 即补五脏。

[11] **水槐** 苦参叶极似槐叶，故有水槐、骄槐、野槐之称。

[12] **苦蘵** 既是苦参异名，又是酸浆、败酱的别名。

[13] **汝南** 西汉时地名，今河南汝南。辑"汝南"为《本经》文，详苦菜注 [9]。

160 续断[1]

味苦，微温[2]。治伤寒[3]，补不足[4]，金创[5]，痈伤[6]，折跌[7]，续筋骨[8]，妇人乳难[9]。久服益气力[10]。一名龙豆[11]，一名属折[12]。生常山[13]山谷。(刘《大观》卷7页26，柯《大观》卷7页24，人卫《政和》页181)

【校注】

[1] **续断** 本条，《唐本草》《证类》均列在上品，而敦煌本《集注·序录》列在中品。傅本《新修》、罗本《新修》桑寄生条陶隐居注云："按本经续断列中品药。"据此本书将续断移入中品。"续断"，《广雅》作"裹"，《大观》《政和》、孙本、森本、周本作"续斷（繁体）"。《本草和名》《医心方》《万安方》、敦煌本《集注·七情药例》、《千金方·七情药例》作"续断（简体）"。《五十二病方》17行作"续䜌根"。

[2] **味苦，微温** 《纲目》引吴普曰："《本经》苦，无毒"。此与陶氏作《集注》所据《本经》性味不同。说明吴普、陶氏所据《本经》不是同一种本子。

[3] **伤寒** 《本草经疏》《本草经解》《图考长编》作"伤中"。

[4] **补不足** 即补虚。

[5] **金创** 即金疮。见扁青注 [5]。

[6] **痈伤** 《纲目》《本草经解》《图考长编》作"痈疡"，卢本、莫本同。

[7] **折跌** 见扁青注 [3]。

[8] **续筋骨** 义同续绝伤。见干漆注 [3]。

[9] **难** 其下，《御览》有"崩中漏血"。

[10] **益气力** 《御览》作"益力"。

[11] **龙豆** 合肥版《纲目》注为《别录》文。

[12] **一名属折** 《御览》无此文。

[13] **常山** 原名恒山，避汉文帝刘恒之"恒"字讳，改名为常山。辑"常山"为《本经》文，详苦菜注 [9]。

161 枳实[1]

味苦，寒[2]。主治大风[3]在皮肤中，如麻豆苦痒[4]，除寒热，热结[5]，止痢[6]，长肌肉，利五脏，益气，轻身。生河内[7]川泽。（《新修》页128，刘《大观》卷13页25，柯《大观》卷13页21）

【校注】

[1] **枳实** 《周礼》："橘踰淮而化为枳"。《说文》："枳，木似橘"。《梦溪笔谈·补笔谈》："六朝以前，医方，唯有枳实，无枳壳，后人用枳之小嫩者为枳实，大者为枳壳"。

[2] **味苦，寒** 《本草经解》作"气寒，味苦，无毒"。《吴普》引《本经》作"苦"。此与陶氏作《集注》所据《本经》性味不同。说明陶氏、吴普所据《本经》不是同一种本子。

[3] **大风** 见防风注［3］。

[4] **如麻豆苦痒** 像痒疹那样特别痒。《药性论》枳壳条亦云："治遍身风疹，肌中如麻豆恶痒。""苦痒""恶痒"，形容瘙痒使人难以耐受。"苦痒"，玄《大观》误作"若痒"。

[5] **除寒热，热结** 《证类》《纲目》《本经疏证》、孙本、《图考长编》、顾本作"除寒热结"。罗本《新修》、傅本《新修》、森本作"除寒热，热结"。从《新修》为正。"结"，《长生疗养方》无。

[6] **痢** 傅本《新修》、罗本《新修》、孙本、问本、黄本、王本、姜本、森本作"利"，《御览》引《本经》同。《大观》《政和》《纲目》作"痢"。痢专指痢疾，利泛指下泻、泄泻、痢疾。

[7] **生河内** 河内，西汉时地名，今河南武陟。辑"生河内"为《本经》文，详苦菜注［9］。

162 山茱萸[1]

味酸，平[2]。主治心下邪气[3]，寒热[4]，温中[5]，逐寒湿痹[6]，去三虫[7]。久服轻身。一名蜀枣[8]。生汉中[9]山谷。（《新修》页129，刘《大观》卷13页34，柯《大观》卷13页29）

【校注】

[1] **山茱萸** 古本《本经》原作"茱萸"，陶作《集注》订正为"山茱萸"。陶氏《集注·序录》云："本经有直云茱萸、门冬者，无以辨其山、吴、天、麦之异，咸宜各题其条"。

[2] **味酸，平** 《吴普》引《本经》作"酸，无毒"。此与陶氏作《集注》所据《本经》性味不同。说明吴普、陶氏所据《本经》不是同一种本子。"味酸"，《御览》无此二字。

[3] **邪气** 古人将某些致病原因不明者，称之为邪气。

[4] **寒热** 见牡蛎注［4］。

[5] **温中** 温肠胃，亦说温五脏。

[6] **寒湿痹** “寒”字后，傅本《新修》、罗本《新修》原衍“温”字，据《证类》删。《御览》脱“痹”字。

[7] **三虫** 见白青注[6]。

[8] **蜀枣** 《御览》《纲目》、姜本作“蜀酸枣”。按《御览》引《本经》曰：“山茱萸，一名蜀酸枣，平。”笔者怀疑“酸枣”恐颠倒之误，应为：“山茱萸，一名蜀枣，酸，平”。

[9] **汉中** 战国时地名，今陕西汉中。辑“汉中”为《本经》文，详苦菜注[9]。

163 桑根白皮[1]

味甘，寒[2]。主治伤中[3]，五劳[4]，六极[5]，羸瘦[6]，崩中[7]，脉绝[8]，补虚，益气[9]。叶[10]：主除寒热[11]，出汗。桑耳：黑者[12]，主女子漏下赤白汁[13]，血病[14]癥瘕[15]，积聚[16]，腹痛[17]，阴阳[18]寒热，无子。五木耳[19]：名檽，益气，不饥，轻身，强志。生犍为[20]山谷。（《新修》页141，刘《大观》卷13页4，柯《大观》卷13页1）

【校注】

[1] **桑根白皮** 《说文》《纲目》作“桑”。傅本《新修》、罗本《新修》、《本草和名》《医心方》、敦煌本《集注·七情药例》、《千金方·七情药例》作“桒根白皮”。《五十二病方》363行有“桑汁、桑薪”。

[2] **味甘，寒** 《纲目》作“气味甘，寒，无毒”。

[3] **伤中** 见干地黄注[4]。

[4] **五劳** 见肉苁蓉注[3]。

[5] **六极** 指六种极度虚损的病证。《诸病源候论·虚劳候》：“六极者，一曰气极，二曰血极，三曰筋极，四曰骨极，五曰肌极，六曰精极”。

[6] **羸瘦** 《诸病源候论·虚劳羸瘦候》：“虚劳之人，精髓萎竭，血气虚弱，不能充盛肌肤，此故羸瘦也。”

[7] **崩中** 指妇女不在经期而阴道大出血。

[8] **脉绝** 《纲目》《本草经解》、姜本作“绝脉”。姜本据《纲目》辑，故其文同。

[9] **补虚，益气** 王本作“补益虚气”。

[10] **叶** 其下，《纲目》、姜本有“气味苦，甘，寒，有小毒”。姜本据《纲目》辑，故其性味同。

[11] **除寒热** 除外感寒热。

[12] **桑耳：黑者** 《本经续疏》注为《别录》文。

[13] **女子漏下赤白汁** “子”，《纲目》作“人”。“汁”，《本草经疏》作“沃”。

[14] **血病** 傅本《新修》、罗本《新修》无“病”字。

[15] **癥瘕** 见太一禹馀粮注[3]。

[16] **积聚** 见曾青注[5]。

［17］**腹痛**　《证类》《千金翼》《本草经疏》《品汇》《纲目》《图考长编》、顾本、黄本、周本、《本经续疏》作“阴痛”。孙本、问本作“阴补”。《新修》、森本作“腹痛”。从《新修》为正。

［18］**阴阳**　《本经续疏》注：“阳，当作伤”。姜本注：“阳，当作疡”。

［19］**五木耳**　《唐本草》注：“楮耳人常食，槐耳用疗痔，榆、柳、桑耳，此为五耳。”

［20］**犍为**　西汉时地名，今四川犍为。辑“犍为”为《本经》文，详苦菜注［9］。

【按语】《艺文类聚》、《御览》引《本经》有“桑根旁行出土上者，名伏蛇，治心痛”。《事类赋》卷25引本草同。《御览》又引《神农本草》有“又桑根白皮，是今桑树根上白皮，常以四月采，或采无时，出见地上名马领，勿取，毒杀人”。《事类赋》卷25引本草同。

此两条，陶氏《集注》无。说明陶氏苞综诸经时未能将诸经全文收入《集注》中。

164　松萝[1]

味苦，平[2]。主瞋怒[3]，邪气[4]，止虚汗[5]，出风头[6]，女子阴寒肿痛[7]。一名女萝[8]。生熊耳山[9]川谷[10]。（《新修》页143，刘《大观》卷13页47，柯《大观》卷13页39）

【校注】

［1］**松萝**　《毛诗》《广雅》作“女萝”，本条以女萝为异名。孙本、问本、黄本、筠默本作“松罗”。《御览》引《吴普》：“菟丝实一名松萝。”则松萝既是本条正名，又是菟丝实的别名。

［2］**味苦，平**　《纲目》作“气味苦、甘，平，无毒”。王本作“味苦、甘”。

［3］**瞋怒**　睁大眼睛瞪人，瞋目叱之。

［4］**邪气**　泛指各种致病因素及其病理损害。

［5］**虚汗**　病后、产后体虚时，极易出汗为虚汗。虚汗者喝烫开水，或吃热饭时，头上即出汗。

［6］**出风头**　《证类》《纲目》《品汇》《图考长编》、孙本、顾本作“头风”。傅本《新修》、罗本《新修》、森本作“出风头”。从《新修》为正。

［7］**阴寒肿痛**　“寒”，莫本注：“寒，当为塞。”“痛”，孙本、黄本、问本、周本作“病”。

［8］**女萝**　《纲目》注为《别录》文。《大观》《政和》作《本经》文。

［9］**熊耳山**　今河南卢氏县。辑“熊耳山”为《本经》文，详苦菜注［9］。

［10］**川谷**　孙本作“山谷”。《新修》《证类》、森本作“川谷”。从《新修》为正。

【按语】本条正名松萝为汉代用名，其异名女萝为先秦《毛诗》用名。本条不以先秦女萝为正名，反把先秦用名降为异名。说明《本经》非先秦时书，而是汉代人所写。汉代人写本草，以当时通行名为正名，将先秦时用名降为异名。

165 白棘[1]

味辛，寒[2]。主治心腹痛[3]，痈肿[4]，溃脓[5]，止痛[6]。一名棘针[7]。生雍州[8]川谷。（《新修》页143，刘《大观》卷13页41，柯《大观》卷13页34）

【校注】

[1] **白棘** 《说文》："棘，小枣丛生。"《尔雅》："髦，颠棘"，孙炎注："一名白棘。"

[2] **味辛，寒** 《纲目》作"气味辛，寒，无毒"。

[3] **心腹痛** 傅本《新修》、罗本《新修》作"心痛"，无"腹"字。

[4] **痈肿** 见扁青注[4]。

[5] **溃脓** 《大全》、孙本、问本误作"溃疡"。

[6] **痛** 其后，合肥版《纲目》有"决刺结"三字，并注为《本经》文。《证类》将此三字作黑字《别录》文。

[7] **一名棘针** 《纲目》注为《别录》文。姜本亦不取此四字为《本经》文。姜本据《纲目》辑，故其文同。柯《大观》、刘《大观》、人卫《政和》及诸家《本经》辑本取此四字为《本经》文。

[8] **雍州** 先秦时地名，今陕西、甘肃一带。辑"雍州"为《本经》文，详苦菜注[9]。

166 狗脊[1]

味苦，平[2]。主治腰背强[3]，关机缓急[4]，周痹[5]寒湿膝痛，颇利老人[6]。一名百枝[7]。生常山[8]川谷。（刘《大观》卷8页51，柯《大观》卷8页44，人卫《政和》页207）

【校注】

[1] **狗脊** 《广雅》作"菝挈"，《玉篇》作"菝葜"，敦煌本《集注·七情药例》、《千金方·七情药例》《医心方》作"猗脊"。

[2] **味苦，平** 《吴普》引《本经》作"苦"。此与陶氏作《集注》所据《本经》性味不同，说明吴普、陶氏所据《本经》，不是同一种本子。

[3] **腰背强** "腰"，《御览》作"要"。"背"，莫本作"脊"。"强"，《长生疗养方》作"张"。

[4] **关机缓急** 指关节拘挛。"关机"，《本草经疏》、顾本、卢本、莫本作"机关"。"机关"，指人体可活动骨与骨之间连接处，犹如门开关的枢纽部分。"关"，《御览》作"开"。

[5] **周痹** 《御览》作"风痹"。

[6] **颇利老人** 《御览》无"颇"。

[7] **枝** 《御览》作"丈"。

[8] **常山** 今河北元氏县。《汉书·地理志·常山郡》张晏注："恒山在西，避文帝讳，故改曰常山"。辑"常山"为《本经》文，详苦菜注 [9]。

167 萆薢[1]

味苦，平[2]。主治腰背痛[3]，强骨节，风寒湿周痹[4]，恶疮[5]不瘳[6]，热气。生真定[7]山谷。(刘《大观》卷 8 页 75，柯《大观》卷 8 页 64，人卫《政和》页 213)

【校注】

[1] **萆薢** 《本草和名》《医心方》、森本、狩本、筠默本作"萆解"。本条，合肥版《纲目》注为《别录》文。

[2] **味苦，平** 《纲目》作"气味苦，平，无毒"。

[3] **腰背痛** 合肥版《纲目》、姜本作"腰脊痛"。姜本据《纲目》辑，故其文同。《图考长编》《本草经解》亦作"腰脊痛"。《大全》作"腰皆痛"。

[4] **周痹** 为痹证之一。《灵枢·周痹》："周痹之在身，上下移徙，随脉其上下，左右相应，间不容空。"

[5] **疮** 孙本、问本、周本、黄本作"创"。

[6] **瘳** 病愈。

[7] **真定** 西汉置，今河北正定以南。辑"真定"为《本经》产地，详苦菜注 [9]。

168 石韦[1]

味苦，平[2]。主治劳热[3]，邪气[4]，五癃[5]闭不通，利小便水道。一名石韈[6]。生华阴[7]山谷。(刘《大观》卷 8 页 72，柯《大观》卷 8 页 61，人卫《政和》页 212)

【校注】

[1] **石韦** 陶隐居云："蔓延石上，叶如皮，故名石韦。"

[2] **味苦，平** 《纲目》作"气味苦，平，无毒"，《药性论》作"微寒"，姜本作"辛，平"。

[3] **劳热** 即虚劳发热。《诸病源候论·虚劳热候》谓虚劳发热，由阴虚生内热，阳盛生外热，故内外皆热。

[4] **邪气** 指各种致病因素及其病理损害。

[5] **五癃** 见冬葵子注 [4]。

[6] **石韈** 《纲目》缺《本经》标注。"韈"，莫本作"韄"。

[7] **华阴** 秦时地名，今陕西华阴东南。辑"华阴"为《本经》产地，详苦菜注 [9]。

169 通草[1]

味辛，平[2]。主去恶虫[3]，除脾胃寒热，通利[4]九窍，血脉，关节[5]，令

人不忘[6]。一名附支[7]。生石城[8]山谷。（刘《大观》卷8页24，柯《大观》卷8页21，人卫《政和》页200）

【校注】

[1] **通草** 今日的通草，即五加科植物通脱木；古代本草所讲的通草，乃是木通。此条药名虽是“通草”，而条文内容是木通。《纲目》《草木典》《图考长编》仍沿旧例，《品汇》《本草经解》已改旧例，在木通条就以“木通”为药名，在通脱木条，以通草为药名。

[2] **味辛，平** 《吴普》引《本经》作“辛”，《医心方》卷30作“甘”。

[3] **去恶虫** 《纲目》《本草经解》将此三字置于“令人不忘”之后。“恶虫”，泛指能使人致死的虫。《诸病源候论·疳䘌候》：“䘌虫上食口齿生疮，下至肛门，伤烂乃死。……食人五脏，多下黑血，数日即死”。

[4] **通利** 《御览》无“通”字。

[5] **关节** 玄《大观》误作“间节”。

[6] **令人不忘** 《御览》无“令人”二字。

[7] **一名附支** 《吴普》云：“蓪草，一名附支”。《广雅》：“附支，通草也”。

[8] **石城** 先秦时地名，今河南林县。辑“石城”为《本经》文，详苦菜注[9]。

170 瞿麦[1]

味苦，寒[2]。主治关格诸癃结[3]，小便不通，出刺[4]，决痈肿[5]，明目去翳[6]，破胎堕子[7]，下闭血[8]。一名巨[9]句麦。生太山[10]川谷。（刘《大观》卷8页29，柯《大观》卷8页25，人卫《政和》页202）

【校注】

[1] **瞿麦** 《尔雅》作“大菊，蘧麦”，《说文》作“蘧，蘧麦”，《千金方·七情药例》作“蘧麦”，《万安方》作“矍麦”，《大观》《政和》、诸家《本经》辑本作“瞿麦”，敦煌本《集注·七情药例》、《医心方》作“瞿麦”。陶隐居注：“子颇似麦，故名瞿麦”。

[2] **味苦，寒** 《纲目》作“气味苦，寒，无毒”。

[3] **关格诸癃结** 关格，小便不通为关，食即吐出为格。王冰注《素问·六节脏象论》：“格拒而食不得入，关闭而溲不得通。”一说大便不通为内关，小便不通名外格，大小便都不通名关格。见《诸病源候论·大便病诸候》。“诸癃结”，泛指胃肠、大小便不通畅。

[4] **出刺** 排出刺在皮肤的竹木芒刺。

[5] **决痈肿** 痈肿脓已成尚未溃，用药促使溃破排脓，名决痈肿。

[6] **去翳** 除去眼角膜上目翳。

[7] **破胎堕子** 瞿麦有活血作用，故能堕胎，妊妇忌用。

[8] **下闭血** 顾本脱“下”字。

[9] **巨** 《本草和名》作“吕”。

[10] **太山** 今山东泰山。辑“太山”为《本经》文，详苦菜注[9]。

171 莨菪子[1]

味苦，寒[2]。主治齿痛出虫[3]，肉痹[4]拘急，使人健行，见鬼[5]，多食令人狂走[6]。久服轻身[7]，走及奔马，强志，益力，通神[8]。一名行唐[9]。生海滨[10]川谷。（敦煌本《新修》，刘《大观》卷10页26，柯《大观》卷10页22）

【校注】

[1] **莨菪子** 敦煌本《新修》、《和名类聚钞》、森本、筠默本作“莨蓎”，《史记·淳于意传》作“莨菪”，《广雅》“葱萍，蔺蔼”，孙本、问本、黄本、周本作“莨荡子”，陶隐居注：“今方家多作狼蓎”，《大观》《政和》《纲目》《拾遗》《药性论》作“莨菪”。莨菪子，敦煌本《新修》、森本原列在下品。因本条文中有“久服轻身”等语，故移入中品。

[2] **味苦，寒** 《纲目》作“苦、寒，有毒”，姜本作“苦，寒，无毒”。

[3] **治齿痛出虫** 《诸病源候论·齿虫候》：“齿虫，是虫食于齿，齿根有孔，虫在其间，亦令齿疼痛。食一齿尽，又度（渡过）食余齿。”

[4] **肉痹** 即肌痹。《素问·长刺节论》：“病在肌肤，肌肤尽痛，名曰肌痹”。

[5] **见鬼** 莨菪子有毒，服后可产生视、听错觉，视人为鬼。

[6] **多食令人狂走** 莨菪子有毒，多食则轻度中毒，丧失意识，乱跑。

[7] **久服轻身** 敦煌本《新修》脱“身”字。

[8] **通神** 《纲目》将上文“见鬼”二字，移置“通神”之后。

[9] **一名行唐** 敦煌本《新修》对此四字作朱书《本经》文。但现存各种古本草皆作《别录》文。

[10] **海滨** 即海边。

172 秦皮[1]

味苦，微寒[2]。主治风寒湿痹[3]，洗洗寒气[4]，除热，目中青翳，白膜[5]。久服头不白，轻身。生庐江[6]川谷。（《新修》页132，刘《大观》卷13页31，柯《大观》卷13页26）

【校注】

[1] **秦皮** 《说文》作“梣，青木皮”，《淮南子·俶真训》作“梣木”，《吴普》作“岑皮”，《大观》《政和》、诸家《本经》辑本作“秦皮”。

[2] **味苦，微寒** 《吴普》引《本经》作“酸，无毒”。此与陶氏作《集注》所据《本经》性

味不同。说明吴普、陶氏所据《本经》不是同一种本子。“微寒”，森本《本经·考异》云：“《长生疗养方》无‘微’字。”

［3］**风寒湿痹**　《御览》作“风湿痹”。

［4］**洗洗寒气**　“洗洗”，即恶寒貌。《御览》无“洗洗”二字。

［5］**除热，目中青翳，白膜**　《御览》无“白膜”二字。森本《本经·考异》云：“《长生疗养方》作‘除目翳膜’。”高诱注《淮南子·俶真训》：“梣木皮，水浸，正青，用洗眼，愈人目中肤翳”。

［6］**庐江**　西汉置，今安徽庐江。辑“庐江”为《本经》文。详苦菜注［9］。

【按语】 本条，《吴普》以岑皮为正名，以秦皮为异名，则吴普所据《本经》当是以岑皮为正名。孙星衍认为：本条作秦皮者，是后人以俗称改之，当以岑皮才是。

173　蜀椒[1]

味辛，温[2]。主治邪气咳逆[3]，温中[4]，逐骨节皮肤死肌[5]，寒湿[6]痹痛，下气[7]。久服之头不白[8]，轻身，增年。生武都[9]川谷[10]。（《新修》页154，刘《大观》卷14页6，柯《大观》卷14页4）

【校注】

［1］**蜀椒**　敦煌本《集注·七情药例》、《本草和名》《医心方》、傅本《新修》、罗本《新修》作“蜀枺”。孙本、问本作“蜀茮”。《尔雅》作“菉”。《千金方·七情药例》作“椒”。陆玑云：“蜀人作荼。”《五十二病方》275行作“蜀蕉”。郭璞注《尔雅》作“椴”。“蜀椒”，《唐本草》《证类》《纲目》、孙本、顾本、森本列入下品。但蜀椒条有“久服之头不白，轻身，增年”等语，虽不能列入上品，但也不该列入下品，应改列中品。

［2］**温**　《千金方·食治》《医心方》卷30作“大热”。

［3］**咳逆**　反复咳嗽，导致肺气上逆喘促，为咳逆。

［4］**温中**　温胃肠，亦说温五脏。

［5］**死肌**　见菊花注［5］。

［6］**寒湿**　金陵版《纲目》作“寒热”，《医心方》卷30作“寒温”。

［7］**下气**　即降气，可治疗气上逆病证，如喘咳、呃逆等。

［8］**白**　傅本《新修》讹作“由”，罗本《新修》作“白”。

［9］**武都**　西汉时地名，今甘肃武都。辑“武都”为《本经》文，详苦菜注［9］。

［10］**川谷**　《图考长编》作“山谷”。

174　白芷[1]

味辛，温[2]。主治女人[3]漏下赤白[4]，血闭[5]，阴肿[6]，寒热[7]，风头[8]侵目泪出[9]，长肌肤[10]润泽[11]，可作面脂[12]。一名芳香。生河东[13]川谷。(刘《大观》卷8页44，柯《大观》卷8页38，人卫《政和》页206)

【校注】

[1] **白芷** 《楚辞》《山海经·西山经·号山》《淮南子·修务训》作“药”。“芷”，敦煌本《集注·七情药例》作“芯”，《五十二病方》372行、《说文》、孙本、问本、黄本、周本作“茝”，金陵版《纲目》作“茝”。

[2] **味辛，温** 《纲目》作“气味辛，温，无毒”。

[3] **人** 森本《本经·考异》云：“人，《香字钞》《香药钞》作‘子’。”

[4] **漏下赤白** 见景天注[6][7]。

[5] **血闭** 即经闭。妇女不在妊娠、哺乳期，三个月以上不来月经者，即是血闭。

[6] **肿** 其后，《香字钞》《香药钞》有“痛”字。

[7] **寒热** 指外感风寒所致恶寒发热。

[8] **风头** 《纲目》、姜本、《图考长编》《本草经解》作“头风”。

[9] **泪出** 《香字钞》《香药钞》作“泣出”。

[10] **肤** 《本草经解》作“肉”。

[11] **润泽** “泽”字后，《纲目》《本草经解》有“颜色”二字，并注为《本经》文。《证类》对“颜色”二字注为黑字《别录》文。“润泽”，姜本作“润颜色”。

[12] **面脂** 古代用的美容润泽剂。白芷味香色白，可作面脂添加剂。

[13] **河东** 战国时地名，今山西。黄河流经陕西、山西之间，呈南北线。山西位于黄河以东，统称河东。辑“河东”为《本经》文，详苦菜注[9]。

175 杜若[1]

味辛[2]，微温。主治胸胁下[3]逆气[4]，温中[5]，风入脑户[6]，头肿痛[7]、多涕、泪出[8]。久服益精，明目[9]，轻身[10]。一名杜衡[11]。生武陵[12]川泽。(刘《大观》卷7页51，柯《大观》卷7页46，人卫《政和》页189)

【校注】

[1] **杜若** 《尔雅》作“杜，土卤”，《山海经·西山经》作“杜衡”，《说文》作“杜，杜若”。《五十二病方》372行有“白衡”。

[2] **味辛** 万历《政和》误作“呀”。《长生疗养方》作“苦”。

[3] **下** 万历《政和》误作“丁”。

[4] **逆气** 指肺、胃气逆，如喘促，呃逆。

[5] **温中** 温胃肠，亦说温五脏。

[6] **脑户** 穴名，位于头正中线上，风府穴直上1.5寸，当枕骨粗隆上缘凹陷处（见《素问·刺

禁论》)。

[7] **头肿痛** 此句承上文“风入脑户”。《素问·风论》谓风入于脑，脑户极冷，项背怯寒，头肿痛。

[8] **多涕、泪出** 金陵版《纲目》、合肥版《纲目》、姜本作“涕泪”。姜本据《纲目》辑，故其文同。

[9] **益精，明目** 《艺文类聚》《香药钞》作“益气”。

[10] **身** 其后，《纲目》、姜本、莫本有“令人不忘”四字，并注为《本经》文，其他各本注为《别录》文。

[11] **杜衡** 《艺文类聚》《本草和名》作“杜蘅”，王本作“土蘅”。

[12] **武陵** 西汉置，今湖南溆浦。辑“武陵”为《本经》文，详苦菜注[9]。

176 黄蘗[1]

味苦，寒[2]。主治五脏肠胃中结气热[3]，黄疸[4]，肠痔[5]，止泄痢[6]，女子漏下赤白[7]，阴阳[8]蚀疮[9]。一名檀桓[10]。生汉中[11]山谷。(《新修》页110，刘《大观》卷12页28，柯《大观》卷12页24)

【校注】

[1] **黄蘗** 《说文》《说文解字系传·通释》作“檗，黄木”。《纲目》《广雅》作“檗木”。傅本《新修》、罗本《新修》、刘《大观》、柯《大观》、《政和》、问本、孙本、森本、顾本作“蘗木”。《集注》《图考长编》《长生疗养方》《千金方·七情药例》作“黄蘗”。

[2] **味苦，寒** 《纲目》作“气味苦，寒，无毒”。

[3] **结气热** 《证类》《品汇》《纲目》、孙本、问本、周本、黄本、顾本、《图考长编》《本草经疏》《本经疏证》无“气”字。罗本《新修》、傅本《新修》、《千金翼》、森本有“气”字。《千金翼》作“结热气”。

[4] **黄疸** 见茵陈蒿注[4]。“疸”，《本草经疏》作“瘅”，黄本作“疸”。

[5] **痔** 见五石脂注[8]。

[6] **泄痢** 即泄泻、痢疾之统称。

[7] **漏下赤白** 见景天注[6][7]。

[8] **阴阳** 《证类》《品汇》《纲目》《千金翼》《本草经疏》《本草经解》作“阴伤”。顾本作“阴阳伤”。罗本《新修》、傅本《新修》、孙本、森本、姜本作“阴阳”。

[9] **蚀疮** “疮”，刘《大观》、《绍兴本草》讹为黑字《别录》文，人卫《政和》作白字《本经》文，孙本、问本、周本、黄本作“创”。狩本无“疮”字。“蚀疮”，即䘌疮，多见于虫蚀阴部，形成外阴部溃疡，脓血淋漓，或痒或痛，伴有赤白带下，小便淋漓。

[10] **一名檀桓** 《纲目》、姜本作“根名檀桓”。“檀”，《本草和名》作“樝”。“桓”，刘《大观》、柯《大观》作“桓”。此因避北宋钦宗赵桓讳，将“桓”缺笔为“桓”。

[11] **汉中** 今陕西南郑。辑“汉中”为《本经》文，详苦菜注[9]。

177 淮木[1]

味苦，平[2]。主治久咳上气[3]，伤中[4]，虚羸[5]，女子阴蚀[6]，漏下[7]，赤白沃[8]。一名百岁城[9]中木。生晋阳[10]平泽[11]。(《新修》页365，刘《大观》卷30页20，柯《大观》卷30页16)

【校注】

[1] **淮木** 孙本列在上品，森本、顾本列在下品。按淮木条中无“久服轻身益气，不老延年”等语，似不能列在上品，但也不同意森本、顾本列入下品。因淮木条中有“治羸虚”，符合中品定义精神，应列入中品。“淮”，莫本注：“淮，当为準”。

[2] **味苦，平** 《吴普》引《本经》作“无毒”。此与陶氏作《集注》，所据《本经》性味不同，说明吴普、陶氏所据《本经》不是同一种本子。

[3] **久咳上气** 久咳不止引起肺气上逆，出现喘促满闷。

[4] **伤中** 孙本、问本、周本、黄本作“肠中”。

[5] **虚羸** 即虚劳羸瘦。

[6] **阴蚀** 指女子外阴部溃疡。

[7] **漏下** 见龙骨注［7］。

[8] **妇子阴蚀，漏下，赤白沃** 金陵版《纲目》、合肥版《纲目》注为《别录》文，《大观》《政和》注为《本经》文。“赤白沃”，即赤白带。“沃”，即沫。《素问·五常政大论》：“其动漂泄沃涌”。

[9] **城** 傅本《新修》、罗本《新修》无。

[10] **晋阳** 先秦时地名，今山西太原。辑“晋阳”为《本经》文，详苦菜注［9］。

[11] **平泽** 孙本作“山谷”。《证类》、森本作“平泽”。

178 白薇[1]

味苦[2]，平。主治暴中风，身热，肢满[3]，忽忽不知人[4]，狂惑邪气，寒热酸疼[5]，温疟洗洗[6]，发作有时[7]。生平原[8]川谷。(刘《大观》卷8页77，柯《大观》卷8页66，人卫《政和》页213)

【校注】

[1] **白薇** 合肥版《纲目》白薇条的释名下，有“春草”二字，注为《本经》文。《证类》“春草”作《别录》文。“薇”，敦煌本《集注·七情药例》作“薇”，《本草和名》《医心方》《千金方·七情药例》作“薇”。

[2] **苦** 其下，《纲目》、姜本、王本有“咸”字。

[3] **肢满** 王本作“腹满”。

[4] **忽忽不知人** 《药性论》:“白薇能治忽忽睡不知人”。“忽忽”,义为昏昏沉沉。李善注《文选·高唐赋》:“忽忽,迷貌”。

[5] **痓** 孙本、问本作“痉”。

[6] **温疟洗洗** “温”,柯《大观》误作“溢”。“洗洗”,恶寒貌。

[7] **时** 其后,柯《大观》、《绍兴本草》有“疗”字,并作白字《本经》文。按,“疗”应是黑字,属下句《别录》文。

[8] **平原** 秦置,今山东平原。辑“平原”为《本经》文,详苦菜注[9]。

179 升麻[1]

味甘,平[2]。解百毒[3],杀百精老物[4]殃鬼[5],辟温疫[6]、瘴气、邪气、蛊毒[7]。久服不夭。一名周麻[8]。生益州[9]山谷。(刘《大观》卷6页58,柯《大观》卷6页55,人卫《政和》页158)

【校注】

[1] **升麻** 《大观》《政和》《品汇》、《图考长编》注升麻条全文为《别录》文。顾本不录“升麻”为《本经》文。《纲目》《草木典》《本草经解》注升麻条文为《本经》文。《御览》引《本经》曰:“升麻,一名周升麻,味甘,平。生山谷。主辟百毒,杀百老殃鬼,辟温疾鄣秽(疑为‘邪’之误)毒蛊。久服,不夭(疑为‘夭’之误)。生益州。”森本、孙本以《御览》所引为《本经》文,《御览》未引者为《别录》文。本书从《御览》为正。又,森本、孙本、《证类》《纲目》将升麻列在上品,但本条文中无“益气延年,轻身”等语,故入中品。

[2] **味甘,平** 孙本、问本、黄本、周本作“味甘,辛”。《吴普》引《本经》作“味甘”。《纲目》作“味甘、苦,平,微寒,无毒”。《本草经解》作“气平,微寒,味苦,甘,无毒”。

[3] **解百毒** 《御览》作“辟百毒”。

[4] **百精老物** 孙本、问本、黄本作“百老物”,《御览》作“百老”。“百”,义为多数。

[5] **殃鬼** 古人迷信,认为人死后,其灵魂为鬼。如果无辜被灾祸波及而死,其灵魂即为殃鬼。

[6] **温疫** 指流行性传染病。孙本、《御览》作“疾”。

[7] **瘴气、邪气、蛊毒** 孙本作“鄣邪毒蛊”,森本作“障邪蛊毒”,《御览》作“鄣秽毒蛊”。《本经疏证》将前二字注为《本经》文,后四字注为《别录》文。“瘴气”,指闽广岭南山岚瘴气,通常多指恶性疟。

[8] **一名周麻** 孙本、《御览》作“一名周升麻”。

[9] **益州** 今四川。辑“益州”为《本经》文,详苦菜注[9]。

180 枲耳实[1]

味甘,温[2]。主治风头寒痛[3],风湿周痹[4],四肢拘[5]挛痛,恶[6]肉死肌[7]。久服益气,耳目聪明,强志轻身[8]。一名胡枲,一名地葵。生安陆[9]川

谷。(刘《大观》卷8页7，柯《大观》卷8页5，人卫《政和》页195)

【校注】

[1] **葈（xǐ喜）耳实**　《本草和名》《和名类聚钞》《医心方》、森本无“实”字。《千金方》卷26食治作“苍耳子”。《尔雅》作“苍耳”。《万安方》《经典释文·尔雅音义》、筠默本、莫本、《纲目》作“枲耳”。孙本、问本、黄本、周本作“枲耳实”。

[2] **味甘，温**　《千金方·食治》作“味苦、甘，温”。王本作“味苦，温”。《纲目》作“气味甘，温，有小毒”。

[3] **风头寒痛**　《本草经疏》作“风寒头痛”。

[4] **风湿周痹**　痹证的一种，见《灵枢·周痹》，指由风湿所致周身疼痛，沉重麻木，项背拘急。“周”，《千金方·食治》无。

[5] **拘**　其后，《千金方·食治》有“急”字。

[6] **恶**　《千金方·食治》作“去恶”。

[7] **肌**　其后，金陵版、合肥版《纲目》有“膝痛”二字，并注为《本经》文。

[8] **耳目聪明，强志轻身**　金陵版、合肥版《纲目》注为“藏器”文。

[9] **安陆**　西汉置，今湖北安陆。辑“安陆”为《本经》文，详苦菜注［9］。

181　茅根[1]

味甘，寒[2]。主治劳伤虚羸[3]，补中益气[4]，除瘀血，血闭[5]，寒热[6]，利小便。其苗：主下水[7]一名蕳根[8]，一名茹根[9]。生楚地[10]山谷。(刘《大观》卷8页54，柯《大观》卷8页46，人卫《政和》页208)

【校注】

[1] **茅根**　《说文》《广雅》作“菅，茅也”。《毛诗》作“白华菅、白茅束”。《药性论》《纲目》《草木典》作“白茅”。

[2] **味甘，寒**　《纲目》作“气味甘，寒，无毒”。

[3] **劳伤虚羸**　《诸病源候论·虚劳羸瘦候》：“虚劳之人，精髓萎竭，血气虚弱，不能充盛肌肤，此故羸瘦也。”

[4] **补中益气**　补益五脏之气，尤其是脾胃之气。

[5] **除瘀血，血闭**　《图考长编》作“除瘀血闭”。森本《本经·考异》云：“‘血，血’，《香要钞》作‘血’字”。

[6] **寒热**　见矾石注［4］。

[7] **其苗：主下水**　《纲目》作“茅针下水”，并注为《别录》文。

[8] **蕳根**　《证类》《纲目》、孙本、顾本、《图考长编》作“蘭（兰之繁体）根”。《本草和名》、森本作“蕳根”。从《本草和名》为正。森本《本经·考异》引《香药钞》亦作“蕳根”。

[9] **茹根** 《本草和名》、森本作“茄根”，森本《本经·考异》引《香药钞》亦作“茄根”。《易》曰：“拔茅连茹。”疑“茄”为“茹”之误。

[10] **楚地** 先秦时地名，今湖北。辑“楚地”为《本经》文，详苦菜注[9]。

182 百合[1]

味甘，平[2]。主治邪气腹胀[3]，心痛[4]，利大、小便，补中益气[5]。生荆州[6]川谷。（刘《大观》卷8页36，柯《大观》卷8页32，人卫《政和》页204）

【校注】

[1] **百合** 《玉篇》：“䪤（fán烦），百合蒜也”。

[2] **味甘，平** 《纲目》作“气味甘，平，无毒”。

[3] **胀** 孙本、问本、黄本、周本作“张”。

[4] **心痛** 即胃脘痛。因胃脘居人体中心，故云心痛。

[5] **补中益气** 补益五脏之气，尤其是脾胃之气。

[6] **荆州** 今湖北。辑“荆州”为《本经》文，详苦菜注[9]。

183 酸浆[1]

味酸，平[2]。主治热烦满[3]，定志[4]，益气，利水道[5]，产难吞其实，立产[6]。一名醋浆[7]。生荆楚[8]川泽。（刘《大观》卷8页67，柯《大观》卷8页56，人卫《政和》页211）

【校注】

[1] **酸浆** 《尔雅》：“葴，寒酱”。郭璞注：“今酸浆草”。“酸浆”，王本、孙本、黄本、问本、周本作“酸酱”，《御览》作“酢浆”。

[2] **味酸，平** 《御览》作“平，寒，无毒”。《纲目》、姜本作“味苦，寒，无毒”。姜本据《纲目》辑，故其性味同。

[3] **满** 江西版《纲目》脱“满”字。

[4] **定志** 安定神志。

[5] **利水道** 金陵版《纲目》、江西版《纲目》作“利小道”。

[6] **产难吞其实，立产** 《纲目》注为《别录》文。卢本作“主产”。

[7] **醋浆** “醋”，《吴普》《本草和名》、森本、《御览》作“酢”。“浆”，孙本、黄本、问本、周本作“酱”。

[8] **荆楚** 今湖南、湖北。辑“荆楚”为《本经》文，详苦菜注[9]。

【按语】 本条酸浆，先秦名葴，寒酱。郭璞注《尔雅》云：“今酸浆草”。从

"今"字可知，酸浆的名称出现很晚。而《本经》以酸浆为正名，说明《本经》非先秦时书。

184 淫羊藿[1]

味辛，寒[2]。主治阴痿[3]，绝伤[4]，茎中痛，利小便[5]，益气力[6]，强志。一名刚前[7]。生上郡[8]阳山山谷。（刘《大观》卷8页46，柯《大观》卷8页39，人卫《政和》页206）

【校注】

[1] **淫羊藿** 森本列在下品。按本条文中有"益气力，强志"等语，符合中品精神，应列入中品。"藿"，《御览》作"霍"。

[2] **味辛，寒** 《吴普》引《本经》作"味辛"。此与陶氏作《集注》所据《本经》性味不同。说明吴普、陶氏所据《本经》不是同一种本子。

[3] **阴痿** 见白石英注［3］。"痿"，《香字钞》作"萎"，《香药钞》作"痿"（疑"痿"之讹）。

[4] **绝伤** 《本草经疏》《图考长编》、王本作"绝阳"，《御览》作"伤中"。"绝"，《香要钞》作"陁"。

[5] **茎中痛，利小便** 《御览》将此六字置于"强志"之后。"茎中痛"，《御览》作"除茎痛"。

[6] **益气力** 《御览》作"益气"，无"力"字。

[7] **刚前** 《本草和名》作"對前"，《御览》作"蜀前"。莫本注："前，当作筋。刚筋，谓强筋也。"

[8] **上郡** 先秦时地名，今陕西榆林。辑"上郡"为《本经》文，详苦菜注［9］。

185 蠡实[1]

味甘，平[2]。主治皮肤寒热，胃中热气，风寒湿痹[3]，坚筋骨，令人嗜食。久服轻身。花[4]、叶：去白虫[5]。一名剧草，一名三坚[6]，一名豕首[7]。生河东[8]川谷。（刘《大观》卷8页27，柯《大观》卷8页24，人卫《政和》页202）

【校注】

[1] **蠡实** "蠡"，《医心方》作"蠡"，《御览》作"蠡"。"蠡实"，《说文》作"荔草"，《月令》作"荔梃"，《通俗文》作"马闽"，郑注《月令》作"马薤"，《广雅》作"马䪥"，《尔雅》作"马帚"。

[2] **味甘，平** 《吴普》引《本经》作"甘、辛，无毒"。此与陶氏作《集注》所据《本经》性味不同，说明吴普、陶氏所据《本经》不是同一种本子。

[3] **风寒湿痹** 见菖蒲注［3］。

[4] **花** 森本作“华”。又“花”字后，合肥版《纲目》有“实及根”三字。

[5] **白虫** 即绦虫，又名寸白虫。

[6] **一名三坚** 《纲目》缺《本经》标注。《御览》无此文。

[7] **豕首** 既是蠡实异名，又是天明精别名。《御览》卷992豕首条引《本经》曰：“豕首，一名剧草，一名蠡实”。文中豕首为蠡实的正名。《御览》卷992豕首条又引《尔雅》曰：“菂蘵，豕首。”其下又引郭璞注曰：“本草经曰：彘卢，一名诸兰，今江东呼为稀首。”按郭璞所注，菂蘵、豕首是天明精别名。

[8] **河东** 今山西。黄河流经陕西、山西之间，呈南北线。山西位于黄河以东，故称河东。辑“河东”为《本经》文，详苦菜注[9]。

186 枝子[1]

味苦，寒[2]。主治五内[3]邪气，胃中热气，面赤酒皰皶鼻[4]，白癞[5]，赤癞，疮疡[6]。一名木丹[7]。生南阳[8]川谷。(《新修》页133，刘《大观》卷13页17，柯《大观》卷13页14)

【校注】

[1] **枝子** 《说文》《广雅》《千金翼》《大观》《政和》作“梔子”。敦煌本《集注·七情药例》、《艺文类聚》《御览》、曹本、筠默本作“支子”。《纲目》、孙本、问本、黄本、周本、卢本、莫本、姜本作“卮”。傅本《新修》、罗本《新修》、《本草和名》《医心方》《千金方·七情药例》作“枝子”。

[2] **味苦，寒** 《纲目》作“气味苦，寒，无毒”。

[3] **五内** 即五脏。

[4] **酒皰皶鼻** 即酒皶鼻。《素问·热论》：“脾热病者，鼻先赤”，久则鼻准呈暗紫色，皮肤变厚，鼻头增大，表面隆起，高低不平。“皰”，成化《政和》、商务《政和》、孙本、黄本、问本作“炮”，周本作“泡”。“皶”，《图经衍义》脱。

[5] **癞** 即疠风，出《素问·风论》，又称麻风。初起患处麻木，次成红斑，继则肿溃无脓，蔓延全身，眉落，目损，唇裂，鼻崩，足底穿。

[6] **赤癞，疮疡** 玄《大观》注为《别录》文。“疮”，孙本、黄本、问本、周本作“创”。

[7] **一名木丹** 玄《大观》作黑字《别录》文。柯《大观》注云：“原作黑字，后改为白字。”

[8] **南阳** 先秦地名，今河南南阳。辑“南阳”为《本经》文，详苦菜注[9]。

187 卫茅[1]

味苦，寒[2]。主治女子崩中[3]，下血[4]，腹满，汗出，除邪，杀鬼毒[5]蛊注[6]。一名鬼箭[7]。生霍山[8]山谷。(《新修》页136，刘《大观》卷13页49，柯《大观》卷13页41)

【校注】

[1] **卫茅** 《医心方》、孙本、问本、黄本、周本、曹本、《纲目》作“卫矛”。《吴普》《广雅》作“鬼箭”。《本草和名》作“卫苐”。罗本《新修》、姜本作“卫茅”。

[2] **味苦，寒** 《吴普》引《本经》作“苦，无毒”。此与陶氏作《集注》所据《本经》性味不同。说明陶氏、吴普所据《本经》不是同一种本子。

[3] **崩中** 见石胆注［7］。

[4] **下血** 泛指下部出血，如子宫出血，大小便出血。

[5] **鬼毒** 即鬼疰，又称疰鬼，指具有传染性且病程长的慢性病。

[6] **蛊注** 傅本《新修》、罗本《新修》作“注蛊”。“注”，刘《大观》、柯《大观》、人卫《政和》、《纲目》作“疰”。“注”，通“疰”。《释名·释疾病》：“注病，一人死，一人复得，气相灌注也”。

[8] **一名鬼箭** 《纲目》《草木典》《本经续疏》注为《别录》文。

[8] **霍山** 先秦地名，今安徽霍山。辑“霍山”为《本经》文，详苦菜注［9］。

188 紫葳[1]

味酸，微寒[2]。主治妇人产乳余疾[3]，崩中[4]，癥瘕，血闭，寒热，羸瘦[5]，养胎。生西海[6]川谷。（《新修》页137，刘《大观》卷13页36，柯《大观》卷13页30）

【校注】

[1] **紫葳** 《广雅》作“茈葳”。本条异名极多，且与鼠尾草、瞿麦异名相混。合肥版《纲目》、金陵版《纲目》有“陵苕”，作《本经》文，《证类》注为《别录》文。

[2] **味酸，微寒** 《吴普》引《本经》作“酸”。此与陶氏作《集注》所据《本经》性味不同。说明吴普、陶氏所据《本经》不是同一种本子。“酸”，《御览》《本经疏证》作“咸”。

[3] **产乳余疾** 指妊娠产后各种病。“产”，傅本《新修》、罗本《新修》、森本、《御览》无此字。

[4] **崩中** 见石胆注［7］。

[5] **癥瘕，血闭，寒热，羸瘦** 《御览》作“癥血寒热”。

[6] **西海** 先秦地名，今青海。辑“西海”为《本经》文，详苦菜注［9］。

189 芜荑[1]

味辛[2]。主治五内[3]邪气，散皮肤骨节中淫淫行毒[4]，去三虫[5]，化食[6]。一名无姑[7]，一名蕨 蘠[8]。生晋山[9]川谷。（《新修》页138，刘《大观》卷13页23，柯《大观》卷13页19）

【校注】

[1] **芜荑** 《说文》:“梗，山枌榆，荚可为芜荑”。《五十二病方》327行、《本草和名》、森本、筠默本作“无夷”。傅本《新修》、罗本《新修》作“芜荑”。《医心方》作“芜蕿”。莫本注:“芜荑者，无姑之荑也，芜当为无，不从草”。

[2] **味辛** 傅本《新修》、罗本《新修》、《御览》作“平”。《千金方·食治》、森本、顾本、王本、姜本、《千金翼》作“辛，平”。

[3] **五内** 即五脏。

[4] **散皮肤骨节中淫淫行毒** 散去皮肤骨节中风窜如虫行的毒害。“行”，其前，《证类》《千金》《纲目》《品汇》《图考长编》《本草经疏》有“温”字;罗本《新修》、傅本《新修》、森本无“温”字。从《新修》为正。

[5] **三虫** 见薏苡人注[7]。

[6] **化食** 消化食物。《千金方·食治》作“能化宿食不消”。

[7] **无姑** 《尔雅·释木》:“无姑，其实夷”。郭璞注:“无姑，姑榆也。生山中，叶圆而厚，剥取合渍之，其味辛香，所谓芜荑”。“姑”，《图经衍义》误作“始”。

[8] **一名蔵藩** 柯《大观》、《图考长编》注为《别录》文，刘《大观》、人卫《政和》、万历《政和》、商务《政和》、成化《政和》、孙本、森本、顾本、周本取此四字为《本经》文，王本不取此四字为《本经》文，《纲目》未注明出处。

[9] **晋山** 先秦地名，今山西太行山脉。辑“晋山”为《本经》文，详苦菜注[9]。

190 紫草[1]

味苦，寒[2]。主治心腹邪气，五疸[3]，补中益气，利九窍，通水道[4]。一名紫丹[5]，一名紫芙[6]。生砀山[7]山谷。(刘《大观》卷8页60，柯《大观》卷8页50，人卫《政和》页209)

【校注】

[1] **紫草** 《尔雅》作“藐，茈草”，《广雅》作“茈苠”，《山海经》云:“劳山多茈草”。《纲目》云:“茈草之茈读紫音，茈胡之茈读柴音”。《玉篇》谓“茈为紫之古字”。《五十二病方》368行作“茈”。《说文》:“茈，茈草。”

[2] **味苦，寒** 《纲目》作“气味苦寒，无毒”。

[3] **五疸** 有多种说法。《金匮要略·黄疸病脉证并治》指疸、谷疸、酒疸、女劳疸、黑疸。《肘后方》指黄疸、谷疸、酒疸、女疸、劳疸。《千金方·伤寒发黄》指黄汗、黄疸、谷疸、酒疸、女劳疸。“疸”，金陵版《纲目》、卢本作“疽”，合肥版《纲目》、姜本、《图考长编》作“疳”。

[4] **通水道** 金陵版《纲目》、合肥版《纲目》、《草木典》注为《别录》文。

[5] **紫丹** 金陵版《纲目》、合肥版《纲目》注为《别录》文。

[6] **紫芙** 《纲目》注为《广雅》文。“芙”，《本草和名》作“芺”，孙本作“芙”。“芙”字后，《御览》有“一名地血”(《纲目》注“地血”为《吴普》文)。

［7］**砀山** 西汉地名，今安徽砀山以南的山。辑“砀山”为《本经》文，详苦菜注［9］。

191 紫菀[1]

味苦，温[2]。主治咳逆[3]上气[4]，胸中寒热结气，去蛊毒[5]、痿蹶[6]，安五脏。生房陵[7]山谷。（刘《大观》卷8页57，柯《大观》卷8页48，人卫《政和》页209）

【校注】

［1］**紫菀** 《说文》：“菀，茈菀”。《本草和名》《长生疗养方》《万安方》《水经注》作“紫苑”。《医心方》《大观》《政和》《纲目》作“紫菀”。

［2］**味苦，温** 《纲目》作“气味苦，温，无毒”。

［3］**咳逆** 《图经衍义》误作“饮逆”。

［4］**上气** 由于反复咳嗽，引起肺气上逆，出现胸闷喘促，为上气。

［5］**蛊毒** 《图经衍义》作“劳伤”。《品汇》作“痰”。

［6］**痿蹶** 《太素·五脏脉诊》：“缓甚为痿厥”。杨上善注：“四肢痿弱，厥逆冷也”。王冰注《素问·痿论》：“痿谓痿弱，无力以运动。”“痿蹶”，合肥版《纲目》、顾本作“痿蹷”，卢本、姜本、莫本作“痿躄”。痿躄，指足不能行。《吕氏春秋·重己篇》：“多阳则痿”。高诱注：“痿躄不能行也”。

［7］**房陵** 西汉置，今湖北房陵。辑“房陵”为《本经》文，详苦菜注［9］。

192 白鲜[1]

味苦，寒[2]。主治头风[3]，黄疸[4]，咳逆[5]，淋沥[6]，女子阴中肿痛[7]，湿痹死肌[8]，不可屈伸起止行步。生上谷[9]川谷。（刘《大观》卷8页66，柯《大观》卷8页55，人卫《政和》页210）

【校注】

［1］**白鲜** 《药性论》、姜本作“白鲜皮”。

［2］**味苦，寒** 《纲目》作“气味苦寒，无毒”。

［3］**头风** 《御览》作“酒风”。《诸病源候论·头面风候》谓头痛久不愈，时痛时止为头风。《千金方》谓头风为头部感受风邪后所致之证的总称，包括痛、头晕、头痒、口眼㖞斜等多种症状。

［4］**黄疸** 见茵陈蒿注［4］。

［5］**咳逆** 指咳嗽气逆而喘。

［6］**淋沥** 见贝母注［5］。

［7］**女子阴中肿痛** 《诸病源候论·阴痛候》：“虫食则者，其状成疮。其风邪而痛者，无疮，但痛而已”。

[8] **湿痹死肌** 指湿邪所致痹证，可见肌肤麻木不仁。

[9] **上谷** 先秦地名，今河北怀来以南。

193 白兔藿[1]

味苦，平[2]。主治蛇虺[3]、蜂虿[4]、猘狗[5]、菜肉、蛊毒[6]、鬼注[7]。一名白葛[8]。生交州[9]山谷。(刘《大观》卷7页53，柯《大观》卷7页49，人卫《政和》页190)

【校注】

[1] **白兔藿** 《新修》《证类》《纲目》、孙本、森本列在上品。但本条无“久服轻身，延年不老”等语，故移入中品。“兔”，《本草和名》、蔡本作“菟”。

[2] **味苦，平** 《纲目》作“气味苦，平，无毒”。

[3] **蛇虺（huǐ 悔）** 古书上说的一种毒蛇。《经典释文·尔雅音义》：“虺，一名蝮，博三寸，首大如擘”。

[4] **蜂虿（chài 瘥）** “虿”，古书上说的蝎子一类的毒虫。《广雅·释虫》：“虿，蝎也”。《诗·小雅》：“卷发如虿”。葛洪云：“蝎前为螫，蝎后为虿”。《通俗文》：“短尾为蝎，长尾为虿”。

[5] **猘（zhì 至）狗** “猘”，一作狾。《说文》：“狾，狂犬也”。“猘狗”，即疯狗，能传染狂犬病。

[6] **蛊毒** 见赤箭注[3]。

[7] **鬼注** 其后，金陵版《纲目》、合肥版《纲目》、《草木典》有“风疰，诸大毒不可入口者，皆消除之。又去血，可末着痛上，立清（《证类》作“消”），毒入腹者，煮汁饮即解”33字，并注为《本经》文。《证类》对此33字作黑字《别录》文。孙本、森本、顾本亦不取此33字为《本经》文。

[8] **一名白葛** 金陵版《纲目》、合肥版《纲目》注“白葛”为《吴普》文。

[9] **交州** 西汉时地名，今越南北部。辑“交州”为《本经》文，详苦菜注[9]。

194 营实[1]

味酸，温[2]。主治痈疽[3]，恶疮[4]，结肉[5]，跌筋[6]，败疮[7]，热气，阴蚀不瘳[8]，利关节。一名蔷薇[9]，一名蔷麻[10]，一名牛棘[11]。生零陵[12]川谷。(刘《大观》卷7页30，柯《大观》卷7页28，人卫《政和》页182)

【校注】

[1] **营实** 《吴普》《艺文类聚》《和名类聚钞》《御览》作“蔷蘼”。“营”，《图经衍义》误作“芫”。《新修》《证类》《纲目》、孙本、森本将营实列在上品，但本条文无“久服轻身益气，延年不老”等语，故移入中品。

［2］**味酸，温**　《纲目》作“气味，酸，温，无毒”。

［3］**痈疽**　见松脂注［2］。

［4］**恶疮**　见松脂注［3］。

［5］**结肉**　义同瘤块。见女萎注［5］。

［6］**跌筋**　即伤筋。

［7］**败疮**　义同恶疮。《日华子》：“蔷薇治痈疽、恶疮”。“败疮”，即疮疡溃烂长期不愈形成的烂疮。

［8］**阴蚀不瘳**　“阴蚀”，指女子外阴部溃疡。“不瘳”，即不愈。

［9］**一名蔷薇**　《纲目》注为《别录》文。《证类》、孙本、森本、顾本皆注为《本经》文。

［10］**一名蔷麻**　《纲目》无此文。“麻”，莫本作“蘼”。

［11］**牛棘**　《御览》作“牛膝”。

［12］**零陵**　先秦地名，今湖南宁远。辑“零陵”为《本经》文，详苦菜注［9］。

195　薇衔［1］

味苦，平［2］。主治风湿痹［3］，历节痛［4］，惊痫，吐舌［5］，悸气［6］，贼风［7］，鼠瘘［8］，痈肿［9］。一名麋［10］衔。生汉中［11］川泽。（刘《大观》卷7页55，柯《大观》卷7页51，人卫《政和》页190）

【校注】

［1］**薇衔**　金陵版《纲目》作“薇銜”。郦道元《水经注》作“薇衔草”。王冰注《素问·病能论》引《本经》以“麋衔”为正名，卢本同。

［2］**味苦，平**　《纲目》作“气味苦，平，无毒”。王冰注《素问·病能论》引《本经》作“味苦，寒，平”。按，“寒”“平”是两种不同药性，王冰所见《本经》兼备两种药性，则该《本经》当是由两种《本经》糅合而成。

［3］**风湿痹**　见天门冬注［3］。

［4］**历节痛**　全身关节痛。《诸病源候论·历节风候》：“历节风之状，短气，自汗出，历节疼痛不可忍，屈伸不得”。

［5］**吐舌**　是惊痫症状之一。舌体伸长而弛缓为吐舌；舌微出口外，立即收回口内，或舌舐唇上下及口角左右，称弄舌。多见于小儿热盛重症。

［6］**悸气**　即心悸。指患者不因惊吓，自觉心跳、心慌、悸动不安。

［7］**贼风**　能使人致病的风。《素问·上古天真论》：“虚邪贼风避之以时”。《灵枢·贼风》：“贼风邪气之伤人，令人病焉”。

［8］**鼠瘘**　即瘰疬。

［9］**痈肿**　见扁青注［4］。

［10］**麋**　《御览》作“麋”，《政和》《纲目》《本经续疏》、孙本、顾本、森本、姜本、《本草和名》作“糜”，刘《大观》、柯《大观》、《千金翼》作“麋”。

[11] **汉中** 先秦时地名，今陕西南郑。辑“汉中”为《本经》文，详苦菜注[9]。

196 爵床[1]

味咸，寒[2]。主治腰脊痛[3]，不得着床[4]，俯仰艰难[5]，除热，可作浴汤。生汉中[6]川谷。(刘《大观》卷9页70，柯《大观》卷9页60，人卫《政和》页238)

【校注】

[1] **爵床** 《吴普》《御览》作“爵麻”。

[2] **味咸，寒** 《纲目》作“气味咸，无毒”。玄《大观》、《大全》注“味咸，寒”为《别录》文。

[3] **腰脊痛** 顾本作“腰背痛”。

[4] **不得着床** 言腰脊痛甚，不能卧着床上。“床”，《大全》误作“林”。

[5] **俯仰艰难** 言腰脊痛甚，屈身弯腰，或挺直身子仰着，都很困难。

[6] **汉中** 先秦时地名，今陕西南郑。

197 王孙[1]

味苦，平[2]。主治五脏邪气，寒湿痹[3]，四肢[4]疼酸，膝冷痛[5]。生海西[6]川谷。(刘《大观》卷9页67，柯《大观》卷9页54，人卫《政和》页237)

【校注】

[1] **王孙** 《吴普》以黄孙为正名，以王孙为别名。《小品方》引本草以牡蒙为正名，以王孙为异名。

[2] **味苦，平** 《吴普》引《本经》作“甘，无毒”。此与陶氏作《集注》所据《本经》性味不同，说明吴普、陶氏所据《本经》，不是同一种本子。

[3] **寒湿痹** 《御览》作“湿痹”，无“寒”字。

[4] **四肢** 《图考长编》脱“四”字。

[5] **膝冷痛** 《御览》无此文。

[6] **海西** 西汉时地名，今江苏东海。辑“海西”为《本经》文，详苦菜注[9]。

【按语】 《集注》王孙条原有先秦地名“吴名白功草，楚名王孙、齐名长孙”。《大观》《政和》作黑字《别录》文。陶氏认为此等名称出名医所益。《集注》即以王孙为名，又在异名中重出“楚名王孙”。其义难解。

198 王瓜[1]

味苦，寒[2]。主治消渴[3]，内痹[4]，瘀血[5]，月闭[6]，寒热[7]，酸疼[8]，益气，愈聋[9]。一名土瓜[10]。生鲁地[11]平泽。（刘《大观》卷9页9，柯《大观》卷9页6，人卫《政和》页219）

【校注】

[1] **王瓜** 《说文》《月令》作“王萯”，《尔雅》、《广雅》作“藈菇”。“瓜”，《本草和名》《医心方》作“苽”。

[2] **味苦，寒** 《纲目》、蔡本作“王瓜根，气味苦，寒，无毒”。

[3] **消渴** 见枸杞注[5]。

[4] **内痹** 即内脏痹证，如心痹、肝痹、脾痹、肾痹、肺痹、胃痹、肠痹、胞痹等。见《素问·痹论》等篇。“痹”，《本草经疏》作“疸”。

[5] **瘀血** 见菴蕳子注[3]。

[6] **月闭** 妇女不在妊娠、哺乳、月经期，三个月以上不来月经者，称为月闭。

[7] **寒热** 见牡蛎注[4]。

[8] **酸疼** 指风寒湿痹的疼痛。

[9] **愈聋** 《大全》、孙本、问本作“俞聋”。

[10] **土瓜** 同名异物有菲。《毛诗》：“采葑采菲。”《说文》：“菲，芴也。”《广雅》：“土瓜，芴也。”颜师古注《急就篇》：“土瓜一名菲，一名芴。”《本草图经》评曰：“芴、菲别是一物，非此土瓜也。物有异类同名，不可不辨也。”

[11] **鲁地** 先秦时地，今山东南部。辑“鲁地”为《本经》文，详苦菜注[9]。

199 五加[1]

味辛，温[2]。主治心腹疝气[3]，腹痛，益气，治躄[4]，小儿不能行[5]，疽疮[6]，阴蚀[7]。一名犲漆[8]。生汉中[9]。（《新修》页107，刘《大观》卷12页35，柯《大观》卷12页29）

【校注】

[1] **五加** 《证类》《纲目》《本草经疏》《品汇》《图考长编》《本经续疏》、孙本、顾本作“五加皮”。傅本《新修》、罗本《新修》、森本作“五茄”。又，傅本《新修》、罗本《新修》、《证类》《纲目》、孙本将五加列在上品，顾本列在中品，森本列在下品。按，五加条文无“久服轻身延年不老”等语，不能列入上品；亦无“除寒热邪气，破积聚”等语，不能列入下品，故应入中品。

[2] **温** 柯《大观》注为《别录》文，刘《大观》、人卫《政和》、成化《政和》、万历《政和》作白字《本经》文。

[3] **心腹疝气** 《长生疗养方》作“心腹痛”。《诸病源候论·诸疝候》：“疝者，痛也，或少腹痛，不得大小便。或心痛，或里急而腹痛。”

[4] **躄** 足挛不能伸。王冰注《素问·痿论》：“躄，谓挛躄，足不得伸以行也。”

[5] **不能行** 《纲目》、姜本、莫本作“三岁不能行”。“不”，傅本《新修》、罗本《新修》作“立”，刘《大观》、柯《大观》、人卫《政和》、成化《政和》作“不”。

[6] **疽疮** “疽”，问本误作“疽”。“疮”，孙本、黄本、周本作“创”。

[7] **阴蚀** 指女子外阴部溃疡。

[8] **一名犲漆** 《图经衍义》《本草经疏》《绍兴本草》无。“犲”，合肥版《纲目》、孙本、问本、黄本、周本、森本、莫本、姜本作“豺”，傅本《新修》、罗本《新修》、刘《大观》、柯《大观》、人卫《政和》、金陵版《纲目》作“犲”。

[9] **汉中** 先秦地名，今陕西南郑。辑“汉中”为《本经》文，详苦菜注[9]。

200 蘼芜[1]

味辛，温[2]，主治咳逆[3]，定惊气[4]，辟邪恶[5]，除蛊毒[6]鬼疰[7]，去三虫[8]。久服通神。一名薇芜[9]，生雍州[10]川泽。(刘《大观》卷7页8，柯《大观》卷7页7，人卫《政和》页175)

【校注】

[1] **蘼芜** “蘼”，《说文》《尔雅》《淮南子》《山海经》《本草和名》《艺文类聚》、森本作“蘪”；刘《大观》、柯《大观》、人卫《政和》、成化《政和》、万历《政和》、孙本、问本作“蘼”；《医心方》作“蘪”，旁注作“蘼”。又《证类》《纲目》、孙本、顾本等将蘼芜列在上品，但本条文无“久服轻身益气，不老延年”等语，故列入中品。森本亦将蘼芜列在中品。

[2] **味辛，温** 《艺文类聚》引《本经》作“味辛”。

[3] **咳逆** 指咳嗽气逆而喘。

[4] **惊气** 《素问·举痛论》：“惊则心无所倚，神无所归，虑无所定，故气乱矣”。

[5] **邪恶** 古人将某些致病原因不明者，称为邪恶。

[6] **蛊毒** 见赤箭注[3]。

[7] **鬼疰** 《诸病源候论·鬼疰候》：“人先无他病，忽被鬼排击，当时或心腹刺痛，或闷绝倒地。其差后，有时发动，连滞停注，乃至于死，死后注易旁人，谓之鬼疰”。

[8] **虫** 成化《政和》、万历《政和》、商务《政和》作“蛊”。

[9] **一名薇芜** 金陵版《纲目》、合肥版《纲目》、江西版《纲目》注为《别录》文。

[10] **雍州** 先秦地名，今陕西、甘肃一带。辑“雍州”为《本经》文，详苦菜注[9]。

201 药实根[1]

味辛，温[2]。主治邪气[3]，诸痹疼酸[4]，续绝伤[5]，补骨髓。一名连木。生蜀郡[6]山谷。(《新修》页166，刘《大观》卷14页52，柯《大观》卷14页43)

【校注】

[1] **药实根** 合肥版《纲目》作“海药实根”，附在解毒子条后。《新修》《证类》、孙本、顾本、森本将药实根列在下品。本条言“补骨髓”，应移在中品。

[2] **味辛，温** 人卫《政和》、商务《政和》将“辛”字作黑字《别录》文，其他各本作《本经》文。“温”字后，《纲目》有“无毒”二字，注为《本经》文。

[3] **邪气** 莫本作“邪风”。

[4] **诸痹疼酸** 即各种痹证酸痛。“痹”，卢本无。

[5] **续绝伤** 傅本《新修》、罗本《新修》，作“续伤绝”，《千金翼》、刘《大观》、柯《大观》、人卫《政和》、成化《政和》、万历《政和》、商务《政和》作“续绝伤”。

[6] **蜀郡** 先秦地名，今四川成都。

202 飞廉[1]

味苦，平[2]。治骨节热[3]，胫重酸疼[4]。久服令人身轻。一名飞轻[5]。生河内[6]川泽。（刘《大观》卷7页37，柯《大观》卷7页34，人卫《政和》页184）

【校注】

[1] **飞廉** 敦煌本《集注·七情药例》、《医心方》作“蜚廉”。《千金方·七情药例》作“蜚蠊”。《和名类聚钞》作“飞廉草”。《广雅》：“伏猪，木禾也。”又云：“飞廉，漏芦也。”《千金方·七情药例》将飞廉列在草部上品。敦煌本《集注·七情药例》、森本将“飞廉”列在下品。本条文中有“久服令人身轻”，应入中品。

[2] **味苦，平** 《纲目》作“气味苦、平，无毒”

[3] **骨节热** 骨关节风湿热。

[4] **胫重酸疼** 足胫沉重酸痛。

[5] **一名飞轻** 成化《政和》、商务《政和》、万历《政和》、金陵版《纲目》、合肥版《纲目》注为《别录》文。刘《大观》、柯《大观》、《大全》、人卫《政和》、孙本、森本、《图考长编》注为《本经》文。姜本、王本、顾本不取此四字为《本经》文。

[6] **河内** 西汉时地名，今河南武陟以南。辑“河内”为《本经》文，详苦菜注[9]。

203 水萍[1]

味辛，寒[2]。主治暴热身痒[3]，下水气[4]，胜酒[5]，长须发[6]，止消渴[7]。久服轻身。一名水华[8]。生雷泽[9]池泽。（刘《大观》卷9页7，柯《大观》卷9页4，人卫《政和》页219）

【校注】

［1］**水萍**　《说文》《尔雅》作“苹”，《毛诗》作“蘋”，《广雅》作“藻”。高诱注《淮南子·原道训》：“苹，大蘋也。”《本草和名》、森本作“蓱”，《长生疗养方》作“苹”。《纲目》谓蘋是田字草，水萍乃水中小浮萍。

［2］**味辛，寒**　《纲目》作“气味辛，寒，无毒”。

［3］**身痒**　《御览》作“痒”，无“身”字。

［4］**下水气**　《艺文类聚》作“下水”，无“气”字。

［5］**胜酒**　《艺文类聚》无此二字。

［6］**长须发**　《艺文类聚》作“乌鬓发”。《初学记》《御览》作“长鬓发”。《长生疗养方》作“长髮发”。

［7］**止消渴**　“止”，成化《政和》、万历《政和》、商伤《政和》、柯《大观》、《大全》《品汇》《本草经疏》、徐本作“主”，人卫《政和》、《纲目》《图考长编》《本经续疏》、森本、顾本作“止”。孙本无“止”字。

［8］**水华**　《证类》《纲目》、顾本作“水花”。《艺文类聚》《初学记》《御览》、森本、孙本作“水华”。《图经衍义》误作“水肥”。

［9］**雷泽**　先秦地名，今河南濮阳。

204　水靳[1]

味甘，平[2]。主治妇子赤沃[3]，止[4]血，养精，保血脉，益气，令人肥健嗜食。一名水英[5]。生南海[6]池泽。（《新修》页281，刘《大观》卷29页8，柯《大观》卷29页7）

【校注】

［1］**水靳**　《说文》《尔雅》作“芹，楚葵”。敦璞注：“水中芹菜”。《千金翼》《医心方》作“水芹”。《证类》《纲目》、顾本作“水斳”。傅本《新修》、罗本《新修》、森本作“水靳”。从《证类》为正。关于水靳的品属，文献有分歧。傅本《新修》、罗本《新修》、《证类》《纲目》、孙本、森本列在下品，顾本列在中品。陶弘景注云：“论靳主治合是上品，未解何意乃在下”。顾本认为陶注文的“下”字为“中”字之误。所以顾本将水靳列在中品。按，水靳条文中有“养精，保血脉，益气，令人肥健嗜食”等语，符合中品定义，笔者同意顾本将水靳移在中品。

［2］**味甘，平**　《纲目》作“气味甘，平，无毒”。

［3］**赤沃**　即赤带，指阴道流出的色红似血非血、淋漓不断的黏液，宜早期及时诊治。

［4］**止**　傅本《新修》、罗本《新修》作“心”。《千金翼》、柯《大观》、刘《大观》、人卫《政和》作“止”。

［5］**一名水英**　王本未录此四字为《本经》文。

［6］**南海**　今广东南海。辑“南海”为《本经》文，详苦菜注［9］。

205 干姜[1]

味辛，温[2]。主治胸满[3]，咳逆上气[4]，温中[5]，止血[6]，出汗，逐风湿痹[7]，肠澼下痢[8]。生者[9]尤良，久服去臭气，通神明[10]。生犍为[11]川谷。（刘《大观》卷8页3，柯《大观》卷8页1，人卫《政和》页193）

【校注】

[1] **干姜**　《五十二病方》249行作“薑”，又271行、372行作“畺”。司马相如《上林赋》、张衡《南都赋》有“茈姜”。

[2] **味辛，温**　《纲目》作“气味辛，温，无毒”，《本草经解》作“气温，味辛，无毒”。“温”，《千金方·食治》作“热”。

[3] **胸满**　《千金方·食治》作“胸中满”。

[4] **咳逆上气**　指咳嗽气逆而喘。

[5] **温中**　温胃肠，亦说温五脏。

[6] **止血**　《千金方·食治》作“止漏血”。

[7] **风湿痹**　见天门冬注［3］。“湿”，《千金方·食治》作“温”。

[8] **肠澼下痢**　“肠澼”，见五石脂注［4］。“下痢”，《千金方·食治》、孙本、问本、黄本、姜本、森本作“下利”。下痢专指痢疾，下利是泄泻、痢疾的总称。

[9] **生者**　指未晒干，含水分及挥发油者。如晒干，除去水分及挥发油者为干姜。生姜长于发汗，干姜长于温中散寒。

[10] **久服去臭气，通神明**　《品汇》注为《别录》文。“去”，其下，《千金方·食治》有“胸膈上”三字。“臭气”，卢本作“息气”，莫本作“臭”，无“气”字。

[11] **犍为**　西汉时地名，今四川犍为。辑“犍为”为《本经》文，详苦菜注［9］。

206 木香[1]

味辛，温[2]。主治邪气[3]，辟毒疫温鬼[4]，强志，治淋露[5]。久服不梦寤魇寐[6]。生永昌[7]山谷。（刘《大观》卷6页62，柯《大观》卷6页59，人卫《政和》页160）

【校注】

[1] **木香**　《图考长编》作“青木香”。

[2] **温**　《证类》原作《别录》文，据《御览》《本经续疏》、森本、顾本、《纲目》《本草经解》补。

[3] **邪气**　指各种致病因素及其病理损害。

［4］**毒疫温鬼** 泛指流行性传染病的病原。《诸病源候论·疫疠病候》："其病与时气、温、热相类，一岁之内，节气不和，民多疾疫。病无长少，率皆似，如有鬼厉之气，故云疫疠。"

［5］**淋露** 病名。《灵枢·九宫八风》："两实一虚，则病淋露寒热。""淋"，原指小便急迫、短、数、涩、痛的病证，可见欲尿而不能出，胀急痛甚，不欲尿而点滴淋沥。

［6］**梦寤魇寐** "梦寤"，半睡半醒，似梦非梦，恍惚如有所见。"魇寐"，睡中噩梦惊呼。《说文》："魇，梦惊也。""寐"，森本《本经·考异》云："寐，《香药钞》作寤，误。""寐"下，《御览》有"轻身致神仙"五字。

［7］**永昌** 今云南保山。辑"永昌"为《本经》文，详苦菜注［9］。

207 发髲[1]

味苦，温[2]。主治五癃[3]，关格不得小便，利水道[4]，治小儿痫[5]，大人痓[6]，仍自还神化。(《新修》页186，刘《大观》卷15页1，柯《大观》卷15页1)

【校注】

［1］**发髲** 《说文》："髲，鬄也。"指受刑人或平民被剃下来的头发。李当之谓童被剃之发。傅本《新修》、罗本《新修》、森本作"发发"。

［2］**温** 其后，森本有"生平泽"三字，其他各本无此文。

［3］**五癃** 见冬葵子注［4］。《本经》癃、淋互用。东汉避灵帝讳，改淋为癃。

［4］**关格不得小便，利水道** 《证类》《纲目》、孙本、顾本、姜本作"关格不通，利小便水道"。傅本《新修》、罗本《新修》、森本作"关格不得小便，利水道"。从《新修》为正。"关格"，小便不通为关，呕吐不止为格，二者并见为关格。

［5］**小儿痫** 金陵版《纲目》、姜本作"小儿惊"，合肥版《纲目》作"小儿惊痫"。

［6］**大人痓** 森本作"大人痉"。

208 麝香[1]

味辛[2]，温，主辟恶气[3]，杀鬼精物[4]，温疟[5]，蛊毒[6]，痫痓[7]，去三虫[8]。久服除邪[9]，不梦寤[10]魇寐[11]。生中台川谷[12]。(《新修》页184，刘《大观》卷16页5，柯《大观》卷16页4)

【校注】

［1］**麝香** 《尔雅》作"麝父"。本条全文，成化《政和》、万历《政和》、商务《政和》作黑字《别录》文，无白字《本经》标记。

［2］**辛** 卢本、莫本作"甘"。

［3］**辟恶气** 辟除恶气。

[4] **鬼精物** 见赤箭注[2]。"物",《御览》无。

[5] **温疟** 为疟疾之一。《素问·疟论》:"此先伤于风,而后伤于寒,故先热而后寒,亦以时作,名曰温疟"。

[6] **蛊毒** 病名,出《肘后方》,其病症状复杂,变化不一,病情一般较重。"蛊",森本《本经·考异》云:"《香药钞》《香字钞》作'虫'。"

[7] **痫痓** "痫",《诸病源候论·痫候》:"痫者,其发之状,或口眼相引而目睛上摇,或手足掣纵,或背脊强直,或颈项反折。""痓",出《灵枢·经筋》等篇,其症项背强直,口噤,四肢抽搐,角弓反张。"痫痓",金陵版《纲目》、合肥版《纲目》作"惊痫"。"痓",卢本、森本作"痉"。

[8] **三虫** 见白青注[6]。"虫",《图经衍义》作"蛊"。

[9] **除邪** 卢本、黄本作"除邪气"。

[10] **梦寤** 半睡半醒,似梦非梦,恍惚如有见为梦寤。"寤",合肥版《纲目》作"寐"。《说文》:"寤,寐觉而有言曰寤。"

[11] **魇寐** 睡中做噩梦惊呼。《说文》:"魇,梦惊也。"

[12] **川谷** 《纲目》作"山谷",《御览》作"山地"。

209 羚[1]羊角

味咸,寒[2]。主明目[3],益气,起阴[4],去恶血注下[5],辟蛊毒[6],恶鬼不祥[7],安心气[8],常不魇寐[9]。久服强筋骨轻身[10]。生石城[11]山川谷。(《新修》页197,刘《大观》卷17页16,柯《大观》卷17页15)

【校注】

[1] **羚** 《尔雅》《说文》、孙本、《纲目》、蔡本作"零",刘《大观》、柯《大观》、人卫《政和》、成化《政和》、《千金翼》作"羚",傅本《新修》、罗本《新修》、《本草和名》《医心方》、森本、筠默本作"零",《御览》作"灵"。

[2] **味咸,寒** 《纲目》作"气味咸,寒,无毒"。

[3] **主明目** 森本作"明目",无"主"字。"目",傅本《新修》、罗本《新修》作"日"。

[4] **益气,起阴** 指兴起男子之阴。《集注》羚羊角条有名医曰"起阴益气利丈夫",正与《本经》文义合。

[5] **恶血注下** 多指血痢或妇女赤带注下。《素问·六元正纪大论》有注下赤白,专指痢疾。

[6] **毒** 玄《大观》讹作"每"。

[7] **恶鬼不祥** 多指鬼疰一类传染病的病原。人得此病必死,死后疰易他人亦死,很凶恶,故称之为恶鬼。"鬼",《绍兴本草》作"气"。

[8] **安心气** 《纲目》《本草经解》脱此文。

[9] **魇寐** 睡中做噩梦惊呼。《说文》:"魇,梦惊也。""魇",孙本、问本作"厌",《御览》作"猒"。"寐",《长生疗养方》无。

[10] **久服强筋骨轻身** 以上七字,成化《政和》、万历《政和》、人卫《政和》、《纲目》注为

《别录》文。《大观》《大全》《品汇》、森本、狩本、《本经续疏》注为《本经》文。孙本、顾本不取此文为《本经》文。

[11] **石城** 先秦地名，今河南林县。辑“石城”为《本经》文，详苦菜注 [9]。

210 羖羊角[1]

味咸，温[2]。主治青盲[3]，明目，杀疥虫[4]，止寒泄[5]，辟恶鬼、虎、狼[6]，止惊悸[7]，久服安心，益气力[8]，轻身。生河西[9]川谷。(《新修》页 199，刘《大观》卷 17 页 11，柯《大观》卷 17 页 9)

【校注】

[1] **羖羊角** 《尔雅》：“羊牝，羖。”《说文》“羖，夏羊。牝曰羖。”

[2] **味咸，温** 《纲目》作“气味咸，温，无毒”。《千金方·食治》作“味酸，温”。“温”，万历《政和》讹作“湿”。

[3] **青盲** 《诸病源候论·目青盲候》：“青盲者，眼本无异，瞳子黑白分明，直不见物耳。”

[4] **疥虫** 《诸病源候论·疥候》：“疥者有数种。多生手足，乃至遍体，并皆有虫。”

[5] **止寒泄** 以上三字，《纲目》与下文“止惊悸”合并书写为“止惊悸寒泄”。“寒泄”，指因受寒，消化不良，导致泄泻。

[6] **辟恶鬼、虎、狼** 森本作“辟狼”。“辟”字前，莫本有“烧之”二字，《纲目》有“入山烧之”四字。

[7] **止惊悸** 《千金方·食治》无此文。“惊悸”，病证名，多指因惊骇而致心跳，恐惧不安的病证。

[8] **力** 《证类》《纲目》《本草经疏》、孙本无此字。傅本《新修》、罗本《新修》、森本、顾本有此字。

[9] **河西** 先秦地名，今陕西。辑“河西”为《本经》文，详苦菜注 [9]。

211 犀角[1]

味苦，寒[2]。主治百毒[3]蛊疰[4]，邪鬼，瘴气[5]，杀钩吻、鸩羽、蛇毒[6]，除邪[7]，不迷惑[8]，魇寐[9]。久服轻身[10]。生永昌[11]川谷[12]。(《新修》页 195，刘《大观》卷 17 页 19，柯《大观》卷 17 页 17)

【校注】

[1] **犀角** 《御览》作“犀牛角”。“犀”，敦煌本《集注·七情药例》作“犀”，《医心方》作“犀”。

[2] **味苦，寒** 《御览》作“味咸，寒”，《纲目》、姜本作“味苦、酸、咸，寒，无毒”。姜本

据《纲目》辑，故其性味同。

[3] **百毒** 泛指各种毒。

[4] **蛊疰** 孙本、黄本、问本作“虫疰”。姜本作“鬼疰”。森本作“鬼注”。“蛊疰”，是古代蛊毒与疰病两类病的合称。《诸病源候论》论蛊毒病9种，论疰病34种。

[5] **瘴气** 指岭南闽广山区中山岚雾露烟瘴之气，通常多指恶性疟疾。孙本作“障气”，森本作“鄣气”。

[6] **杀钩吻、鸩羽、蛇毒** 《品汇》注为《别录》文。“钩吻”，即断肠草，有剧毒。中毒则头晕，咽、腹剧痛，肌无力，瞳孔散大，乃至心脏、呼吸衰竭死亡。“钩”，《大全》讹为“钓”。“鸩羽”，传说中毒鸟，其羽剧毒，浸酒饮之立死。《国语·鲁上》：“使医鸩之。”《晋书·庚怿传》：“怿闻，遂饮鸩而卒。”

[7] **邪** 孙本、问本、周本无此字。

[8] **惑** 孙本作“或”。

[9] **魇寐** 见麝香注[11]。“魇”，孙本作“厌”。

[10] **久服轻身** 《大全》注为《别录》文。

[11] **永昌** 今云南保山。辑“永昌”为《本经》文，详苦菜注[9]。

[12] **川谷** 《证类》、孙本作“山谷”。傅本《新修》、罗本《新修》、森本亦作“川谷”。从《新修》为正。

212 牛角鰓[1]

主下闭血[2]，瘀血[3]，治疼痛[4]，女人带下，下血[5]。髓[6]：补中[7]，填骨髓，久服增年[8]。(《新修》页202，刘《大观》卷17页8，柯《大观》卷17页7)

【校注】

[1] **牛角鰓** 《说文》：“鰓，角中骨。”《纲目》谓角尖中坚骨。本条，《新修》《大观》《政和》无性味。《纲目》、卢本、姜本在牛角鰓名下，有“味苦，温，无毒”。《证类·诸病主治药》：“妇人崩中，牛角鰓温。”

[2] **闭血** 指月经闭塞不通。

[3] **瘀血** 见菴蕳子注[3]。

[4] **疼痛** 傅本《新修》、罗本《新修》无此二字。刘《大观》、柯《大观》、人卫《政和》、成化《政和》、商务《政和》、万历《政和》、《千金翼》俱有。

[5] **女人带下，下血** 《证类》《品汇》《纲目》《本草经疏》、孙本、森本、顾本作“带下血”。《新修》作“带下，下血”。“血”字后，《纲目》有“燔之酒服”四字，并注为《本经》文。按，前二字“燔之”，《大观》《政和》作黑字《别录》文；后二字“酒服”，《大观》《政和》所引《本经》《别录》文俱无。此乃《纲目》采《蜀本草》文加入。由于姜本、莫本据《纲目》辑，故其文与《纲目》同。

[6] **髓** 其后，《纲目》有“气味甘，温，无毒”；卢本、姜本有“味甘，平”，作《本经》文。

刘《大观》、柯《大观》、人卫《政和》髓条俱无白字《本经》药性标记。《纲目》髓条所注“气味甘，温，无毒”，在《大观》《政和》作黑字《别录》文。

[7] **补中** 见杜仲注 [3]。

[8] **填骨髓，久服增年** 以上七字，《千金翼》置于“水牛角”条下，不在“髓”条下；刘《大观》、柯《大观》、人卫《政和》、成化《政和》、万历《政和》、商务《政和》俱置于“髓”条下。疑《千金翼》文有错简。

213 牛黄[1]

味苦，平[2]。主治惊痫[3]，寒热，热盛[4]狂痓[5]，除邪逐鬼。胆[6]：可丸药[7]。生晋地[8]平泽。(《新修》页183，刘《大观》卷16页7，柯《大观》卷16页6)

【校注】

[1] **牛黄** 《纲目》注：“牛黄，本经上品。”《大观》《政和》亦在上品。按《本经·序录》上品定义，本条无“久服延年不老神仙”等语，应入中品。

[2] **味苦，平** 《吴普》作“味苦，无毒”。此与陶作《集注》所据《本经》性味不同。说明吴普、陶氏所据的《本经》不是同一种本子。

[3] **痫** 《御览》无此字。

[4] **热盛** 莫本作“热气”。

[5] **痓** 《纲目》《品汇》《本草经疏》、森本作“痉”。

[6] **胆** 其下，卢本、黄本有“味苦，寒”三字，姜本有“苦，大寒，无毒”五字。

[7] **胆：可丸药** 《新修》卷15牛角鰓条陶注云：“其胆，《本经》附出牛黄条中，此以类相从耳，非上品之药，今拔出随列在此。不关件数，付品之限耳。”此胆在《本经》中附在牛黄条中，到陶氏作《集注》时才被移入牛角鰓条内。今仍入牛黄条中。“丸”，《千金翼》作“圆”，此因宋代校《千金翼》时，避宋代钦宗赵桓讳，改丸为圆。

[8] **晋地** 今山西。辑“晋地”为《本经》文，详苦菜注 [9]。

214 白马茎[1]

味咸，平[2]。主治伤中[3]，脉绝[4]，阴不起[5]，强志，益气，长肌肉肥健，生子。眼：主惊痫，腹满，疟疾[6]。当杀用之[7]。悬蹄：主治惊痫[8]，瘈疭[9]，乳难[10]，辟恶气[11]，鬼毒[12]，蛊注[13]为详。生云中[14]平泽。(《新修》页204，刘《大观》卷7页1，柯《大观》卷7页1)

【校注】

[1] **白马茎** 《纲目》、姜本作“白马阴茎”。姜本据《纲目》辑，故其名同。

[2] **味咸，平** 《纲目》、姜本作“味甘、咸，平，无毒”。姜本据《纲目》辑，故其性味同。

[3] **伤中** 见干地黄注[4]。

[4] **脉绝** 《新修》原脱“脉”字，金陵版《纲目》、合肥版《纲目》作“绝脉”。《千金翼》、刘《大观》、柯《大观》、人卫《政和》作“脉绝”。

[5] **阴不起** 即阴痿，指男子未到性功能衰退时期，出现阴茎不举，或举而不坚、不持久的病证。“起”，顾本作“足”。

[6] **眼：主惊痫，腹满，疟疾** 金陵版《纲目》、合肥版《纲目》注为《别录》文。刘《大观》、柯《大观》、人卫《政和》作白字《本经》文。“满”，卢本作“胀”。

[7] **当杀用之** 《大观》、孙本、顾本作《本经》文，《大全》《政和》注为《别录》文。森本无此四字。

[8] **惊痫** 《证类》《纲目》《品汇》、孙本、问本、黄本、顾本、狩本作“惊邪”。傅本《新修》、罗本《新修》、森本作“惊痫”。

[9] **瘈疭** 一作瘛疭，即抽风。“瘈”，筋脉拘急而缩；“疭”，筋脉缓疭而伸。手足伸缩交替抽动不已，称为瘈疭。

[10] **乳难** 即产难古称，又称难产。

[11] **辟恶气** “辟”，莫本作“解”。“恶气”，见赤箭注[4]。

[12] **鬼毒** 义同鬼疰。

[13] **蛊注** 王本作“蛊蛀”。“蛊注”，一作蛊疰，是蛊毒与疰病的合称。

[14] **云中** 西汉地名，今内蒙古托克托。辑“云中”为《本经》文，详苦菜注[9]。

215 牡狗阴茎[1]

味咸，平[2]。主治伤中[3]，阴痿不起[4]，令强热大[5]，生子，除女子带下十二疾[6]。一名狗精[7]。胆：主明目[8]。生平泽[9]。（《新修》页208，刘《大观》卷17页14，柯《大观》卷17页13）

【校注】

[1] **牡狗阴茎** 《千金方·食治》作“狗阴茎”无“牡”字，王本作“阴茎”，无“牡狗”二字。

[2] **味咸，平** 《纲目》作“气味咸，平，无毒”。《千金方·食治》作“味酸”。

[3] **伤中** 见干地黄注[4]。

[4] **阴痿不起** 《千金方·食治》作“丈夫阴茎不起”。

[5] **令强热大** 即令丈夫阴茎举而强，热而大。

[6] **女子带下十二疾** 即带下十二瘕。《诸病源候论·带下三十六疾候》：“十二瘕者，是所下之物，一如膏，二如青血，三如紫汁，四如赤肉，五如脓痂，六如豆汁，七如葵羹，八如凝血，九如清血，血似水，十如米汁，十一如月浣（洗衣垢），十二经度不应期。”

[7] **一名狗精** 《纲目》注为《别录》文。

[8] **胆：主明目** 《大观》《大全》作黑字《别录》文。《政和》《纲目》、孙本、顾本、森本作《本经》文。

[9] **生平泽** 傅本《新修》、罗本《新修》、森本有“生平泽”三字，其他各本皆无此文。

216 鹿茸[1]

味甘，温[2]。主治漏下[3]，恶血[4]，寒热[5]，惊痫[6]，益气，强志，生齿[7]，不老。角[8]：主治恶疮[9]，痈肿[10]，逐邪恶气[11]，留血在阴中[12]。（《新修》页210，刘《大观》卷17页5，柯《大观》卷17页4）

【校注】

[1] **鹿茸** 成化《政和》、万历《政和》、商务《政和》对鹿茸条全文作黑字《别录》文，无白字《本经》标记。

[2] **味甘，温** 《纲目》作“气味甘，温，无毒”。“温”，《医心方》卷30无此字。

[3] **漏下** 见太一禹馀粮注［5］。

[4] **恶血** 即败血。如疮肿内紫黑的血，产后胞宫内遗留滞浊液余血，如不及时排除，均成恶血、败血。

[5] **寒热** 见牡蛎注［4］。

[6] **惊痫** 见龙骨注［12］。

[7] **生齿** 《御览》无此二字。

[8] **角** 其后，《证类·诸病主治·痈疽》下鹿角有“温”字，作白字《本经》文；但《证类》鹿茸条中子目“角”，无“温”字。

[9] **恶疮** “恶”，《绍兴本草》无。“疮”，王本、孙本、问本、周本、黄本作“创”。

[10] **痈肿** 见扁青注［4］。

[11] **逐邪恶气** 傅本《新修》、罗本《新修》作“逐耶”，无“恶气”二字。

[12] **角：主治恶疮……留血在阴中** 以上十五字，金陵版《纲目》、合肥版《纲目》注为《别录》文，刘《大观》、柯《大观》、人卫《政和》、成化《政和》、万历《政和》作白字《本经》文。孙本、问本、黄本、周本、森本亦取此十五字为《本经》文。

217 丹雄鸡[1]

味甘，微温[2]。主治女人[3]崩中漏下[4]，赤白沃[5]，补虚，温中，止血[6]，通神，杀毒[7]，辟不祥[8]。头：主杀鬼，东门上者尤良[9]。肪：主治耳聋。鸡肠：主治遗溺[10]。肶胵里黄皮[11]：主治泄痢[12]。屎白[13]：主治消渴[14]，伤寒，寒热[15]。翮羽：主治下血闭[16]。鸡子[17]：主除热火疮[18]，治痫痓[19]，可作虎魄神物[20]。鸡白蠹[21]肥脂[22]：生朝鲜[23]平泽。（《新修》页225，刘《大观》

卷19页2，柯《大观》卷19页1）

【校注】

［1］**丹雄鸡**　《说文》《纲目》作“鸡”，谓鸡知时畜也。“雄”，《御览》无。本条，《纲目》《证类》列在上品。按《本经·序录》上品定义，本条并无“久服不老延年神仙”等语，应移入中品。

［2］**味甘，微温**　《纲目》作“丹雄鸡肉，气味甘，温，无毒”。《千金方·食治》同。

［3］**女人**　森本、狩本作“女子”。

［4］**崩中漏下**　妇女子宫急性大出血为崩中，慢性微小出血为漏下。

［5］**赤白沃**　合肥版《纲目》作“赤白带”。按，赤白沃即赤白带。“沃”，《图经衍义》作“治”。森本《本经·考异》云：“沃，《万安方》作带下二字。”

［6］**补虚，温中，止血**　金陵版《纲目》、合肥版《纲目》注为《别录》文。刘《大观》、柯《大观》、人卫《政和》、成化《政和》、商务《政和》作白字《本经》文。孙本、问本、黄本、周本、森本俱作《本经》文。姜本不取此六字为《本经》文。姜本据《纲目》辑，故其文与《纲目》同。

［7］**杀毒**　金陵版《纲目》、合肥版《纲目》作“杀恶毒”。傅本《新修》、罗本《新修》、《千金翼》、刘《大观》、柯《大观》、人卫《政和》作“杀毒”。

［8］**通神，杀毒，辟不祥**　刘《大观》、柯《大观》作黑字《别录》文。人卫《政和》、成化《政和》、万历《政和》、商务《政和》、《大全》、孙本、问本、黄本、周本、森本俱作《本经》文。“辟不祥”，《千金方·食治》无。“辟”，《新修》无。

［9］**东门上者尤良**　《大观》《绍兴本草》、顾本、孙本、问本、周本作《本经》文。人卫《政和》作《别录》文。森本不取此文为《本经》文。“尤良”，傅本《新修》、罗本《新修》作“弥良”；《纲目》、姜本作“良”，无“尤”字。

［10］**肪：主治耳聋。鸡肠：主治遗溺**　《大观》《大全》《纲目》、狩本注为《别录》文。人卫《政和》、成化《政和》、万历《政和》、商务《政和》、孙本、问本、黄本、周本、森本、顾本俱作《本经》文。

［11］肶胵**里黄皮**　即鸡胃的内皮，中药名为鸡内金。“里”，《绍兴本草》讹为“裹”。

［12］**泄痢**　金陵版《纲目》、合肥版《纲目》注为《别录》文。刘《大观》、柯《大观》、人卫《政和》作《本经》文。

［13］**屎白**　“屎”，傅本《新修》、罗本《新修》作“矢”，孙本、问本、周本、黄本、顾本作“尿”。

［14］**消渴**　见枸杞注［5］。

［15］**伤寒，寒热**　傅本《新修》、罗本《新修》作“伤寒热”。“热”字后，《大观》《绍兴本草》、孙本、顾本有“黑雌鸡：主风寒湿痹，五缓六急，安胎”十四字，并作《本经》文。人卫《政和》、成化《政和》、万历《政和》、商务《政和》、金陵版《纲目》、合肥版《纲目》将此十四字俱作《别录》文。森本不取此十四字作《本经》文。

［16］**翮羽：主治下血闭**　“翮”，即翎管，《说文》：“翮，羽茎也。”“翮羽”，即鸟翅膀。

“闭”，万历《政和》误作“闲”。《纲目》注“翮羽主治下血闭”为《别录》文。

［17］**鸡子**　《千金方·食治》、莫本作“鸡子黄”。

［18］**火疮**　《千金方·食治》《纲目》作“火灼烂疮”。“疮”，王本作“创”。

［19］**痫痓**　“痫”，《千金方·食治》无。“痓”，刘《大观》、柯《大观》、人卫《政和》、《纲目》、孙本、顾本、森本作“痉”，傅本《新修》、罗本《新修》、卢本作“痓”。

［20］**鸡子……可作虎魄神物**　金陵版《纲目》、合肥版《纲目》注为《别录》文。《大观》《政和》作《本经》文。“可作虎魄神物”，《吴普》作“丹鸡卵，可作虎珀”。《博物志》引《本经》作“鸡卵可以作虎魄”。

［21］**鸡白蠹**　陶弘景注云：“白蠹不知是何物，别恐一种尔。”陈藏器《拾遗》云：“凤凰臺，此凤凰脚下物，如白石也。今鸡亦有白臺，如卵，硬中有白无黄，是牡鸡所生，名为父公臺。《本经》鸡白蠹，蠹字似臺，后人写之误耳。”其后，释者亦多，众说纷纭，莫衷一是，今从略。

［22］**肥脂**　傅本《新修》、罗本《新修》、森本作“肥腊”。《玉篇》：“腊，豕也，亦作猪。”刘《大观》、柯《大观》、人卫《政和》作“肥脂”。

［23］**朝鲜**　先秦地名，今朝鲜。辑“朝鲜”为《本经》文，详苦菜注［9］。

218　伏翼[1]

味咸，平[2]。主治目瞑[3]，明目，夜视有精光[4]。久服令人憙乐[5]，媚好无忧[6]。一名蝙蝠。生太山[7]川谷。（刘《大观》卷19页13，柯《大观》卷19页11，人卫《政和》页402）

【校注】

［1］**伏翼**　《尔雅》《说文》作“蝙蝠，服翼”。《方言》：“自关而东谓伏翼，自关而西谓蝙蝠。”本条，《大观》《政和》列在卷19禽部中品，并注云：“自虫鱼部今移。”《唐本草》列在卷16虫鱼中品。

［2］**味咸，平**　《纲目》作“气味咸，平，无毒”。

［3］**目瞑**　其后，《纲目》《品汇》、姜本、莫本有“痒痛”二字，并注为《本经》文。《证类》对“痒痛”二字作《别录》文。“目瞑”，视力模糊。《集韵》：“瞑，目不明。”

［4］**夜视有精光**　《吴普》作“令人夜视有光”。

［5］**憙乐**　森本、狩本作“喜乐”。

［6］**媚好无忧**　即美好不愁。《日华子》：“蝙蝠久服解愁。”

［7］**太山**　今山东泰山。辑“太山”为《本经》文，详苦菜注［9］。

219　蝟皮[1]

味苦，平[2]。主治五痔[3]，阴蚀[4]，下血赤白[5]，五色血汁不止[6]，阴肿痛引腰脊[7]，酒煮杀之。生楚地[8]川谷。（刘《大观》卷21页3，柯《大观》卷21页1，

人卫《政和》页423）

【校注】

[1] **蝟皮** 《尔雅》作“彙，毛刺”，《广雅》作“虎王”。《纲目》作“猬”。宋以前本草将蝟皮列在虫部，字作“蝟”；《纲目》将之移在兽类，字作“猬”。

[2] **味苦，平** 《纲目》作“气味苦，平，无毒”。

[3] **五痔** 指牝痔、牡痔、脉痔、血痔、肠痔。

[4] **阴蚀** 指女子外阴部溃疡。

[5] **下血赤白** 指妇女下白带、赤带。

[6] **五色血汁不止** 此句承上文，言妇女带血汁有多种颜色。“不止”，卢本无此二字。

[7] **阴肿痛引腰脊** 阴肿痛有疮者为虫食，无疮者，但痛而已（见《诸病源候论·阴肿阴痛候》）。“痛”，莫本无。“腰”，孙本、问本、黄本作“要”。

[8] **楚地** 先秦地名，今湖北。辑“楚地”为《本经》文，详苦菜注［9］。

220 石龙子[1]

味咸，寒[2]。主治五癃[3]邪结气[4]，破石淋[5]下血[6]，利小便、水道[7]。一名蜥蜴[8]。生平阳[9]川谷。（刘《大观》卷21页24，柯《大观》卷21页19，人卫《政和》页432）

【校注】

[1] **石龙子** 《方言》：“守宫，秦晋、西夏或谓之蜥易。”敦煌本《集注·七情药例》作“蜥蝪”。《千金方·七情药例》作“蚚蝪”。《大观》《政和》《纲目》《本草和名》《医心方》作“石龙子”。

[2] **味咸，寒** 《纲目》作“气味咸，寒，有小毒”。《五行大义》引本草作“味咸”。

[3] **五癃** 见冬葵子注［4］。

[4] **邪结气** 指病邪结聚于患处。

[5] **石淋** 《诸病源候论·淋病诸候》，谓尿出困难，阴中痛引少腹，若有砂石排出，则痛解，尿多黄赤或尿血者，为石淋。

[6] **主治五癃邪结气，破石淋下血** 金陵版《纲目》、合肥版《纲目》注为《别录》文。

[7] **水道** 《千金翼》作“利水道”。

[8] **一名蜥蜴** 《本草图经》：“在草泽中者名蝾螈、蜥蜴；在壁者名蝘蜓、守宫。”

[9] **平阳** 西汉时地名，今山西临汾西南。

【按语】 本条中癃、淋义同。本条是陶氏将摘自两种不同本子的《本经》文糅合而成的，两种本子《本经》文拼在一起，形成癃、淋共存同一条中。“淋”在东汉灵帝刘宏时（168—189），避灵字讳改为癃。用“癃”字的本子，疑东汉刘宏时的抄本；用“淋”字的本子，当为刘宏以前的抄本。

221 露蜂房[1]

味苦，平[2]，主治惊痫[3]，瘈疭[4]，寒热[5]邪气，癫疾[6]，鬼精蛊毒[7]，肠痔[8]，火熬之良[9]。一名蜂场[10]。生牂牁[11]山谷。（刘《大观》卷21页4，柯《大观》卷21页2，人卫《政和》页424）

【校注】

[1] **露蜂房** 陶隐居注、《唐本草》注、《淮南子·氾论训》、敦煌本《集注·七情药例》作“蜂房”。高诱注《淮南子》作“蜂巢”。《大观》《政和》《大全》《纲目》、孙本、森本、姜本、王本作“露蜂房”。

[2] **味苦，平** 江西版《纲目》、合肥版《纲目》、姜本、莫本作“味甘，平，有毒”。

[3] **惊痫** 见龙骨注［12］。

[4] **瘈疭** 即抽风。“瘈”，筋脉拘急收缩；“疭”，筋脉缓疯伸张。手足伸缩交替抽动不停，称为瘈疭。

[5] **寒热** 见牡蛎注［4］。

[6] **癫疾** 病名，见《灵枢·癫狂》。患癫疾者，多静默，精神抑郁，言语错乱，哭笑无常，不知秽洁，幻想幻觉。

[7] **鬼精蛊毒** “鬼精”，即鬼精物，见赤箭注［2］。“蛊毒”，见赤箭注［3］。

[8] **肠痔** 《诸病源候论·肠痔候》：“肛边肿核痛，发寒热而出血者肠痔也。”

[9] **火熬之良** “熬”，卢本作“炙”。“良”，森本《本经·考异》云：“《长生疗养方》无‘良’字”。

[10] **蜂场** 《本草和名》、森本作“蜂场”。《证类》《纲目》、孙本、顾本作“蜂肠”。从《本草和名》为正。

[11] **牂（zāng 赃）牁（kē 科）** 古代水名，今贵州思南以西。

222 樗鸡[1]

味苦，平[2]。主治心腹邪气[3]，阴痿[4]，益精强志[5]，生子，好色[6]，补中[7]，轻身。生河内[8]川谷。（刘《大观》卷21页25，柯《大观》卷21，人卫《政和》页431）

【校注】

[1] **樗（chū 初）鸡** 《尔雅》：“螒，天鸡。”李巡注：“一名酸鸡。”《广雅》：“樗鸠，樗鸡也。”卢本作“樗鸡”。生于樗树（臭椿），其鸣以时，故名樗鸡。

[2] **味苦，平** 《纲目》、姜本作“味苦，平，有小毒。”《纲目》注为《别录》文。姜本在“毒”后加注“不可近目”。按，此四字出《别录》，非《本经》文。

[3] **心腹邪气** 泛指心腹疾患的病原与病因。

[4] **阴痿** 即阳痿。

[5] **益精强志** 补益精气，坚强意志。反之，精衰则意志颓废。

[6] **好色** 卢本作“好颜色”。

[7] **补中** 即补益五脏。

[8] **河内** 西汉时地名，今河南武陟。辑“河内”为《本经》文，详苦菜注 [9]。

223 蚱蝉[1]

味咸，寒[2]。主治小儿惊痫[3]，夜啼[4]，癫病[5]，寒热[6]。生杨柳上[7]。（刘《大观》卷21页11，柯《大观》卷21页8，人卫《政和》页427）

【校注】

[1] **蚱蝉** 《庄子》《离骚》作“蟪蛄”。《毛诗》《说文》作“蜩”。《方言》：“楚谓之蜩，宋卫之间谓之螗蜩，陈、郑之间谓之蜋蜩，秦、晋之间谓之蝉。”“蚱”，《玉篇》谓蝉声，陶隐居谓痖蝉、雌蝉。孙本谓蚱即柞，引郑玄注《周礼·考工记》：“柞为咋咋声。”

[2] **味咸，寒** 《纲目》、姜本作“味咸、甘，寒，无毒”。“寒”，柯《大观》、《大全》《本经续疏》、狩本注为《别录》文，刘《大观》、人卫《政和》、孙本、顾本注为《本经》文。卢本、莫本录“寒”作“平”。

[3] **小儿惊痫** 见龙骨注 [9]。

[4] **夜啼** 病证名，《诸病源候论》谓婴儿日间安静，入夜多啼，甚至通宵难以入睡，天明始渐转宁。

[5] **癫病** 即癫疾，见露蜂房注 [6]。

[6] **寒热** 蚱蝉退能散外感寒热。

[7] **生杨柳上** 《纲目》《品汇》《本经续疏》注为《别录》文，《证类》、孙本、森本注为《本经》文。

224 白僵蚕[1]

味咸[2]。主治小儿惊痫[3]，夜啼[4]，去三虫[5]，灭黑皯[6]，令人面[7]色好，治男子阴疡病[8]。生颍川[9]平泽。（刘《大观》卷21页18，柯《大观》卷21页14，人卫《政和》页430）

【校注】

[1] **白僵蚕** 僵，《玉篇》作“蝹”，《大观》《政和》作“殭”，《本草和名》、森本作“彊”，周本、黄本、孙本、问本、姜本、莫本作“僵”，《医心方》、曹本作“疆”。

[2] **味咸** 卢本、顾本、王本、森本作“味咸，平”，《纲目》作“气味咸、辛，平，无毒”。《大观》、《政和》将“平”字作黑字《别录》文。

[3] **小儿惊痫** 见龙骨注［9］。

[4] **夜啼** 见蚱蝉注［4］。

[5] **去三虫** “三虫”，见白青注［6］。“去”，《绍兴本草》作“主”。

[6] **黑皯** 同面皯，即面色黧黑无华。“皯”，《纲目》、姜本作“黯”，《大观》《政和》、森本、顾本作“皯”，孙本、问本、黄本、周本作“皯”。

[7] **面** 《图经衍义》误作“耳”。

[8] **阴疡病** 刘《大观》、合肥版《纲目》、孙本、问本、黄本、周本作“阴瘍病”，金陵版《纲目》、江西版《纲目》、《日华子》作“阴痒病”，柯《大观》、人卫《政和》、森本作“阴瘍病。《品汇》作“阴易病”。“瘍”，《说文》释为善惊之病，《广韵》释为病相染也。《集韵》：“关中病相传为瘍。”则阴瘍病即阴易病。《诸病源候论》：“妇人新瘥未平复，男子与之交接得病者名阴易。”《伤寒论》治阴易病，未闻用白僵蚕者。又，《别录》《药性论》谓白僵蚕治诸疮，则刘《大观》、孙本等说白僵蚕治阴瘍（阴部溃疡）病可信。

[9] **颍川** 先秦水名，今河南禹县。辑“颍川”为《本经》文，详苦菜注［9］。

225 桑螵蛸[1]

味咸，平[2]。主伤中[3]，疝瘕[4]，阴痿[5]，益精[6]，生子，治女子血闭[7]，腰[8]痛，通五淋[9]，利小便水道。一名蚀肬[10]。生桑枝上，采蒸之[11]。

（刘《大观》卷 20 页 15，柯《大观》卷 20 页 11，人卫《政和》页 415）

【校注】

[1] **桑螵蛸** 《尔雅》《说文》作“蜱蛸”，《广雅》作“蟳蟭、冒焦”，《吴普》作“桑蛸条”，《纲目》作“螳螂桑螵蛸”。“桑”，《本草和名》、敦煌本《集注·七情药例》、《医心方》作“桒”。“螵”，孙本、黄本、问本、周本作“蜱”。《玉篇》：“蜱同螵。”

[2] **味咸，平** 《纲目》、姜本作“味咸、甘，平，无毒”。《吴普》引《本经》作“咸，无毒”。此与陶氏作《集注》所据《本经》性味不同。说明吴普、陶氏所据《本经》不是同一种本子。

[3] **伤中** 见干地黄注［4］。

[4] **疝瘕** 见房葵注［3］。

[5] **阴痿** 见白石英注［3］。

[6] **益精** 桑螵蛸性收敛固涩，因可固精故表现有益精功效。

[7] **闭** 万历《政和》作“腹”。

[8] **腰** 孙本、问本、黄本作“要”。

[9] **五淋** 指五种淋证。《外台秘要》引《集验》有石淋、气淋、膏淋、劳淋、热淋。后世《三因极一病证方论》有血淋，无劳淋、气淋。

[10] **蚀胧** 《绍兴本草》作“蚀肱”，合肥版《纲目》作“瓹肬”。

[11] **生桑枝上，采蒸之** 《纲目》注为《别录》文。《证类》、孙本、顾本注为《本经》文。《本草经疏》注“采蒸之”为《别录》文。森本录“采蒸之”为《本经》文。森本无“生桑枝上”四字。

226 䗪虫[1]

味咸，寒[2]。主治心腹寒热洗洗[3]，血积癥瘕[4]，破坚[5]，下血闭[6]，生子大良[7]。一名地鳖[8]。生河东[9]川泽。（刘《大观》卷21页28，柯《大观》卷21页21，人卫《政和》页434）

【校注】

[1] **䗪虫** 敦煌本《集注·七情药例》作“蟅虫”，《千金方·七情药例》作“蟅虫”，《吴普》作“尘虫”。

[2] **味咸，寒** 《纲目》作“气味咸，寒，无毒”。

[3] **洗洗** 即恶寒貌。其后，校点本《纲目》注“音洒”。

[4] **血积癥瘕** “血积”，即瘀血。“癥瘕”，见太一禹馀粮注［3］。

[5] **破坚** 即攻破坚块。

[6] **血闭** 即月经闭塞不通。

[7] **生子大良** 卢本作“生子”，无“大良”二字。

[8] **地鳖** 《吴普》作“土鳖”，《和名类聚钞》作“蛜蝛”。按，蛜蝛是鼠妇异名（见人卫《政和》页455），非䗪虫异名，疑《和名类聚钞》误录。

[9] **河东** 先秦地名，今山西。辑“河东”为《本经》文，详苦菜注［9］。

【按语】 本条䗪虫的“䗪”，《说文》作“蟅，负蠜”，《尔雅》：“草虫，负蠜。”陆玑疏：“小大长短如蝗也，奇音，青色，好在茅草中。”此与䗪虫形扁如鳖，好生墙脚下土中湿处，全不同。据此“䗪”“蟅”非同一物也。孙本释䗪虫为负蠜（草虫）可疑。

227 蛴螬[1]

味咸，微温[2]。主治恶血[3]，血瘀痹气[4]，破折血在胁下[5]坚满痛[6]，月闭[7]，目中淫肤[8]，青翳白膜[9]。一名蟦蛴[10]。生河内[11]平泽。（刘《大观》卷21页13，柯《大观》卷21页10，人卫《政和》页428）

【校注】

[1] **蛴螬** 敦煌本《集注·七情药例》作“蛴螬”。《毛诗》作“蝤蛴”。《广雅》作“地蚕”。《尔雅》作“蛣蝠”。《列子·天瑞篇》:“乌足根为蛴螬。”

[2] **味咸，微温** 《纲目》作“气味咸，微温，有毒”。

[3] **恶血** 见鹿茸注[4]。

[4] **血瘀痹气** 《御览》作“血痹”。

[5] **下** 《大全》误作“不”。

[6] **坚满痛** 此句承上文，指胁下因伤折积血胀满痛。

[7] **月闭** 妇女不在妊娠、哺乳期，三个月以上不来月经者，称为月闭。

[8] **目中淫肤** 指角膜生胬肉浸润眼角肌肤。

[9] **破折血在胁下……青翳白膜** 《御览》无此文。“青翳白膜”，指目睛上生翳膜，若翳膜侵覆眼白处为白膜，若侵覆黑瞳子处为青翳。

[10] **蟦蛴** 《本草和名》作“蟦蛴”。

[11] **河内** 西汉时地名，今河南武陟以南。辑“河内”为《本经》文，详苦菜注[9]。

228 蛞蝓[1]

味咸，寒[2]。主治贼风㖞僻[3]，轶筋[4]及脱肛[5]，惊痫[6]，挛缩[7]。一名陵蠡[8]。生太山[9]池泽。（刘《大观》卷21页22，柯《大观》卷21页17，人卫《政和》页432）

【校注】

[1] **蛞蝓** 孙本引《玉篇》云:“蛞，蛞东。知即蛞东异文。然则当为活。”故孙本作“活蝓”，问本、周本、黄本同。蛞蝓即鼻涕虫，无壳，与蜗牛相似，但蜗牛有壳。古代蛞蝓、蜗牛统名蜒蝓。《御览》卷947引陶洪景《集注》曰:“蜒蝓……一名陵蠡，一名土蜗，一名蜗”。讲的实物是鼻涕虫（蛞蝓），而非蜗牛，李时珍作《纲目》将蜒蝓定为蜗牛别名，将蛞蝓定为鼻涕虫正名。

[2] **味咸，寒** 《纲目》作“气味咸，寒，无毒”。

[3] **贼风㖞僻** 指口眼㖞斜，即面神经麻痹。“僻”，《千金翼》作“贼”。

[4] **轶筋** 即筋跌伤、挫伤、扭伤。“轶”，卢本、莫本作“跌”，义为超过。

[5] **脱肛** 肠头突出肛门。气虚的老人、小儿多患。

[6] **惊痫** 见龙骨注[12]。

[7] **挛缩** 指肢体筋脉自觉紧缩感，以致影响活动。多见于四肢、两胁及少腹。

[8] **陵蠡** 《本草和名》作“陵蚤”。

[9] **太山** 今山东泰山。辑“太山”为《本经》文，详苦菜注[9]。

229 海蛤[1]

味苦，平[2]。主治咳逆上气[3]，喘息烦满[4]，胸痛[5]，寒热[6]。一名魁蛤[7]。文蛤[8]，治恶疮[9]，蚀五痔[10]。生东海[11]。(刘《大观》卷20页18，柯《大观》卷20页13，人卫《政和》页416)

【校注】

[1] **海蛤** 《说文》作“海盒”。本条，《证类》《纲目》列在上品，但条文内无“久服延年不老神仙”等语，不符《本经·序录》上品定义，应移入中品。

[2] **味苦，平** 《纲目》作“气味苦、咸，平，无毒”。姜本作“味苦，咸”。

[3] **咳逆上气** 指咳嗽气逆而喘。

[4] **喘息烦满** 《医心方》卷30作“喘烦满”，无“息”字。《御览》作“喘烦”，无“息”“满”二字。“息”，《品汇》作“急”。

[5] **胸痛** 证名，见《素问·脉解》，指诸胸部正中或偏侧疼痛的自觉症状。“胸痛”，《图经衍义》作“背痛”。

[6] **寒热** 见牡蛎注[4]。

[7] **魁蛤** 既是《本经》药海蛤的异名，又是《别录》药魁蛤的正名。“魁”，《绍兴本草》作“鬼”。

[8] **文蛤** 陶隐居注：“文蛤，此既异类而同条，若别之，则数多，今以为附见，而在副品限也，凡有四物如此。”森本将文蛤并在海蛤条下。

[9] **恶疮** 见矾石注[8]。

[10] **五痔** 见蝟皮注[3]。

[11] **东海** 今东海。辑“东海”为《本经》文，详苦菜注[9]。

【按语】 海蛤、文蛤，《本草和名》《医心方》所录《唐本草》目录，分立为两条，后世本草沿袭《唐本草》之旧，亦分立为两条。《大观》《政和》文蛤条有陶隐居注云：“文蛤，此既异类而同条，若别之则数多，今以为附见，而在副品限也。”按陶氏所注，海蛤、文蛤在《集注》并为一条。陶之所以并，是为了牵合《本经》365种药数。从陶氏注可以看出，陶氏所据的《本经》，其中载药数不止365种。这也提示，陶氏所据《本经》原无365种药数规定。陶氏是道教中人，崇奉一年三百六十五日，“法三百六十五度”，故定《本经》药365种。

230 蠡鱼[1]

味甘，寒[2]。主治湿痹[3]，面目浮肿，下大水[4]。一名鲖鱼[5]。生九江[6]池泽。(刘《大观》卷20页20，柯《大观》卷20页15，人卫《政和》页417)

【校注】

[1] **蠡鱼** “蠡”，《尔雅》《说文》《初学记》《纲目》、筠默本作“鳢”。《医心方》引《唐本

草》药目作“象”。《医心方》卷30、《经典释文》《本草和名》作“蚤”。《大观》《政和》、森本、孙本、问本、黄本、周本、顾本作“蠡”。

[2] **味甘，寒**　《绍兴本草》作“味甘，平”；《纲目》作“气味甘，寒，无毒”，并注为《别录》文。

[3] **湿痹**　见酸枣注 [5]。“湿”字前，《纲目》有“疗五痔”三字，并注为《本经》文。

[4] **面目浮肿，下大水**　《初学记》作“除水气，面大肿及五痔”。

[5] **鲖鱼**　《初学记》作“鲖”，无“鱼”字。《毛诗》：“鲂，鳢。”《传》云：“鳢，鲖也。”

[6] **九江**　今江西九江。辑“九江”为《本经》文，详苦菜注 [9]。

231　龟甲[1]

味咸[2]，平。主治漏下赤白[3]，破癥瘕，痎疟，五痔[4]，阴蚀[5]，湿痹[6]，四肢重弱[7]，小儿囟不合[8]。久服轻身不饥。一名神屋[9]。生南海[10]池泽。（刘《大观》卷20页9，柯《大观》卷20页7，人卫《政和》页413）

【校注】

[1] **龟甲**　高诱注《淮南子》作“龟壳”。“龟”，《本草和名》作“亀”。

[2] **咸**　《纲目》无“咸”字。卢本、莫本作“酸”，姜本作“甘”。

[3] **漏下赤白**　见景天注 [6] [7]。

[4] **破癥瘕，痎疟，五痔**　《本经续疏》无“破”字。玄《大观》注“疟”“五痔”为黑字《别录》文。柯《大观》注云：‘疟五痔’三字，原作黑字，今改为白字。”“癥瘕”，见太一禹馀粮注 [3]。“痎疟”，见猪苓注 [3]。“五痔”，见蝟皮注 [3]。

[5] **阴蚀**　指女子外阴部溃疡。

[6] **湿痹**　见酸枣注 [5]。

[7] **四肢重弱**　指四肢沉重软弱无力。中医认为湿胜则沉重无力。

[8] **小儿囟不合**　“囟”，指婴儿的颅盖诸骨与左右顶骨接合不紧所形成的骨间隙，分前后二囟，前为囟门，后为枕囟。囟应在小儿半岁至两岁内闭合，过时未合，称为小儿囟不合。

[9] **久服轻身不饥。一名神屋**　以上十字，卢本无。

[10] **南海**　先秦地名，今广东、广西地区。辑“南海”为《本经》文，详苦菜注 [9]。

232　鳖甲[1]

味咸，平[2]。主治心腹癥瘕[3]，坚积[4]，寒热[5]，去痞[6]息肉[7]，阴蚀[8]，痔[9]，恶肉[10]。生丹阳[11]池泽。（刘《大观》卷21页6，柯《大观》卷21页4，人卫《政和》页425）

【校注】

[1] **鳖甲** 《说文》:"鳖,甲虫也"。

[2] **味咸,平** 《纲目》作"气味咸,平,无毒"。

[3] **癥瘕** 见太一禹馀粮注[3]。

[4] **坚积** 见芍药注[5]。

[5] **寒热** 见牡蛎注[4]。

[6] **痞** 《纲目》《本草经解》、卢本、姜本、黄本作"痞疾"。"痞",即痞塞不通。《难经·五十一难》谓脾积为痞,症见胃脘部有痞块,如覆盘,肌肉消瘦,四肢无力。伤寒热病误用攻下,亦会导致胸脘痞满不舒。

[7] **息肉** 指管腔内生长的小肉块,如鼻腔息肉,直肠息肉。

[8] **阴蚀** 指女子外阴部溃疡。

[9] **痔** 《纲目》《本草经解》、卢本、姜本、莫本作"痔核"。

[10] **恶肉** 病名。《肘后方》:"恶肉者,身中忽有肉,如赤小豆粒突出,便长如牛马乳,亦如鸡冠状。"

[11] **丹阳** 西汉时地名,今安徽宣城。

233 鮀鱼甲[1]

味辛[2],微温。主治心腹癥瘕[3],伏坚积聚[4],寒热[5],女子崩中[6],下血五色[7],小腹阴中相引痛[8],疮疥[9],死肌[10]。生南海[11]池泽。(刘《大观》卷21页17,柯《大观》卷21页14,人卫《政和》页431)

【校注】

[1] **鮀(tuó驼)鱼甲** 《证类》、孙本、顾本作"鮀鱼甲"。《集注》《医心方》作"鱓甲"。《本草和名》、森本、筠默本作"鱓鱼甲"。《毛诗》、陆玑《毛诗疏》、《拾遗》作"鼍(tuó驼)"。《纲目》正名作"鼍龙",其下分目名作"鼍甲"。鮀、鼍、鱓都是鳄鱼的异名。鮀,又是鲨、鲇的异名。鱓,又是鳝的别名。

[2] **味辛** 《纲目》、姜本作"味酸"。姜本据《纲目》辑,故性味同。

[3] **心腹癥瘕** 指腹腔内痞块。一般以隐见腹内,按之形证可验,坚硬不移,痛有定处为癥;聚散无常,推之游动不定,痛无定处为瘕。

[4] **伏坚积聚** 意即制伏坚硬积块。积块明显,痛胀较甚,固定不移的为积;积块隐现,攻窜作胀,痛无定处的为聚。积聚性质与癥瘕、痃癖相似。癥瘕多生于下焦,积多发于五脏,有心积、肺积、肝积、脾积、肾积。

[5] **寒热** 见牡蛎注[4]。

[6] **崩中** 指妇女不在经期,忽然阴道大量出血,来势急,血量多者。

[7] **下血五色** 指带下挟血有多种颜色。《诸病源候论》卷38有漏下五色俱下候。五色候指青候、黄候、赤候、白候、黑候。

［8］**小腹阴中相引痛**　《诸病源候论·小腹痛候》谓胞宫因风冷致痛，通过胞宫脉络牵引阴中痛。“小腹阴中相引痛”，《纲目》将之置于“女子”之后。

［9］**疮疥**　指疥作疮有脓汁。《诸病源候论·疥候》，谓疥有数种，多生手足，乃至遍身，瘙痒有虫。“疮疥”，孙本、问本、周本、黄本作“创疥”，《纲目》作“及疮疥”。

［10］**死肌**　多指肌肤麻木不仁。《素问·痹论》：“皮肤不营，故为不仁”。

［11］**南海**　今广东广州。辑“南海”为《本经》文，详苦菜注［9］。

234　乌贼鱼骨[1]

味咸，微温[2]。主治女子漏下赤白经汁[3]，血闭[4]，阴蚀[5]肿痛，寒热[6]，癥瘕[7]，无子[8]。生东海[9]池泽。（刘《大观》卷21页15，柯《大观》卷21页11，人卫《政和》页428）

【校注】

［1］**乌贼鱼骨**　《说文》：“鲗，乌鲗。”《素问·腹中论》作“乌鲗”。刘逵注《左思赋》、《本草和名》《医心方》《纲目》作“乌贼鱼”。《大观》《政和》、孙本、森本作“乌贼鱼骨”。《纲目》谓骨一名海螵蛸。

［2］**味咸，微温**　《纲目》作“骨，味咸，微温，无毒”。王冰注《素问·腹中论》引《本经》作“味咸，冷，平，无毒”。此与陶弘景作《集注》所据的《本经》性味不同。这就是说王冰、陶氏所据的《本经》，不是同一种本子。

［3］**漏下赤白经汁**　“漏下赤白”，《纲目》《本草经解》作“赤白漏下”，姜本同。姜本据《纲目》辑，故其文同。“经汁”，王本作“经枯”。

［4］**血闭**　王冰注《素问》引《本经》作“女子血闭”。“血闭”，即月经闭。

［5］**阴蚀**　指女子外阴部溃疡。

［6］**寒热**　《艺文类聚》作“寒热惊气”。

［7］**癥瘕**　见太一禹馀粮注［3］。

［8］**子**　其下，姜本有“一名海螵蛸”；人卫《政和》有“寒肿令”三字，并作白字《本经》文，刘《大观》、柯《大观》作黑字《别录》文。

［9］**东海**　今东海。辑“东海”为《本经》文，详苦菜注［9］。

235　蟹[1]

味咸，寒[2]。主治胸中邪气，热结痛[3]，㖞僻[4]，面肿[5]。败漆[6]烧之致鼠[7]。生伊洛池泽。（刘《大观》卷21页9，柯《大观》卷21页7，人卫《政和》页426）

【校注】

［1］**蟹**　《千金方·食治》作“蟹壳”，王本作“蝌”。

［2］**味咸，寒**　《千金方·食治》作“味酸，寒，有毒”，《纲目》、姜本作“味咸，寒，有小毒”。姜本据《纲目》辑，故其性味同。“寒”，《大观》《大全》、狩本注为《别录》文；人卫《政和》、成化《政和》、商务《政和》、万历《政和》作白字《本经》文。孙本、问本、黄本取“寒”字为《本经》文。

［3］**邪气，热结痛**　《千金方·食治》作“邪热宿结痛”。《医心方》作“邪热气结痛”。

［4］**㖞僻**　指口眼㖞斜，即面神经麻痹。

［5］**面肿**　《绍兴本草》作“而肿”。

［6］**败漆**　《千金方·食治》作“散漆”。《纲目》、姜本作“能败漆”。森本《本经·考异》云：“败漆，《万安方》作‘又与败漆器合’。”陶隐居注：“《仙方》以（蟹）化漆为水服之，长生。”《本草图经》：“其（蟹）黄能化漆为水，故涂漆疮用之。”

［7］**烧之致鼠**　陶隐居注：“以黑犬血灌之（蟹）三日，烧之，诸鼠华（疑为‘毕’）至。”苏颂《本草图经》：“（蟹）黄并螯烧烟，可以集鼠于庭”。

236　橘柚[1]

味辛，温[2]。主治胸中瘕热逆气[3]，利水谷。久服去臭[4]，下气通神[5]。一名橘皮[6]。生南山[7]川谷。（《新修》页121，刘《大观》卷23页7，柯《大观》卷23页5）

【校注】

［1］**橘柚**　《纲目》《医心方》析橘、柚为二药。《尚书·禹贡》《大观》《政和》、孙本、问本作“橘柚”。“橘”，《说文》作“橘果”。“柚”，《列子·汤问篇》作“櫾”，《尔雅》《说文》作“柚条”。《本草衍义》云：“橘、柚自是两种，本草一名橘皮，后人误加柚字。”

［2］**味辛，温**　《纲目》、姜本作“橘皮：味苦、辛，温，无毒”。姜本据《纲目》辑，故其性味同。《纲目》另有“柚”条，其性味为“酸，寒，无毒”。

［3］**瘕热逆气**　“瘕”，《医心方》卷30作“癥瘕”。“热”，《千金方·食治》作“满”。“逆”，傅本《新修》、罗本《新修》无。“瘕热逆气”，多指肺、胃中痰引起咳逆、呃逆、呕逆。橘皮、柚皮能除痰降逆，止咳，止呃逆，止呕吐。

［4］**久服去臭**　“服”，《医心方》卷30作“食”。“臭”，《千金方·食治》作“口臭”，《新修》《大观》《政和》《纲目》、卢本、森本、孙本、王本、姜本俱作“臭”。

［5］**下气通神**　《千金翼》作“气通神明”。“神”字后，《证类》有黑字“轻身长年”四字。《证类》列橘柚为上品，则此四字应为白字《本经》文。本条有“久服去臭，下气通神”，仅符合中品定义，应列在中品。

［6］**一名橘皮**　这个异名与本条正名橘柚不符。橘皮不包括柚皮。正如《本草衍义》所说，正名橘柚的柚，为后人所加，有一定道理。

［7］**南山**　西汉时南山，即今北方秦岭，而橘柚产于南方，不产北方。《吕氏春秋》："果之美者，有云梦之柚。"云梦即今湖北云梦。《尚书·禹贡》："扬州厥苞橘柚。"云梦、扬州在中国南方。则此"南山"应是南方的山。辑"南山"为《本经》文，详苦菜注［9］。

237　梅实[1]

味酸，平[2]。主下气[3]，除热烦满，安心，肢体痛[4]，偏枯[5]，不仁死肌[6]，去青黑痣、恶疾[7]。生汉中[8]川谷[9]。（《新修》页250，刘《大观》卷23页20，柯《大观》卷23页16）

【校注】

［1］**梅实**　《周礼》作"干穛"。《说文》："穛，干梅。"《尔雅》："梅，柟。"《纲目》作"梅"。《吴普本草》《艺文类聚》《初学记》作"梅核"。刘《大观》、柯《大观》、人卫《政和》、诸家《本经》辑本作"梅实"。

［2］**味酸，平**　《纲目》、姜本作"味酸，温、平，涩，无毒"。"酸"，森本作"咸"。

［3］**下气**　即降气。梅实能降梅核膈气（见《纲目》附方）。

［4］**肢体痛**　《千金方·食治》《纲目》《本草经解》《本经疏证》《图考长编》作"止肢体痛"。傅本《新修》、罗本《新修》、刘《大观》、柯《大观》、人卫《政和》、《千金翼》、《医心方》卷30、卢本、孙本、王本、顾本作"肢体痛"，并无"止"字。

［5］**偏枯**　即偏风，病证名。见《灵枢·刺节真邪》篇。亦称半身不遂。即一侧上下肢偏废不用，或兼疼痛，久则患肢肌肉枯瘦，神志正常。"枯"，《图考长编》讹为"枝"。

［6］**不仁死肌**　指肌肤麻木不仁如死。《素问·痹论》："皮肤不营，故不仁。"王冰注："不仁者，皮顽不知有无也。""肌"，傅本《新修》、罗本《新修》讹为"肥"。

［7］**去青黑痣、恶疾**　"青"，莫本无。"黑痣"，《诸病源候论·黑痣候》："面及体生黑点为黑痣，亦云黑子。""恶疾"，《纲目》、姜本、《本经疏证》《本草经解》《图考长编》作"蚀恶肉"，卢本、莫本、顾本作"恶肉"，《新修》《千金翼》《大观》《政和》作"恶疾"。"恶疾"即大风恶疾。按，梅实能腐蚀黑痣、恶肉，则本句中"恶疾"似为"恶肉"讹误。

［8］**汉中**　今陕西南郑。辑"汉中"为《本经》文，详苦菜注［9］。

［9］**川谷**　《本经疏证》作"山谷"。

238　蓼实[1]

味辛，温[2]。主明目[3]，温中[4]，耐风寒[5]，下水气，面目浮肿[6]，痈疡[7]。马蓼[8]：去肠中蛭虫[9]，轻身。生雷泽[10]川泽。（《新修》页272，刘《大观》卷18页2，柯《大观》卷18页1）

【校注】

[1] **蓼实** 《尔雅》《说文》、《医心方》卷30、《纲目》作“蓼”。傅本《新修》、罗本《新修》、刘《大观》、柯《大观》、人卫《政和》、《医心方》引《唐本草》目录、《吴普》、诸家《本经》辑本俱作“蓼实”。

[2] **味辛，温** 《纲目》作“气味辛，温，无毒”。

[3] **主明目** 玄《大观》注为《别录》文。

[4] **中** 其下，《千金方·食治》有“解肌”二字。

[5] **耐风寒** “耐”，《医心方》卷30作“能”。

[6] **面目浮肿** 金陵版《纲目》、江西版《纲目》、合肥版《纲目》作“面浮肿”，无“目”字。《千金方·食治》《千金翼》《新修》《大观》《政和》、诸家《本经》辑本俱作“面目浮肿”。玄《大观》、《大全》注“浮肿”为《别录》文。

[7] **痈疡** 《千金方·食治》作“却痈疽”。玄《大观》、《大全》注“痈疡”为《别录》文。

[8] **马蓼** 《纲目》单独立为一条，并注出典为“纲目”。其实，马蓼出自《本经》。

[9] **去肠中蛭虫** 以上五字，玄《大观》注为《别录》文，刘《大观》、柯《大观》、人卫《政和》俱作白字《本经》文。“肠”，傅本《新修》、罗本《新修》作“腹”，其他各本俱作“肠”。“蛭虫”，有水蛭、山蛭、石蛭。《诸病源候论·石蛭螫人候》：“石蛭著人，则穿啮肌皮，行人肉中，浸淫生疮。”

[10] **雷泽** 今河南濮阳。辑“雷泽”为《本经》文，详苦菜注[9]。

【按语】 本条以蓼实为正名。《蜀本草》云：“蓼有青蓼、香蓼、水蓼、马蓼、紫蓼、赤蓼、木蓼七种。”本条蓼实，不知为何种蓼的实。《本草衍义》云：“蓼实，即草部下品水蓼之子也。彼言水蓼是用茎，此言蓼实是用子。”

239 葱实[1]

味辛，温[2]。主明目[3]，补中不足[4]。其茎可作汤[5]，主伤寒，寒热[6]，出汗[7]，中风，面目肿[8]。

薤[9]，味辛，温[10]。主治金创，创败[11]，轻身，不饥，耐老，生鲁山[12]平泽。（《新修》页273，274；刘《大观》卷28页3，8；柯《大观》卷28页3，6）

【校注】

[1] **葱实** 《纲目》以“葱”为正名，并注出典为《别录》中品。“葱”，傅本《新修》、罗本《新修》、《本草和名》、《医心方》引《唐本草》目录、筠默本俱作“葱”，森本、王本作“蔥”。

[2] **味辛，温** 《纲目》、姜本作“味辛，大温，无毒”。姜本据《纲目》辑，故其性味同。“辛”，森本《本经·考异》云：“辛，《万安方》作‘辛平’”。

[3] **主明目** 《千金方·食治》作“明目”，无“主”字。

[4] **补中不足** 《千金方·食治》作“补不足”，无“中”字。《纲目》、姜本、卢本、莫本作

"补中气不足"，增"气"字。

[5] **其茎可作汤** 傅本《新修》、罗本《新修》作"其茎，葱白，平，中作治汤"。此文中"其茎"与"葱白平"，在《证类》中属两家文字，"其茎"属《本经》文，"葱白平"属《别录》文。"其茎可作汤"，《纲目》、姜本作"葱茎白作汤"，《千金方·食治》、莫本作"其茎白可作汤"。

[6] **热** 其后，《千金方·食治》有"骨肉碎痛"四字，《大观》《政和》注此四字为《别录》文。

[7] **出汗** 《千金方·食治》《纲目》《本草经解》、姜本作"能出汗"。"汗"，傅本《新修》、罗本《新修》讹作"汁"。

[8] **面目肿** 《千金方·食治》《纲目》、姜本作"面目浮肿"。

[9] **薤** 《尔雅》《说文》作"䪥"。"薤"，姜本作"薤白"。陶弘景注云："葱、薤异物，而今共条，《本经》即无韭，以其同类故也，今亦取为副品种数。"据此，本书将薤并在葱实条内。

[10] **味辛，温** 森本无此三字。人卫《政和》、商务《政和》、《本经疏证》注"温"为《别录》文。《大观》《大全》、孙本、顾本注"温"字为《本经》文。

[11] **金创，创败** 《证类》《纲目》《品汇》《本经疏证》《图考长编》、顾本、狩本作"金疮，疮败"。《新修》、孙本、森本作"金创，创败"。"败"字后，《千金方·食治》有"能生肌肉"四字。

[12] **鲁山** 今山东鲁山。辑"鲁山"为《本经》文，详苦菜注[9]。

240 大豆黄卷[1]

味甘，平[2]。主治湿痹[3]，筋挛[4]，膝痛。

生大豆[5]：涂痈肿[6]，煮饮汁[7]，杀鬼毒，止痛[8]。生太山[9]平泽。

赤小豆[10]：主下水[11]，排痈肿脓血[12]。(《新修》页292、页293，刘《大观》卷25页3、页4、页5，柯《大观》卷25页1、页3、页5)

【校注】

[1] **大豆黄卷** 《说文》："豢，豆属。"段注："此《本经》之大豆黄卷也。"《广雅》："大豆，尗；小豆，荅。"《尔雅》："戎叔、荏叔。"孙炎注："大豆也。""大豆黄卷"，《医心方》作"大豆及黄卷"。

[2] **味甘，平** 《吴普》引《本经》作"无毒"。此与陶氏作《集注》所据《本经》性味不同。说明吴普、陶氏所据《本经》不是同一种本子。

[3] **湿痹** 《千金方·食治》作"久风湿痹"。

[4] **筋挛** 筋脉痉挛拘急。

[5] **生大豆** 人卫《政和》作黑字《别录》文，刘《大观》、柯《大观》作白字《本经》文。《纲目》、姜本作"黑大豆，味甘，平，无毒。久服令人身重"。《吴普》作"生大豆，神农：生熟寒"。《大观》《政和》生大豆名下有"味甘平"三字，并作黑字《别录》文。

[6] **涂痈肿** 《千金方·食治》作"治一切毒肿"，《纲目》作"生研涂痈肿"。森本《本经·

考异》云："《万安方》作'涂痈疽'。"

［7］**煮饮汁**　《千金方·食治》作"煮汁冷服之"。《千金翼》、刘《大观》、柯《大观》、人卫《政和》、《品汇》《纲目》《本草经疏》、孙本、顾本作"煮汁饮"。傅本《新修》、罗本《新修》、《医心方》卷30、森本作"煮饮汁"。

［8］**杀鬼毒，止痛**　"鬼毒"，即鬼精蛊毒。"止痛"，傅本《新修》、罗本《新修》作"心痛"。

［9］**生太山**　"生"，傅本《新修》、罗本《新修》讹作"主"。"太山"，今山东泰山。辑"太山"为《本经》文，详苦菜注［9］。

［10］**赤小豆**　《广雅》："小豆，荅也。"董仲舒云："小豆，一名荅，有三四种。"王祯《农书》："今之赤豆、白豆、绿豆、豍豆，皆小豆也。"陶隐居注："大、小豆共条，犹如葱、薤义也。"据此，本条将赤小豆并在大豆条下。

［11］**主下水**　《千金方·食治》《纲目》作"下水肿"。

［12］**排痈肿脓血**　《千金方·食治》作"排脓血"，《御览》作"排痈肿血"，无"脓"字。

【按语】 陶氏《集注》共条药有四处，即粉锡与锡铜镜鼻，海蛤与文蛤，葱与薤，大豆与小豆。陶氏之所以要共条，是为了牵合《本经》365种药数。陶氏在文蛤下注："此既异类而同条，若别之则数多。"其义为：若不共条，则《本经》药数比365种数字要多了。这就提示，陶作《集注》所据《本经》载药不是365种。这个365种药数，可能是陶氏厘定的。

下品药　卷第四

241 青琅玕[1]

味辛，平。主治身痒，火疮[2]，痈伤[3]，疥瘙[4]，死肌[5]。一名石珠[6]。生蜀郡[7]平泽。(《新修》页67，刘《大观》卷5页26，柯《大观》卷5页22)

【校注】

[1] **青琅玕** 《说文》《尚书·禹贡》作“琅玕”。“琅”，傅本《新修》、罗本《新修》、《医心方》作“瑯”。

[2] **火疮** 即汤火灼伤成疮。“火”，《新修》原作“大”，据武本《新修》、《证类》改。“疮”，孙本、问本、黄本作“创”。

[3] **伤** 《纲目》、卢本、姜本、莫本作“疡”。

[4] **疥瘙** 疥疮瘙痒。

[5] **死肌** 指肌肤麻木不仁如死。

[6] **石珠** 金陵版《纲目》、合肥版《纲目》注为《别录》文。《御览》作“珠圭”。

[7] **蜀郡** 今四川成都。

242 肤青[1]

味辛，平[2]。主治蛊毒、毒蛇[3]、菜肉诸毒，恶疮[4]。生益州[5]川谷。(《新修》页57，刘《大观》卷4页44，柯《大观》卷4页39)

【校注】

[1] **肤青** 《纲目》作“录肤青”，且附在“白青”条下，并注全条为《别录》文。森本《本经·考异》云：“肤青，《御览》作卢精。”黄本注云：“按《御览》引作卢精。”《纲目》卷21草部有名未用类有卢精，注云：“《别录》曰味平，治虫毒，生益州。”《御览》卷991引《本经》曰：“卢

精治蛊毒，味辛，平，生益州。”据《纲目》所引，卢精是草类，非矿物的肤青。

[2] **平** 人卫《政和》作黑字《别录》文，刘《大观》、柯《大观》作白字《本经》文。孙本亦取“平”为《本经》文。

[3] **蛊毒、毒蛇** 《证类》《纲目》、孙本、黄本、问本、周本、顾本、《品汇》皆作“蛊毒及蛇”。傅本《新修》、罗本《新修》、森本作“蛊毒、毒蛇”。“蛊毒”，卢本作“虫毒”。

[4] **疮** 孙本、问本、黄本、周本作“创”。“疮”字后，人卫《政和》有“一名推青”，并作白字《本经》文，商务《政和》、成化《政和》、万历《政和》、柯《大观》、玄《大观》皆作黑字《别录》文。又孙本、问本、黄本、周本、顾本、森本皆不取“一名推青”为《本经》文。

[5] **益州** 今四川。辑“益州”为《本经》文，详苦菜注[9]。

243 礜石[1]

味辛，大热[2]。主治寒热[3]，鼠瘘[4]，蚀疮[5]，死肌[6]，风痹[7]，腹中坚[8]，邪气，除热[9]。一名青分石[10]，一名立制石，一名固羊石。生汉中[11]山谷。(《新修》页67，刘《大观》卷5页7，柯《大观》卷5页4)

【校注】

[1] **礜石** 《山海经》《说文》作“礜”，《淮南子·地形训》作“白礜”。《吴普》作“白礜石”。

[2] **味辛，大热** 《吴普》引《本经》作“辛，有毒”。此与陶氏作《集注》所据《本经》性味不同。说明吴普、陶氏所据《本经》不是同一种本子。“味”，傅本《新修》、罗本《新修》无。“大热”，《御览》无。

[3] **主治寒热** 《吴普》作“主温热”。

[4] **鼠瘘** 即瘰疬。见雄黄注[4]。

[5] **蚀疮** 金陵版《纲目》、合肥版《纲目》无“疮”字。“疮”，孙本、问本、周本、黄本皆作“创”。

[6] **死肌** 指肌肤麻木不仁如死。

[7] **风痹** 指风邪痹阻肢体经络。

[8] **坚** 其后，《千金翼》《纲目》、姜本、顾本有“癖”字。傅本《新修》、罗本《新修》、孙本、王本、曹本、筠默本无“癖”字。

[9] **邪气，除热** 柯《大观》、玄《大观》、《大全》、森本、狩本注为《本经》文。成化《政和》、万历《政和》、商务《政和》、人卫《政和》注为《别录》文。孙本、问本、黄本、周本不取此四字为《本经》文。《纲目》、顾本注“邪气”为《本经》文，注“除热”为《别录》文。又，“热”字后，《御览》有“气”字。

[10] **青分石** 金陵版《纲目》、合肥版《纲目》、黄本误作“青介石”。

[11] **汉中** 今陕西南郑。

244 代赭[1]

味苦，寒[2]。主治鬼疰[3]，贼风[4]，蛊毒[5]，杀精物恶鬼[6]，腹中毒[7]邪气，女子赤沃漏下[8]。一名须丸[9]。生齐国[10]山谷。(《新修》页71，刘《大观》卷5页18，柯《大观》卷5页15)

【校注】

[1] **代赭** 《大观》《政和》注："出代郡（今河北蔚县代王城）者名代赭。"《说文》《管子·地数篇》作"赭"。《纲目》《本经疏证》、姜本、蔡本、顾本作"代赭石"。《山海经》有"美赭"。

[2] **味苦，寒** 《本草经解》作"气寒，味苦，无毒"。"苦"字后，人卫《政和》有"甘"字，并作白字《本经》文，其他各本作黑字《别录》文。

[3] **鬼疰** 见蘼芜注［7］。

[4] **贼风** 能使人致病的风。《灵枢·贼风》："贼风邪气伤人，令人病焉。"

[5] **蛊毒** 见赤箭注［3］。

[6] **精物恶鬼** "精物"，传说山林野外害人的怪物；"恶鬼"，多指鬼疰传染病的病原，人得之必死，死后注易他人亦死，很凶恶。

[7] **腹中毒** 王本无"毒"字。

[8] **赤沃漏下** "赤沃"，即赤带，指妇人阴道流出色红似血非血的黏液。"漏下"，指妇女阴道慢性出血。

[9] **须丸** 《大观》《政和》注："代赭出姑幕（今山东诸城），名须丸。"

[10] **齐国** 今山东北部。辑"齐国"为《本经》文，详苦菜注［9］。

245 卤鹹[1]

味苦，寒[2]。主治大热，消渴[3]，狂烦，除邪及吐下[4]蛊毒[5]，柔肌肤[6]。生河东[7]盐池[8]。(《新修》页72，刘《大观》卷5页21，柯《大观》卷5页18)

【校注】

[1] **卤鹹** 《纲目》云："鹹音有二，音咸者，润下之味；音减者，盐土之名。"傅本《新修》、罗本《新修》、《千金翼》、《御览》卷988、刘《大观》、柯《大观》、人卫《政和》、森本作"卤鹹"；《本草和名》《医心方》作"卤醎"；《御览》卷865、《北堂书钞》、孙本、问本、黄本、周本作"卤盐"。孙本、森本将大盐、戎盐并入卤鹹条内。

[2] **味苦，寒** "苦"字后，人卫《政和》有"咸"字，作白字《本经》文，而《大观》、成化《政和》、商务《政和》、万历《政和》作黑字《别录》文。各种辑本《本经》皆不取"咸"字为《本经》文。

[3] **消渴** 见枸杞注[5]。

[4] **除邪及吐下** “邪”，《新修》原作“耶”，据武本《新修》、《证类》改。“吐”，傅本《新修》、武本《新修》、森本有此字，其他各本皆无此字。

[5] **蛊毒** 《北堂书钞》作“毒虫”。

[6] **柔肌肤** 《北堂书钞》作“长肌肤”。“肤”，其后，《御览》有“一名寒石”四字，傅本《新修》、罗本《新修》、刘《大观》、柯《大观》、人卫《政和》、《本草和名》、《千金翼》俱无此四字。《纲目》卤鹹条有“寒石”二字，注出《吴普》。

[7] **河东** 今山西。辑“河东”为《本经》文，详苦菜注[9]。

[8] **盐池** 傅本《新修》、罗本《新修》作“監池”。孙本、森本作“池泽”。

246 大盐[1]

令人吐[2]。生河东[3]池泽。

247 戎盐[4]

主明目，目痛[5]，益气，坚肌骨[6]，去毒虫[7]。生胡盐山[8]。（《新修》页73，刘《大观》卷5页20，柯《大观》卷5页17）

【校注】

[1] **大盐** 其下，《纲目》有“主治肠胃结热喘逆，胸中病”，并注为《本经》文；《大观》、人卫《政和》、成化《政和》、万历《政和》、商务《政和》皆作黑字《别录》文。姜本据《纲目》辑，取此文为《本经》文。其余各种《本经》辑本皆不取此文为《本经》文。

[2] **令人吐** 《北堂书钞》作“大盐，一名胡盐，令人吐也”。《御览》作“大盐，一名胡盐，令人吐，主肠胃结热”。此文与陶氏作《集注》所据《本经》不同。说明《北堂书钞》《御览》所据的《本经》与陶氏所据《本经》，不是同一种本子。

[3] **河东** 今山西。辑“河东”为《本经》文，详苦菜注[9]。

[4] **戎盐** 其下，《纲目》、姜本、王本有“味咸，寒，无毒”。姜本据《纲目》辑，故其性味同。

[5] **目痛** 《北堂书钞》作“去病”。

[6] **坚肌骨** 《御览》无此文。“坚”，傅本《新修》、罗本《新修》、狩本作“监”，《千金翼》、柯《大观》、成化《政和》、万历《政和》、商务《政和》、人卫《政和》、《纲目》、孙本、森本作“坚”，刘《大观》、玄《大观》、《大全》、《绍兴本草》作“紧”，《北堂书钞》作“牢”。牢、紧，都是避隋帝杨坚讳而改。

[7] **虫** 《证类》《纲目》、孙本、森本、顾本作“蛊”；傅本《新修》、罗本《新修》、《北堂书钞》《御览》作“虫”。应从《新修》为是。

[8] **胡盐山** 今甘肃秦岭山脉。辑“胡盐山”为《本经》文，详苦菜注[9]。

248 白垩[1]

味苦，温[2]。主治女子寒热[3]，癥瘕[4]，月闭[5]，积聚[6]，阴肿痛，漏下，无子[7]。生邯郸[8]山谷。（《新修》页75，刘《大观》卷5页24，柯《大观》卷5页21）

【校注】

[1] **白垩** 《说文》：“垩，白涂。”傅本《新修》、罗本《新修》、森本、筠默本、《长生疗养方》《本草和名》《医心方》作“白恶”。

[2] **味苦，温** 《纲目》作“味苦，温，无毒”。

[3] **寒热** 见牡蛎注[4]。

[4] **癥瘕** 指体内结块。结块不移动，痛有定处为癥；结块能移动，痛无定处为瘕。

[5] **月闭** 即经闭。“月”，孙本误作“目”。

[6] **积聚** 见曾青注[5]。

[7] **阴肿痛，漏下，无子** 《政和》《纲目》《品汇》注为《别录》文。卢本、孙本、顾本亦不取此文为《本经》文。刘《大观》、柯《大观》、《大全》、森本、狩本注为《本经》文。应从《大观》为是。

[8] **邯郸** 先秦地名，今河北邯郸西南地区。辑“邯郸”为《本经》文，详苦菜注[9]。

249 粉锡[1]

味辛，寒[2]。主治伏尸[3]，毒螫[4]，杀三虫[5]。一名解锡[6]。

锡镜鼻[7]主治女子血闭[8]癥瘕[9]，伏肠[10]，绝孕[11]。生桂阳[12]山谷。（《新修》页76，刘《大观》卷5页14，15；柯《大观》卷5页11，13）

【校注】

[1] **粉锡** 陶隐居注：“即今化铅所作胡粉也。”《纲目》云：“古人名铅为黑锡，故名粉锡。”又云：“胡粉，即铅之变黑为白也。”《周易参同契》：“胡粉投炭（火）中，色坏，还为铅。”今日认为粉锡即铅粉，是用铅制成碱式碳酸铅。

[2] **味辛，寒** 《纲目》作“气味辛，寒，无毒”。《拾遗》卷首正误，谓粉锡有毒。

[3] **伏尸** 见天门冬注[5]。

[4] **毒螫** 见蓝实注[5]。

[5] **三虫** 见白青注[6]。

[6] **解锡** 《御览》作“鲜锡”。

[7] **锡镜鼻** 傅本《新修》、罗本《新修》、武本《新修》作“锡镜铜鼻”。《千金翼》、刘《大观》、柯《大观》、《纲目》作“锡铜镜鼻”。孙本、问本、黄本、森本、狩本作“锡镜鼻”。

［8］**血闭** 即经闭。“血”，问本讹作“一皿”。

［9］**癥瘕** 傅本《新修》、罗本《新修》作“瘦”。

［10］**伏肠** 傅本《新修》、罗本《新修》作“伏腹”；《千金翼》、刘《大观》、柯《大观》、人卫《政和》、孙本、问本、黄本、森本作“伏肠”；《纲目》、姜本、莫本作“伏阳”。疑伏肠即传尸。《外台秘要》骨蒸方：“骨蒸病者，亦名传尸，亦谓掩殜，亦称伏连，亦曰无辜（小儿患之）。”

［11］**孕** 其下，顾本有双行小字注云：“《别录》云：此物与胡粉异类，而今共条，当以其非止成一药，故以附见锡品中也。”按，注中“《别录》”，实乃陶弘景《集注》之误。

［12］**桂阳** 今广东连州。辑“桂阳”为《本经》文，详苦菜注［9］。

【按语】 本条，陶弘景注云：“此物（指锡镜鼻）与胡粉（即粉锡）异类，而今共条，当以其非止成一药，附见锡品中也。”陶氏作《集注》，对《本经》药共条者有四起，即粉锡与锡镜鼻，葱与薤，海蛤与文蛤，大豆与小豆。陶氏之所以要共条，是为了牵合《本经》药365之数。陶氏在文蛤下注云：“此既异类而同条，若别之则数多。”其义为，若不共条，则《本经》实际药数比365要多。这就提示，陶氏作《集注》所据的《本经》，其实际药物数目，不是365种，要多出4种。这个365种药数，疑为陶氏厘定的。

250 石灰[1]

味辛，温[2]。主治疽疡[3]，疥瘙[4]，热气，恶疮[5]，癞疾，死肌。堕眉[6]，杀痔虫[7]，去黑子息肉[8]。一名恶灰[9]。生中山[10]川谷[11]。（《新修》页78，刘《大观》卷5页4，柯《大观》卷5页2）

【校注】

［1］**石灰** 金陵版《纲目》、江西版《纲目》、合肥版《纲目》，在石灰名下注为“本经中品”。《新修》《千金翼》、《大观》《政和》列在下品。

［2］**味辛，温** 《纲目》、姜本作“味辛，温，有毒”。姜本据《纲目》辑，故其性味同。

［3］**疽疡** “疽”，病名，见《灵枢·痈疽》，指疮面深而恶者。《诸病源候论·疽候》：“疽肿深厚，血肉腐坏，化而为脓，乃至伤骨烂筋。”“疡”，为有头小疮，只发生于体表，故又有外疡之称。

［4］**疥瘙** 疥疮瘙痒。“瘙”，孙本、问本、周本、黄本作“搔”。

［5］**恶疮** 见矾石注［8］。

［6］**癞疾，死肌。堕眉** “癞疾”，即麻风病。麻风病后期，可见肌肤麻木不仁，眉毛脱落。“癞疾”，《大全》、江西版《纲目》、合肥版《纲目》、姜本作“痫疾”。

［7］**杀痔虫** “杀”，傅本《新修》、罗本《新修》无。“痔虫”，古人认为痔疮为虫所食之病。《释名·释疾病》：“痔，食也，虫食之也。”《说文》：“痔，后病也。”颜师古注《急就篇》曰：“痔，虫食后之病也。”“虫”，《绍兴本草》作“蛊”。

[8] **黑子息肉** “黑子”，即黑痣。《诸病源候论·黑痣候》：“面及体生黑点为黑痣，亦云黑子。”“息肉”，腔孔内生的小肉块，如肠息肉、鼻息肉。

[9] **恶灰** 《纲目》、姜本、王本、莫本作“垩灰”；孙本、问本作“恶疢”。

[10] **中山** 今河北定州。辑“中山”为《本经》文，详苦菜注[9]。

[11] **川谷** 孙本、问本作“山谷”，《新修》《大观》《政和》作“川谷”。

251 冬灰[1]

味辛，微温[2]。主治黑子[3]，去疣[4]，息肉[5]，疽蚀[6]。疥瘙[7]，一名藜灰[8]。生方谷川泽。(《新修》页79，刘《大观》卷5页24，柯《大观》卷5页21)

【校注】

[1] **冬灰** 《本草衍义》：“冬灰则经三、四方彻炉灰。”陶隐居注：“即今浣衣黄灰。”《和名类聚钞》作“黄灰”。

[2] **味辛，微温** 《纲目》、姜本作“味辛，微温，有毒”。姜本据《纲目》辑，故其性味同。

[3] **黑子** 即黑痣。《纲目》、姜本作“去黑子”。

[4] **疣** 即瘊子。《灵枢·经脉》：“虚则生疣。”《释名·释疾病》：“疣，丘也。出皮肤上聚高如地之丘也。”初起如粟米，渐大如黄豆，突出皮面，蓬松枯槁，挤压亦痛，擦破易出血。

[5] **息肉** 见石灰注[8]。

[6] **疽蚀** 玄《大观》、《绍兴本草》作“疽蚀”。刘《大观》、柯《大观》、人卫《政和》、《千金翼》、傅本《新修》、罗本《新修》作“疸蚀”。

[7] **瘙** 孙本、问本、周本、黄本作“搔”。

[8] **藜灰** 陶隐居注：“烧诸蒿藜积聚炼作之。”“藜”，傅本《新修》、罗本《新修》作“蘗”。

252 大黄[1]

味苦，寒[2]。主下瘀血[3]，血闭[4]，寒热[5]，破癥瘕[6]，积聚[7]，留饮[8]，宿食[9]，荡涤肠胃[10]，推陈致新，通利水谷道[11]，调中化食[12]，安和五脏[13]。生河西[14]山谷。(刘《大观》卷10页18，柯《大观》卷10页15，人卫《政和》页246)

【校注】

[1] **大黄** 《纲目》大黄条释名下有“黄良”二字，并注为《本经》文，《证类》对此二字作黑字《别录》文。“黄”，其后，《大观》《政和》有“将军”二字。陶注：“将军之号，当取其骏快矣。”

[2] **味苦，寒** 《吴普》引《本经》作“苦，有毒”。此与陶氏作《集注》所据《本经》性味

不同。说明吴普、陶氏所据《本经》不是同一种本子。

[3] **主下瘀血** “主”，森本无，《御览》作“治”。“瘀血”，见菴蔺子注［3］。

[4] **血闭** 《御览》无“血”字；“闭”，《大全》误作“闲”。“血闭”，即经闭。

[5] **寒热** 大黄治寒热，以热证伴有大便不通为主。

[6] **癥瘕** 见太一禹馀粮注［3］。

[7] **积聚** 见曾青注［5］。

[8] **留饮** 即体内局部水液停留。其证因停留部位不同而异：饮留于背，则背寒；饮留于胸，则短气而喘；饮留于胁下，则痛引缺盆；饮留于经络，则四肢历节痛；饮留于脾则腹大身重；饮留于肾，则足胫肿。

[9] **宿食** 饮食过多，不能消化，噫气嗳腐为宿食。

[10] **荡涤肠胃** 清除肠胃食积，义即泻下。

[11] **水谷道** 指大小肠。“水”，《大全》误作“木”。《证类》原脱“道”字，据《御览》补。按甘遂条亦作“水谷道”。

[12] **调中化食** 《御览》无“化”字。

[13] **安和五脏** 《御览》作“安五脏”，无“和”字。

[14] **河西** 今陕西。辑“河西”为《本经》文，详苦菜注［9］。

253 当归[1]

味甘，温[2]。主治咳逆上气[3]，温疟[4]寒热洗洗[5]在皮肤中，妇人漏下绝子[6]，诸恶疮疡[7]，金创[8]，煮饮之[9]。一名干归。生陇西[10]川谷。（刘《大观》卷8页18，柯《大观》卷8页15，人卫《政和》页199）

【校注】

[1] **当归** 《尔雅》：“薜，山蕲。”《广雅》：“山蕲，当归。”“归”，《本草和名》《医心方》作“皈”，《万安方》作“帰”。“当归”，《新修》《证类》《纲目》《品汇》、孙本、森本、顾本列在中品。按张华《博物志》所云：“《神农经》曰：下药治病，谓大黄除实，当归止痛”，本书将当归列入下品。

[2] **味甘，温** 金陵版《纲目》、合肥版《纲目》作“味苦，温，无毒”。《吴普》引《本经》作“甘，无毒”。此与陶氏作《集注》所据《本经》性味不同，说明吴普、陶氏所据《本经》，不是同一种本子。

[3] **咳逆上气** 指反复咳嗽，引起肺气上逆，出现呼吸急迫喘闷感。“咳逆”，《御览》无“咳”字。

[4] **温疟** 见徐长卿注［6］。

[5] **洗洗** 《大观》《大全》、成化《政和》、万历《政和》、商务《政和》、孙本、问本、周本、黄本作“洗”。傅本《新修》、罗本《新修》、人卫《政和》、《纲目》、森本、顾本、《千金翼》作“洗洗”。“洗洗”，义同“洒洒”，恶寒貌。

[6] **漏下绝子** “漏下”，指妇女阴道慢性流血，淋漓不断。“绝子”，指妇女不能怀孕。

[7] **恶疮疡** 指疮疡久溃不敛。“疡”，《长生疗养方》无。

[8] **金创** 被刀、斧及金属器械所伤而成之疮，名金创。

[9] **煮饮之** “煮”字后，《纲目》《本草经解》、姜本有“汁”字。森本《本经·考异》云：“煮下，《弘决外典钞》有汁字。”

[10] **陇西** 今甘肃陇西、临洮。辑“陇西”为《本经》文。详苦菜注[9]。

254 蔓椒[1]

味苦，温[2]。主治风寒湿痹[3]，历节疼痛[4]，除四肢厥气[5]，膝痛[6]，一名豕椒[7]。生云中[8]川谷。（《新修》页159，刘《大观》卷14页55，柯《大观》卷14页45）

【校注】

[1] **蔓椒** 陶隐居注：“俗呼为樛，一名豨椒”。

[2] **温** 卢本、莫本作“平”。

[3] **风寒湿痹** 见菖蒲注[3]。“湿痹”，《图经衍义》误作“温痹”。

[4] **历节疼痛** 即关节疼痛。“痛”，《大观》《政和》《品汇》《纲目》、孙本无此字，傅本《新修》、罗本《新修》、森本有此字。

[5] **四肢厥气** 即手足逆冷。《诸病源候论·厥逆气候》：“厥者逆也，寒从背起，手足冷逆，阴（寒）盛故也”。

[6] **痛** 其后，《纲目》、姜本有“煎汤蒸浴，取汗”六字，并注为《本经》文。姜本据《纲目》辑，故其文同。

[7] **豕椒** 金陵版《纲目》、合肥版《纲目》注此文为《别录》文。“豕”，万历《政和》、孙本、问本、周本、黄本作“家”。

[8] **云中** 今内蒙古托克托。辑“云中”为《本经》文，详苦菜注[9]。

255 莽草[1]

味辛，温[2]。主治风头，痈肿，乳痈[3]，疝瘕[4]，除结气[5]，疥瘙[6]，虫疽疮[7]，杀虫鱼[8]。生上谷[9]山谷。（《新修》页155，刘《大观》卷14页22，柯《大观》卷14页18）

【校注】

[1] **莽草** 《尔雅》：“葞（mǐ米），春草”。郭璞注“本草云：一名芒草。”陶隐居注：“莽草字亦作岗（wǎng网）字，今俗呼为岗草。”且《集注》莽草条无“一名芒草”。郭璞与陶注所言异名

不同，说明郭氏所见《本经》，与陶氏作《集注》所见《本经》非同一种本子。

[2] **味辛，温** 《纲目》作“气味辛，温，有毒”。《吴普》引《本经》作“辛”。此与陶氏作《集注》所据《本经》性味不同。说明吴普、陶氏所据《本经》不是同一种本子。盖古代《本经》有多种本子。

[3] **风头，痈肿，乳痈** 《御览》作“风头痈乳”。“风头”，合肥版《纲目》、《图考长编》作“风毒”。“乳痈”，顾本作“乳肿”。“风头”，《诸病源候论·头面风候》：“头面风者，谓之首风，头面多汗恶风，病甚则头痛”。“痈肿”，见扁青注[4]。“乳痈”，即急性乳腺炎，可见乳房痈肿，焮红剧痛，寒热不退，蕴而成脓。

[4] **瘕瘕** 见房葵注[3]。

[5] **除结气** 《御览》无“除”字。“结气”，指气郁、郁结。《诸病源候论·结气候》：“结气病者，忧思所生，心有所存，神有所止，气留而不行，故结于内。”

[6] **疥瘙** 指疥疮瘙痒。

[7] **虫疽疮** 《证类》《纲目》《品汇》、孙本、顾本、《图考长编》皆无此三字。傅本《新修》、罗本《新修》、森本有此三字。《御览》无“虫”字。

[8] **杀虫鱼** 《御览》无此三字。孙本、问本、黄本无“杀”字。

[9] **上谷** 先秦地名，今河北怀来。辑“上谷”为《本经》文，详苦菜注[9]。

256 鼠李[1]

治寒热[2]，瘰疬疮[3]。（《新修》页157，刘《大观》卷14页41，柯《大观》卷14页35）

【校注】

[1] **鼠李** 《尔雅》《说文》作“楰，鼠梓”。《集注》视“鼠梓”为《别录》文。《纲目》、姜本、卢本“李”下有“味苦，凉，微毒”。姜本据《纲目》辑，故其性味同。“鼠李”，森本并在“郁核”条下。

[2] **寒热** 见牡蛎注[4]。

[3] **瘰疬疮** “瘰疬”，病名，见《灵枢·寒热》。生于颈项、腋、胯之间，串生如豆粟，推之不移，溃破脓汁稀薄，其中或夹有豆渣样物，此愈彼起成疮，久不收口。“疮”，孙本、问本、周本、黄本作“创”。

257 巴豆[1]

味辛，温[2]。主治伤寒，温疟，寒热[3]，破癥瘕，结坚积聚[4]，留饮[5]，淡澼[6]，大腹水胀[7]，荡练[8]五脏六腑[9]，开通[10]闭塞，利水谷道[11]，去恶肉[12]，除鬼蛊毒注邪物[13]，杀虫鱼[14]。一名巴椒[15]。生巴郡[16]川谷。（《新修》页152，刘《大观》卷14页3，柯《大观》卷14页1）

【校注】

[1] **巴豆** 《五十二病方》350行作“蜀叔”，《淮南子·说林训》、左思《蜀都赋》、《华阳国志》《广雅》作“巴菽”。《吴普本草》以“巴菽”为巴豆异名。

[2] **味辛，温** 《纲目》、姜本作“味辛，温，有毒”。《长生疗养方》作“味辛，温，有小毒”。《吴普》引《本经》作“辛，有毒”。此与陶氏作《集注》所据《本经》性味不同。说明吴普、陶氏所据《本经》不是同一种本子。盖古代《本经》不止一家。

[3] **伤寒，温疟，寒热** 《御览》作“温疟，伤寒热”。

[4] **癥瘕，结坚积聚** “癥”，《御览》作“癖”。“结坚积聚”，《证类》《纲目》《品汇》《图考长编》《本草经疏》《本经疏证》、孙本、顾本作“结聚坚积”，《御览》作“结坚”，傅本《新修》、罗本《新修》、森本作“癥瘕，结坚积聚”。从《新修》为正。

[5] **留饮** 见大黄注[8]。

[6] **淡澼** 《证类》《纲目》、顾本作“痰癖”，《新修》、森本作“淡澼”。“淡”为“痰”之通假字，“淡澼”即“痰癖”。《诸病源候论·痰癖候》：“癖者，谓僻侧在于两胁之间，有时而痛是也。其间为痰停聚，谓之痰癖。”

[7] **水胀** 金陵版《纲目》、合肥版《纲目》无此二字。“胀”，孙本、问本、黄本、周本作“张”。

[8] **荡练** 《千金翼》《图经衍义》《品汇》《本草经疏》作“荡涤”。

[9] **六腑** 《御览》作“通六腑”。

[10] **开通** 森本《本经·考异》引《香药钞》作“开导”。

[11] **水谷道** 指大肠、小肠。小肠泌别清浊，清者输布体内，浊者下注于大肠，故大小肠为水谷的通道。

[12] **恶肉** 指疣赘、瘢痕、疙瘩。《肘后方》：“恶肉者，身中忽有肉，如赤小豆粒突出，便长如牛马乳，亦如鸡冠状。”“肉”，玄《大观》误作“内”。

[13] **鬼蛊毒注邪物** 《御览》作“鬼毒邪注”。《证类》《纲目》《品汇》《图考长编》《本草经疏》《本经疏证》作“鬼毒蛊疰邪物”。傅本《新修》、罗本《新修》、森本作“鬼蛊毒注邪物”。

[14] **鱼** 《图考长编》《御览》无此字。

[15] **巴椒** 《新修》《大观》《政和》《本草和名》作“巴椒”，《纲目》《御览》作“巴菽”。《纲目》注：“宋本草一名巴椒，乃菽字传讹也。”《本草和名》森氏眉注：“巴豆原名巴菽，后人叔从木曰椒，故名巴椒，遂与蜀椒字混同。”

[16] **巴郡** 今四川。辑“巴郡”为《本经》文，详苦菜注[9]。

258 甘遂[1]

味苦，寒[2]。主治大腹疝瘕[3]，腹满[4]，面目浮肿，留饮[5]宿食[6]，破癥坚积聚[7]，利水谷道[8]。一名主田[9]。生中山[10]川谷。（敦煌本《新修》刘《大观》卷10页39，柯《大观》卷10页33）

【校注】

[1] **甘遂** 《广雅》："陵泽，甘遂也。"《大观》《政和》注"陵泽"为《别录》文。

[2] **味苦，寒** 《纲目》作"气味苦，寒，有毒"。《吴普》引《本经》作"苦，有毒"。此与陶氏作《集注》所据《本经》性味不同。说明吴普、陶氏所据《本经》不是同一种本子。

[3] **疝瘕** 见房葵注[3]。

[4] **腹满** 《御览》作"胀满"。《本草经疏》作"腹痛"。

[5] **留饮** 《御览》作"除留饮"。"留饮"，见大黄注[8]。

[6] **宿食** 饮食过多，不能消化，嗳气酸腐者为宿食。

[7] **癥坚积聚** 见曾青注[4][5]。

[8] **水谷道** 见大黄注[11]。

[9] **一名主田** 金陵版《纲目》、合肥版《纲目》注为《别录》文。

[10] **中山** 西汉时地名，今河北定州。辑"中山"为《本经》文，详苦菜注[9]。

259 葶苈[1]

味辛、苦，寒[2]。治癥瘕积聚[3]，结气[4]，饮食寒热，破坚逐邪[5]，通利水道[6]。一名大室，一名大适。生藁城[7]平泽。（敦煌本《新修》，刘《大观》卷10页22，柯《大观》卷10页18）

【校注】

[1] **葶苈** 《五十二病方》341行作"亭磿"，《尔雅》《说文》作"蕇"，《广雅》作"狗荠"，《淮南子·天文训·缪称训》《后汉书·华佗传》《西京杂记》、敦煌本《集注·七情药例》、《本草和名》《医心方》、森本、孙本、问本、黄本、周本作"亭历"，《本草经解》作"葶苈子"，《和名类聚抄》作"亭历子"。

[2] **味辛、苦，寒** 《纲目》作"气味辛，寒，无毒。"《本草经解》作"气寒，味辛，无毒"。"苦"，敦煌卷子本《新修》作朱书《本经》文，其他各本皆注为《别录》文。

[3] **癥瘕积聚** "癥瘕"，见太一禹馀粮注[3]。"积聚"，见曾青注[5]。

[4] **结气** 即气郁、郁结。《诸病源候论·结气候》："结气病者，忧思所生，心有所存，神有所止，气留而不行，故结于内。"

[5] **邪** 敦煌本《新修》作"耶"，其他各本作"邪"。

[6] **水道** 指小肠。小肠泌别清浊，清者输布体内，浊者下注于大肠。

[7] **藁城** 西汉时地名，今河北石家庄以东。辑"藁城"为《本经》文，详苦菜注[9]。

260 大戟[1]

味苦，寒[2]。主治蛊毒[3]，十二水[4]，腹[5]满急痛，积聚[6]，中风[7]，皮肤疼痛，吐逆。一名邛钜[8]。生常山[9]。（敦煌本《新修》，刘《大观》卷10页46，柯

《大观》卷10页39)

【校注】

［1］**大戟**　《经典释文》作“大戟”，王本作“大蕺”。

［2］**味苦，寒**　《纲目》作“气味苦，寒，有小毒”。

［3］**蛊毒**　见赤箭注［3］。

［4］**十二水**　按莞花条文例，应作“下十二水”。古代对水病的分类名目繁多。《诸病源候论·二十四水候》：“夫水之病，方家立名不同，有二十四水，或十八水，或十二水，或五水，不的显名证。”《诸病源候论·十水候》：“又有十水者，青水、赤水、黄水、白水、黑水、悬水、风水、石水、暴水、气水。”《诸病源候论·水肿病》又分风水、皮水、毛水、石水、疸水、水瘕、水瘦、水癖、水蛊、水分、燥水、湿水十二种。不知《本经》十二水具体指什么。

［5］**腹**　《大观》《大全》《本草经疏》、黄本、孙本、狩本作“肿”；人卫《政和》、《纲目》、森本、顾本作“腹”。

［6］**积聚**　见曾青注［5］。

［7］**中风**　见云母注［3］。

［8］**一名邛钜**　《纲目》注为《尔雅》文。“邛”，《尔雅释文》、森本、莫本作“印”。

［9］**常山**　今河北元氏县。《汉书·地理志·常山郡》张晏注：“恒山在西汉，避文帝（刘恒）讳，故改曰常山”。辑“常山”为《本经》文。详苦菜注［9］。

261　泽漆[1]

味苦，微寒[2]。主治皮肤热，大腹水气[3]，四肢、面、目浮肿[4]，丈夫阴气不足[5]。生太山[6]川泽。(敦煌本《新修》，刘《大观》卷10页47，柯《大观》卷10页40)

【校注】

［1］**泽漆**　敦煌本《新修》、敦煌本《集注·七情药例》、《本草和名》《医心方》作“泽柒”。金陵版《纲目》、合肥版《纲目》、姜本有“漆茎”二字，注为《本经》文。姜本据《纲目》辑，故其文同。

［2］**味苦，微寒**　其后，敦煌本《新修》有“无毒”二字，且“无”作朱书，“毒”作墨书。《纲目》作“气味，苦，寒，无毒”。

［3］**大腹水气**　《诸病源候论·大腹水肿候》：“水气流溢肠外，乃腹大而肿，四肢小，阴下湿，腰痛，上气咳嗽烦疼，故云大腹水肿。”

［4］**四肢、面、目浮肿**　《诸病源候论·皮水候》：“水溢于皮肤，身体面目悉肿，按之没指，腹如故，不满，不渴，四肢重，不恶风是也。”

［5］**丈夫阴气不足**　指男子肾精、肾阴亏。

［6］**太山**　今山东泰山。辑“太山”为《本经》文，详苦菜注［9］。

262 芫华[1]

味辛，温[2]。主治咳逆上气[3]，喉鸣喘[4]，咽肿[5]，短气[6]，蛊毒[7]，鬼疟[8]，疝瘕[9]，痈肿[10]，杀虫鱼[11]。一名去水[12]。生淮源[13]川谷。（刘《大观》卷14页61，柯《大观》卷14页51，敦煌本《新修》）

【校注】

[1] **芫华** 《说文》作“芫”，《尔雅》作“杬”，敦煌本《集注·七情药例》、《大观》《政和》《纲目》《图考长编》、顾本、莫本、王本作“芫花”，《千金方·七情药例》《御览》《万安方》、孙本、问本、黄本、森本、筠默本、敦煌本《新修》、《本草和名》《医心方》作“芫华”。

[2] **味辛，温** 《纲目》作“气味辛温，有小毒”。《吴普》引《本经》作“有毒”。此与陶氏作《集注》所据《本经》性味不同。说明吴普、陶氏所据《本经》不是同一种本子。

[3] **咳逆上气** 见太一禹馀粮注[2]。

[4] **喉鸣喘** 此三字承上文。由于反复咳嗽，引起肺气上逆而喘促，夹痰则喉鸣。“喘”，敦煌本《新修》无此字。

[5] **咽肿** 《绍兴本草》无“肿”字。

[6] **短气** 卢本、森本、莫本作“气短”。

[7] **蛊毒** 《品汇》、金陵版《纲目》、合肥版《纲目》作“虫毒”。敦煌本《新修》、《千金翼》、刘《大观》、柯《大观》、人卫《政和》作“蛊毒”。

[8] **鬼疟** 《诸病源候论·疟病诸候》有痎疟、间日疟、温疟、风疟、寒疟、瘴疟、山瘴疟、痰实疟、劳疟、久疟、发作无时疟，唯独无“鬼疟”。疑“鬼疟”为“鬼疰”之讹。

[9] **疝瘕** 见藁本注[3]。

[10] **痈肿** 见扁青注[4]。

[11] **杀虫鱼** “杀”，敦煌本《新修》作“煞”。“鱼”，《御览》无此字。

[12] **一名去水** 《本草和名》、王本无此文。

[13] **淮源** 今河南信阳。辑“淮源”为《本经》文，详苦菜注[9]。

263 荛华[1]

味苦，寒[2]。主治伤寒[3]，温疟[4]，下十二水[5]，破积聚[6]，大坚，癥瘕[7]，荡涤肠胃中[8]留癖[9]，饮食寒热邪气[10]，利水道[11]。生咸阳[12]川谷。（敦煌本《新修》，刘《大观》卷10页50，柯《大观》卷10页42）

【校注】

[1] **荛华** 《本草和名》《医心方》、刘《大观》、柯《大观》、人卫《政和》、《纲目》、孙本、

问本、黄本作“芫花”。敦煌本《新修》、森本、曹本、筠默本作“芫华”。

[2] **味苦，寒**　《纲目》作“气味苦，寒，有毒”。“苦”，《图经衍义》误作“若”。“苦”字后，孙本有“平”字。

[3] **伤寒**　见牡蛎注[3]。

[4] **温疟**　见麝香注[5]。

[5] **十二水**　古代对水病的分类名目繁多。《诸病源候论·二十四水候》：“夫水之病，方家立名不同，有二十四水，或十八水，或十二水，或五水，不的显名证。”《诸病源候论·十水候》：“又有十水者，青水、赤水、黄水、白水、黑水、悬水、风水、石水、暴水、气水。”《诸病源候论·水肿病》又分风水、皮水、毛水、石水、疸水、水癥、水瘕、水癖、水蛊、水分、燥水、湿水十二种。不知《本经》十二水具体指什么。

[6] **积聚**　见曾青注[5]。

[7] **癥瘕**　见太一禹馀粮注[3]。

[8] **荡涤肠胃中**　“荡涤”，即清除。“肠胃中”，金陵版《纲目》、江西版《纲目》作“肠中”，无“胃”字；合肥版《纲目》、姜本、莫本作“胸中”。由此可见，姜本、莫本是据合肥版《纲目》辑的。

[9] **留癖**　《诸病源候论·癖候》：“水饮积聚成癖。癖者，谓僻侧在于两胁之间，有时而痛是也。”“留癖”，即水饮停留于两胁之间。

[10] **邪气**　敦煌本《新修》作“耶气”。唐代《新修》抄本，“邪”均写成“耶”。

[11] **水道**　指小肠。小肠泌别清浊，清者输于体内，转入膀胱；浊者下注于大肠。

[12] **咸阳**　今陕西咸阳东。辑“咸阳”为《本经》文，详苦菜注[9]。

264　旋覆花[1]

味咸，温[2]。主治结气[3]，胁下满，惊悸[4]，除水，去五脏[5]间寒热[6]，补中[7]下气[8]。一名金沸草，一名盛椹[9]。生平泽。（敦煌本《新修》，刘《大观》卷10页30，柯《大观》卷10页25）

【校注】

[1] **旋覆花**　《尔雅》《说文》作“葍，盗庚”；《说文系传》《尔雅疏》作“旋葍”；敦煌本《新修》作“旋復华”；森本、筠默本作“旋覆华”；《大观》《政和》《纲目》作“旋覆花”；《本草和名》《医心方》《御览》、顾本作“旋復花”。从《政和》为正。

[2] **味咸，温**　《纲目》作“气味咸温，有小毒”。“咸”，敦煌本《新修》作“醎”，《大观》《政和》、孙本作“鹹”。

[3] **结气**　《本草经解》作“积气”。

[4] **惊悸**　由惊骇引起心跳心慌为惊悸。敦煌本《新修》无“惊”字。

[5] **去五脏**　敦煌本《新修》作“脏”，无“去五”二字。《千金翼》作“去脏”，无“五”字。

[6] **寒热** 见牡蛎注[4]。

[7] **补中** 即补五脏。

[8] **下气** 即降气，是治疗气上逆诸证，如喘促，咳逆，呃逆等之方法。

[9] **一名蛊榿** 《纲目》、姜本无此文。姜本据《纲目》辑，故其文之有、无相同。

265 钩吻[1]

味辛，温[2]。主治金创[3]，乳痓[4]，中恶风[5]，咳逆上气，水肿，杀鬼注蛊毒[6]。一名野葛[7]。生傅高山谷。(敦煌本《新修》，刘《大观》卷10页33，柯《大观》卷10页27)

【校注】

[1] **钩吻** 《淮南子·说林训》："蝮蛇螫人，傅以和堇则愈。"高诱注："和堇，野葛，毒药。"《广雅》："莨，钩吻。"敦煌本《新修》作"钓吻"，《吴普》作"秦钩吻"。

[2] **味辛，温** 《纲目》作"气味辛，温，大有毒"；姜本作"辛，温，有毒"；《吴普》引《本经》作"有毒，杀人"。《吴普》所引与陶氏作《集注》所据《本经》性味不同。说明吴普、陶氏所据《本经》不是同一种本子。

[3] **创** 《大观》《政和》《纲目》、森本作"疮"，敦煌本《新修》、孙本、问本、黄本、王本作"创"。

[4] **乳痓** 森本作"乳痉"，敦煌本《新修》、《大观》、《政和》、孙本作"乳痓"。"乳痓"，指妇女妊娠或生产时发作风痉。"乳"，分产乳与字乳。产乳，《说文》："人及鸟生子曰乳。"字乳，《一切经音义》引《苍颉篇》："乳，字也。"《易屯》："女子贞不字。"虞注："字，妊娠也。"本条"乳痓"，义同子痫，症见突然仆倒，昏不识人，四肢抽搐，少时自醒，醒后复发，或痰涎壅盛，喉中痰鸣，目吊口噤。

[5] **中恶风** 敦煌本《新修》缺"中"字。"恶风"，病邪名，见《素问·脉要精微论》，指风邪之中人凶恶者。

[6] **咳逆上气，水肿，杀鬼注蛊毒** 敦煌本《新修》无此文。"鬼注蛊毒"，《御览》作"蛊毒鬼注"。"水肿"，病证名，见《素问·水热穴论》，指体内水湿停留，面目、四肢、胸腹甚至全身浮肿的病证。

[7] **野葛** 非葛根之野生者。《御览》《医心方》作"冶葛"。《唐本草》注："桂州以南村墟人谓苗名钩吻，根名野葛。"《梦溪·补笔谈》："闽人呼为吻莽，亦谓之野葛，俗谓之断肠草，至毒之物，不入药用。恐本草所出，别是一物，非此钩吻也。"

266 蚤休[1]

味苦，微寒[2]。主治惊痫[3]，摇头弄舌[4]，热气在腹中，癫疾，痈疮，阴蚀，下三虫，去蛇毒[5]。一名蚩休[6]。生山阳[7]川谷。(刘《大观》卷11页59，柯

《大观》卷 11 页 46，人卫《政和》页 279）

【校注】

[1] **蚤休** 《本草和名》《医心方》作“蚤休”。《昆虫草木略》：“蚤休曰蚩休，曰重楼金钱，曰重台，曰草甘遂。今人谓之紫河车。”

[2] **味苦，微寒** 《纲目》作“气味苦，微寒，有毒”。

[3] **惊痫** 多指小儿发热抽风。症见小儿身热，目上视，身强直，手足拳，发搐。

[4] **摇头弄舌** 多见于小儿热盛重症。症见头左右动，舌时伸于口外，旋伸旋缩，左右吐弄，或舌舐唇上下及口角左右。

[5] **癫疾……去蛇毒** 金陵版《纲目》、江西版《纲目》、合肥版《纲目》、《草木典》注为《别录》文。“疮”，孙本、问本、周本、黄本作“创”。“阴”，江西版《纲目》作“除”。“痈疮”，疮面浅而大为痈，临证有肿胀、焮热发红，疼痛，成脓等症。

[6] **蚩休** 金陵版《纲目》、江西版《纲目》、合肥版《纲目》注为《别录》文。“蚩”，《本草和名》、森本作“螫”。

[7] **山阳** 今河南焦作。辑“山阳”为《本经》文，详苦菜注［9］。

267 石长生[1]

味咸，微寒[2]。主治寒热恶疮[3]，大热[4]，辟鬼气不祥[5]。一名丹草[6]。生咸阳[7]山谷。（刘《大观》卷 11 页 59，柯《大观》卷 11 页 47，人卫《政和》页 280）

【校注】

[1] **石长生** 宋祁《益部方物略记》作“长生草”。《纲目》云：“四时不凋，故曰长生”。

[2] **味咸，微寒** 《纲目》作“气味咸，微寒，有毒”。《吴普》引《本经》作“苦”。此与陶氏作《集注》所据《本经》性味不同。说明吴普、陶氏所据《本经》，不是同一种本子。盖古代《本经》不止一个本子。

[3] **恶疮** 见矾石注［8］。“疮”，孙本、黄本、问本、周本作“创”。

[4] **大热** 《御览》、孙本作“火热”。

[5] **辟鬼气不祥** 《御览》作“辟恶气不祥鬼毒”。

[6] **丹草** 《御览》作“丹沙草”。

[7] **咸阳** 今陕西咸阳。辑“咸阳”为《本经》文，详苦菜注［9］。

268 狼毒[1]

味辛，平[2]。主治咳逆上气[3]，破积聚[4]饮食，寒热水气[5]，恶疮[6]，鼠瘘[7]，疽蚀[8]，鬼精[9]，蛊毒[10]，杀飞鸟走兽。一名续毒[11]。生秦亭[12]山

谷。（刘《大观》卷11页22，柯《大观》卷11页16，人卫《政和》页268）

【校注】

[1] **狼毒** 《山海经·中山经》作“薞”。

[2] **味辛，平** 《纲目》作“气味辛，平，有大毒”。

[3] **咳逆上气** 见太一禹馀粮注[2]。

[4] **积聚** 见曾青注[5]。

[5] **水气** 指水肿。《素问·评热病论》：“诸有水气者，微肿先见于目下也”。

[6] **疮** 孙本、黄本、问本、周本作“创”。

[7] **鼠瘘** 见雄黄注[4]。

[8] **疸蚀** 成化《政和》、万历《政和》、商务《政和》、《大全》作“疸蚀”。

[9] **鬼精** 见赤箭注[2]。

[10] **蛊毒** 柯《大观》、《图经衍义》作“虫毒”。

[11] **一名续毒** 《纲目》无此文。“续”，《图考长编》作“绩”。

[12] **秦亭** 今甘肃清水东北处。辑“秦亭”为《本经》文，详苦菜注[9]。

269 鬼臼[1]

味辛，温[2]。杀蛊毒[3]，鬼疰[4]，精物[5]，辟恶气不祥[6]，逐邪[7]，解百毒[8]。一名爵犀[9]，一名马目毒公，一名九臼[10]。生九真[11]山谷。（刘《大观》卷11页32，柯《大观》卷11页25，人卫《政和》页271）

【校注】

[1] **鬼臼** 《昆虫草木略》：“鬼臼叶如小荷，年长一茎，茎枯，则根为一臼。亦名八角盘，以其叶似之。”

[2] **味辛，温** 《纲目》作“气味辛，温，有毒”。“温”，其后，柯《大观》、玄《大观》、《大全》、卢本、狩本有“微温”。其他各本注“微温”二字为《别录》文。又，莫本作“微寒”。

[3] **蛊毒** 江西版《纲目》作“虫毒”。

[4] **鬼疰** 见蘼芜注[7]。

[5] **精物** 见赤箭注[2]。

[6] **不祥** 成化《政和》、商务《政和》、万历《政和》误作“不详”。

[7] **邪** 泛指各种致病因素及其病理损害。邪与正是相对而言的。《素问·评热病论》：“邪之所凑，其气必虚”。

[8] **百毒** 指各种毒。

[9] **爵犀** 卢本倒置。

[10] **九臼** 《唐本注》：“年长一茎，茎枯则为一臼。假令生来二十年，则有二十臼，岂为九

臼耶？”

[11] **九真** 今越南顺化以北。辑“九真”为《本经》文，详苦菜注[9]。

270 萹蓄[1]

味苦[2]，平。主治浸淫[3]，疥瘙[4]，疽[5]，痔[6]，杀三虫[7]。生东莱[8]山谷。（刘《大观》卷11页21，柯《大观》卷11页15，人卫《政和》页268）

【校注】

[1] **萹蓄** 《毛诗·传》：“竹，萹竹也。”《尔雅》：“竹，萹蓄。”《说文》：“萹，萹茿也。”陶隐居注、《御览》作“扁竹”。《御览》引《本经》正名作“萹萹”。

[2] **苦** 孙本、问本、黄本、周本作“辛”。

[3] **浸淫** 即浸淫疮，相当于急性湿疹，及传染性湿疹样皮炎。《诸病源候论·浸淫疮候》：“初生甚小，先痒后痛成疮，汁出浸渍肌肤，浸淫渐阔乃遍体，以其渐渐增长，因名浸淫也。”

[4] **疥瘙** 疥疮瘙痒。“瘙”，孙本、问本、周本、黄本作“搔”。

[5] **疽** 指深脓疡。《诸病源候论·疽候》：“疽肿深厚，血肉腐坏，化而为脓，乃致伤骨烂筋。”

[6] **痔** 见五石脂注[8]。

[7] **三虫** 见白青注[6]。“虫”，其下，《御览》有“一名萹竹”四字，《大观》《政和》无此四字。以上说明《御览》所引《本经》，与陶隐居作《集注》所引《本经》，不是同一种本子。在古代，《本经》有多种本子，陶氏将之称为“诸经”。

[8] **东莱** 今山东莱州。辑“东莱”为《本经》文，详苦菜注[9]。

271 商陆[1]

味辛，平[2]。主治水胀[3]，疝瘕[4]，痹[5]，熨除痈肿[6]，杀鬼精物[7]。一名葛根[8]，一名夜呼。生咸阳[9]川谷[10]。（刘《大观》卷11页6，柯《大观》卷11页3，人卫《政和》页263）

【校注】

[1] **商陆** 《周易》作“苋陆”（郑玄注：商陆）。《尔雅》：“蓫薚，马尾。”郭璞注：“关西呼为薚，江东呼为当陆。”《广雅》：“马尾，蔏陆。”《万安方》作“蔏陆”。《纲目》云：“此物能逐荡水气，故曰蓫薚；或云多当陆路而生，故曰当陆。”《五十二病方》274行作“商”。

[2] **味辛，平** 《图考长编》作“味辛”，无“平”字。《纲目》作“气味辛，平，有毒”。

[3] **水胀** 病证名。《灵枢·五癃津别》：“水溢则为水胀。”《千金方·水胀第四》：“水胀，胀而四肢面目俱肿。”“胀”，《纲目》、卢本、姜本、莫本、《图考长编》作“肿”，孙本、问本、周本、黄本作“张”，《证类》、森本、顾本作“胀”。

[4] **疝瘕** 见藁本注[3]。

[5] **痹** 义为闭阻不通。《素问·痹论》谓痹为邪气闭阻肢体、经络、脏腑所引起多种病证。后世所讲的痹，专指风、寒、湿邪侵袭肢体、经络，导致肢节疼痛、麻木、屈伸不利的病证，不包括脏腑诸痹证。

[6] **熨除痈肿** “熨”即熨斗，可通过加热温熨患处，引伸义为热敷。《灵枢·寿夭刚柔》记用棉絮渍药酒加温熨患处。“痈肿”，见扁青注[4]。

[7] **鬼精物** 见赤箭注[2]。

[8] **蕩根** “蕩”，《说文》作“蕩”。《广韵》：“蕩音汤，与蓫同。”“蕩根”，刘《大观》、玄《大观》、人卫《政和》、《千金翼》《本草和名》、筠默本作“蕩根”，《图考长编》、孙本、森本、顾本、王本、莫本、曹本作“蕩根”，柯《大观》作“荡根”，邢昺《尔雅疏》作“蓫根”，卢本作“蔼根”。《纲目》、姜本无“蕩根”二字。

[9] **咸阳** 今陕西咸阳。辑“咸阳”为《本经》文，详苦菜注[9]。

[10] **川谷** 《图考长编》作“山谷”。

272 女青[1]

味辛，平[2]。主治蛊毒[3]，逐邪恶气[4]，杀鬼[5]，温疟，辟不祥[6]。一名雀瓢[7]。生朱崖[8]。（刘《大观》卷11页37，柯《大柯》卷11页30，人卫《政和》页273）

【校注】

[1] **女青** 《纲目》云：“女青有二：一是藤生似萝摩者；一种草生，则蛇衔根也。”

[2] **味辛，平** 《纲目》作“气味辛，平，有毒”，《吴普》引《本经》作“辛”。“平”字后，《御览》、森本有“生山谷”三字，刘《大观》、柯《大观》、人卫《政和》、《千金翼》无此三字。

[3] **蛊毒** 见赤箭注[3]。

[4] **邪恶气** 《御览》无“恶气”二字。

[5] **杀鬼** 指杀鬼疰。“鬼疰”，见蘼芜注[7]。

[6] **温疟，辟不祥** 《御览》无此文。“祥”，成化《政和》、万历《政和》、商务《政和》作“详”。

[7] **雀瓢** 《御览》作“雀翾”。《唐本草》注：“此草，子似瓢形，大如枣许，故名雀瓢。”

[8] **朱崖** 西汉置，今海南琼山。辑“朱崖”为《本经》文，详苦菜注[9]。

273 天雄[1]

味辛，温[2]。主治大风[3]，寒湿痹[4]，历节痛[5]，拘挛缓急[6]，破积聚[7]，邪气[8]，金创[9]，强筋骨[10]，轻身，健行。一名白幕[11]。生少室[12]山谷。（敦煌本《新修》，刘《大观》卷10页10，柯《大观》卷10页8）

【校注】

[1] **天雄** 陈承《别说》云："天雄者，始种乌头而不生诸附子，侧子之类，经年独生，长而大者是也。蜀人种之忌生此。"

[2] **味辛，温** 《纲目》作"气味辛，温，有大毒"。

[3] **大风** 见防风注［3］。

[4] **寒湿痹** 由寒邪、湿邪闭阻肢节、经络，引起关节疼痛，肢体麻木，屈伸不利等病证，为寒湿痹。

[5] **历节痛** 敦煌本《新修》无"历"字，《千金翼》《证类》《纲目》、孙本有"历"字。"历节痛"，即痛风，症见关节肿痛，游走不定，痛势剧烈，日轻夜重，关节屈伸不利。

[6] **拘挛缓急** 指肢体筋肉牵引拘急，或自觉紧缩感，不能伸展自如，以致影响活动。《素问·缪刺论》谓拘挛多因血亏，风寒湿热侵袭，以及瘀血留滞所致。

[7] **积聚** 见曾青注［5］。

[8] **邪气** 指各种致病因素及其病理损害。

[9] **金创** 即金疮。"创"，《证类》《纲目》、森本、顾本《图考长编》作"疮"。

[10] **强筋骨** 柯《大观》作"强节骨"。刘《大观》、人卫《政和》、敦煌本《新修》、《千金翼》、问本、孙本、森本、顾本作"强筋骨"。卢本作"强骨节"。"筋"，敦煌本《新修》作"葝"。

[11] **白幕** 敦煌本《新修》、《御览》作"白幂"，《药种钞》作"白暮"。

[12] **少室** 今河南登封以西。辑"少室"为《本经》文，详苦菜注［9］。

274 乌头[1]

味辛，温[2]。主治中风，恶风洗洗[3]，出汗[4]，除寒湿痹[5]，咳逆上气[6]，破积聚[7]，寒热[8]。其汁：煎之名射罔，杀禽兽[9]。一名奚毒[10]，一名即子[11]，一名乌喙[12]。生朗陵[13]川谷[14]。（敦煌本《新修》，刘《大观》卷10页8，柯《大观》卷10页6）

【校注】

[1] **乌头** 《尔雅》《说文》作"芨，堇草"。郭璞注《尔雅》："乌头苗也，江东呼为堇。"《国语·晋语》："晋骊姬谮申生，置堇于肉。"贾逵注："堇，乌头也。"《五十二病方》164行，治痒用毒堇。并云："毒堇，叶异小，赤茎，叶从（纵）纗者，实味苦。"

[2] **味辛，温** 《纲目》作"气味辛，温，有大毒"。《吴普》引《本经》作"甘，有毒"。《吴普》所引与陶氏作《集注》所据《本经》性味不同。说明吴普、陶氏所据《本经》不是同一种本子。

[3] **中风，恶风洗洗** 敦煌本《新修》作"中恶风洗洗"。玄《大观》、《大全》、狩本作"中风，恶风洗洗"，《御览》作"风中恶洗"，《香药钞》作"中风恶风洗"。按，本条"中风恶风洗洗"，是中风后出现恶风（即怕风），洗洗（怕冷）等症状。

[4] **汗** 森本《本经·考异》云："汗，《香药钞》作汁。"

[5] **寒湿痹** 敦煌本《新修》、《御览》作"寒温"。

［6］**咳逆上气**　指咳嗽气逆而喘。

［7］**积聚**　见曾青注［5］。

［8］**寒热**　见牡蛎注［4］。

［9］**其汁：煎之名射罔，杀禽兽**　陶隐居注："以八月采，捣笮茎取汁，日煎为射罔，猎人以傅箭，射禽兽。"

［10］**一名奚毒**　《淮南子·主术训》："莫凶于鸡毒。"高诱注："鸡毒，乌头也。"按，鸡毒即奚毒。"奚毒"，《御览》作"叶毒"。

［11］**即子**　《御览》作"萴子"。《说文》："萴，乌喙也。"《纲目》作"侧子"，并注："生于附子之侧，故名。"

［12］**乌喙**　敦煌本《新修》无此二字。《大观》《政和》另有乌喙条，作《别录》文。但《吴普》乌喙条引《本经》云："有毒。"由此可见，《大观》《政和》乌喙条原先也应出自《本经》，否则《吴普》所言乌喙药性有毒，不会注出《本经》。

［13］**朗陵**　今河南确山以南。辑"朗陵"为《本经》文，详苦菜注［9］。

［14］**川谷**　《证类》、孙本、森本作"山谷"。敦煌本《新修》作"川谷"。

275　附子[1]

味辛，温[2]。主治风寒咳逆[3]，邪气[4]，温中[5]，金创[6]，破癥坚[7]积聚[8]，血瘕[9]，寒湿踒躄[10]，拘挛[11]，膝痛不能行步[12]，生犍为[13]山谷[14]。（刘《大观》卷10页3，柯《大观》卷10页1）

【校注】

［1］**附子**　《纲目》："初种为乌头，附乌头而生者为附子。"《唐本草》注云："从乌头傍出，大者为附子，小者为侧子。"

［2］**味辛，温**　《纲目》作"气味辛，温，有大毒"，《吴普》引《本经》作"辛"。《吴普》所引与陶氏作《集注》所据《本经》性味不同，则吴普、陶氏所据《本经》不是同一种本子。

［3］**风寒咳逆**　由外感风寒引起咳嗽喘逆。

［4］**邪气**　各种致病因素及其病理损害。

［5］**温中**　即温胃肠，因胃肠居人体正中。亦说温五脏。杨上善注《太素·人迎脉口诊·寸口主中》云："中，谓五脏。""温中"，《御览》将之置于"膝痛"之后。《纲目》注"温中"为《别录》文。

［6］**金创**　指刀斧金属器械创伤成疮。"创"，《证类》《纲目》《图考长编》作"疮"。

［7］**癥坚**　见曾青注［4］。

［8］**积聚**　见曾青注［5］。

［9］**血瘕**　多见于妇人产后。《诸病源候论·产后血瘕痛候》："新产后，有血气相击而痛者，谓之瘕痛。瘕之言假也，其痛，浮假无定处也。""血"，玄《大观》、《大全》作黑字《别录》文，《政和》《纲目》、孙本、森本、顾本作《本经》文。

[10] **寒湿踒躄** 由寒湿导致足踒躄不能行。"踒"，《说文》："足跌也。"《一切经音义》引《通俗文》："足跌伤为踒。""躄"，《说文》作"壁，人不能行也"。《淮南子·说林训》："躄者见虎而不走，非勇，势不便也。""踒躄"，即足骨折不能行走。"踒躄"，《御览》作"痹癖"。盖《御览》所据《本经》与陶氏作《集注》所据《本经》，不是同一种本子，故其文不同。

[11] **拘挛** 指筋骨拘急挛痛。《御览》作"拘缓"。

[12] **膝痛不能行步** 敦煌本《新修》作"膝痛不能行走"。《御览》作"不起，疼痛"，无"膝痛"二字。盖《御览》所据《本经》与陶氏作《集注》所据《本经》不是同一种本子，故其文不同。

[13] **犍为** 今四川犍为。辑"犍为"为《本经》文，详苦菜注[9]。

[14] **山谷** 《御览》作"为百药之长"。按此文，《大观》《政和》、敦煌本《新修》俱作墨书《别录》文，非《本经》文。

276 羊踯躅[1]

味辛，温[2]。主治贼风[3]在皮肤中淫淫痛[4]，温疟[5]，恶毒，诸痹[6]。生太行山[7]川谷。（刘《大观》卷10页53，柯《大观》卷10页45）

【校注】

[1] **羊踯躅** 《医心方》作"羊踯躅"，《广雅》作"羊蹢躅"，《古今注》《御览》作"羊踯躅花"。陶隐居注："羊误食其叶，踯躅而死，故以为名。"

[2] **味辛，温** 《纲目》作"气味辛，温，有大毒"。

[3] **贼风** 《诸病源候论·贼风候》："冬至之日，有疾风从南方来，能伤害于人，故言贼风也。其伤人也，则骨节深痛，得热物熨痛处即小宽。"

[4] **在皮肤中淫淫痛** 《御览》无此文。森本《本经·考异》云："《长生疗养方》无'肤'字"。敦煌本《新修》作"在皮中淫痛"。"淫淫痛"，指皮中似有虫行样作痛。

[5] **温疟** 《御览》无此二字。

[6] **恶毒，诸痹** 《御览》作"湿痹，恶毒"。

[7] **太行山** 今太行山，其主峰在山西晋城以南。辑"太行山"为《本经》文，详苦菜注[9]。

277 茵芋[1]

味苦，温[2]。主治五脏邪气[3]，心腹寒热[4]羸瘦如[5]疟状，发作有时，诸关节风湿[6]痹痛。生太山[7]川谷。（刘《大观》卷10页48，柯《大观》卷10页41）

【校注】

[1] **茵芋** 敦煌本《新修》《本草和名》《医心方》《和名类聚钞》作"茵芋"。

［2］**味苦，温** 《纲目》作："气味苦，温，有毒"。

［3］**五脏邪气** 即五脏的致病因素及其病理损害。《素问·评热病论》："邪之所凑，其气必虚。""邪"，敦煌本《新修》作"耶"。

［4］**热** 《图经衍义》脱此字。

［5］**如** 敦煌本《新修》、刘《大观》、柯《大观》作黑字《别录》文，人卫《政和》、《纲目》、孙本、森本、顾本注为《本经》文，《绍兴本草》、森本无此字。

［6］**湿** 敦煌本《新修》作"温"。

［7］**太山** 今山东泰山。辑"太山"为《本经》文，详苦菜注［9］。

278 射干[1]

味苦，平[2]，主治咳逆上气[3]，喉痹咽痛[4]，不得消息[5]，散结气[6]，腹中邪逆[7]，食饮[8]大热。一名乌扇，一名乌蒲[9]。生南阳[10]川谷。(刘《大观》卷10页34，柯《大观》卷10页28)

【校注】

［1］**射干** 陶隐居注："疗毒肿方多作夜干。"《广雅》："乌萐，射干也。"《荀子·劝学篇》："西方有木焉，名曰射干，茎长四寸。"

［2］**味苦，平** 《纲目》作"气味苦，平，有毒"。"平"，《御览》作"辛"。盖《御览》所引《本经》与陶氏作《集注》所据《本经》，不是同一种本子，故其性味不同。

［3］**咳逆上气** 指咳嗽气逆而喘。

［4］**喉痹咽痛** "喉痹"，为咽喉痛证的统称。《诸病源候论·喉痹候》："喉痹者，喉里肿塞痹痛，水浆不得入也"。"咽痛"，多指咽喉红肿疼痛，吞咽不顺利，声音低哑等。

［5］**不得消息** "消息"，原义为消长盈虚。《周易·丰》："天地盈虚，与时消息。"此处引伸为呼与吸，承上文，咽痛红肿，使呼吸气困难。

［6］**散结气** 孙本、问本、黄本、周本作"散急气"。

［7］**邪逆** 敦煌本《新修》作"耶逆"。

［8］**饮** 《香药钞》作"欲"。

［9］**蒲** 《御览》《本草和名》《香药钞》作"蒱"。

［10］**南阳** 今河南南阳，辑"南阳"为《本经》文，详苦菜注［9］。

279 鸢尾[1]

味苦，平[2]。主治蛊毒，邪气[3]，鬼疰[4]诸毒，破癥瘕积聚[5]，大水[6]，下三虫[7]。生九疑[8]山谷。(敦煌本《新修》，刘《大观》卷10页17，柯《大观》卷10页14)

【校注】

[1] **鸢尾** “鸢”，敦煌本《新修》、《本草和名》《医心方》《御览》作“鸢”。本条同名异物有二：一指动物，如《御览》卷988动物药列有“鸢头并尾”，引《本经》曰及《吴普》曰“鸢尾治蛊毒”；一指植物，即《大观》《政和》《纲目》所讲的鸢尾科植物鸢尾。本条是植物鸢尾。金陵版《纲目》、江西版《纲目》、合肥版《纲目》在鸢尾释名下有“乌园”二字，注为《本经》文，《大观》《政和》《图考长编》注为《别录》文，森本、孙本、问本、黄本皆不取“乌园”为《本经》文。

[2] **味苦，平** 《纲目》作“气味苦，平，有毒”。

[3] **蛊毒，邪气** 敦煌本《新修》作“蛊耶”，无“毒”“气”二字。

[4] **鬼疰** 见蘼芜注[7]。

[5] **癥瘕积聚** “癥瘕”，见太一禹馀粮注[3]；“积聚”，见曾青注[5]。

[6] **大水** 敦煌本《新修》、《千金翼》、人卫《政和》、刘《大观》作“大水”。柯《大观》、成化《政和》、万历《政和》、商务《政和》、《大全》、《品汇》、金陵版《纲目》、江西版《纲目》、合肥版《纲目》、《图考长编》、卢本、孙本、问本、狩本、森本、顾本作“去水”。

[7] **三虫** 见白青注[6]。

[8] **九疑** 今湖南宁远东南。辑“九疑”为《本经》文，详苦菜注[9]。

280 假苏[1]

味辛，温[2]。主治寒热[3]，鼠瘘[4]，瘰疬生疮[5]，结聚气破散之[6]，下瘀血[7]，除湿痹[8]。一名鼠蓂[9]。生汉中[10]川泽。（《新修》页278，刘《大观》卷28页11，柯《大观》卷28页8）

【校注】

[1] **假苏** 《唐本草》注：“即菜中荆芥，先居草部中，今人食之，录在菜部也”。《品汇》《本草经解》作“荆芥”。本条，《新修》《证类》列在中品。但本条无“补虚羸”，有除寒热破积聚，符合《本经》下品定义，应入下品。

[2] **味辛，温** 《纲目》作“气味辛，温，无毒”。

[3] **寒热** 指外感恶寒发热。

[4] **鼠瘘** 见雄黄注[4]。

[5] **瘰疬生疮** 见鼠李注[3]。“疮”，孙本、问本、黄本作“创”。

[6] **结聚气破散之** 刘《大观》、柯《大观》、人卫《政和》、《纲目》《图考长编》作“破结聚气”。《本草经解》作“破积聚气”。傅本《新修》、罗本《新修》、森本作“结聚气破散之”。

[7] **瘀血** 指血行受阻，瘀积经脉或器官内，或溢出脉外，积于组织间隙者。表现症状不一：或面色黧黑，或肌肤青紫，或血丝缕缕，或皮肤干枯如鳞状，舌紫暗或有瘀点。瘀在胸胁，则胸胁刺痛，瘀在腹，小腹硬满，经闭、经痛，大便黑。瘀血是第二病因，能导致各种病证。

[8] **除湿痹** “除”，傅本《新修》、罗本《新修》无。“痹”，金陵版《纲目》、江西版《纲

目》、合肥版《纲目》、《图考长编》作“疸”；《本草经解》、姜本作“疽”。

[9] **鼠蓂** 卢本、莫本作“鼠冥”。莫本注：“冥，小也。以其叶细，子如葶苈故名。”王本作“薑芥”。

[10] **汉中** 今陕西南郑。辑“汉中”为《本经》文，详苦菜注 [9]。

281 积雪草[1]

味苦，寒[2]。主治大热，恶疮[3]，痈疽[4]，浸淫[5]，赤熛[6]，皮肤赤，身热。生荆州[7]川谷。（刘《大观》卷 9 页 52，柯《大观》卷 9 页 41，人卫《政和》页 233）

【校注】

[1] **积雪草** 《唐本草》注：“荆楚人以叶如钱，谓为地钱草。《徐仪药图》名连钱草。”

[2] **味苦，寒** 《纲目》作“气味苦，寒，无毒”。

[3] **恶疮** 病名，见《刘涓子鬼遗方》。风疮疡表现焮热红肿痛痒，溃烂后浸淫不休，经久不愈者，谓之恶疮。“疮”，孙本、问本、黄本、周本作“创”。

[4] **痈疽** 病名，见《灵枢·痈疽》。疮面深而恶者为疽，是发于肌肉筋骨间的疮肿。古代讲疽仅指无头疽。疮面浅而大者为痈，一般分内痈、外痈两类。痈、疽临证均有红肿、焮热、疼痛及成脓等症。

[5] **浸淫** 见萹蓄注 [3]。

[6] **赤熛** 即熛疮，《肘后方》一名烂疮。初起如钉盖，一二日面及胸背皆生疮。《肘后方》引姚方：“熛疽，肉中生一点如豆粟，或赤或黑，其餍有核，核有深根，痛疹应心，四面悉肿，疱黯黕（dǎn 胆）紫，能烂坏筋骨，毒入脏腑杀人。”（见《肘后方》页 38）

[7] **荆州** 今湖北。辑“荆州”为《本经》文，详苦菜注 [9]。

282 皂荚[1]

味辛、咸，温[2]。主治风痹[3]，死肌[4]，邪气[5]，风头泪出[6]，下水[7]，利九窍，杀鬼[8]精物[9]。生雍州[10]川谷。（《新修》页 166，刘《大观》卷 14 页 8，柯《大观》卷 14 页 6）

【校注】

[1] **皂荚** 《说文》作“荚草实”，《御览》引《广志》作“鸡栖子”。本条，金陵版《纲目》、江西版《纲目》、合肥版《纲目》列在中品，《新修》《千金翼》《大观》《政和》列在下品。

[2] **味辛、咸，温** 《纲目》作“气味辛咸，温，有小毒”。“咸”，森本、卢本、王本、莫本无此字。

[3] **风痹** 见曾青注 [3]。

[4] **死肌** 指肌肤麻木不仁如死，或指痈疽的腐肉。

[5] **邪气** 指各种致病因素及其病理损害。

[6] **泪出** 《诸病源候论·目风泪出候》："目为肝之外候。若被风邪伤肝，肝气不足，故令目泪出。"

[7] **下水** 《新修》、森本有此二字。其他各本无此二字。

[8] **杀鬼** 《证类》《纲目》、孙本、顾本无"鬼"字。《新修》、森本有"鬼"字。从《新修》为正。

[9] **精物** 指迷信传说中"螭（山神）魅（鬼怪）、罔两（水神）"一类害人之物。

[10] **雍州** 今陕西北部及甘肃等地。

283 麻黄[1]

味苦，温[2]。主治中风、伤寒头痛[3]，温疟[4]，发表出汗[5]，去邪热[6]气，止咳逆上气[7]，除寒热，破癥坚[8]积聚[9]。一名龙沙。生晋地[10]。（刘《大观》卷8页20，柯《大观》卷8页18，人卫《政和》页199）

【校注】

[1] **麻黄** 《广雅》："龙沙，麻黄也。"《广雅》以麻黄释龙沙，说明龙沙名称应早于麻黄。麻黄是汉代医书《伤寒论》常用药。作《本经》者以汉代常见名为主名，将早出的龙沙降为异名，说明《本经》写作时间，当在汉代。

[2] **味苦，温** 《吴普》引《本经》作"苦，无毒"。此与陶弘景作《集注》所据《本经》性味不同。说明吴普、陶氏所据《本经》不是同一种本子。

[3] **中风、伤寒头痛** 《诸病源候论·中风伤寒候》："其状，热自发，汗自出，啬啬恶寒，淅淅恶风，噏噏发热，鼻鸣干呕，此其候也"。即外感风寒，出现恶寒发热，头痛鼻塞等表证。

[4] **温疟** 见麝香注［5］。"疟"，《大全》作"瘧"。

[5] **发表出汗** "发表"，即解表，指通过发汗以解除表证。针对表证的寒热，分辛温解表和辛凉解表。

[6] **邪热** 《御览》作"热邪"。

[7] **咳逆上气** 指咳嗽气逆而喘。《诸病源候论·咳嗽上气候》："其状，喘咳上气，多涕唾而面目胕肿气逆也"。

[8] **破癥坚** 《御览》作"破坚"。

[9] **积聚** 见曾青注［5］。

[10] **晋地** 今山西。辑"晋地"为《本经》文，详苦菜注［9］。

【按语】 麻黄，《证类》原在中品，但本条文中无"补虚羸"，而有"除寒热，破癥坚积聚"等语，符合《本经》下品定义，故移入下品。

284 楝实[1]

味苦，寒[2]。主治温疾[3]，伤寒[4]大热烦狂，杀三虫[5]，疥疡[6]，利小便水道[7]。生荆山[8]山谷。(《新修》页167，刘《大观》卷14页16，柯《大观》卷14页13)

【校注】

[1] **楝实** 《千金翼》、刘《大观》、柯《大观》、人卫《政和》、《纲目》、曹本、孙本、顾本作“楝实”。《新修》《本草和名》《医心方》、森本作“练实”。

[2] **味苦，寒** 《纲目》作“气味苦，寒，有小毒”。

[3] **温疾** 即温病，见《素问·六元正纪大论》，为多种外感急性热病的泛称。其症起病急，热盛，变化快，易损伤津液。

[4] **伤寒** 《难经·五十八难》：“伤寒有五：有中风，有伤寒，有湿温，有热病，有温病。”其中狭义的伤寒，为外感寒邪而发的病证。其症恶寒发热，头痛，鼻塞。

[5] **三虫** 《诸病源候论·三虫候》：“三虫者：长虫、赤虫、蛲虫也。长虫，蛔虫也……赤虫，状如生肉……蛲虫至细微，居胴肠间”。

[6] **疥疡** 即疥疮、疮疡的合称。疥疮初起呈针头大小丘疹，痒甚，体表常见抓痕和结痂。抓后有滋水为湿疥，无滋水为干疥。“疮疡”，出《素问·六元正纪大论》，在古代泛指体表多种疾患，包括肿疡、溃疡，如痈、疽、疔疮、疖肿等。

[7] **利小便水道** 玄《大观》、《大全》作黑字《别录》文。“道”字后，《图经衍义》衍“一名金铃子，俗呼为苦楝”。

[8] **荆山** 今湖北南漳西部的荆山。辑“荆山”为《本经》文，详苦菜注[9]。

285 柳华[1]

味苦，寒[2]。主治风水[3]，黄疸[4]，面热黑[5]。一名柳絮[6]。叶：主治马疥痂疮[7]。实：主溃痈，逐脓血[8]。子汁：治渴[9]。生琅邪[10]川泽。(《新修》页168，刘《大观》卷14页3，柯《大观》卷14页10)

【校注】

[1] **柳华** “柳”，《说文》：“柳，小杨也。”《艺文类聚》作“杨柳”。“华”，《千金翼》作“叶”，傅本《新修》、罗本《新修》、刘《大观》、柯《大观》、人卫《政和》、《御览》《本草和名》《医心方》《万安方》《长生疗养方》作“华”。

[2] **味苦，寒** 《纲目》作“气味苦，寒，无毒”。

[3] **风水** 水肿病之一，见《素问·水热穴论》。其症发病急，发热恶风，面目四肢浮肿，骨节痛，小便不利，脉浮。

[4] **黄疸** 见茵陈蒿注[4]。

[5] **面热黑** 《长生疗养方》作“面热”，无“黑”字。

[6] **柳絮** 《艺文类聚》作“絮”，无“柳”字。《拾遗》云：“《本经》以絮为花，其误甚矣。花即初发时黄蕊，其子乃飞絮也。”

[7] **叶：主治马疥痂疮** 《纲目》作“叶：主恶疥痂疮马疥”，并注为《别录》文。“疮”，孙本、问本、周本、黄本作“创”。

[8] **实：主溃痈，逐脓血** 《纲目》注为《别录》文。

[9] **子汁：治渴** 人卫《政和》、商务《政和》、《纲目》注为《别录》文。柯《大观》、玄《大观》、《大全》、孙本、森本、顾本作《本经》文。从《大观》为正。

[10] **琅邪** 今山东诸城的海滨小岛。“邪”，傅本《新修》、罗本《新修》作“琊”。辑“琅邪”为《本经》文，详苦菜注[9]。

286 桐叶[1]

味苦，寒[2]。主治恶蚀疮著阴[3]。皮：主治五痔[4]，杀三虫[5]。华[6]：主傅猪疮[7]，饲猪[8]肥大三倍。生桐柏[9]山谷[10]。（《新修》页169，刘《大观》卷14页31，柯《大观》卷14页26）

【校注】

[1] **桐叶** 《说文》：“桐，荣也。”《尔雅》云：“荣，桐木。”郭璞注《尔雅》云：“即今梧桐也。”《五十二病方》348行作“大皮桐”，又365行作“桐本”。《毛诗》《山海经》《孟子》作“桐”，《庄子》作“梧桐”，《吕氏春秋》作“桐叶”。陶隐居注，诸病主治五痔条作“白桐”。

[2] **味苦，寒** 《纲目》作“气味苦，寒，无毒”。

[3] **恶蚀疮著阴** 即阴疮，见《诸病源候论·阴疮候》，为妇女外阴部溃烂成疮，或痛或痒，或微肿胀，或伴有赤白带下，小便淋滴之证。《长生疗养方》作“恶蚀”，无“疮著阴”。“疮”，孙本、黄本、问本作“创”。

[4] **皮：主治五痔** “皮”，《纲目》作“木皮”。“五痔”，见蝟皮注[3]。

[5] **杀三虫** 傅本《新修》、罗本《新修》作“杀虫”，无“三”字。

[6] **华** 《图经衍义》作“梧花”。《纲目》、卢本、顾本作“花”。傅本《新修》、罗本《新修》、孙本、王本、森本、筠默本、曹本作“华”。

[7] **主傅猪疮** “主”，傅本《新修》、罗本《新修》无。“疮”，孙本、问本、黄本、王本作“创”。

[8] **饲猪** 傅本《新修》、罗本《新修》、森本无此二字。

[9] **桐柏** 今河南桐柏。辑“桐柏”为《本经》文，详苦菜注[9]。

[10] **山谷** 玄《大观》无此二字。

287 梓白皮[1]

味苦，寒[2]。主治热[3]，去三虫[4]。华[5]、叶：捣敷猪疮，饲猪肥大易养

三倍[6]。生河内[7]山谷。(《新修》页170，刘《大观》卷14页35，柯《大观》卷14页29)

【校注】

[1] **梓白皮**　《说文》:“梓，楸也”，《毛诗》作“梓”。陆玑注:“楸之疏理白色而生子者曰梓。”《纲目》主名作“梓”，其分目作“梓白皮”。

[2] **味苦，寒**　《纲目》作“气味苦，寒，无毒”。

[3] **热**　《纲目》、姜本、莫本作“热毒”。姜本据《纲目》辑，故其文同。

[4] **三虫**　见白青注[6]。

[5] **华**　《证类》《纲目》、孙本、顾本无此字。傅本《新修》、罗本《新修》、森本、曹本、筠默本有此字。

[6] **饲猪肥大易养三倍**　金陵版《纲目》、江西版《纲目》、合肥版《纲目》作“词猪肥大三倍”，并注为《别录》文。傅本《新修》、罗本《新修》、森本无“饲猪”二字。

[7] **河内**　今河南武陟。辑“河内”为《本经》文，详苦菜注[9]。

288　蜀漆[1]

味辛，平[2]。主治疟[3]，及咳逆[4]寒热[5]，腹中癥坚[6]，痞结[7]，积聚[8]，邪气[9]，蛊毒[10]，鬼注[11]。生江林山[12]川谷。(敦煌本《新修》，刘《大观》卷10页39，柯《大观》卷10页32)

【校注】

[1] **蜀漆**　敦煌本《集注·七情药例》作“蜀柒”，敦煌本《新修》、《本草和名》《医心方》作“蜀柒菜”，《吴普》作“蜀漆叶”，刘《大观》、柯《大观》、人卫《政和》作“蜀漆”。陶隐居注:“蜀漆是常山苗。”《纲目》将蜀漆附在常山正名之下。

[2] **味辛，平**　《吴普》引《本经》作“辛，有毒”。此与陶氏作《集注》所据《本经》性味不同。盖吴普、陶氏所据《本经》，不是同一种本子。“辛，平”，《本经疏证》作“苦，平”。

[3] **疟**　《御览》作“疮”。“疟”，即疟疾，见《素问·疟论》等篇，是以间歇性寒战、高热、出汗为特征的疾病，多发于夏秋季节及山林多蚊地区。

[4] **咳逆**　指咳嗽气逆而喘。

[5] **寒热**　见牡蛎注[4]。

[6] **腹中癥坚**　《御览》作“腹癥坚”。“癥坚”，卢本、莫本作“坚癥”。

[7] **痞结**　为脾之积，见《难经·五十六难》，多因脾虚气郁，痞塞不通，留滞积结而成。日久不散，亦易形成积块。“结”，金陵版《纲目》、合肥版《纲目》无。

[8] **积聚**　见曾青注[5]。

[9] **邪气**　《本经疏证》作“飞气”。“邪”，敦煌本《新修》作“耶”。

[10] **蛊毒**　见赤箭注[3]。

[11] **鬼注** 即鬼疰，见蘼芜注[7]。

[12] **江林山** 陶隐居注："江林山即益州江阳（今四川泸州）山名"。辑"江林山"为《本经》文，详苦菜注[9]。

289 半夏[1]

味辛，平[2]。主治伤寒寒热[3]，心下坚[4]，下气[5]，喉咽肿痛，头眩，胸胀，咳逆[6]，肠鸣，止汗。一名地文[7]，一名水玉[8]。生槐里[9]川谷。（敦煌本《新修》，刘《大观》卷10页13，柯《大观》卷10页11）

【校注】

[1] **半夏** 陶隐居注："不厌陈久。用之先汤洗十许过，令滑尽，不尔戟人咽喉。方中有半夏，必须生姜，以制其毒故也。"

[2] **味辛，平** 《纲目》作"气味辛，平，有毒"。

[3] **伤寒寒热** "伤寒"，为外感热病的通称。《素问·热论》："今夫热病者，皆伤寒之类也。"《伤寒论》以伤寒命名，即包括多种外感热病在内。"寒热"，此指伤寒所致热病初起的头痛，鼻塞恶寒，发热。"伤寒实热"，敦煌本《新修》作"伤寒热"。

[4] **心下坚** 指伤寒热病，误用攻下，导致胸前心下有痞塞之感。

[5] **下气** 即降气，如降上逆之肺气、胃气。肺气逆则喘、咳，胃气逆则呃逆、呕吐、恶心。"下气"，《纲目》将之置于"肠鸣"之后。敦煌本《新修》无"下"字。

[6] **喉咽肿痛，头眩，胸胀，咳逆** 《纲目》作"胸胀咳逆，头眩，咽喉肿痛"。"喉咽"，《纲目》、卢本作"咽喉"。"喉咽肿痛"，《长生疗养方》作"喉肿"。"胀"，孙本、问本、周本、黄本作"张"。

[7] **一名地文** 成化《政和》、商务《政和》、金陵版《纲目》、江西版《纲目》、合肥版《纲目》注为《别录》文。"地文"之后，金陵版《纲目》、江西版《纲目》、合肥版《纲目》有"和姑"二字，注为《本经》文。按，"和姑"二字出《吴普》，非《本经》文。

[8] **水玉** 成化《政和》、商务《政和》注为《别录》文。"水玉"之前，金陵版《纲目》、江西版《纲目》、合肥版《纲目》有"守田"二字，并注为《本经》文。

[9] **槐里** 今陕西兴平西南。

290 款冬[1]

味辛，温[2]。主治咳逆上气[3]，善喘，喉痹[4]，诸惊痫[5]，寒热邪气[6]。一名橐吾[7]，一名颗东[8]，一名虎须[9]，一名菟奚[10]。生常山[11]山谷。（刘《大观》卷9页30，柯《大观》卷9页24，人卫《政和》页226）

【校注】

[1] **款冬** 《尔雅》作“菟奚、颗冻”。《广雅》作“苦萃，款冻”。《证类》《纲目》、孙本、顾本作“款冬花”。《艺文类聚》《千金翼》《医心方》《御览》《本草和名》《和名类聚钞》无“花”字。“款冬”，《证类》原列在中品，但本条文中，无“补虚羸”功用，不符合《本经·序录》中品定义，故移入下品。

[2] **味辛，温** 《纲目》作“气味辛，温，无毒”。

[3] **咳逆上气** 指咳嗽气逆而喘。

[4] **喉痹** 见牡桂注［3］。

[5] **惊痫** 因惊怖大啼哭乃发为惊痫。《诸病源候论·痫候》：“其发之状，或口眼相引，或手足掣纵（抽动），或背脊强直，或颈项反折。”

[6] **邪气** 指各种致病因素及其病理损害。

[7] **橐吾** 《御览》作“橐石”。《五十二病方》60行作“橐莫”。《急就篇》既有橐吾，又有款东。颜师古注：“橐吾，似款冬，腹中有丝，生陆地，黄花；款东即款冬，凌冬叩冰而生，花紫赤。”《武威汉代医简》第80简甲治久效上气方，既有款冬，又有橐吾。据此可知，在汉代，款冬、橐吾是二物，非一药也。

[8] **颗东** 《纲目》注为《尔雅》文。“颗”，莫本误作“颢”。“东”，《纲目》《本经疏证》《图考长编》作“冻”；成化《政和》、万历《政和》、商务《政和》、孙本、顾本作“冻”；《千金翼》《大观》、人卫《政和》、《本草和名》、森本作“东”；《艺文类聚》《御览》作“冬”。

[9] **须** 《千金翼》作“发”。森本《本经·考异》云：“须，《本草和名》作‘宾’，《顿医钞》作‘发’。”

[10] **菟奚** 《艺文类聚》作“菟爰”。《纲目》标注“菟奚”为《尔雅》文。

[11] **常山** 今河北元氏县。按《汉书·地理志·常山郡》张晏注：“恒山在西汉避文帝（刘恒）讳，故改曰常山”。辑“常山”为《本经》文，详苦菜注［9］。

291 牡丹[1]

味辛，寒[2]。主治寒热[3]，中风[4]，瘈疭[5]，痉[6]，惊痫邪气[7]，除癥坚[8]，瘀血[9]留舍肠胃，安五脏，治痈疮[10]。一名鹿韭[11]。一名鼠姑。生巴郡[12]山谷。（刘《大观》卷9页33，柯《大观》卷9页26，人卫《政和》页227）

【校注】

[1] **牡丹** 为花名，世称牡丹为花王，芍药为花相。《广雅》名白茉。

[2] **味辛，寒** 《吴普》引《本经》作“辛”。此与陶氏作《集注》所据《本经》性味不同。盖吴普、陶氏所据《本经》不是同一种本子。

[3] **热** 其下，《御览》有“瘢伤”二字。

[4] **中风** 一指卒中，见《灵枢·邪气脏腑病形》篇，其症猝然昏倒，不省人事，或突然口眼㖞斜，半身不遂，言语不利；一指外感风邪表证，见《伤寒论·太阳病脉证并治》，其症发热，汗出，

恶风，脉缓者，名曰中风。

[5] **瘈疭** 见露蜂房注［4］。《御览》无“瘈疭”二字。

[6] **痓** 《纲目》《本草经解》、卢本、姜本《御览》无此字。“痓”，莫本作“痉”。

[7] **惊痫邪气** 《御览》作“惊邪”。

[8] **癥坚** 见曾青注［4］。“坚”，玄《大观》误作“竖”。

[9] **瘀血** 见菴蔺子注［3］。

[10] **痈疮** 病名，见《内经》。疮面浅而大者为痈疮，按发病部位，有内痈、外痈之分，临证均有红肿、焮热、胀痛及成脓、溃破等症。“疮”，孙本、问本、黄本、周本作“创”。

[11] **韭** 《本草和名》《和名类聚钞》作“韮”。

[12] **巴郡** 今重庆巴南。

292　防己[1]

味辛，平[2]。主治风寒[3]，温疟[4]，热气[5]，诸痫[6]，除邪，利大小便。一名解离[7]。生汉中[8]川谷。（刘《大观》卷9页19，柯《大观》卷9页14，人卫《政和》页223）

【校注】

[1] **防己** 《吴普》作“木防己”，《千金方·七情药例》作“汉防己”。“己”，《本草和名》、刘《大观》、柯《大观》、人卫《政和》、金陵版《纲目》、森本作“巳”，《医心方》《本草经解》、孙本、问本、黄本作“已”，合肥版《纲目》、顾本作“己”。“防己”，《证类》原在中品，但本条文中无“补虚羸”功效，不符合《本经》中品定义，故移入下品。

[2] **味辛，平** 《纲目》作“气味辛，平，无毒”。《吴普》引《本经》作“辛”。

[3] **风寒** 风和寒相结合的病邪。临证为恶寒重，发热轻，头痛、身痛，鼻塞流涕，舌苔薄白，脉浮紧等。

[4] **温疟** 见麝香注［5］。

[5] **热气** 即热邪，为热证病因之一。致病多为热性阳性的实证，如发热，口渴，气息粗，或红肿，焮热，疼痛，便秘等。《灵枢·刺节真邪》：“阴胜者则为热”。

[6] **痫** 一种发作性神志异常的疾病，见《灵枢·大奇论》等篇。发作时突然昏倒，口吐涎沫，两目上视，牙关紧闭，四肢抽搐，或口中发出类似猪、羊的叫声，醒后一如常人。

[7] **一名解离** 《御览》作“一名石解”。

[8] **汉中** 今陕西南部。

293　黄环[1]

味苦，平[2]。主治蛊毒[3]，鬼注[4]，鬼魅[5]，邪气在脏中[6]，除咳逆寒热[7]。一名凌泉[8]，一名大就。生蜀郡[9]山谷。（《新修》页150，刘《大观》卷14页

38，柯《大观》卷14页33）

【校注】

[1] **黄环** 《梦溪笔谈·补笔谈》作“黄镮”。《吴普》作“蜀黄环”。本品入药用根，其荚似狼足，实名狼跋子。

[2] **味苦，平** 《纲目》作“气味苦，平，有毒”。“平”，《御览》无。《吴普》引《本经》作“辛”。此与陶氏作《集注》所据《本经》性味不同。盖吴普、陶氏所据《本经》不是同一种本子。

[3] **蛊毒** 《御览》、卢本作“虫毒”。

[4] **鬼注** 《御览》无此二字。

[5] **鬼魅** 传说中山林里木石之怪，能害人者，为鬼魅。

[6] **邪气在脏中** “邪”，傅本《新修》、罗本《新修》作“耶”。“在脏中”，《御览》无。

[7] **除咳逆寒热** 《御览》无“除”字。“热”，《新修》讹作“势”。

[8] **凌泉** 傅本《新修》、罗本《新修》作“陵泉”。

[9] **蜀郡** 今四川成都。辑“蜀郡”为《本经》文，详苦菜注[9]。

294 黄芩[1]

味苦，平[2]。主治诸热[3]，黄疸[4]，肠澼[5]泄痢[6]，逐水[7]，下血闭[8]，恶疮[9]疽蚀[10]，火疡[11]。一名腐肠[12]。生秭归[13]川谷。（刘《大观》卷8页48，柯《大观》卷8页41，人卫《政和》页207）

【校注】

[1] **黄芩** 《五十二病方》17行作“黄鈐”，19行、44行作“黄黔”，68行作“黄柃”，290行作“黄芩”。《说文》作“莶，黄莶”，《广雅》作“菦葿、黄文，内虚”。《武威汉代医简》《伤寒论》作“黄芩”。问本、黄本、孙本作“黄岑”。《证类》将黄芩列在中品，但本条文中无“补虚羸”等语，不符合《本经》中品药定义，故移入下品。

[2] **味苦，平** 《吴普》引《本经》作“苦，无毒”。此与陶氏作《集注》作据《本经》性味不同。盖吴普、陶氏所据《本经》不是同一种本子。

[3] **热** 《图经衍义》作“疾”。

[4] **疸** 玄《大观》作“疽”。

[5] **肠澼** 见五石脂注[4]。

[6] **泄痢** 泄泻与痢疾之统称。

[7] **逐水** 《图经衍义》作“月水”。

[8] **下血闭** “血闭”，即经闭。或阴血亏，月经日渐减少，日久无血下达，遂成经闭。症见食少，皮肤干燥，形体消瘦。或气郁血滞，冲脉任脉阻闭，经血不能下达胞宫。症见面色紫暗，小腹痛拒按，或痛连两胁。“下血闭”，即通调月经。“闭”，森本《本经·考异》云：“《生长疗养方》脱

'闭'字"。

[9] **疮** 孙本、问本、周本、黄本作"创"。

[10] **疽蚀** 《图考长编》、孙本、问本作"疸蚀"。

[11] **火疡** 即汤火灼伤。

[12] **腐肠** 《本草和名》作"腐腹",注云:"其腹中皆烂,故以名之。"森本亦作"腐腹"。其他各本作"腐肠"。

[13] **秭归** 今湖北秭归。辑"秭归"为《本经》文。详苦菜注[9]。

295 石楠草[1]

味辛、苦,平[2]。主养肾气[3],内伤阴衰[4],利筋骨皮毛。实:杀蛊毒[5],破积聚[6],逐风痹[7]。一名鬼目[8]。生华阴[9]山谷。(《新修》页151,刘《大观》卷14页37,柯《大观》卷14页31)

【校注】

[1] **石楠草** 《千金翼》、刘《大观》、柯《大观》、人卫《政和》、《纲目》、孙本、问本、黄本、顾本作"石南",无"草"字。傅本《新修》、罗本《新修》、《本草和名》《医心方》、森本作"石南草"。《本草图经》云:"石南生于石上,株极有高大者,叶如枇杷,上有小刺,凌冬不凋。"石南应是木类,为何名石南草?陶弘景《集注·序录》中"诸经有草木不分者",或即指此。

[2] **味辛、苦,平** 人卫《政和》、成化《政和》、商务《政和》、《图考长编》、孙本作"味辛,苦",无"平"字。刘《大观》、柯《大观》、卢本、森本、顾本有"平"字。按《新修》性味排列顺序,"苦"在"平"之后,则"苦"应属《别录》文。

[3] **肾气** 泛指人的生长、发育及性功能的活动。《素问·上古天真论》:"女子七岁肾气盛,齿更发长……丈夫八岁肾气实,发长齿更。二八肾气盛,天癸至,精气溢泻,阴阳和,故能有子。"

[4] **阴衰** 即津血亏损的证候,易生内热,每见低热,手足心热,午后潮热,消瘦,盗汗,口燥咽干,尿短赤,舌质红,少舌苔,或无苔,脉细数无力等。

[5] **杀蛊毒** 柯《大观》、卢本作"杀虫毒"。金陵版《纲目》、江西版《纲目》作"虫虫毒"。姜本作"主虫毒"。

[6] **积聚** 见曾青注[5]。

[7] **逐风痹** 《大全》误作"遂风痹"。

[8] **一名鬼目** 王本无此四字。《纲目》作小字,标在石南实之下,未注明文献出处。

[9] **华阴** 今陕西华阴东南。辑"华阴"为《本经》文,详苦菜注[9]。

296 女菀[1]

味辛,温[2]。主治风寒洗洗[3],霍乱[4],泄痢[5],肠鸣[6]上下无常处,惊痫[7],寒热[8],百疾[9]。生汉中[10]川谷[11]。(刘《大观》卷9页67,柯《大观》卷9

页53，人卫《政和》页237）

【校注】

[1] **女菀** 敦煌本《集注·七情药例》作“女宛”。《吴普》《千金方·七情药例》《御览》《万安方》作“女苑”。《广雅》作“女肠”。

[2] **味辛，温** 《纲目》作“气味辛，温，无毒”。

[3] **风寒洗洗** 孙本、问本作“风洗洗”，无“寒”字。黄本作“风寒洗”，少一个“洗”字。《绍兴本草》作“风寒洗治”。

[4] **霍乱** 病名，见《灵枢·五乱》等篇。起病突然，大吐大泻，烦闷不舒，津液暴失，转筋（两腿肚抽筋）。在昔日无补液抢救，多因失水虚脱死亡。

[5] **泄痢** 即泄泻与痢疾之统称。

[6] **肠鸣** 证名，见《素问·脏气法时论》等篇。指肠动有鸣声。多因中气虚，或因寒邪、热邪、痰饮在肠所致。

[7] **惊痫** 见款冬注［5］。

[8] **寒热** 见矾石注［4］。

[9] **百疾** 王本作“百病”。“百”，指多数。

[10] **汉中** 今陕西南郑。辑“汉中”为《本经》文，详苦菜注［9］。

[11] **川谷** 《纲目》作“山谷”，刘《大观》、柯《大观》、人卫《政和》、《千金翼》俱作“川谷”。

297 地榆[1]

味苦，微寒[2]。主治妇人乳痓痛[3]，七伤[4]，带下十二病[5]，止痛[6]，除恶肉[7]，止汗[8]，治金创[9]。生桐柏[10]山谷。（刘《大观》卷9页10，柯《大观》卷9页7，人卫《政和》页220）

【校注】

[1] **地榆** 《广雅》作“菗蒢”，陶弘景注作“玉豉”。

[2] **味苦，微寒** 《御览》作“苦，寒”，无“微”字。

[3] **乳痓痛** “乳”，其后，《纲目》、姜本有“产”字。“痓”，孙本、问本、黄本、森本作“痉”。

[4] **七伤** 指七种劳伤症。《诸病源候论·虚劳候》：“一曰大饱伤脾；二曰大怒气逆伤肝；三曰强力举重，久坐湿地伤肾；四曰形寒饮冷伤肺；五曰忧愁思虑伤心；六曰风雨寒暑伤形；七曰大恐不节伤志。”又云：“七伤者，一曰阴寒，二曰阴痿，三曰里急，四曰精连连（精滑出），五曰精少阴下湿，六曰精清（清冷稀薄），七曰小便苦数，临事不卒。”后者为男子肾亏七个症状。《外台秘要》引《素女经》，亦以男子肾亏七个症状为七伤。

[5] **带下十二病** 《纲目》《本草经疏》、卢本、姜本、莫本作“带下五漏”。刘《大观》、柯

《大观》、人卫《政和》、孙本、问本、黄本、森本、顾本作“带下病”。《千金翼》作“带下十二病”。唐慎微引《唐本草》注云：“地榆主带下十二病。”《孔氏音义》云：“一曰多赤，二曰多白，三曰月水不通，四曰阴蚀，五曰子脏坚，六曰子门僻，七曰合阴阳患痛，八曰小腹寒痛，九曰子门闭，十曰子宫冷，十一曰梦与鬼交，十二曰五脏不定。”

[6] **止痛** 地榆煮汁渍代指肿痛，半日愈。见《千金翼》卷24。

[7] **恶肉** 见巴豆注[12]。

[8] **止汗** 《纲目》移在“止痛”之下。“汗”字后，《御览》有“气”字。

[9] **金创** 由刀斧及金属器械所致创伤为金创。

[10] **桐柏** 今河南桐柏。辑“桐柏”为《本经》文，详玉泉注[11]。

【按语】《御览》卷1000对同一条地榆，引两种《本经》，一引《本经》曰：“地榆止汗气，消酒，明目”；一引《本经》曰：“地榆，苦，寒。主消酒，生冤句”。两种《本经》所引地榆内容，与陶氏作《集注》所引《本经》地榆内容不全相同。如“消酒”，陶氏作《别录》文。“明目”，陶氏引文无。由此可见，《御览》所引两种《本经》，与陶作《集注》所引《本经》，都不是同一种本子。

298 蜀羊泉[1]

味苦，微寒[2]。主治头秃[3]，恶疮[4]，热气，疥瘙[5]，痂癣虫[6]。生蜀郡[7]川谷[8]。（刘《大观》卷9页68，柯《大观》卷9页54，人卫《政和》页237）

【校注】

[1] **蜀羊泉** 《本草和名》注：“隐居本草‘泉’作‘全’。”《杂要诀》名“羊全”。《广雅》作“漆姑”。

[2] **味苦，微寒** 《纲目》作“气味苦，微寒，无毒”。

[3] **头秃** 金陵版《纲目》、江西版《纲目》、合肥版《纲目》、姜本作“秃疮”。按，头秃指头发脱落，其有两种情况，一是头癣，其上发秃落不生，一是自然成片脱落。秃疮即鬎鬁，小如花癣，大如钱币，毛发干枯断折，偶有瘙痒，久则发枯脱落，形成秃斑。

[4] **疮** 孙本、问本、黄本作“创”。

[5] **疥瘙** 即疥疮瘙痒。“瘙”，孙本、黄本、问本、周本作“搔”。

[6] **痂癣虫** “痂”，《图考长编》作“疨”。“虫”字后，人卫《政和》、成化《政和》、商务《政和》有“疗龋齿”三字，并作白字《本经》文；《品汇》、孙本、黄本、问本亦录此三字为《本经》文；但刘《大观》、柯《大观》、《大全》对此三字作黑字《别录》文；《纲目》《草木典》《图考长编》注此三字为《别录》文；森本、顾本、狩本不取此三字为《本经》文。本书从《大观》为正。

[7] **蜀郡** 今四川成都。辑“蜀郡”为《本经》，详玉泉注[11]。

[8] **川谷** 《纲目》《图经衍义》作“山谷”。刘《大观》、柯《大观》、人卫《政和》、《千金

翼》作“川谷”。

299　泽兰[1]

味苦，微温[2]。主治乳妇内衄[3]，中风余疾[4]，大腹水肿[5]，身、面、四肢浮肿[6]，骨节中水[7]，金创[8]，痈肿疮脓[9]。一名虎兰，一名龙枣[10]，生汝南[11]。（刘《大观》卷9页17，柯《大观》卷9页12，人卫《政和》页222）

【校注】

[1] **泽兰**　陶隐居注：“生于泽旁，故名泽兰，一名都梁香。”《吴普》名“水香”，其根名“地笋”。

[2] **味苦，微温**　《御览》无“苦”字。《吴普》引《本经》作“酸，无毒”。此与陶氏作《集注》所据《本经》性味不同。说明吴普、陶氏所见《本经》不是同一种本子。

[3] **乳妇内衄**　“乳妇”，新产妇。“衄”，指非外伤性出血。《灵枢·百病始生》：“阳络伤则血外溢，血外溢则衄血。”如鼻衄、齿衄、舌衄、肌衄、耳衄、眼衄等，都属衄血。“内衄”，《御览》作“衄血”，《千金翼》、刘《大观》、柯《大观》、人卫《政和》、《香药钞》、森本、孙本、问本、黄本、王本俱作“内衄”。

[4] **中风余疾**　中风后遗留的症状，如口眼㖞斜，或言语不利，或半身不遂等。

[5] **大腹水肿**　即腹水。《诸病源候论·大腹水肿候》：“三焦闭塞，小便不通，水气流溢于肠外，乃腹大而肿，四肢小，阴下湿，故云大腹水肿。”

[6] **身、面、四肢浮肿**　《诸病源候论·皮水候》：“水溢于皮肤，身体面目悉肿，按之没指，腹如故，不满，不渴，四肢重，不恶风是也。”

[7] **乳妇内衄……骨节中水**　以上二十二字，金陵版《纲目》、江西版《纲目》、合肥版《纲目》脱。

[8] **金疮**　由刀斧金属器械创伤所成之疮为金疮。“疮”，孙本、问本、黄本、王本、森本、《香药钞》作“创”。

[9] **痈肿疮脓**　“痈肿”，见扁青注［4］。“疮脓”，《图经衍义》作“脓疮”，森本、《香药钞》作“疮脓血”。“疮”，孙本、问本、周本、黄本作“创”。

[10] **一名龙枣**　《御览》作“一名龙来”。按，“枣”繁体作“棗”，卷子本《新修》写成“𣐊”，与“来”字形近，易舛讹。

[11] **汝南**　今河南汝南东南。其后，《御览》、森本有“生池泽”，问本、黄本、孙本有“生大泽傍”。辑“汝南”为《本经》文，详玉泉注［11］。

300　紫参[1]

味苦，辛，寒[2]。主治心腹积聚[3]，寒热邪气[4]，通九窍[5]，利大小便[6]。一名牡蒙。生河西[7]山谷。（刘《大观》卷8页69，柯《大观》卷8页54，人卫《政和》页211）

【校注】

[1] **紫参** 《急就篇》《吴普》以牡蒙为正名。《吴普》以紫参为异名。“参”，敦煌本《集注·七情药例》作“条”，蔡本作“蔆”。

[2] **味苦，辛，寒** “辛”，金陵版《纲目》、合肥版《纲目》、姜本、森本、《御览》无此字，刘《大观》、柯《大观》、人卫《政和》、成化《政和》、《千金翼》、孙本、卢本、顾本俱有此字。《吴普》引《本经》作“苦”。

[3] **积聚** 见曾青注［5］。

[4] **寒热邪气** 即寒邪、热邪的合称。

[5] **窍** 其下，《御览》有“治牛病”。《大观》《政和》《纲目》及诸家《本经》辑本俱无此文。由此可见，陶作《集注》所据《本经》与《御览》所引《本经》，不是同一种本子，故其内容有所不同。

[6] **利大小便** 《御览》将之置于“通九窍”之前。《御览》所引《本经》，在条文内文句排次序，与陶氏作《集注》所据《本经》不同。说明他们所据的《本经》不是同一种本子。

[7] **河西** 今陕西。辑“河西”为《本经》文，详玉泉注［11］。

【按语】 紫参条，《唐本草》《证类》列在中品，但本条无“补虚羸”等语，不符合中品定义，故移入下品。

301 蛇含[1]

味苦，微寒[2]。主治惊痫[3]，寒热邪气[4]，除热，金创[5]，疽，痔[6]，鼠瘘[7]，恶疮[8]，头疡[9]。一名蛇衔[10]。生益州[11]山谷。（刘《大观》卷10页36，柯《大观》卷10页30，人卫《政和》页253）

【校注】

[1] **蛇含** 商务《政和》、孙本、问本、周本、黄本、顾本、王本作“蛇合”；刘《大观》、柯《大观》、人卫《政和》、《绍兴本草》《本草和名》《医心方》、森本、曹本、狩本作“蛇全”；《千金翼》《品汇》《纲目》《图考长编》《草木典》作“蛇含”。从本条“一名蛇衔”文义看，“蛇含”合乎“蛇衔”的名义。

[2] **味苦，微寒** 《纲目》作“气味苦，微寒，无毒”。

[3] **惊痫** 见款冬注［5］。

[4] **寒热邪气** 指寒邪、热邪的合称。

[5] **金创** 由刀斧及金属器械所致的创伤为金创。

[6] **疽，痔** “疽”，见萹蓄注［5］。“痔”，见五石脂注［8］。

[7] **鼠瘘** 见雄黄注［4］。

[8] **恶疮** 见矾石注［8］。“恶”，金陵版《纲目》、江西版《纲目》、合肥版《纲目》无。“疮”，孙本、问本、周本、黄本作“创”。

［9］**头痛** 见五石脂注［10］。

［10］**蛇衔** 《纲目》："有二种：细叶者为蛇衔，大叶者名龙衔。"卢本作"蛇御"。莫本注："即龙芽。"苏颂《本草图经》有"紫背龙芽"，《纲目》认为即小龙芽，并在蛇含条下一并论述。

［11］**益州** 今四川。辑"益州"为《本经》文，详玉泉注［11］。

302 草蒿[1]

味苦，寒[2]。主治疥瘙[3]痂痒[4]，恶疮[5]，杀虱[6]，留热在骨节间[7]，明目[8]。一名青蒿，一名方溃[9]。生华阴[10]川泽。（刘《大观》卷10页28，柯《大观》卷10页23，人卫《政和》页250）

【校注】

［1］**草蒿** 《五十二病方》248～251行、陆玑《毛诗疏》、《日华子》《本草图经》《纲目》《草木典》作"青蒿"，刘《大观》、柯《大观》、人卫《政和》、孙本、问本、黄本作"草蒿"。《尔雅》："蒿，菣"，《说文》："菣，香蒿。"

［2］**味苦，寒** 《纲目》作"气味苦，寒，无毒"。

［3］**疥瘙** 即疥疮瘙痒。

［4］**痂痒** 即干疥结痂瘙痒。《诸病源候论·疥候》："干疥者，但痒，搔之皮起作干痂"。

［5］**恶疮** 见矾石注［8］。

［6］**杀虱** 《本经疏证》作"杀虫"。

［7］**留热在骨节间** 多见于骨蒸劳热。《诸病源候论·虚劳骨蒸候》："骨蒸，旦起体凉，日晚即热，烦躁，寝不能安，食无味，小便赤黄，腰疼，两足逆冷，手心常热"。"留"，其上，《纲目》、姜本有"治"字。"间"，孙本、问本、周本、黄本作"閒"。

［8］**明目** 《本经续疏》脱"明"字。

［9］**一名青蒿，一名方溃** 以上8字，王本无。

［10］**华阴** 今陕西华阴。辑"华阴"为《本经》文，详玉泉注［11］。

303 雚菌[1]

味咸，平[2]。主治心痛[3]，温中[4]，去长虫[5]，白瘲[6]，蛲虫[7]，蛇螫毒[8]，癥瘕[9]，诸虫。一名雚芦。生东海[10]池泽。（刘《大观》卷10页43，柯《大观》卷10页36，人卫《政和》页255）

【校注】

［1］**雚菌** 《千金方·七情药例》作"藿菌"，《品汇》作"萑菌"。《纲目》："雚当作萑，乃芦苇之属，此菌生于其下，故名也。"陶隐居云："形状似菌，云是鹳屎所化生，一名鹳菌。"

［2］**味咸，平**　《纲目》作"气味咸，平，有小毒"。

［3］**心痛**　病名，出《内经》，为脘部和心前区疼痛的统称。脘部痛，实即胃痛。心前区痛，即心绞痛，《灵枢·厥病》称为真心痛。

［4］**温中**　一说温胃肠，一说温五脏。

［5］**长虫**　即蛔虫。《诸病源候论·三虫候》："长虫，蛔虫也，长一尺，动则吐清水，出则心痛，贯心则死。""虫"，柯《大观》、玄《大观》、《大全》《图考长编》、孙本、问本作"患"，《千金翼》、刘《大观》、人卫《政和》、《纲目》《品汇》、森本、周本、黄本、顾本、狩本作"虫"。

［6］**白瘫**　即白癣。《诸病源候论·白癣候》："白癣之状，白色淀淀然而痒。"淀淀然，义为癣的皮损浅薄，范围广。"瘫"，《大观》《政和》作"瘫"，孙本作"疭"，黄本、问本作"瘫"。"瘫"为"癣"之异体字。

［7］**蛲虫**　《诸病源候论·三虫候》："蛲虫至细微，形如菜虫也，居胴肠间，多则为痒"。

［8］**蛇螫毒**　《图经衍义》脱"蛇"字。

［9］**癥瘕**　见太一禹馀粮注［3］。

［10］**东海**　即今东海。辑"东海"为《本经》文，详玉泉注［11］。

304　雷丸［1］

味苦，寒［2］。主杀三虫［3］，逐毒气［4］，胃中热，利丈夫，不利女子。作膏，摩小儿百病［5］。生石城［6］山谷。（《新修》页160，刘《大观》卷14页26，柯《大观》卷14页21）

【校注】

［1］**雷丸**　《五十二病方》48行、456行、《范子计然》《急就篇》《御览》作"雷矢"。颜师古注《急就篇》："雷矢即雷丸也，又名雷实。"

［2］**味苦，寒**　《纲目》作"气味苦寒，有小毒"。《吴普》引《本经》作"苦"。

［3］**三虫**　见白青注［6］。

［4］**毒气**　即疫疠之气，为具有强烈传染性的致病邪气。古人认为它的发生及其致病流行，与大水后，或久旱，或酷热等反常气候有关。

［5］**作膏，摩小儿百病**　《纲目》注为《别录》文，《大观》《政和》作白字《本经》文，孙本、森本、顾本亦取此文为《本经》文。"作膏，摩小儿百病"，《大观》《政和》、孙本、顾本作"作摩膏，除小儿百病"；傅本《新修》、罗本《新修》、森本作"作膏，摩小儿百病"。本书从《新修》为正。

［6］**石城**　在今河南林州西南。《史记·赵世家》："惠文王十八年，秦拔我石城。"辑"石城"为《本经》文，详玉泉注［11］。

305　贯众［1］

味苦，微寒［2］。主治腹中邪热［3］气，诸毒［4］，杀三虫［5］。一名贯节，一名贯渠，一名百头[6]。一名虎卷，一名扁苻[7]。生玄山[8]山谷。（敦煌本《新修》，刘《大观》卷10页50，柯《大观》卷10页42）

【校注】

[1] **贯众** 《尔雅》作“泺，贯众”。森本《本经·考异》云：“众，《长生疗养方》作首。”

[2] **味苦，微寒** 《纲目》作“气味苦，微寒，有毒”。《吴普》引《本经》作“苦，有毒”。此与陶氏作《集注》所据《本经》性味不同。盖吴普、陶氏所据《本经》不是同一种本子。

[3] **邪热** 敦煌本《新修》作“耶热”；《御览》作“邪”，无“热”字。

[4] **诸毒** 指斑疹毒、漆毒、轻粉毒等。如《纲目》云：“贯众治斑疹毒、漆毒、轻粉毒。”

[5] **三虫** 见白青注[6]。

[6] **一名百头** 《御览》将之置于“一名贯节”之后。

[7] **扁苻** 《千金》《御览》《绍兴本草》、孙本、顾本、姜本作“符”。金陵版《纲目》、江西版《纲目》、卢本、王本作“扁府”。敦煌本《新修》、刘《大观》、柯《大观》、人卫《政和》、合肥版《纲目》作“扁苻”。

[8] **玄山** 今河北有青龙河，该河在秦汉时名玄水，疑玄山在玄水处。辑“玄山”为《本经》文，详玉泉注[11]。

306 青葙子[1]

味苦，微寒[2]。主治邪气[3]，皮肤中热[4]，风瘙身痒[5]，杀三虫[6]。其子[7]：名草决明，治唇口青[8]。一名草蒿，一名萋蒿[9]。生平谷[10]道旁。（敦煌本《新修》，刘《大观》卷10页42，柯《大观》卷10页35）

【校注】

[1] **青葙子** 《本草和名》《和名类聚钞》《医心方》《纲目》、姜本、森本、蔡本作“青葙”，无“子”字。敦煌本《新修》、刘《大观》、柯《大观》、人卫《政和》、孙本、问本、黄本作“青葙子”。

[2] **味苦，微寒** 《纲目》作“气味苦，微寒，无毒”。敦煌本《新修》无“味”字。

[3] **邪气** 指各种致病因素及其病理损害。“邪”，敦煌本《新修》作“耶”。

[4] **皮肤中热** 敦煌本《新修》无“中”字。

[5] **风瘙身痒** 多属阴血亏，血燥生风而瘙痒。《诸病源候论·风瘙痒候》：“风瘙痒者，体虚受风，往来于皮肤之间，邪气微，不能为痛，但瘙痒也。”“风瘙”，孙本、问本、周本、黄本作“风搔”。

[6] **三虫** 见白青注[6]。

[7] **其子** 《图考长编》无“其子”二字。刘《大观》、柯《大观》、人卫《政和》、《纲目》、孙本、森本、顾本无“其”字，敦煌本《新修》有“其”字。

[8] **唇口青** 即唇口呈青紫色。多见于沉寒痼冷，或心血瘀阻之证。

[9] **萋蒿** 万历《政和》误作“姜蒿”。“蒿”字后，人卫《政和》有“五月六月采子”，并作

白字《本经》文，刘《大观》、柯《大观》、商务《政和》作黑字《别录》文。

[10] **平谷** 今北京平谷。辑“平谷”为《本经》文，详玉泉注[11]。

307 狼牙[1]

味苦，寒[2]。主治邪气[3]，热气[4]，疥瘙[5]，恶疡疮[6]，痔，去白虫[7]。一名牙子[8]。生淮南[9]川谷。（敦煌本《新修》，刘《大观》卷10页51，柯《大观》卷10页43）

【校注】

[1] **狼牙** 敦煌本《集注·七情药例》作“狼歺”。《御览》《纲目》、森本、《吴普本草》作“狼牙”。《本草和名》《医心方》作“歺子”。刘《大观》、柯《大观》、人卫《政和》、孙本、顾本作“牙子”。按“牙”，日本抄写本大都写成“歺”。

[2] **味苦，寒** 《纲目》：“气味苦，寒，有毒”。《吴普》引《本经》作“苦，有毒”，此与陶氏作《集注》所引《本经》性味不同。盖吴普、陶氏所据《本经》不是同一种本子。“味苦”，其下，柯《大观》有“酸”字，作白字《本经》文，刘《大观》、人卫《政和》注“酸”字为黑字《别录》文。孙本、顾本、森本皆不取“酸”字为《本经》文。

[3] **邪气** 指各种致病因素及其病理损害。“邪”，敦煌本《新修》作“耶”。

[4] **热气** 《御览》无此二字。敦煌本《新修》无“气”字。“热”，《图考长编》作“恶”。

[5] **疥瘙** 即疥疮瘙痒。《御览》作“疥痔”。

[6] **恶疡疮** 敦煌本《新修》无“疡”字。“疮”，孙本、问本、黄本作“创”。

[7] **疥瘙，恶疡疮，痔，去白虫** 《御览》作“去白虫疥痔”。“白虫”，《诸病源候论·九虫候》：“白虫相生，子孙转大，长至四五尺，亦能杀人。”按，白虫即绦虫，其节片不断生长增多，故云：“白虫相生，子孙转大。”绦虫节片亦称寸白。

[8] **一名牙子** 《证类》、孙本、顾本作“一名狼牙”。《御览》、森本作“一名牙子”。

[9] **淮南** 今安徽寿县。辑“淮南”为《本经》文，详玉泉注[11]。

308 藜芦[1]

味辛，寒[2]。主治蛊毒[3]，咳逆[4]，泄痢[5]，肠澼[6]，头疡[7]，疥瘙[8]，恶疮[9]，杀诸虫毒[10]，去死肌[11]。一名葱苒[12]。生太山[13]山谷。（敦煌本《新修》，刘《大观》卷10页32，柯《大观》卷10页26）

【校注】

[1] **藜芦** 《五十二病方》250行作“犁卢”。《御览》作“梨芦”。《本草和名》、敦煌本《新修》、《医心方》《和名类聚钞》《吴普》作“蔾芦”。刘《大观》、柯《大观》、人卫《政和》、《纲

目》、孙本、何本、黄本作“藜芦”。筠默本作“黎芦”。

［2］**味辛，寒** 《纲目》作“气味辛，寒，有毒”。《吴普》引《本经》作“辛，有毒”。此与陶氏作《集注》所据《本经》性味不同。盖吴普、陶氏所引《本经》不是同一种本子。古代《本经》托名神农者，也不止一家。

［3］**蛊毒** 见徐长卿注［4］。

［4］**咳逆** 指咳嗽气逆而喘。

［5］**泄痢** 即泄泻与痢疾之统称。“痢”，敦煌本《新修》作“利”。

［6］**肠澼** 痢疾古称，见《素问·通评虚实论》。指肠下垢腻黏滑似涕似脓的液体，因自肠排出澼澼有声，故名。

［7］**头疡** 即头疮。唐·贾公彦《周礼疏》：“疕，头疡。谓头上有疮含脓血者。”

［8］**疥瘙** 指疥疮瘙痒。“瘙”，孙本、问本、周本、黄本作“搔”，顾本作“疮”。

［9］**恶疮** 见松脂注［3］。“疮”，孙本、问本、周本、黄本作“创”。

［10］**杀诸虫毒** 《图考长编》脱“杀”字。“虫”，《图经衍义》、孙本、顾本作“蛊”。

［11］**死肌** 见皂荚注［4］。

［12］**一名葱苒** “葱苒”，《广雅》作“葱蒳”，敦煌本《新修》、《御览》作“葱苒”。“一名葱苒”，金陵版《纲目》、江西版《纲目》、合肥版《纲目》注为《别录》文。

［13］**太山** 今山东泰山。辑“太山”为《本经》文，详玉泉注［11］。

309 虎掌[1]

味苦，温[2]。主治心痛[3]，寒热[4]，结气[5]，积聚[6]，伏梁[7]，伤筋痿[8]，拘缓[9]，利水道[10]。生汉中[11]山谷。（敦煌本《新修》，刘《大观》卷10页15，柯《大观》卷10页13）

【校注】

［1］**虎掌** 《日华子》名“鬼蒟蒻”。《本草图经》：“天南星即本草虎掌，小者名由跋。”《唐本草》注：“其根四畔有圜牙，看如虎掌，故有此名。”《纲目》云：“虎掌因叶形似之，非根也。”又云：“南星因根圜白，形如老人星状，故名南星。”

［2］**味苦，温** 《纲目》作“气味苦，温，有大毒”。《吴普》引《本经》作“苦，无毒（《纲目》作有毒）”。

［3］**心痛** 见雚菌注［3］。

［4］**寒热** 见牡蛎注［4］。

［5］**结气** 即气郁，郁结。《诸病源候论·结气候》：“结气病者，忧思所生，心有所存，神有所止，气留而不行，故结于内。”

［6］**积聚** 见曾青注［5］。

［7］**伏梁** 指脘腹部痞块疾患。《难经·五十二难》：“心之积，名曰伏梁，起脐上，大如臂，上至心下，久不愈，令人病心烦。”《灵枢·邪气脏腑病形》《素问·奇病论》《素问·腹中论》亦有类

似的记载。

[8] **伤筋痿** 指筋伤痿弱。王冰注《素问·痿论》:“痿谓痿弱,无力运动。”

[9] **拘缓** 即拘挛缓急,见天雄注[6]。

[10] **结气……利水道** 敦煌本《新修》无此文。

[11] **汉中** 今陕西南郑。辑“汉中”为《本经》文,详玉泉注[11]。

310 连翘[1]

味苦,平[2]。主治寒热[3],鼠瘘,瘰疬[4],痈肿[5],恶疮[6],瘿瘤[7],结热[8],蛊毒[9]。一名异翘[10],一名兰华[11],一名折根[12],一名轵[13],一名三廉[14]。生太山[15]山谷。(刘《大观》卷11页44,柯《大观》卷11页35,人卫《政和》页275)

【校注】

[1] **连翘** 《尔雅》作“连,异翘”。郭璞引本草作“一名连苕,一名连草”。按,连苕、连草不见于《大观》《政和》连翘条。《大观》《政和》原于《集注》。则陶氏作《集注》所据《本经》,与郭璞所见本草不是同一种本子。

[2] **味苦,平** 《纲目》作“气味苦,平,无毒”。

[3] **寒热** 见牡蛎注[4]。

[4] **瘰疬** 多生于颈项、腋、胯之间,溃破后难收口,形成瘘管,相当于淋巴结结核。

[5] **痈肿** 见扁青注[4]。

[6] **恶疮** 孙本、问本、黄本、周本作“恶创”,卢本、莫本无此二字。

[7] **瘿瘤** 即瘿与瘤合称。或单指瘿。“瘿”,出《尔雅》。《说文》:“瘿,颈瘤也。”《诸病源候论·瘿候》:“初作与樱核相似,而当颈下也。皮宽不急,垂槌槌然是也”。

[8] **结热** 指热邪聚结出现的症状。如热结在胃肠,出现腹痛、大便干燥,潮热谵语。《伤寒论》:“太阳病不解,热结膀胱,其人如狂”。

[9] **蛊毒** 见徐长卿注[4]。

[10] **异翘** 《纲目》注为《尔雅》文。姜本无此文。

[11] **兰华** 金陵版《纲目》、江西版《纲目》、合肥版《纲目》注为《吴普》文,姜本无此二字。“兰”。《本草和名》、森本作“蔄”。

[12] **一名折根** 金陵版《纲目》、江西版《纲目》、合肥版《纲目》作“一名竹根”,并注为《别录》文。孙本、问本、姜本不取“一名折根”为《本经》文。

[13] **一名轵** 《纲目》、姜本、王本无。莫本注:“轵,当为轺之误”。

[14] **三廉** 金陵版《纲目》、江西版《纲目》、合肥版《纲目》注为《别录》文。《和名类聚钞》作“三廉草”。姜本无此文。

[15] **太山** 今山东泰山。辑“太山”为《本经》文,详玉泉注[11]。

311 白头翁[1]

味苦，温，无毒[2]。主治温疟[3]，狂易[4]，寒热[5]，癥瘕积聚[6]，瘿气[7]，逐血[8]，止痛[9]，治金创[10]。一名野丈人，一名胡王使者[11]。生嵩山[12]山谷[13]。（刘《大观》卷11页28，柯《大观》卷11页21，人卫《政和》页270）

【校注】

[1] **白头翁** 陶隐居注："近根处有白茸，状似人白头，故为名。"《唐本草》注："实大如鸡子，白毛寸余，皆披下，正似白头老翁，故名焉。""白"，《图经衍义》误作"曰"。"翁"，《本草和名》《和名类聚钞》、森本作"公"。森本《本经·考异》云："翁，《伊吕波字类钞》作公。李唐遗卷，无一作翁者。"

[2] **无毒** 卢本、孙本、顾本、莫本无此二字，《证类》、森本有此二字。《别录》作"有毒"。按，白头翁品种多，有的无毒，有的有毒。《本经》用的品种无毒，《别录》用的品种有毒。

[3] **温疟** 见徐长卿注［6］。

[4] **狂易（yáng 扬）** 病名。《汉书·外戚传》："素有狂易病。"《后汉书·陈忠传》："狂易杀人，得减重论。""易"，《纲目》作"猲"，《千金翼》、孙本、问本、黄本、顾本、森本作"易"，刘《大观》、柯《大观》、人卫《政和》、《御览》作"易"。盖"易""易"字形相近易舛讹。

[5] **寒热** 见牡蛎注［4］。《御览》无此二字。

[6] **癥瘕积聚** 《御览》无此四字。

[7] **瘿气** 即瘿瘤。

[8] **血** 顾本误作"皿"。

[9] **止痛** 《纲目》、姜本作"止腹痛"。姜本据《纲目》辑，故其文同。

[10] **治金创** "金创"，《图经衍义》作"瘢疮"。顾本无"治"字。

[11] **胡王使者** "胡"，《图经衍义》误作"明"。"王"，《本草和名》误作"主"。"胡王使者"，王本无。

[12] **嵩山** 刘《大观》、人卫《政和》、《纲目》作"高山"。柯《大观》、《本草图经》作"嵩山"。嵩山在今河南登封。

[13] **山谷** 《御览》、森本作"川谷"。

312 蔄茹[1]

味辛，寒[2]。蚀恶肉[3]，败疮[4]，死肌[5]，杀疥虫[6]，排脓恶血[7]，除大[8]风热气，善忘不乐[9]。生代郡[10]川谷。（刘《大观》卷11页48，柯《大观》卷11页39，人卫《政和》页276）

【校注】

[1] **蔄茹** 《五十二病方》413 行作“屈居”，250～252 行作“䔧者，荆名卢茹”。《广雅》：“屈居，卢茹也。”王念孙《广雅疏证》：“卢与蔄同。”《素问·腹中论》作“芦茹”。《太素》《甲乙经》、刘《大观》、柯《大观》、人卫《政和》作“蔄茹”。《范子计然》《御览》作“闾茹”。孙本、问本、黄本作“蔄茹”。《图经衍义》作“蔄茹”。

[2] **味辛，寒** “辛”字后，柯《大观》有“酸”字，并作白字《本经》文，刘《大观》、人卫《政和》作黑字《别录》文。《吴普》引《本经》作“辛”。“辛”字下，狩本注云：“《大全》本有酸字。”

[3] **恶肉** 见鳖注［10］。

[4] **败疮** 即久恶疮。《诸病源候论·久恶疮候》：“体虚生疮，痒痛焮肿，多汁壮热，谓之恶疮。而湿毒气盛，体外虚内热，其疮渐增，经久不瘥，为久恶疮。”“疮”，孙本、黄本、周本、黄本作“创”。

[5] **死肌** 见皂荚注［4］。

[6] **杀疥虫** “杀”字前，《御览》有“仍”字。“疥虫”，《诸病源候论·疥候》：“疥有数种：有干疥、湿疥……，并皆有虫，人往往以针尖挑得，状如水内病虫。”

[7] **恶血** 王冰注《素问·腹中论》作“主散恶血”。

[8] **大** 《御览》作“太”。

[9] **善忘不乐** 金陵版《纲目》、江西版《纲目》、合肥版《纲目》、《图考长编》、卢本、莫本、姜本作“善忘不寐”。

[10] **代郡** 今河北蔚县。录“代郡”为《本经》文，详玉泉注［11］。

313 白蔹[1]

味苦，平，微寒[2]。主治痈肿[3]，疽[4]疮，散结气[5]，止痛，除热，目中赤[6]，小儿惊痫[7]，温疟[8]，女子阴中肿痛[9]。一名菟核[10]，一名白草。生衡山[11]山谷。(敦煌本《新修》，刘《大观》卷 10 页 41，柯《大观》卷 10 页 34)

【校注】

[1] **白蔹** 《说文》作“白莶”。《毛诗》、陆玑《毛诗疏》作“蔹”。《尔雅》：“萰，菟荄”，《玉篇》：“萰，白蔹也。”

[2] **味苦，平，微寒** “平”，敦煌本《新修》无。“微寒”，敦煌本《新修》作朱书《本经》文，刘《大观》、柯《大观》、人卫《政和》作黑字《别录》文。

[3] **痈肿** 见扁青注［4］。

[4] **疽** 指深部的脓疡。

[5] **结气** 见虎掌注［5］。

[6] **赤** 敦煌本《新修》讹为“亦”。

[7] **小儿惊痫** 指小儿发热出现惊风。症见小儿身热，目上视，身强，手足拳，发搐。

[8] **温疟** 《诸病源候论·温疟候》："先热而后寒，名曰温疟。"

[9] **阴中肿痛** "阴"，敦煌本《新修》、《千金翼》讹作"除"。"痛"字后，《纲目》、姜本有"带下赤白"四字，注为《本经》文。刘《大观》、柯《大观》、人卫《政和》对"下赤白"作黑字《别录》文。

[10] **菟核** 金陵版《纲目》、江西版《纲目》、合肥版《纲目》注为《别录》文。刘《大观》、柯《大观》、人卫《政和》作白字《本经》文。《说文解字系传·通释》作"菟荄"。"荄"与"核"声相近也。

[11] **衡山** 今湖南衡山。辑"衡山"为《本经》文详玉泉注[11]。

314 白及[1]

味苦，平[2]。主治痈肿[3]，恶疮[4]，败疽[5]，伤阴，死肌[6]，胃中[7]邪气，贼风鬼击[8]，痱缓不收[9]。一名甘根[10]，一名连及草[11]。生北山[12]川谷。（刘《大观》卷10页44，柯《大观》卷10页37，人卫《政和》页255）

【校注】

[1] **白及** 《本草和名》《医心方》作"白芨"。单言"芨"，是乌头异名，《尔雅》："芨，堇草"，郭璞注："乌头也"。刘《大观》、柯《大观》、人卫《政和》、《万安方》作"白及"。《纲目》云："其根白也，连及而生，故名白及。"

[2] **味苦，平** "平"，《御览》作"辛"。《吴普》引《本经》作"辛"。

[3] **痈肿** 见扁青注[4]。

[4] **疮** 孙本作"创"。

[5] **败疽** "败"，即毁坏，《说文》："败毁也"，引伸为溃烂。"疽"，指深部脓疡。"败疽"即深部脓疡溃烂，甚者伤筋烂骨。"疽"，玄《大观》、《大全》、狩本无。

[6] **死肌** 指痹证肌肤麻木不仁，或指疮痈的腐肉。

[7] **胃中** 森本《本经·考异》云："胃，《长生疗养方》作胸"。

[8] **贼风鬼击** 古人认为某些神经疾患，皆为贼风、鬼击所致。

[9] **痱缓不收** 是一种中风后遗症，一名风痱。《诸病源候论·风痱候》："身体无痛，四肢不收，神志不乱，一臂不随者，风痱也。"《灵枢·热论》所释同，指肢体瘫痪，身无痛，以手足痿废而不收引。"收"，姜本讹作"休"。

[10] **甘根** 《吴普》作"白根"。

[11] **连及草** 王本无。

[12] **北山** 同名异地很多。《通鉴》注："关中有北山，自甘泉连延为北山。"甘泉在陕北。录"北山"为《本经》文，详玉泉注[11]。

315 海藻[1]

味苦，寒[2]。主治瘿瘤气[3]，颈下核，破散结气[4]，痈肿[5]，癥瘕[6]，坚气[7]，腹中上下鸣[8]，下十二水肿[9]。一名落首。生东海[10]。（刘《大观》卷9页13，柯《大观》卷9页10，人卫《政和》页221）

【校注】

[1] **海藻** 《尔雅》："薚，海藻"。郭璞注："一名海萝，如乱发，生海中，本草云。"今《本经》无"一名海萝"之记载。说明郭璞所见《本经》与陶氏作《集注》所据《本经》不是同一种本子。又本条，《大观》《政和》《纲目》、孙本、顾本、森本列在中品，但本条文中无"补虚羸"，而有"破散结气"，不符合《本经》中品药定义，符合下品定义，应移入下品。

[2] **味苦，寒** 《纲目》、姜本作"味苦、咸，寒，无毒"。姜本据《纲目》辑，故其性味同。《千金方·食治》作"咸，寒，滑，无毒"。

[3] **瘿瘤气** 《千金方·食治》《纲目》、姜本作"瘿瘤结气"。姜本据《纲目》辑，故其文同。

[4] **颈下核，破散结气** 《御览》作"着颈下，破散结"。《千金方·食治》《纲目》、姜本作"散颈下硬核痛"。按，"颈下核，破散结气"，似指瘿瘤而言；《千金方》《纲目》、姜本之"颈下硬核痛"，似指瘰疬而言。因瘿瘤不痛，而瘰疬后期痛。

[5] **痈肿** 见扁青注［4］。

[6] **癥瘕** 见太一禹馀粮注［3］。

[7] **坚气** 能促使结块变坚者为坚气。

[8] **腹中上下鸣** 《千金方·食治》作"腹内上下鸣"。《纲目》、姜本作"腹中上下雷鸣"。"腹中上下鸣"，即肠鸣。

[9] **下十二水肿** 古代对水病的分类名目繁多。《诸病源候论·二十四水候》："夫水之病，方家立名不同，有二十四水，或十八水，或十二水，或五水，不的显名证。"《诸病源候论·十水候》："又有十水者，青水、赤水、黄水、白水、黑水、悬水、风水、石水、暴水、气水。"《诸病源候论·水肿病》又分风水、皮水、毛水、石水、疸水、水瘕、水癥、水澼、水蛊、水分、燥水、湿水十二种。不知《本经》十二水具体指什么。

[10] **东海** 即今东海。郭璞注《尔雅》作"生海中"。《本草图经》云："海藻生东海池泽。"按，生池泽的是水草，非海藻。陆玑《毛诗疏》："诗云'于以采藻，于沼于沚'，注：'藻，水草，生水底，可食'。"

316 败酱[1]

味苦，平[2]。主治暴热[3]，火疮[4]，赤气[5]，疥瘙[6]，疽[7]，痔[8]，马鞍热气[9]。一名鹿肠[10]。生江夏[11]川谷。（刘《大观》卷8页64，柯《大观》卷8页54，人卫《政和》页210）

【校注】

[1] **败酱** 陶隐居注："气如败豆酱，故以为名。"本条，刘《大观》、柯《大观》、人卫《政

和》、《纲目》、孙本、森本、顾本原列在中品，但本条文中无“补虚羸”功用，不符合《本经》中品定义，故移入下品。

［2］**味苦，平** 《纲目》作“气味苦，平，无毒”。《大观》《政和》注“无毒”二字为黑字《别录》文。

［3］**暴热** 指热性病在短时间内发生高热。

［4］**火疮** 即烫火灼伤成疮。“疮”，孙本、问本、黄本、周本作“创”。

［5］**赤气** 即五运六气中之火气。其与酷暑火邪同性，但无明显季节性，为诸般火症共同的病因。

［6］**疥瘙** 指疥疮瘙痒。“瘙”，孙本、问本、黄本、周本作“搔”。

［7］**疽** 即深部脓疡。“疽”，孙本作“痘”。

［8］**痔** 见五石脂注［8］。

［9］**马鞍热气** 马鞍热气入疮，使疮肿痛烦热。《诸病源候论·马毒入疮候》：“人先有疮而乘马，汗并马毛及马屎尿及马皮鞯（jiān 笺，衬托马鞍的垫子），并能有毒；毒气入疮，致焮肿，疼痛，烦热。”

［10］**肠** 《本草和名》作“腹”。

［11］**江夏** 今湖北黄冈西北。录“江夏”为《本经》文，详玉泉注［11］。

317 栾华[1]

味苦，寒[2]。主治目痛泪出[3]，伤眦[4]，消目肿[5]。生汉中[6]川谷。（刘《大观》卷14页55，柯《大观》卷14页45，《新修》页158）

【校注】

［1］**栾华** 敦煌本《集注·七情药例》《梦溪笔谈·补笔谈》、人卫《政和》栾华条所附药图名，作“栾花”。傅本《新修》、罗本《新修》、《本草和名》《医心方》《千金翼》、刘《大观》、柯《大观》、人卫《政和》、《纲目》《万安方》及诸家《本经》辑本俱作“栾华”。

［2］**味苦，寒** 《纲目》作“气味苦，寒，无毒”。

［3］**目痛泪出** 多指目赤痛泪出。若目本无痛而自然泪出者，属脏气不足。《诸病源候论·目泪出候》：“脏气不足，不能收其津液，故目自然泪出。”“泪”，傅本《新修》、罗本《新修》、森本作“泣”。

［4］**伤眦** “眦”，即眼角，靠鼻侧为内眦，靠颞侧为外眦。“伤眦”，多见于眦部赤烂。

［5］**目肿** 《诸病源候论·目风肿候》：“目睑内结肿，或如杏核大，或如酸枣之状。肿而因风所发，谓之风肿。”

［6］**汉中** 今陕西南郑。录“汉中”为《本经》文，详玉泉注［11］。

318 木兰[1]

味苦，寒[2]。主治身有[3]大热在皮肤中，去面热赤皰[4]，酒皶[5]，恶风[6]

癞疾[7]，阴下痒湿[8]。明目[9]。一名林兰[10]。生零陵[11]山谷[12]。（《新修》页113，刘《大观》卷12页47，柯《大观》卷12页40）

【校注】

[1] **木兰** 《广雅》作"木栏，桂栏"。蔡本作"木兰皮"。《纲目》以"木兰"为正名，其子目分"皮"与"花"。本条，《大观》《政和》《纲目》、孙本列为上品，但本条文中即无"久服延年不老"，又无"补虚羸"等语，不符合《本经》上品、中品定义，故移入下品。

[2] **味苦，寒** 《纲目》作"气味苦，寒，无毒"。

[3] **身有** 《证类》《纲目》《品汇》、孙本、问本、《图考长编》脱"有"字。傅本《新修》、罗本《新修》、森本作"身有"。森本《本经·考异》云："有，《香药钞》《香要钞》作体"。

[4] **面热赤皰** 类似颜面生的粉刺。初起皮疹如粟，甚则色赤肿痛，挤破出白粉汁，抠后感染则成脓疱。

[5] **酒皶** 傅本《新修》、罗本《新修》作"皶酒"。"酒皶"即酒皶鼻。

[6] **恶风** 指证名，音务（wù），出《素问·风论》，如外感初起，出现头痛、鼻塞、恶风（怕风）等症；指病邪名，音厄（è），出《素问·脉要精微论》，指风邪中人之凶恶者。

[7] **癞疾** 《证类》《纲目》《品汇》《图考长编》《千金翼》、孙本、顾本、狩本、卢本作"颠疾"。傅本《新修》、罗本《新修》、《绍兴本草》《药种钞》、森本作"癞疾"。"癞疾"，即麻风。麻风重症，全身肌肤肿溃无脓，眉落、目损、鼻崩、唇裂、足底穿等。

[8] **阴下痒湿** 女性多见外阴部或阴道内瘙痒，甚则奇痒难忍，湿热者伴有带下色黄，量多。男性多见阴囊瘙痒，搔破浸淫脂水，或热痛如火燎。

[9] **明目** 《证类》《纲目》《品汇》《图考长编》、孙本、顾本作"明耳目"。《新修》、森本作"明目"。

[10] **林兰** 森本《本经·考异》云："林，《香字钞》作'松'"。

[11] **零陵** 今湖南宁远。录"零陵"为《本经》文，详玉泉注[11]。

[12] **山谷** 孙本、问本、黄本作"川谷"。

319 别羁[1]

味苦，微温[2]。主治风寒湿痹[3]，身重，四肢疼酸[4]，寒邪历节痛[5]。生蓝田[6]川谷。（《新修》页360，刘《大观》卷30页18，柯《大观》卷30页15）

【校注】

[1] **羁** 《纲目》、孙本作"羁"。《证类》、森本、顾本作"羇"。金陵版《纲目》作"覊"。

[2] **味苦，微温** 《纲目》作"味苦，微温，无毒"。《大观》《政和》对"无毒"二字作黑字《别录》文。"温"，莫本作"寒"。

[3] **风寒湿痹** 见菖蒲注[3]。

[4] **身重，四肢疼酸** 此句承上文，说明风寒湿痹，湿邪偏胜，则身体沉重，四肢酸痛。

[5] **寒邪历节痛** "邪"，傅本《新修》、罗本《新修》作"耶"，《纲目》、姜本、顾本无此字。"历节痛"，即风寒湿邪流注关节肿痛，痛势剧烈，屈伸不利，日轻夜重，甚或红肿热痛。

[6] **蓝田** 今陕西蓝田。辑"蓝田"为《本经》文，详玉泉注[11]。

【按语】 孙本将别羁列为上品，但本条文中，既无"久服延年轻身不老"，又无"补虚羸"等语，不符合《本经》上品、下品定义，应移入下品。

320 石下长卿[1]

味咸，平[2]。治鬼注精物[3]，邪恶气[4]，杀百精[5]，蛊毒[6]，老魅[7]注易[8]，亡走，啼器，悲伤，恍惚。一名徐长卿。生陇西[9]池泽。（《新修》页361，刘《大观》卷30页19，柯《大观》卷30页15）

【校注】

[1] **石下长卿** 《纲目》将本条并在徐长卿条下，在释名下注云："徐长卿，人名也。《别录》于有名未用复出石下长卿条"。《大观》《政和》石下长卿作白字《本经》文，出《唐本草》退药，非有名未用《别录》药。又，孙本漏辑石下长卿。

[2] **平** 《纲目》作"别录曰，石下长卿，平"。"平"，《大观》《政和》作白字《本经》文。

[3] **鬼注精物** "鬼注"，见龙骨注[3]。"精物"，见龙骨注[4]。

[4] **邪恶气** 即邪气、恶气的合称。"邪恶气"，卢本作"邪恶鬼"。

[5] **百精** 泛指各种害人的妖精，如传说中的"螭"（山神）、"魅"（鬼怪）、"罔两"（水神）等。

[6] **蛊毒** 见赤箭注[3]。

[7] **老魅** 王本无此二字。

[8] **注易** 即灌注转易，多指具有传染性和病程长的慢性病的传播。《释名·释疾病》："注病，一人死，一人复得，气相灌注也。"其病能注易旁人，旁人得之亦死。"注易"，王本作"狂易"。若将"注易"与文中"亡走，啼哭，悲伤，恍惚"联系起来看，则"注易"似是"狂易"讹误。狂易是指精神错乱之病，下文"亡走、啼哭、悲伤、恍惚"正是狂易所表现的症状。

[9] **陇西** 今甘肃陇西、临洮。录"陇西"为《本经》文，详玉泉注[11]。

321 羊桃[1]

味苦，寒[2]。主治熛热[3]，身暴赤色，风水[4]，积聚[5]，恶疡[6]，除小儿热。一名鬼桃[7]，一名羊肠[8]。生山林[9]川谷。（刘《大观》卷11页36，柯《大观》卷11页28，人卫《政和》页273）

【校注】

［1］**羊桃** 《毛诗》《尔雅》《说文》作“苌楚”。《广雅》作“鬼桃、铫弋”。《山海经·中山经》、陆玑《毛诗疏》、郭璞注《尔雅》、《大观》《政和》《纲目》作“羊桃”。

［2］**味苦，寒** 《纲目》作“味苦，寒，有毒”。刘《大观》、人卫《政和》对“有毒”二字作黑字《别录》文，柯《大观》对“有毒”二字作白字《本经》文。

［3］**熛热** 熛疽发热。《肘后方》：“熛疽者，肉中生一点子如豆粟，剧者如梅李大，若发于指端，色赤黑，其黡有核，核有深根，痛疹应心，四面悉肿，疮黯紫黑，能烂坏筋骨。”“熛热”，或指热病急性发作。联系下句“身暴赤色”看，似指红疹、丹毒一类疾病所致发热。《诸病源候论·丹候》：“其皮上热而赤，如丹之涂。”

［4］**风水** 水肿之一。《素问·水热穴论》：“行于皮里，传为胕肿，名曰风水。”风水来势急，多伴有发热恶风，面目四肢浮肿，骨节疼痛，小便不利，脉浮等。

［5］**积聚** 见曾青注［5］。

［6］**恶疡** 即恶疮，见矾石注［8］。

［7］**鬼桃** 王本无此异名。

［8］**一名羊肠** 《本草和名》作“一名羊服”。

［9］**山林** 《中国历史地图集》未见，疑是自然的山林。辑“山林”为《本经》文，详玉泉注［11］。

322 羊蹄[1]

味苦，寒[2]。主治头秃[3]，疥瘙[4]，除热[5]，女子阴蚀[6]。一名东方宿，一名连虫陆，一名鬼目[7]。生陈留[8]川泽。（刘《大观》卷11页17，柯《大观》卷11页13，人卫《政和》页267）

【校注】

［1］**羊蹄** 《毛诗》作“蓫”，又作“蓄”。《说文》《广雅》作“堇”。《御览》卷995引《本经》，以羊蹄为本条正名，以鬼目为异名。同书卷998引《本经》，以鬼目为本条正名，以羊蹄为本条异名。说明《御览》在两处所引的《本经》不是同一种本子。

［2］**味苦，寒** 《纲目》作“气味苦，寒，无毒”。《大观》《政和》对“无毒”二字作黑字《别录》文。

［3］**头秃** 森本《本经·考异》云：“《长生疗养方》作疬疡。”

［4］**瘙** 孙本、问本、黄本、周本作“搔”。森本《本经·考异》云：“瘙，《长生疗养方》作癣”。

［5］**除热** “除”，《御览》作“阴”。《医心方》页706无“热”字。

［6］**女子阴蚀** 《御览》作“无子”二字。此文与陶氏作《集注》所据《本经》文不同。说明《御览》所引《本经》与陶氏所据《本经》，不是同一种本子。“阴蚀”，即女子外阴部溃疡。

［7］**鬼目** 《大观》《政和》有名未用类有“鬼目”条，其内容与羊蹄不同，乃是同名异物。

［8］**陈留** 今河南陈留（在开封和杞县之间）。辑“陈留”为《本经》文，详玉泉注［11］。

323 鹿藿[1]

味苦，平[2]。主治蛊毒[3]，女子腰[4]腹痛，不乐，肠痈[5]，瘰疬[6]，疡气[7]。生汶山[8]山谷。（刘《大观》卷11页58，柯《大观》卷11页46，人卫《政和》页279）

【校注】

[1] **鹿藿** 《说文》《广雅》："藨（biāo标），鹿藿"。《尔雅》："蔨（juàn倦），鹿藿"。郭璞："今鹿豆也"。《御览》在"鹿豆"标题下引《本经》鹿藿条，但条文中无鹿豆的名称。《蜀本草》引《图经》："鹿藿，山人谓之鹿豆。"

[2] **味苦，平** 《纲目》作"气味苦，平，无毒"。《大观》《政和》对"无毒"二字作黑字《别录》文。"平"，邢昺《尔雅疏》引本草无。

[3] **蛊毒** 见赤箭注[3]。

[4] **腰** 孙本、问本、黄本作"要"。

[5] **肠痈** 病名，出《素问·厥论》。《金匮要略》："肠痈者，少腹肿痞，按之即痛，时发热，自汗出，复恶寒。脓未成可下，脓已成不可下也。"

[6] **瘰疬** 病名，见《灵枢·寒热》。其生于颈项、腋、胯之间，串生如豆粟，推之不移，溃破，脓汁稀薄，其中或夹有豆渣样物。此愈彼起成疮，久不收口。

[7] **疡气** 《纲目》作"疬疡气"。《大观》《政和》《千金翼》作"疡气"，无"疬"字。

[8] **汶山** 今四川理县。辑"汶山"为《本经》文，详玉泉注[11]。

324 牛扁[1]

味苦，微寒[2]。主治身皮疮[3]热气，可作浴汤。杀牛虱、小虫，又治牛病。生桂阳[4]川谷[5]。（刘《大观》卷11页67，柯《大观》卷11页53，人卫《政和》页282）

【校注】

[1] **牛扁** 《唐本草》注："田野人名为牛扁，太常贮名扁特，或名扁毒。"

[2] **味苦，微寒** 《纲目》作"味苦，微寒，无毒"。《大观》《政和》对"无毒"二字作黑字《别录》文。

[3] **疮** 孙本、问本、黄本、王本作"创"。

[4] **桂阳** 今广东连州。辑"桂阳"为《本经》文，详苦菜注[9]。

[5] **谷** 《图经衍义》误作"俗"。

325 陆英[1]

味苦，寒[2]。主治骨间[3]诸痹[4]，四肢拘挛[5]疼酸，膝寒痛[6]，阴痿[7]，

短气不足[8]，脚肿。生熊耳[9]川谷。（刘《大观》卷11页60，柯《大观》卷11页48，人卫《政和》页280）

【校注】

[1] **陆英** 《唐本草》注："此即蒴藋是也。"《药性论》云："陆英一名蒴藋。"《本草衍义》："蒴藋与陆英性味及出产皆不同，治疗又别，自是二物，断无疑矣。"今日的陆英为忍冬科接骨木属植物陆英，蒴藋为忍冬科植物蒴藋。

[2] **味苦，寒** 《纲目》作"味苦，寒，无毒"。《大观》《政和》对"无毒"二字作黑字《别录》文。

[3] **间** 孙本、黄本作"闲"。

[4] **痹** 见商陆注[5]。

[5] **拘挛** 拘急挛痛。

[6] **寒痛** 痛处固着不移，遇冷加重，得热则轻。

[7] **阴痿** 即阳痿。

[8] **短气不足** 呼吸急促，呼吸次数比正常人多而快。

[9] **熊耳** 《御览》作"熊耳山"，在今河南卢氏县以东。辑"熊耳"为《本经》文，详玉泉注[11]。

326 荩草[1]

味苦，平[2]。主治久咳上气喘逆[3]，久寒惊悸[4]，痂疥[5]，白秃[6]疡气，杀皮肤小虫[7]。生青衣[8]川谷。（刘《大观》卷11页63，柯《大观》卷11页50，人卫《政和》页281）

【校注】

[1] **荩草** 《毛诗》："绿竹猗猗"，《传》云："菉，王刍。"《尔雅》《说文》："菉，王刍"，孙炎注："菉蓐也"。《唐本草》注："荩草，俗名菉蓐草。"

[2] **平** 其后，《纲目》《图考长编》有"无毒"二字。《大观》《政和》对"无毒"二字作黑字《别录》文。

[3] **久咳上气喘逆** 即反复咳嗽，引起肺气上逆，致使呼吸急促而喘逆。"上气"，《大全》《图考长编》作"止气"。

[4] **惊悸** 《图经衍义》误作"笃悸"。

[5] **痂疥** 干疥。《诸病源候论·干疥候》："干疥但痒，搔之皮起作干痂。"

[6] **白秃** 即头癣脱发。

[7] **杀皮肤小虫** 《诸病源候论·疥候·癣候·病疮候》谓皮肤瘙痒，并皆有虫。

[8] **青衣** 今四川雅安。录"青衣"为《本经》文，详玉泉注[11]。

327 恒山[1]

味苦，寒[2]。主治伤寒寒热[3]，热发[4]，温疟[5]，鬼毒[6]，胸中痰结[7]，吐逆。一名互草[8]。生益州[9]川谷。（刘《大观》卷10页37，柯《大观》卷10页30）

【校注】

[1] **恒山** 《尔雅·释山》："恒山为北岳。"《尚书·禹贡》："大行，恒行至于碣石。"西汉高祖置恒山郡。汉文帝刘恒在位时，为避讳，改恒为常。刘《大观》、柯《大观》、人卫《政和》、《万安方》《品汇》《纲目》《图考长编》、顾本作"常山"。敦煌本《新修》、《千金翼》《医心方》《本草和名》《和名类聚钞》、狩本、森本、孙本、问本、黄本、曹本、筠默本作"恒山"。《御览》作"恒"，缺下一横。

[2] **味苦，寒** 《纲目》作"味苦，寒，有毒"。《大观》《政和》对"有毒"二字作黑字《别录》文。

[3] **伤寒寒热** "伤寒"，为多种外感热证的通称。《素问·热论》："人之伤于寒，则为病热。"《伤寒论》以伤寒命名，即包括多种外感热证。热证初起为表证，多见恶寒发热。"寒热"，《御览》无此二字。

[4] **热发** 敦煌本《新修》作"发"，并朱书为《本经》文。刘《大观》、柯《大观》、成化《政和》、商务《政和》对"热发"作白字《本经》文。《纲目》、孙本、问本、黄本、王本、森本有"热发"二字，并作《本经》文。人卫《政和》对"热发"二字作黑字《别录》文。

[5] **温疟** 见徐长卿注[6]。

[6] **鬼毒** 鬼疰。《诸病源候论·鬼疰候》："人先无他病，忽被鬼排击，当时或心腹刺痛，或闷绝倒地。其差后，有时发动，连滞停注，乃于死，死后注易旁人。"

[7] **痰结** 敦煌本《新修》、森本作"淡结"，刘《大观》、柯《大观》、人卫《政和》、《品汇》《纲目》、孙本、顾本、《本经疏证》《图考长编》作"痰结"。按，"淡"为"痰"之通假字。

[8] **互草** 《御览》作"玄草"，黄本作"元草"。清代刻本，避清康熙皇帝玄烨讳，改玄为元。《吴普》、敦煌本《新修》、《本草和名》《千金翼》、刘《大观》、柯《大观》、人卫《政和》、《纲目》、姜本、孙本、顾本、森本、莫本、筠默本俱作"互草"。

[9] **益州** 今四川。辑"益州"为《本经》文，详玉泉注[11]。

328 夏枯草[1]

味苦、辛，寒[2]。主治寒热[3]，瘰疬，鼠瘘[4]，头疮[5]，破癥[6]，散瘿结气[7]，脚肿湿痹[8]，轻身。一名夕句[9]，一名乃东[10]。生蜀郡[11]川谷[12]。（刘《大观》卷11页70，柯《大观》卷11页55，人卫《政和》页283）

【校注】

[1] **夏枯草**　《本草衍义补遗》："此草夏至后即枯，故有是名。"

[2] **味苦、辛，寒**　"辛"，森本、王本无。"寒"，卢本作"微寒"。孙本、顾本、徐本、《图考长编》《本经续疏》无"寒"字。"寒"字后，《纲目》有"无毒"二字，《大观》《政和》对此二字作黑字《别录》文。

[3] **寒热**　见牡蛎注[4]。

[4] **瘰疬，鼠瘘**　病名，出《灵枢·寒热》。生于颈项，初如豆，后渐增大，串生，相互粘连，数目不等，小的为瘰，大的为疬。若溃破则脓稀，其中或夹有点渣样物，此愈彼起，又不收口，或形成瘘管，名鼠瘘。

[5] **疮**　孙本、周本、问本、黄本作"创"。

[6] **破癥**　破除癥积结块。

[7] **瘿结气**　即瘿瘤结气。

[8] **湿痹**　见酸枣注[5]。

[9] **一名夕句**　王本无。

[10] **乃东**　《本草和名》注云："杨玄操音尺奢反，诸本草作东。据杨玄操音，当是乃车。"

[11] **蜀郡**　今四川成都，录"蜀郡"为《本经》文，详玉泉注[11]。

[12] **川谷**　《本经续疏》作"山谷"。

329　乌韭[1]

味甘，寒[2]。主治皮肤[3]往来寒热[4]，利小肠膀胱气[5]。生山谷。（刘《大观》卷11页55，柯《大观》卷11页44，人卫《政和》页278）

【校注】

[1] **乌韭**　《广雅》："昔邪，乌韭也。"《唐本草》注作"石苔、石衣，石发"。《范汪方》作"乌葫"。"韭"，《本草和名》《医心方》、刘《大观》、柯《大观》、人卫《政和》作"韮"，《千金翼》《纲目》、姜本、莫本、孙本、问本、黄本、顾本、森本作"韭"。

[2] **味甘，寒**　《纲目》作"味甘，寒，无毒"。《大观》《政和》对"无毒"二字作黑字《别录》文。

[3] **皮肤**　莫本作"浮热在皮肤"。

[4] **往来寒热**　亦称寒热往来，见《诸病源候论·冷热病候》。指忽寒忽热，寒与热互相往来，一天可发作数次。如见于伤寒发病过程中，则兼见口苦、咽干、目眩、胸胁胀痛；如见于虚损疾病，多表现为时寒时热，或昼发而夜静，或昼静而夜作。

[5] **利小肠膀胱气**　即通利水道，起到利水作用。

330　溲疏[1]

味辛，寒[2]。主治身[3]皮肤中热[4]，除邪气[5]，止遗溺[6]。可作浴汤[7]。

生熊耳[8]川谷[9]。(《新修》页161，刘《大观》卷14页40，柯《大观》卷14页34)

【校注】

[1] **溲疏** 陶隐居注：“李当之云：溲疏一名杨栌，一名牡荆，一名空疏。”

[2] **味辛，寒** 《纲目》作“味辛，寒，无毒”。《大观》《政和》对“无毒”二字作黑字《别录》文。

[3] **身** 《纲目》《长生疗养方》无此字。

[4] **皮肤中热** 即浮热在体表，亦称表热，是表证的一种。指感受风热，出现发热，微恶风寒。

[5] **邪气** 指各种致病因素及其病理损害。

[6] **止遗溺** 万历《政和》作“止气溺”。“溺”字后，《纲目》有“利水道”三字，并注为《本经》文。《大观》《政和》对“利水道”作黑字《别录》文。“遗溺”，亦称小便不禁，见《诸病源候论·小便不禁候》，指小便不能随意控制而自遗，以虚证为多。

[7] **可作浴汤** 《纲目》注为《别录》文。《大观》《政和》作白字《本经》文。

[8] **熊耳** 今河南卢氏县。录“熊耳”为《本经》文，详玉泉注[11]。

[9] **川谷** 孙本作“山谷”。

331 六畜毛蹄甲[1]

味咸，平[2]。治鬼疰[3]，蛊毒[4]，寒热[5]，惊痫[6]，痓[7]，癫疾狂走[8]。骆驼毛尤良[9]。(《新修》页216，刘《大观》卷18页18，柯《大观》卷18页14)

【校注】

[1] **六畜毛蹄甲** “六畜”，《左传·昭公二十五年》：“为六畜……以奉五味”，《管子·牧民》：“养桑麻，育六畜”。陶隐居云：“六畜谓马、牛、羊、猪、狗、鸡。”其中“狗”，金陵版《纲目》、江西版《纲目》、合肥版《纲目》作“驼”。“毛蹄甲”，即六畜的毛及其蹄爪尖端的甲壳。刘《大观》、玄《大观》、《大全》无“甲”字。又本条，玄《大观》、《大全》俱作黑字《别录》文，无白字《本经》标记。

[2] **味咸，平** 《纲目》作“味咸，平，有毒”，其中“有毒”二字，《大观》《政和》作黑字《别录》文。“平”，其后，森本有“生平谷”三字。

[3] **鬼疰** 见龙骨注[3]。“疰”，傅本《新修》、罗本《新修》无此字，《大观》《政和》《纲目》、诸家《本经》辑本俱有此字。

[4] **蛊毒** 见赤箭注[3]。

[5] **寒热** 见矾石注[4]。

[6] **惊痫** 见款冬注[5]。

[7] **痓** 一名痉，见《灵枢·经筋》，以项背强急、口噤、四肢抽搐、角弓反张等为主症。王本、森本作“痉”。《证类》《纲目》、孙本、顾本作“痓”。

[8] **癫疾狂走** 癫与狂都是精神病的一种类型，见《灵枢·癫狂》。癫者多静默，精神抑郁，表情淡漠，或喃喃独语，或哭笑无常，言语错乱，幻想幻觉，不知秽洁，不思饮食；狂者多躁动，狂妄自大，少卧不饥，或狂走，怒骂号叫，或毁物打人，越墙上屋，不避亲疏，力大倍常。“癫疾”，刘《大观》、柯《大观》、人卫《政和》、《纲目》、孙本、顾本作“癫痓”，罗本《新修》、傅本《新修》作“癫疾”。

[9] **良** 其后，森本有“鼺鼠，堕胎，生乳易”七字。森本《本经·考异》云：“鼺鼠原别条，今据陶注所说合此条。”

332 鼺鼠[1]

堕胎，生乳易[2]。生山都[3]平谷。(《新修》页216，刘《大观》卷18页14，柯《大观》卷18页11)

【校注】

[1] **鼺（léi 雷）鼠** 《尔雅》作“鼯鼠，夷由”，《纲目》、蔡本作“鸓鼠”。又，本条无性味，但《大观》《政和》引白字鼺鼠作“微温”，《纲目》、姜本作“微温，有毒”。

[2] **生乳易** 《证类》《纲目》、顾本作“令产易”。孙本作“令人产易”。傅本《新修》、罗本《新修》、森本作“生乳易”。按，“生乳”即“产乳”。

[3] **山都** 今湖北襄阳西北处。辑“山都”为《本经》文，详玉泉注[11]。

333 麋脂[1]

味辛，温[2]。主治痈肿[3]，恶疮[4]，死肌[5]，寒风湿痹[6]，四肢拘缓[7]不收，风头肿气[8]，通腠理[9]。一名宫脂[10]。生南山[11]山谷。(《新修》页217，刘《大观》卷18页6，柯《大观》卷18页5)

【校注】

[1] **麋脂** 《说文》：“麋，鹿属。”《淮南子》：“孕女见麋而子四目也。”《博物志》：“南方麋千百为群。”

[2] **味辛，温** 《纲目》作“味辛，温，无毒”。《大观》《政和》对“无毒”二字作黑字《别录》文。

[3] **痈肿** 见扁青注[4]。

[4] **恶疮** 见松脂注[3]。“疮”，孙本、问本、王本、黄本作“创”。

[5] **死肌** 见皂荚注[4]。

[6] **寒风湿痹** 《千金方·食治》、金陵版《纲目》、江西版《纲目》、合肥版《纲目》、姜本、莫本作“寒热风寒湿痹”。卢本作“风寒湿痹”。刘《大观》、柯《大观》、人卫《政和》、《千金翼》

作“寒风湿痹”。“湿”，傅本《新修》、罗本《新修》讹作“温”。

[7] **拘缓** 合肥版《纲目》作“拘挛”。

[8] **风头肿气** 大头风，头面肿甚，目不能开，伴有寒热。本病包括颜面丹毒、腮腺炎等病证。

[9] **通腠理** 泛指全身内外各组织间隙处的纹理。《素问·阴阳应象大论》：“清阳发腠理。”《金匮要略》：“腠者，是三焦通会元真之处，为气血所注；理者，是皮肤脏腑之文理也。”

[10] **宫脂** 金陵版《纲目》、江西版《纲目》、合肥版《纲目》、成化《政和》、万历《政和》、商务《政和》、《品汇》、孙本、顾本作“官脂”。傅本《新修》、罗本《新修》、《本草和名》、刘《大观》、柯《大观》、人卫《政和》、卢本、森本作“宫脂”。

[11] **南山** 今甘肃秦岭山脉。辑“南山”为《本经》文，详玉泉注[11]。

334 虾蟆[1]

味辛，寒[2]。主治邪气[3]，破癥坚血，痈肿[4]，阴疮[5]，服之不患热病。生江湖。（刘《大观》卷22页3，柯《大观》卷22页1，人卫《政和》页440）

【校注】

[1] **虾蟆** 《大观》《政和》所讲的虾蟆，实物是蟾蜍；《大观》《政和》所讲的鼃，其实物是蛙。陶隐居注：“此（虾蟆）是腹大，皮上多痱磊者，其皮汁甚有毒，犬啮之口皆肿。”《纲目》作蛤蟆，又另立蟾蜍条，注为《别录》文。《本草和名》《医心方》《千金翼》《大观》《政和》、孙本俱作“虾蟆”。

[2] **味辛，寒** 《纲目》作“味辛，寒，有毒”。《大观》《政和》对“有毒”二字作黑字《别录》文。

[3] **邪气** 指各种致病因素及其病理损害。

[4] **痈肿** 见扁青注[4]。

[5] **阴疮** 亦称阴蚀、阴䘌，为阴道或外阴部溃烂成疮，或痒或痛，局部肿胀，多有赤白带下，小便淋漓之表现。《诸病源候论·阴疮候》：“阴疮者，虫食于阴，轻者或痒或痛，重者生疮也。”

335 石蚕[1]

味咸，寒[2]。主治五癃[3]，破石淋[4]，堕胎。肉[5]：解结气[6]，利水道[7]，除热。一名沙虱[8]。生江汉[9]。（刘《大观》卷22页26，柯《大观》卷22页21，人卫《政和》页449）

【校注】

[1] **石蚕** 《御览》引《本经》以沙虱为正名，以石蚕为异名。《御览》引李当之云：“类虫，形如老蚕，生附石。”《开宝》另有石蚕条，是矿物，与本条石蚕是同名异物。

[2] **味咸，寒** 《纲目》作“味咸，寒，有毒”。《大观》《政和》对“有毒”二字作黑字《别录》文。

[3] **五癃** “癃”，或指小便不利，如《素问·宣明五气论》：“膀胱不利为癃”；或指小便频数，《素问·奇病论》：“有癃者，一日数十溲”；或指淋，淋为小便急迫、短、数、涩、痛的病证。“五癃”，即五淋。

[4] **石淋** 见石龙子注［5］。

[5] **肉** 孙本、问本、周本误作“内”。《纲目》、姜本、莫本作“其肉”。

[6] **结气** 见虎掌注［5］。

[7] **利水道** 即利小便。“水”，《绍兴本草》作“血”。

[8] **沙虱** 《御览》作“石蚕”。

[9] **江汉** 湖北境内的长江与汉水。辑“江汉”为《本经》文，详玉泉注［11］。

336 蛇蜕[1]

味咸，平[2]。主治小儿百二十种惊痫[3]，瘈疭[4]，癫疾[5]，寒热[6]，肠痔[7]，虫毒[8]，蛇痫[9]。火熬之良[10]。一名龙子衣[11]，一名蛇符[12]，一名龙子单衣，一名弓皮[13]。生荆州[14]川谷。（刘《大观》卷22页13，柯《大观》卷22页9，人卫《政和》页443）

【校注】

[1] **蛇蜕** 《山海经·中山经》作“空夺”，郭璞注作“蛇皮脱”，《本草和名》《医心方》作“蛇蜕皮”。“蜕”，《千金翼》、敦煌本《集注·七情药例》、《千金方·七情药例》《大观》《政和》作“蜕”。

[2] **味咸，平** 《纲目》作“味咸、甘，平，无毒”。《大观》《政和》对“甘，无毒”作黑字《别录》文。

[3] **惊痫** 见龙骨注［12］。

[4] **瘈疭** 见白马茎注［9］。

[5] **癫疾** 《纲目》将之置于“瘈疭”之上。

[6] **寒热** 其上《纲目》、姜本、莫本有“弄舌摇头”四字，并作《本经》文。《大观》《政和》对此四字作黑字《别录》文。

[7] **肠痔** 《诸病源候论·肠痔候》：“肛边肿核痛，发寒热而血出者，肠痔也。”

[8] **虫毒** 《纲目》、姜本、王本作“蛊毒”。

[9] **蛇痫** 本条上文有“小儿百二十种惊痫”，《别录》钓藤条有“小儿寒热十二惊痫”，蛇痫疑为其中之一。《五十二病方》页25有“人病蛇不痫”标题，但无症状。《幼幼新书》引《婴童宝鉴》谓蛇痫为“身软、头举、吐舌、视人”。

[10] **火熬之良** 《品汇》注为《别录》文。《大观》《政和》作白字《本经》文。孙本、问本、黄本、顾本、姜本、森本俱辑为《本经》文。

[11] **龙子衣**　《千金翼》作“石出子衣”。王本仅有“龙子衣”别名。

[12] **蛇符**　《吴普》作“蛇附”，卢本、莫本作“龙付”。

[13] **弓皮**　卢本、莫本作“弓衣”。姜本仅有“弓皮”“龙子衣”别名。

[14] **荆州**　今湖北。辑“荆州”为《本经》文，详玉泉注 [11]。

337　蜈蚣[1]

味辛，温[2]。主治鬼疰[3]，蛊毒[4]，啖诸蛇[5]、虫、鱼毒，杀鬼物老精[6]，温疟[7]，去三虫[8]。生大吴[9]川谷。（刘《大观》卷22页21，柯《大观》卷22页16，人卫《政和》页446）

【校注】

[1] **蜈蚣**　敦煌本《集注·诸病主治·堕胎》《本草和名》《医心方》、森本、筠默本作“吴公”。《尔雅》《广雅》作“蝍蛆”。孙本、问本、黄本作“吴蚣”。

[2] **味辛，温**　《纲目》作“味辛，温，有毒”。《大观》《政和》对“有毒”二字作黑字《别录》文。

[3] **鬼疰**　见龙骨注 [3]。

[4] **蛊毒**　见赤箭注 [3]。

[5] **啖诸蛇**　《一切经音义》蜈蚣条引本草书作“能啖诸蛇”。“啖”，意为吃。

[6] **鬼物老精**　指传说中害人的妖精鬼怪之物，如“螭”（山神）、“魅”（鬼怪，木石之怪）、“罔两”（水神）等。“老精”，《一切经音义》引本草书作“老精魅”。

[7] **温疟**　见徐长卿注 [6]。“疟”，卢本、莫本作“疫”。

[8] **三虫**　见白青注 [6]。“虫”，《图经衍义》误作“园”。

[9] **大吴**　今江苏吴县。录“大吴”为《本经》文，详玉泉注 [11]。

338　马陆[1]

味辛，温[2]。主治腹中大坚癥[3]，破积聚[4]，息肉[5]，恶疮[6]，白秃[7]。一名百足[8]。生玄菟[9]川谷。（刘《大观》卷22页36，柯《大观》卷22页28，人卫《政和》页453）

【校注】

[1] **马陆**　《尔雅》：“蛝，马践。”郭璞注：“马蠲，俗呼马蠼。”高诱注《淮南子·时则训》：“蚈，马蚿。”又注《兵略訷》：“蚈，马蠸。”《方言》：“马蚿，北燕谓之蛆渠，大者谓之马蚰。”《五行大义》引本草书作“蚿蛔”。

[2] **味辛，温**　《纲目》作“味，辛，温，有毒”。《大观》《政和》对“有毒”二字作黑字

《别录》文。

[3] **坚瘕** 即坚积瘕瘕。

[4] **积聚** 见曾青注[5]。

[5] **息肉** 指腔孔内生的小肉块，如鼻息肉、肠息肉。

[6] **恶疮** 孙本、问本、黄本、周本作"恶创"。

[7] **白秃** 指头癣脱发。《诸病源候论·白秃候》："头生疮有虫，白痂甚痒，其上发秃落不生，故谓之白秃。"

[8] **一名百足** 高诱注《淮南子·汜论训》："蚈，足众。行不若蛇。"《博物志》："马蚿，一名百足，中断成两段，各行而去。"

[9] **玄菟** 今朝鲜咸境道。

339 蠮螉[1]

味辛，平[2]。主治久聋，咳逆[3]，毒气，出刺[4]，出汗。生熊耳[5]川谷。（刘《大观》卷22页18，柯《大观》卷22页14，人卫《政和》页446）

【校注】

[1] **蠮螉** 《医心方》作"蠮螉"。《毛诗》作"蜾蠃"。《传》云："蜾蠃，蒲芦也。"郑注《礼记》："蒲芦，土蜂也。"《广雅》："土蜂，蠮螉也。"《方言》："蜂小者谓之蠮螉，或谓之蚴蜕。"

[2] **味辛，平** 《纲目》作"味辛，平，无毒"。《大观》《政和》对"无毒"二字作黑字《别录》文。

[3] **咳逆** 指咳嗽气逆。

[4] **出刺** 排出刺在皮肤的竹木芒刺。《日华子》云："蠮螉生研，罯竹木刺。""出刺"，《图经衍义》脱此二字。

[5] **熊耳** 今河南卢氏县。辑"熊耳"为《本经》文，详玉泉注[11]。

340 雀瓮[1]

味甘，平[2]。主治小儿惊痫[3]，寒热[4]，结气[5]，蛊毒[6]，鬼疰[7]。一名躁舍[8]。生汉中[9]。（刘《大观》卷22页27，柯《大观》卷22页21，人卫《政和》页450）

【校注】

[1] **雀瓮** 《拾遗》："毛虫作茧，形似瓮，雀好食之，故有此名。"按，毛虫即杨瘌子。《说文》《尔雅》有"蛄蟖"，其茧名蛄蟖房，即雀瓮。

[2] **味甘，平** 《纲目》作"味甘，平，无毒"。《大观》、《政和》对"无毒"二字作黑字《别录》文。"平"，其下，森本有"生树枝间"四字。《绍兴本草》同。

[3] **小儿惊痫** 《纲目》将之置于“鬼疰”之后。

[4] **寒热** 见矾石注[4]。

[5] **结气** 见茈胡注[3]。

[6] **蛊毒** 见赤箭注[3]。

[7] **鬼疰** 见龙骨注[3]。

[8] **躁舍** 《本草和名》作“蝼舍”。

[9] **汉中** 今陕西南郑。辑“汉中”为《本经》文，详玉泉注[11]。

341 彼子[1]

味甘，温[2]。主治腹中邪气[3]，去三虫[4]，蛇螫，蛊毒[5]，鬼疰，伏尸[6]。生永昌[7]山谷。（刘《大观》卷30页21，柯《大观》卷30页17，人卫《政和》页547）

【校注】

[1] **彼子** 《千金翼》无“彼子”。“彼”，《纲目》所载《本经》目录作“披”，《纲目》榧实条引作“被”。关于“彼子”品属，各书所记不一：《医心方》所载《唐本草》目录列在虫鱼部下品，森本亦列在虫鱼部下品；《纲目》列在果类，注明为下品；顾本列在果类中品；《证类》、孙本列在书末。根据《唐本草》的目录，彼子是列在虫鱼部的，而彼子条文中无“补虚羸”等语，应属下品，本书即将彼子列在虫鱼部下品。

[2] **温** 其后，《纲目》列“有毒”二字。《大观》《政和》对“有毒”二字作黑字《别录》文。

[3] **邪气** 指各种致病因素及其病理损害。

[4] **三虫** 见白青注[6]。

[5] **蛊毒** 见赤箭注[3]。

[6] **鬼疰，伏尸** 万历《政和》作“蛊疰伏生”。“尸”，《大全》误作“户”。

[7] **永昌** 今云南保山。辑“永昌”为《本经》文，详玉泉注[11]。

342 鼠妇[1]

味酸，温[2]。主治气癃[3]，不得小便[4]，妇人月闭[5]，血瘕[6]，痫痓[7]，寒热[8]，利水道[9]，一名负蟠[10]，一名蛜蝛[11]。生魏郡[12]平谷。（刘《大观》卷22页42，柯《大观》卷22页31，人卫《政和》页455）

【校注】

[1] **鼠妇** 《毛诗》作“伊威”。《传》云：“伊威，委黍也。”《尔雅》云：“蟠，鼠负。”陶隐居注：“鼠在坎中，背则负之，今作妇字，似乖理。”又云：“一名鼠姑。”《蜀本草》注作“鼠粘”。

［2］**味酸，温** 《五行大义》引本草书作“苦”。《纲目》作“味酸，温，无毒”。《大观》《政和》对“无毒”二字作黑字《别录》文。

［3］**气癃** 见车前子注［3］。

［4］**不得小便** 是“气癃”的症状。“便”，万历《政和》误作“使”。

［5］**月闭** 妇女不在妊娠、哺乳、月经期，三个月以上不来月经者，称为月闭。

［6］**血瘕** 多见于妇人产后。“瘕”，孙本、问本、黄本、周本作“瘕”。

［7］**痈痓** 卢本、森本作“痈痉”。

［8］**寒热** 见矾石注［4］。

［9］**气癃……利水道** 此十九字，金陵版《纲目》、江西版《纲目》、合肥版《纲目》注为《日华子》文。“利水道”，指通利小便。

［10］**负蟠** 《大全》、狩本作“员蟠”，顾本作“眉蟠”，《本草和名》、森本作“蟠负”。

［11］**蛜蝛** 孙本、问本、黄本、《尔雅》作“蛜威”，《毛诗》、陆玑《毛诗疏》、《本草和名》《经典释文》《五行大义》、森本作“伊威”。

［12］**魏郡** 今河北临漳。录“魏郡”为《本经》文，详玉泉注［11］。

343 萤火[1]

味辛，微温[2]。主明目，小儿火疮[3]，伤热气[4]，蛊毒[5]，鬼疰[6]，通神精[7]。一名夜光[8]。生阶地[9]。（刘《大观》卷22页42，柯《大观》卷22页32，人卫《政和》页455）

【校注】

［1］**萤火** 《毛诗》作“熠燿”，《传》云：“熠燿，燐；燐，萤火。”《尔雅》：“荧火，即炤”，郭璞注：“夜飞也”。《古今注》作“宵烛”。《吴普》作“救火、据火、挟火”。

［2］**温** 其后，《纲目》有“无毒”二字。《大观》《政和》对“无毒”二字作黑字《别录》文。

［3］**火疮** 汤火灼伤成疮。“疮”，孙本、周本、黄本作“创”。

［4］**伤热气** 多见于夏季，因炎热中暑，而致突然闷倒，昏不知人，身热烦躁，喘促不语，牙关微紧，或出汗，或四肢抽搐。

［5］**蛊毒** 见赤箭注［3］。

［6］**鬼疰** 见龙骨注［3］。

［7］**小儿火疮……通神精** 以上十四字，金陵版《纲目》、江西版《纲目》、合肥版《纲目》注为《别录》文。孙本脱“精”字。

［8］**夜光** 《吴普》作“夜照”。

［9］**阶地** 指台阶下的地。该处积有烂草，为萤火虫卵孵化所生之处，即《月令》所谓“腐草为萤”。

344 衣鱼[1]

味咸，温[2]。主治妇人疝瘕[3]，小便不利[4]，小儿中风[5]，项强[6]背起[7]摩之。一名白鱼[8]。生咸阳[9]平泽。（刘《大观》卷22页43，柯《大观》卷22页32，人卫《政和》页456）

【校注】

[1] **衣鱼** 《尔雅》《说文》《吴氏》《别录》作“蟫（yín吟）”。郭璞注《广雅》作“蛃鱼”。《御览》以白鱼为正名。

[2] **温** 其后，《纲目》有“无毒”二字。此二字，刘《大观》、柯《大观》作黑字《别录》文，人卫《政和》作白字《本经》文。

[3] **疝瘕** 见藁本注[3]。“瘕”，《御览》作“瘕”。

[4] **小便不利** 多见于淋闭。陶隐居云：“衣鱼可用于小儿淋闭以摩脐及小腹，即溺通也。”“不利”，《御览》作“泄利”。

[5] **小儿中风** 表现症状不一，或口噤，或四肢拘挛，或角弓反张。“中风”，《御览》作“头中风”。

[6] **项强** 指脑后颈部僵硬。

[7] **背起** 《御览》、森本作“皆宜”。《大观》《政和》《绍兴本草》《千金翼》《纲目》、卢本、孙本、问本、黄本、顾本、姜本、王本俱作“背起”。按，“背起”与上文“项强”，都是小儿中风症状中的一种。

[8] **白鱼** 《药性论》作“衣中白鱼”。王本无此异名。

[9] **咸阳** 今陕西咸阳。辑“咸阳”为《本经》文，详玉泉注[11]。

345 白颈蚯蚓[1]

味咸，寒[2]。主治蛇瘕[3]，去三虫[4]、伏尸[5]、鬼疰[6]、蛊毒[7]，杀长虫[8]，仍自化作水[9]。生平土[10]。（刘《大观》卷22页14，柯《大观》卷22页10，人卫《政和》页455）

【校注】

[1] **白颈蚯蚓** 孙本作“邱蚓”，《吴普》、蔡本作“蚯蚓”，皆无“白颈”二字。《尔雅》作“蜸蚓，螼蚕”，《说文》作“螾，侧行”，《广雅》作“蚯蟺”，郭璞作“蛩蟺”。“颈”，《本草和名》误作“头”。

[2] **寒** 其后，《纲目》有“无毒”二字。《大观》《政和》对“无毒”二字作黑字《别录》文。

[3] **蛇瘕** 《诸病源候论·蛇瘕候》：“其状常若饥，而食则不下，喉噎塞，食至胸内即吐出。

其病在腹，摸揣亦有蛇状，谓蛇瘕也。”

[4] **三虫** 见白青注 [6]。

[5] **伏尸** 见天门冬注 [5]。

[6] **鬼疰** 见龙骨注 [3]。

[7] **蛊毒** 见赤箭注 [3]。“毒”，万历《政和》误作“而”。

[8] **长虫** 《诸病源候论·三虫候》：“长虫，蛔虫也，长一尺，动则吐清水，出则心痛，贯心则死。”

[9] **仍自化作水** 《纲目》作“化为水”，改属下句“疗伤寒伏热”，并注为《别录》文，《大观》《政和》作白字《本经》文。陶隐居注：“取破去土，盐之，日暴，须臾成水。温病大热狂言，饮其汁皆差。”

[10] **平土** 即平地土中。

346 蝼蛄[1]

味咸，寒[2]。主治产难[3]，出肉中刺[4]，溃痈肿[5]，下哽噎[6]，解毒，除恶疮[7]。一名蟪蛄[8]，一名天蝼，一名螜[9]。生东城[10]平泽，夜出者良[11]。

（刘《大观》卷22页36，柯《大观》卷22页27，人卫《政和》页453）

【校注】

[1] **蝼蛄** 《尔雅》《夏小正》作“螜，天蝼”。《淮南子·时则训》《月令》作“蝼蝈”。《方言》作“杜狗”。陆玑《毛诗疏》、《古今注》作“石鼠”。

[2] **寒** 其后《纲目》有“无毒”二字。《大观》《政和》对“无毒”二字作黑字《别录》文。

[3] **产难** 《诸病源候论·产难候》有产难、横产、逆产、产子上逼心等。

[4] **出肉中刺** 《御览》作“刺在肉中”。《外台》治刺不出，用蝼蛄脑傅之，刺即出。

[5] **溃痈肿** 《品汇》作“渍痈肿”。

[6] **噎** 《御览》作“咽”。

[7] **除恶疮** “除”，《御览》作“愈”。“疮”，孙本、问本、黄本、周本作“创”。

[8] **蟪蛄** 《御览》作“�蛄”。

[9] **一名天蝼，一名螜** 此二别名出《尔雅》是先秦时古名。东晋郭璞释为蝼蛄。郭注《尔雅》是以晋代语言释古语，说明蝼蛄名称晚于天蝼及螜。《本经》以后出名为主名，将先秦的古名作别名，提示《本经》非先秦时书。

[10] **东城** 今安徽定远东南。录“东城”为《本经》文，详玉泉注 [11]。

[11] **夜出者良** 《纲目》注为《别录》文。刘《大观》、柯《大观》、人卫《政和》、孙本、问本、黄本、顾本、森本、王本俱作《本经》文。

347 蜣螂[1]

味咸，寒[2]。主治小儿惊痫[3]，瘈疭[4]，腹胀[5]，寒热[6]，大人癫疾[7]，狂易[8]。一名蛣蜣[9]。火熬之良[10]。生长沙[11]池泽。（刘《大观》卷22页32，柯《大观》卷22页24，人卫《政和》页451）

【校注】

[1] **蜣螂** 《五十二病方》346行作“庆良”。《尔雅》《庄子》作“蛣蜣”。《说文》作“渠蜋、天杜”。《玉篇》作“蜣螂，啖粪虫”。《古今注》作“转丸”。陶弘景作“推丸”。

[2] **寒** 其后，《纲目》增“有毒”二字。《大观》《政和》对“有毒”二字作黑字《别录》文。

[3] **惊痫** 见龙骨注［12］。

[4] **瘈疭** 见白马茎注［9］。

[5] **胀** 孙本、问本、周本、黄本作“张”。

[6] **寒热** 见矾石注［4］。

[7] **癫疾** 病名，见《灵枢·癫狂》。患癫疾者多静默，精神抑郁，言语错乱，哭笑无常，不知秽洁，并多伴有幻想幻觉。

[8] **狂易** 指精神错乱一类疾病，见《灵枢·癫狂》。患者多躁动，狂妄自大，少卧不饥，或怒骂叫号，甚至毁物殴人，越墙上屋，不避亲疏，力大倍常。“狂易”，金陵版《纲目》、江西版《纲目》、合肥版《纲目》作“狂阳”。

[9] **蛣蜣** 此异名出《尔雅》《庄子》，是先秦时古名，卢本作“蛣蜋”。姜本、王本无此异名。

[10] **火熬之良** 以上四字，《大观》《政和》、孙本、问本、黄本、森本、顾本、王本俱作《本经》文。《品汇》《本草经疏》无此文。

[11] **长沙** 今湖南长沙。录“长沙”为《本经》文，详玉泉注［11］。

348 地胆[1]

味辛，寒[2]。主治鬼疰[3]，寒热[4]，鼠瘘[5]，恶疮[6]，死肌[7]，破癥瘕[8]，堕胎。一名蚖青[9]。生汶山[10]川谷。（刘《大观》卷22页39，柯《大观》卷22页30，人卫《政和》页454）

【校注】

[1] **地胆** 《广雅》作“虵要、青蓋、青蠵”。《御览》引《本经》谓“地胆黑，头赤”。陶氏作《集注》所引《本经》无药物形态。可见《御览》、陶氏所据《本经》不是同一种本子。

[2] **味辛，寒** 《御览》作“味辛，微寒”，《纲目》作“味辛，寒，有毒”。《大观》《政和》对“有毒”二字作黑字《别录》文。

[3] **鬼疰** 见龙骨注［3］。

[4] **寒热** 见矾石注［4］。

[5] **鼠瘘** 见雄黄注［4］。

[6] **恶疮**　见矾石注［8］。"疮"，孙本、问本、周本、黄本作"创"。

[7] **死肌**　多指痹证肌肤麻木不仁，或指痈疽溃后腐肉。

[8] **癥瘕**　见太一禹馀粮注［3］。"瘕"，卢本、莫本作"坚"。

[9] **蚖青**　《吴普》《御览》、森本作"元青"，《本草和名》《和名类聚钞》《纲目》、狩本作"芫青"，《千金翼》、刘《大观》、柯《大观》、人卫《政和》孙本、问本、顾本作"蚖青"。

[10] **汶山**　今四川茂县。录"汶山"为《本经》文，详玉泉注［11］。

349　马刀[1]

味辛，微寒[2]。主治[3]漏下赤白[4]，寒热[5]破石淋[6]，杀禽兽贼鼠[7]。生江湖[8]池泽。（刘《大观》卷22页7，柯《大观》卷22页4，人卫《政和》页441）

【校注】

[1] **马刀**　《艺文类聚》卷97引《本经》曰："马刀，一曰名蛤。"李当之云："江汉间人名为单姥。"《吴普》作"齐蛤"。

[2] **味辛，微寒**　《纲目》、姜本作"味辛，微寒，有毒。得水，烂人肠。又云得水良。"姜本据《纲目》辑，故其性味同。又《吴普》引《本经》作"咸有毒"，此与陶弘景作《集注》所据《本经》性味不同。盖吴普、陶氏所据《本经》不是同一种本子。

[3] **治**　其后，《御览》有"补中"二字，《纲目》、莫本有"妇人"二字。

[4] **漏下赤白**　"漏下"，指妇女阴道淋漓不断下血；"赤白"，指妇女带下赤色或白色。

[5] **寒热**　见矾石注［4］。

[6] **石淋**　见石龙子注［5］。

[7] **贼鼠**　《绍兴本草》作"鼠"，无"贼"字。

[8] **生江湖**　陶隐居注："李云，生江汉中"。《吴普》《御览》作"生江海"。

350　贝子[1]

味咸，平[2]。主治目翳[3]，鬼疰[4]，蛊毒[5]，腹痛，下血[6]，五癃，利水道[7]。烧用之良[8]。生东海[9]池泽。（刘《大观》卷22页26，柯《大观》卷22页20，人卫《政和》页449）

【校注】

[1] **贝子**　《说文》："贝，海介虫也。"《尔雅》："贝小者，鲼。"郭璞注："今细贝。"《海药》："贝，用为钱货易。"《艺文类聚》《御览》引《本经》曰："贝子，一名贝齿。"《大观》《政和》对"贝齿"二字，作黑字《别录》文。由此可见，类书所引《本经》与陶弘景作《集注》所引的《本经》不是同一种本子。如果是同一种本子，则《大观》《政和》标注"贝齿"为黑字《别录》

有误。

[2] **味咸，平** 《纲目》作“味咸平，有毒”。《大观》《政和》对“有毒”二字作黑字《别录》文。

[3] **目翳** 指眼内外所生遮蔽的目障。

[4] **鬼疰** 见龙骨注[3]。

[5] **蛊毒** 见赤箭注[3]。

[6] **下血** 泛指大小便出血。

[7] **五癃，利水道** 《纲目》将之置于“目翳”之后。

[8] **烧用之良** 《纲目》无此文。《大观》《政和》对此文作白字《本经》文。孙本、问本、黄本、周本、顾本、森本俱录此文为《本经》文。

[9] **东海** 今东海。辑“东海”为《本经》文，详玉泉注[11]。

351 豚卵[1]

味甘，温[2]。主治惊痫[3]，癫疾[4]，鬼疰[5]，蛊毒[6]，除寒热[7]，贲豚[8]，五癃[9]，邪气挛缩[10]。一名豚颠[11]。猪悬蹄[12]：主治五痔[13]，伏热在肠[14]，肠痈[15]，内蚀。(《新修》页218，刘《大观》卷18页2，柯《大观》卷18页1)

【校注】

[1] **豚卵** 《本草图经》云：“豚卵，当是猪子也。”《纲目》：“豚卵，即牡猪外肾也。牡猪小者多犗去卵，故曰豚卵。”“豚”，《千金方·食治》作“㹠”。《方言》：“关东西谓之彘，或曰豕。”

[2] **味甘，温** 《纲目》作“味甘，温，无毒”。《大观》《政和》对“无毒”二字作黑字《别录》文。“味”，《新修》讹作“咮”。“味甘”，孙本作“味苦”。

[3] **主治惊痫** 《千金方·食治》作“除阴茎中痛，惊痫”。

[4] **癫疾** 《千金方·食治》无此二字。

[5] **鬼疰** 《千金方·食治》作“鬼气”。

[6] **蛊毒** 见赤箭注[3]。

[7] **寒热** 见矾石注[4]。

[8] **贲豚** 见独活注[4]。“豚”，万历《政和》作“猪”。

[9] **五癃** 见冬葵子注[4]。

[10] **挛缩** 指身体筋脉自觉紧缩感，以致影响活动。

[11] **豚颠** 王本无此异名。“颠”，莫本作“癫”。

[12] **猪悬蹄** 《证类》无“猪”字，《新修》有“猪”字。《千金方·食治》作“大猪后脚悬蹄甲”，《纲目》作“悬蹄甲”。

[13] **五痔** 指牝痔、牡痔、脉痔、血痔、肠痔。

[14] **伏热在肠** 傅本《新修》、罗本《新修》、森本作“伏肠”，无“热在”二字。“肠”，《千金方·食治》《纲目》、姜本作“腹中”。

[15] **肠痈** 见鹿藿注[5]。

352 燕屎[1]

味辛，平[2]。主治蛊毒[3]，鬼疰[4]，逐不祥邪气[5]，破五癃[6]，利小便[7]。生高山平谷[8]。（吐鲁番出土《集注》残简，刘《大观》卷19页12，柯《大观》卷19页10）

【校注】

[1] **燕屎** “燕”，《大观》《政和》作“鷰”，吐鲁番出土《集注》作“鳦”，《尔雅》《说文》作“乙鸟”，《毛传》《礼记》作“玄鸟”，《古今注》作“鸷鸟”，《千金方·食治》作“越燕”，陶隐居注作“胡鷰。“屎”，《本草和名》《医心方》、森本、狩本作“矢”。

[2] **味辛，平** 《纲目》作“味辛，平，有毒”。《大观》《政和》对“有毒”二字作黑字《别录》文。

[3] **主治蛊毒** 《千金方·食治》作“杀蛊毒”。

[4] **鬼疰** 见龙骨注[3]。“鬼”，《千金方·食治》无。

[5] **邪气** 指各种致病因素及其病理损害。

[6] **五癃** 见冬葵子注[4]。

[7] **蛊毒……利小便** 以上十五字，金陵版《纲目》、江西版《纲目》、合肥版《纲目》注为《别录》文，《大观》《政和》作白字《本经》文。

[8] **生高山平谷** 《证类》注为《别录》文，吐鲁番出土《集注》残简作朱字《本经》文。这个事实说明《本经》是有产地的，《唐本草》编修时，《本经》产地被改作黑字。1900年敦煌出土的《新修》残卷，对《本经》产地全作墨书。自唐以后，历代本草皆认为《本经》无产地。若无吐鲁番出土《集注》朱书《本经》产地的事实，则《本经》无产地的讹误，不知何时才能澄清。又“高山”，吐鲁番出土《集注》作“高谷山”；刘《大观》、柯《大观》、人卫《政和》俱作“高山”，无“谷”字。

【按语】 燕屎条，孙本、问本、黄本列在中品，但本条无“补虚羸”等语，不符合《本经》中品定义，应列在下品。

353 天鼠屎[1]

味辛，寒[2]。主治面痈肿[3]，皮肤说说[4]时痛，腹[5]中血气，破寒热积聚[6]，除惊悸[7]。一名鼠沽，一名石肝[8]。生合浦山谷[9]。（吐鲁番出土《集注》残简，刘《大观》卷19页14，柯《大观》卷19页11）

【校注】

[1] **天鼠屎** 李当之云："即伏翼屎也。"天鼠"，《方言》："一名仙鼠。"《纲目》将天鼠屎并在伏翼条中。"屎"，孙本、问本、黄本、周本作"屎"，敦煌本《集注·七情药例》《本草和名》《医心方》、森本、狩本作"矢"，其他各本作"屎"。又本条，金陵版《纲目》、江西版《纲目》、合肥版《纲目》列在上品，《千金翼》《本草和名》《医心方》《大观》《政和》、孙本、问本列在中品。但本条既无"久服不老神仙"，又无"补虚羸"，不符合《本经》上品、中品定义，应列入下品。森本、顾本列在下品。

[2] **味辛，寒** 《纲目》作"味辛，寒，无毒"。《大观》《政和》对"无毒"二字作黑字《别录》文。"寒"字后，吐鲁番出土《集注》残简有"有毒"二字，作黑字《别录》文。

[3] **痈肿** 见扁青注［4］。

[4] **说说** 《证类》、孙本、森本、顾本、狩本作"洗洗"。《纲目》作"洒洒"。吐鲁番出土《集注》作"说说"。按，"说说""洗洗""洒洒"通假，义为恶寒貌。《集韵》："洗同洒。"段玉裁《说文解字注》："洗，洒足也。今人假洗为洒。"《素问·诊要经终论》："令人洒洒时寒。"王冰注："洒洒，寒貌。"

[5] **腹** 孙本、问本、周本作"肠"。

[6] **寒热积聚** "寒热"，见矾石注［4］。"积聚"，见曾青注［5］。

[7] **惊悸** 由惊吓而悸，悸即心跳、心慌、悸动不安。

[8] **一名鼠沽，一名石肝** 柯《大观》作黑字《别录》文，人卫《政和》作白字《本经》文。"沽"，《千金翼》《证类》《品汇》《纲目》、顾本、狩本作"法"，《本草和名》、森本作"姑"，孙本误作"沄"（沄疑法之误），吐鲁番出土《集注》作"沽"。

[9] **生合浦山谷** 《证类》注为《别录》文。"合"，吐鲁番出土《集注》作"令"。合浦，汉置，故城在今广西合浦东北约38千米处。又，"生合浦山谷"，吐鲁番出土《集注》残简作朱书《本经》文。

354 斑猫[1]

味辛，寒[2]。主治寒热[3]，鬼疰[4]，蛊毒[5]，鼠瘘[6]，恶疮[7]，疽[8]蚀，死肌[9]，破石癃[10]。一名龙尾[11]。生河东[12]川谷。（刘《大观》卷22页24，柯《大观》卷22页19，人卫《政和》页448）

【校注】

[1] **斑猫** 《纲目》作"斑蝥"，《拾遗》、森本作"盤蝥"，《吴普》《千金方·七情药例》、卢本作"班猫"，《本草和名》《医心方》、敦煌本《集注·七情药例》、孙本、问本、黄本、筠默本作"班苗"，《千金翼》《大观》《政和》《万安方》、姜本、王本、莫本、顾本、狩本作"斑猫"，《博物志》引《神农经》作"班茅"。

[2] **味辛，寒** 《纲目》作"味辛，寒，有毒"，《大观》《政和》对"有毒"二字作黑字《别录》文。又，《吴普》引《本经》作"味辛"。

[3] **寒热** 见牡蛎注[4]。

[4] **鬼疰** 见龙骨注[3]。

[5] **蛊毒** 见赤箭注[3]。

[6] **鼠瘘** 见雄黄注[4]。

[7] **恶疮** “恶”，金陵版《纲目》、江西版《纲目》、合肥版《纲目》、姜本俱脱。“疮”，孙本、问本、黄本、王本作“创”。

[8] **疽** 肌肉筋骨间的疮肿。《诸病源候论·疽候》：“疽肿深厚，久则血肉腐坏，化而为脓，乃至伤骨烂筋。”

[9] **死肌** 多指痈疽溃烂腐肉。一指痹证肌肤麻木不仁如死。

[10] **石癃** 即石淋。

[11] **龙尾** 金陵版《纲目》、江西版《纲目》、合肥版《纲目》脱此异名。《吴普》作“龙毦”。“毦”与“尾”，字形虽近，字音不同。

[12] **河东** 今山西。黄河流经山西、陕西间，呈南北线，山西位于黄河以东，故称河东。辑“河东”为《本经》文，详燕屎注[8]。

355 木虻[1]

味苦，平[2]。主治目赤痛[3]，眦伤泪出[4]，瘀[5]血，血闭[6]，寒热酸㾏[7]，无子[8]。一名魂常[9]。生汉中[10]川泽。（刘《大观》卷21页26，柯《大观》卷21页20，人卫《政和》页433）

【校注】

[1] **虻** 《说文》《千金翼》、金陵版《纲目》、江西版《纲目》、合肥版《纲目》、《万安方》、森本作“䖟”，《大观》《政和》《医心方》、孙本、问本、黄本、顾本作“虻”。《淮南子·说山训》：“虻散积血。”

[2] **味苦，平** 《纲目》作“味苦平，有毒”。《大观》《政和》对“有毒”二字作黑字《别录》文。

[3] **目赤痛** 若微赤痛，二便清利，为虚火上浮；若赤痛而多分泌物，眵泪胶黏，为风热壅盛。“痛”，卢本作“肿”。

[4] **眦伤泪出** “眦伤”，见栾华注[4]。“泪出”，卢本作“泣出”。

[5] **瘀** 王本作“淤”。

[6] **血闭** 见白胶注[7]。

[7] **寒热酸㾏** “寒热”，见矾石注[4]。“酸”，一作“痠”。《广雅》释诂：“痠，痛也。”“㾏”，《一切经音义》：“㾏，酸痛也”。“酸㾏”，指肌肉筋骨痠痛。又198王瓜条作“寒热酸痛”。同一病证，各条所用病名不同。

[8] **无子** 卷柏条作“绝子”，紫石英条及粉锡下锡铜镜鼻条作“绝孕”。同一病证，各条所用病名不同。

[9] **魂常** 卢本无。

[10] **汉中** 今陕西南郑。按本条，《大观》《政和》《纲目》、孙本、问本、森本俱例在中品，但本条无“补虚羸”等语，不符合《本经》中品定义，应移入下品。顾本亦在下品。又，辑“汉中”为《本经》文，详燕屎注[8]。

356 蜚虻[1]

味苦，微寒[2]。主逐瘀血[3]，破下血积[4]，坚痞[5]，癥瘕[6]，寒热[7]，通利血脉[8]及九窍[9]。生江夏[10]川谷。（刘《大观》卷21页27，柯《大观》卷21页21，人卫《政和》页433）

【校注】

[1] **蜚** “虻”，《千金翼》、金陵版《纲目》、江西版《纲目》、合肥版《纲目》、王本、森本、狩本作“蝱”，《医心方》《大观》《政和》、孙本、问本、顾本作“虻”。《大观》《政和》《纲目》、孙本、森本将蜚虻列在中品，但蜚虻条中无“补虚羸”等语，不符合《本经》中品定义，应移入下品。顾本将蜚虻列在下品。陶隐居注：“此即方家所用虻虫，啖牛马血者。”

[2] **味苦，微寒** 《纲目》作“味苦，微寒，有毒”。《大观》《政和》对“有毒”二字作黑字《别录》文。

[3] **瘀血** 见菴蕳子注[3]。

[4] **下血积** “下”，《纲目》、姜本无。“血积”，指血郁成积，或打仆堕损，瘀血内蓄成积。其症面色萎黄而有蟹爪纹，脘腹或胁肋有块不移，时常疼痛，或黑便。血积和瘀血基本相同，都是血液瘀滞体内，包括溢出经脉外，积于组织间隙，或血液运行受阻，滞留于经脉内，以及积于器官内。

[5] **坚痞** 指脾虚气郁，痞塞不通。《难经·五十六难》谓为脾之积。症见脘部有肿块，按之坚硬，四肢瘦削等。

[6] **癥瘕** 见太一禹馀粮注[3]。

[7] **寒热** 见矾石注[4]。

[8] **通利血脉** 使经脉内血液运行通畅，防止血瘀、血积的形成，从而避免由血瘀、血积所产生的各种疾患。

[9] **九窍** 指头面双侧耳、目、鼻、口七窍及下部前后二阴。

[10] **江夏** 今湖北黄冈西北。辑“江夏”为《本经》文，详燕屎注[8]。

357 蜚蠊[1]

味咸，寒[2]。主治血瘀[3]，癥坚[4]，寒热[5]，破积聚[6]，喉咽痹[7]，内塞无子[8]。生晋阳[9]川泽[10]。（刘《大观》卷21页27，柯《大观》卷21页21，人卫《政和》页433）

【校注】

[1] **蜚蠊** 《说文》作“卢蜰”，《尔雅》《和名类聚钞》引本草作“蠦蜰”，郭璞注作“负盘”，《广雅》作“飞蟅”，《唐本草》注作“石姜”。《御览》《吴普》、孙本、问本、黄本、森本、邢昺《尔雅疏》俱作“蜚廉”，《五行大义》引本草作“蜚零”。“蜚蠊”，《证类》《纲目》、孙本、森本作中品，顾本作下品。按，蜚蠊条内无“补虚羸”，而有“治寒热，破积聚”，不符合《本经》中品定义，应列入下品。

[2] **味咸，寒** 《御览》作“味咸”，《五行大义》作“味甘”，《纲目》作“味咸，寒，有毒”。《大观》《政和》对“有毒”二字作黑字《别录》。

[3] **血瘀** 《纲目》、姜本作“瘀血”。姜本据《纲目》辑，故其文同。

[4] **癥坚** 《御览》作“逐下血”。

[5] **寒热** 《吴普》引《本经》作“治妇人寒热”。

[6] **积聚** 见曾青注[5]。

[7] **喉咽痹** 即喉痹。“咽”，《御览》无。“痹”，《政和》《纲目》、顾本作“闭”，《千金翼》《大观》《大全》《品汇》、黄本、卢本、孙本、王本、森本、狩本作“痹”。

[8] **内塞无子** “塞”，诸书原作“寒”，据药性改。按，蜚蠊性寒，不可能治寒证；又蜚蠊主血瘀、癥坚，能破坚活血，通闭塞，应能治内塞无子。

[9] **晋阳** 今山西太原。《御览》引《本经》作“晋地”。

[10] **川泽** 《御览》引《本经》作“山泽中”。

【按语】 蜚蠊条原出陶氏《集注》，其文与《吴普》《御览》所引《本经》文都不相同。说明陶氏、吴普、《御览》所据的《本经》不是同一种本子。盖古代《本经》有多种同名异书的本子。

358 水蛭[1]

味咸，平[2]。主逐恶血[3]，瘀血[4]，月闭[5]，破血瘕[6]，积聚[7]，无子[8]，利水道[9]。生雷泽[10]池泽。（刘《大观》卷22页23，柯《大观》卷22页17，人卫《政和》页448）

【校注】

[1] **水蛭** 《尔雅》作“蛭，虮”，《说文》作“蟣，至蟣，至掌”。《御览》引《本经》：“水蛭，一名至掌。”《大观》《政和》对“至掌”二字作黑字《别录》文。

[2] **味咸，平** 《御览》作“味咸”，无“平”字。《纲目》、姜本作“味咸、苦，平，有毒”。《大观》《政和》对“苦，有毒”三字作黑字《别录》文。

[3] **主逐恶血** 《御览》作“治恶血”，森本同。“恶血”，指患肿毒处的恶血，古人用水蛭来吸血治疗。

[4] **瘀血** 见菴蕳子注[3]。“血”，《御览》作“结”。

[5] **月闭** 即经闭。“月”，《御览》作“水”。

[6] **血瘕** 多见于妇人产后。《诸病源候论·产后血瘕痛候》：“新产后，有血气相击而痛者，谓之瘕痛，瘕之言假也，其痛，浮假无定处也。”

[7] **积聚** 见曾青注[5]。

[8] **无子** 卷柏条作“绝子”，紫石英条作“绝孕”。同一病证，各条所用病名互异。

[9] **利水道** 指通利小便。

[10] **雷泽** 今河南濮阳。录“雷泽”为《本经》文，详燕屎注[8]。

359 郁核[1]

味酸，平[2]。治大腹水肿[3]，面、目、四肢浮肿[4]，利小便水道[5]。根[6]：主治齿断肿[7]，龋齿[8]，坚齿[9]。一名爵李[10]。生高山[11]川谷。（《新修》页156，刘《大观》卷14页20，柯《大观》卷14页16）

【校注】

[1] **郁核** 《说文》作“棣，白棣”，《尔雅》作“常棣，棣”。《纲目》正名作“郁李”，其分目作“郁核仁”。《医心方》卷30作“郁子”。《大观》《长生疗养方》、人卫《政和》作“郁李人”，《千金翼》、成化《政和》、万历《政和》、商务《政和》、孙本、问本、黄本、顾本作“郁李仁”。傅本《新修》、罗本《新修》、《本草和名》、《医心方》引《唐本草》目录、《吴普》、森本、曹本作“郁核”。《毛诗》：“六月食郁及薁。”陆玑《毛诗疏》：“薁李，一名雀李，一名车下李。”《大观》《政和》对“车下李、棣”作黑字《别录》文。

[2] **味酸，平** 《纲目》作“味酸平，无毒”。《大观》《政和》对“无毒”二字作黑字《别录》文。“平”，《图考长编》作“辛”。

[3] **大腹水肿** 病名。《诸病源候论·大腹水肿候》：“水气流溢肠外，乃腹大而肿，四肢小，阴下湿，腰痛，上气咳嗽烦疼，故云大腹水肿。”

[4] **面、目、四肢浮肿** 见泽漆注[4]。

[5] **利小便水道** 玄大观、《大全》作黑字《别录》文。

[6] **根** 其后，《品汇》有“凉”字，《纲目》、姜本有“酸，凉，无毒”四字。姜本据《纲目》辑，故其性味同。

[7] **齿断肿** “断”，同“龂”。“齿断肿”，即牙龈肿，症见牙龈肿胀而硬，焮红疼痛，甚则肿连腮颊，或发寒热，口臭便秘。

[8] **龋齿** 因口腔不洁，食物渣滓发酵，腐蚀牙齿成空洞，有时疼痛，称为龋齿。

[9] **坚齿** 使牙齿坚固，防止松动。

[10] **爵李** 王本无此二字。

[11] **高山** 今江苏盱眙南部。辑“高山”为《本经》文，详燕屎注[8]。

360 杏核[1]

味甘，温[2]。主治咳逆上气[3]，雷鸣[4]，喉痹[5]，下气[6]，产乳[7]，金创[8]，寒心[9]，贲豚[10]。生晋山[11]川谷。(《新修》页255，刘《大观》卷23页37，柯《大观》卷23页30)

【校注】

[1] **杏核** 敦煌本《集注·七情药例》、《本草和品》《医心方》、傅本《新修》、罗本《新修》、森本、曹本、筠默本作“杏核”，《千金方·七情药例》《大观》、人卫《政和》、《万安方》作“杏核人”，《千金翼》、成化《政和》、万历《政和》、商务《政和》、孙本、问本、黄本、顾本作“杏核仁”，《长生疗养方》作“杏人”，《医心方》卷30作“杏实”，《和名类聚钞》作“杏子”，《管子·地员篇》《淮南子》《说文》《纲目》作“杏”。又，顾本将杏核列在中品，但杏核无“补虚羸”作用，不应列在中品，应移在下品。

[2] **味甘，温** 金陵版《纲目》、江西版《纲目》、合肥版《纲目》、姜本作“味甘、苦，温、冷利，有小毒”。姜本据《纲目》辑，故其性味同。其性味中“苦”“冷利”“有毒”，《大观》《政和》作黑字《别录》文。

[3] **咳逆上气** 指咳嗽气逆而喘。

[4] **雷鸣** 《千金方·食治》作“肠中雷鸣”。

[5] **喉痹** 见牡桂注[3]。

[6] **下气** 即降气。如降上逆之肺、胃气。适用于喘咳、呃逆等症。

[7] **产乳** 见石膏注[8]。

[8] **金创** 即金疮，指由金属器械刀斧所伤，感染成疮者。“创”，《证类》《品汇》《纲目》、顾本作“疮”，《新修》、孙本、森本作“创”。

[9] **寒心** 疑即寒心痛，见《千金方·心脏》，是一时性发作心痛。甚者心痛彻背，背痛彻心。森本《本经·考异》认为“寒心，盖寒饮在心下之谓”。莫本认为“心”即“热”字的剥文。

[10] **贲豚** 即奔豚，古病名，见《灵枢》《难经》，为一时性发作的病。症见气从少腹上冲胸咽，气急，胸闷，心悸，腹痛，头昏目眩，烦躁等，发作过后，亦如常人。

[11] **晋山** 今山西太行山。辑“晋山”为《本经》文，详燕屎注[8]。

361 桃核[1]

味苦，平[2]。主治瘀血[3]，血闭瘕[4]邪气[5]，杀小[6]虫。

桃华[7]：杀疰[8]恶鬼[9]，令人好色[10]。

桃枭[11]：微温[12]，主杀百鬼精物[13]。

桃毛[14]：主下血瘕[15]，寒热[16]，积聚[17]，无子[18]。

桃蠹[19]：杀鬼[20]，辟不祥[21]。（《新修》页256，刘《大观》卷23页33，柯《大观》卷23页25）

【校注】

[1] **桃核** 傅本《新修》、罗本《新修》、《本草和名》、《医心方》引《唐本草》药物目录、森本、曹本、筠默本作“桃核”，《千金方·食治》、《大观》、人卫《政和》、《万安方》、卢本作“桃核人”，成化《政和》、万历《政和》、商务《政和》、孙本、问本、黄本、顾本作“桃核仁”，《长生疗养方》作“桃人”，《医心方》卷30作“桃实”，《尔雅》《说文》《玉篇》《纲目》作“桃”。又，顾本将“桃核”列在中品，但桃核条中无“补虚羸”作用，应入下品。

[2] **味苦，平** 《纲目》、姜本作“味苦、甘，平，无毒”。姜本据《纲目》辑，故其性味同。《大观》《政和》对“甘，无毒”作黑字《别录》文。

[3] **治瘀血** 《千金方·食治》作“破疲血”。

[4] **血闭瘕** “血”，傅本《新修》、罗本《新修》、《千金方·食治》《医心方》卷30无。“血闭”，即经闭。“瘕”，《纲目》、卢本、姜本、莫本、顾本作“癥瘕”。

[5] **邪气** 指各种致病因素及其病理损害。

[6] **小** 姜本作“三”。

[7] **桃华** 《大观》《政和》《纲目》、孙本作“桃花”，傅本《新修》、罗本《新修》、森本作“桃华”。“华”字后，《纲目》、姜本有“味苦，平，无毒”五字，并作《本经》文，《大观》《政和》作黑字《别录》文。

[8] **疰** 多指具有传染性和病程长的慢性病。《释名·释疾病》：“注病，一人死，一人复得，气相灌注也。”

[9] **恶鬼** 多指鬼疰传染病，人得此病必死，死后疰易他人亦死，很凶恶，故古人称之为恶鬼。

[10] **好色** 《证类》《纲目》《图考长编》、孙本、顾本作“好颜色”。傅本《新修》、罗本《新修》、《绍兴本草》、森本作“好色”。

[11] **桃枭** 《艺文类聚》《初学记》《御览》作“枭桃”。《齐民要术》《大观》《政和》《纲目》《千金翼》、森本、狩本作“桃枭”。“枭”，成化《政和》、万历《政和》、商传《政和》、孙本、问本、周本、顾本作“凫”。

[12] **微温** 森本无此二字。《证类》《纲目》、孙本、顾本有此二字。

[13] **百鬼精物** 见赤箭注［2］。

[14] **桃毛** 其后，《大观》《政和》“诸病主治·月闭”引桃毛有“平”字，作白字《本经》文。但各本桃毛条正文中俱无“平”字。这种差异，说明陶弘景作《集注》所据《本经》不是同一种本子。又本条，《纲目》注为《别录》文，姜本亦不取桃毛条为《本经》文。这就提示姜本是据《纲目》辑的。

[15] **血瘕** 见水蛭注［6］。

[16] **寒热** 见矾石注［4］。

[17] **积聚** 见曾青注［5］。“聚”，孙本、问本、黄本作“寒”。

[18] **无子** 卷柏条作“绝子”，紫石英条作“绝孕十年无子”。同一病证，各条所用病名各异。

说明陶氏作《集注》所据《本经》不是同一种本子。

[19] **桃蠹** 其后，《纲目》、姜本有“气味辛，温，无毒”。姜本据《纲目》辑，故其性味同。

[20] **杀鬼** 古人将能离开形体而存在的精神，称为灵魂。迷信者谓人死后，其灵魂为鬼。《典术》谓桃制百鬼。《山海经》谓神荼、郁垒居东海蟠桃树下，主领众鬼，故鬼畏桃。由于历史条件，这些迷信传说亦渗入《本经》中。

[21] **辟不祥** 人卫《政和》、《纲目》、姜本、孙本、问本、黄本、顾本作“邪恶不祥”，刘《大观》、柯《大观》作“辟邪恶不祥”，傅本《新修》、罗本《新修》、森本作“辟不祥”。

362 瓜蒂[1]

味苦，寒[2]。主治大水，身、面、四肢浮肿[3]，下水，杀蛊毒[4]，咳逆上气[5]，食诸果不消[6]，病在胸腹中，皆吐下之[7]。生嵩高[8]平泽。（《新修》页264，刘《大观》卷27页7，柯《大观》卷27页6）

【校注】

[1] **瓜蒂** 《说文》：“蒂，瓜当也。”《纲目》、陶弘景谓瓜蒂即甜瓜蒂。傅本《新修》、罗本《新修》作“莀带”。《大观》《政和》《纲目》、孙本、问本、黄本、森本将“瓜蒂”列在上品；但本条文中无“久服轻身，延年不老”等语，故不能列在上品；又本条文中所言作用，能“下水，杀蛊毒”，符合《本经》下品定义，应列入下品。顾本列在下品。

[2] **味苦，寒** 《纲目》作“味苦，寒，有毒”。《大观》《政和》对“有毒”二字，作黑字《别录》文。

[3] **身、面、四肢浮肿** 见泽漆注 [4]。

[4] **蛊毒** 见赤箭注 [3]。

[5] **咳逆上气** 指咳嗽气逆而喘。

[6] **食诸果不消** 《大观》《政和》《纲目》《本草经疏》《本经疏证》、孙本、顾本、卢本、王本、姜本作“及食诸果”，无“不消”二字。傅本《新修》、罗本《新修》、森本作“食诸果不消”。

[7] **病在胸腹中，皆吐下之** 《绍兴本草》无“腹”字。病在胸中易吐，病在腹中难吐，《绍兴本草》可能本于此，省去“腹”字。本条后名“皆吐下之”，谓瓜蒂既能催吐，又能泻下，然而瓜蒂口服只能催吐而无泻下作用。如果将瓜蒂研细末，绵裹，塞入肛内，确能通下。

[8] **嵩高** 即嵩山，在今河南登封。辑“嵩高”为《本经》文，详燕屎注 [8]。

363 苦瓠[1]

味苦，寒[2]。主治大水[3]，面目四肢浮肿[4]，下水[5]，令人吐[6]。生晋地[7]川泽。（《新修》页280，刘《大观》卷29页1，柯《大观》卷29页1）

【校注】

[1] **苦瓠** 《说文》《广雅》谓瓠即瓟，《尔雅》云："瓠，棲瓣。"《古今注》："瓠，壶芦也。"《国语》作"苦匏"。《纲目》正名作苦瓠，其分目（药用部位）作"瓤及子"。

[2] **味苦，寒** 《纲目》作"瓤及子：气味苦，寒，有毒"。《大观》《政和》对"有毒"二字作黑字《别录》文。

[3] **大水** 指水肿重症。《千金方》用苦瓠治通身水肿，《外台》用苦瓠治大水胀满，头面洪大。

[4] **面目四肢浮肿** 见泽漆注［4］。

[5] **下水** 即水肿的治法，通过利尿、泻下，消除水肿。

[6] **令人吐** 《唐本草》注："苦瓠，多食令人吐。"

[7] **晋地** 今山西。辑"晋地"为《本经》文，详燕屎注［8］。

364 马先蒿[1]

味苦，平[2]。主治寒热[3]，鬼疰[4]，中风[5]，湿痹[6]，女子带下病[7]，无子[8]。一名马屎蒿[9]。生南阳[10]川泽。（刘《大观》卷 9 页 45，柯《大观》卷 9 页 34，人卫《政和》页 230）

【校注】

[1] **马先蒿** 《毛诗》作"蔚"，《尔雅》云："蔚，牡菣。"陆玑《毛诗疏》作"一名马新蒿"。又本条，《新修》《大观》《政和》《纲目》、孙本、问本、黄本、顾本、森本列在中品，但本条文中无"补虚羸"等语，不符合《本经》中品定义，应移入下品。

[2] **味苦，平** 《绍兴本草》《大观》《政和》、孙本、问本、黄本俱作"味平"，很难理解。森本、顾本、卢本、姜本、莫本作"味苦，平"。

[3] **寒热** 见矾石注［4］。

[4] **鬼疰** 见龙骨注［3］。

[5] **中风** 见《灵枢·邪气脏腑病形》等篇。指突然昏倒，不省人事，或突然口眼㖞斜，半身不遂，言语不利的病证。

[6] **湿痹** 见酸枣注［5］。

[7] **女子带下病** 妇女从阴道流出黏液，绵绵如带而下，名女子带下病。

[8] **无子** 卷柏条作"绝子"，紫石英条作"绝孕十年无子"。同一病证，各条所用病名各异。

[9] **马屎蒿** 《本草和名》、森本、姜本作"马矢蒿"，孙本、问本、黄本作"马屎蒿"，王本无此异名。

[10] **南阳** 今河南南阳。辑"南阳"为《本经》文，详燕屎注［8］。

365 腐婢[1]

味辛，平[2]。主治痎疟[3]，寒热[4]，邪气[5]，泄利[6]，阴不起[7]，病酒头

痛[8]。生汉中[9]。(《新修》页301，刘《大观》卷26页7，柯《大观》卷26页6)

【校注】

[1] **腐婢** 《御览》、《食医心镜》、陈承《别说》、《本草图经》作“小豆花”，《外台》作“小豆藿”，《药性论》作“赤小豆花”。

[2] **味辛，平** 《纲目》作“味辛，平，无毒”。《大观》《政和》对“无毒”二字作黑字《别录》文。又“平”，卢本、莫本作“温”。

[3] **痎疟** 指间日疟，亦泛指疟疾。《诸病源候论·痎疟候》：“疟之始发，寒栗鼓颔(冷得下巴抖动)，腰脊痛，寒去，则外内皆热，头痛而渴欲饮。”“痎疟”，金陵版《纲目》、江西版《纲目》、合肥版《纲目》、姜本作“痰疟”，卢本、莫本作“欬疟”。

[4] **寒热** 见矾石注[4]。

[5] **邪气** 指各种致病因素及其病理损害。

[6] **泄利** 即下利，病证名，古代医书对泄泻与痢疾的统称。泄泻，指大便稀薄，次数增多。痢疾，是大便次数增多而量少，腹痛，里急后重，下黏液及脓血样大便。

[7] **阴不起** 即阴痿，指男子未到性功能衰退时期，出现阴茎不举，或举而不坚、不持久的病证。“起”字后，《纲目》、姜本有“止消渴”三字，并注为《本经》文。姜本据《纲目》辑，故其文同。按“止消渴”，《大观》《政和》作黑字《别录》文，孙本、问本、黄本、森本、顾本皆不取其为《本经》文。

[8] **病酒头痛** 指饮酒过量头痛。《本草图经》云：“小豆花末服方寸匕，饮酒不知醉。”《药性论》云：“赤小豆花名腐婢，能消酒毒。”

[9] **汉中** 今陕西南郑。辑“汉中”为《本经》文，详燕屎注[8]。

附录一　古书所引《神农本草经》校注

一、古书所引《神农本草经》校注说明

各种类书及其他诸书所引的《本经》文，其中有不少内容是出于陶弘景以前流行的各种《本经》。这些书虽然亡佚，但书名还存在于《隋书·经籍志》中。

《隋书·经籍志》中题“神农本草”者有5种，题“本草经”者有9种。如下。

《神农本草经》3卷	无名氏
《神农本草》5卷	无名氏
《神农本草》8卷	无名氏
《神农本草属物》2卷	无名氏
《神农本草》4卷	雷公集注
《神农经钞》1卷	谈道术
《本草经》4卷	蔡英撰
《本草经》3卷	王季璞撰
《本草经》1卷	赵赞撰
《本草经》1卷	李当之撰
《本草经略》1卷	无名氏

《本草经轻行》1 卷　　　　　　　　　　无名氏

《本草经利用》1 卷　　　　　　　　　　无名氏

《本草经类用》3 卷　　　　　　　　　　无名氏

以上各书均亡佚。历代类书及古籍文、史、哲注文所引《本经》残文，俱未注出书名，因此无法分辨各书援引残文出于何种《本经》。由于各书所引《本经》残文，在内容、体例、文字结构等，俱与陶氏苞综诸经的《本经》文不同，说明诸类书及文、史、哲注文引文，所据的《本经》，与陶氏苞综诸经时所据的《本经》不是同一种本子。

又类书及文、史、哲注文所引《本经》残文，在内容上、体例上、文句结构上，大体相同，因此本书将各类书及文、史、哲注文所引《本经》残文，辑为一篇，题名“古书所引《神农本草经》”。

对每条引文注明文献出处，并用《证类》（指《大观》《政和》）白字《本经》文校勘，将校勘歧异处，加“按”文列于当药之下。

“古书所引《神农本草经》校注”全文原载于 1978 年 5 月皖南医学院铅印《神农本草经》校点本，今袭用之。

二、古书所引《神农本草经》序文校注

《艺文类聚》卷 75 引魏·嵇康《养生论》曰：“神农曰：上药性者，（此文有脱误）诚知性命之理，因辅养以通也。”

《文选》卷 53 嵇康《养生论》曰：“上药养命，中药养性者。”（《御览》卷 720 同）

《御览》引《博物志》云：“《神农经》曰：上药养性，谓合欢蠲忿，萱草忘忧。”（《御览》卷 996 页 3）

《御览》引《博物志》云：“《神农经》曰：下药治病，谓大黄除实，当归止痛。”

按，现存的本草著作均把当归列入中品，而不列入下品。

《博物志》引《神农经》曰：“上药养命，为五石之练形，六芝之延年也；中药养性，合欢蠲忿，萱草忘忧；下药治病，谓大黄除实，当归止痛。夫命之所以延，性之所以利，痛之所以止，当其药应其痛也。违其药，失其应，即怨天尤人……”（晋·张华《博物志》卷 4）

《艺文类聚》引《本经》曰："太一子曰：'凡药上者养命，中者养性，下者养病。'"（《艺文类聚》卷81页1379）

《御览》引《本经》曰："太一子曰：'凡药上者养命，中药养性，下药养病。神农乃作赭鞭钩铆，从六阴阳，与太一外巡五岳四渎土地所生，草、石、骨、肉、心皮、毛羽万千类，皆鞭（辨）问之，得其所能主治，尝其五味，一日遇七十余毒。'"（《御览》卷984页9）

《抱朴子》引《神农四经》曰："上药令人身安命延，升天神仙，遨游上下，役使万灵，体生毛羽，行厨立至。又曰五芝及饵丹砂、玉札、曾青、雄黄、云母、太一禹馀粮，各可单服之，皆令人飞行长生。又曰中药养性，下药除病，能令毒虫不加，猛兽不犯，恶气不行，众夭并辟"。（《御览》卷984页5引《抱朴子》）

《抱朴子·对俗》卷3云："知上药之延年，故服其药以求仙，知龟鹤之遐寿，故效其导引以增年。且夫松柏枝叶，与众木则别，龟鹤体貌，与众虫则殊"。

宋·罗泌《路史·后纪炎帝纪》注引唐·马总《意林》转引《神农本草》云："神农稽首再拜，问于太一（乙）小子曰：'凿井出泉，五味煎煮，口别生熟，后乃食咀，男女异利，子识其父。曾闻太（上）古之时，人寿过百（一本作寿过百岁），无殂落之咎，独何气使然（之使）耶？'太一（乙）小子曰：'天有九门，中道最良，日月行之，名曰国皇，字曰老人，出见南方，长生不死，众耀同光，神农乃从其尝药，以拯救人命。'"（清·李遇孙照宋刻《意林》全本补卷6中有此条，题曰《神农本草》卷6）

顾观光摘录抄本《书钞》云："神农稽首再拜，问于太一，小子为众子之长，矜其饥寒劳苦，昼则弦矢逐狩（兽），求食饮水，夜则岩穴饮处，居无处所，小子矜之，道时风雨，殖种五谷，去温燥隧，随逐寒暑，不优饥寒，风雨疾苦"。（顾观光《本经》辑本卷1页20）

《养生要略》引《神农经》曰："五味养精神，强魂魄。五石养髓，肌肉肥泽。诸药：其味酸者，补肝、养心、除肾病；其味苦者，补心，养脾，除肝病；其味甘者，补脾，养肺，除心病；其味辛者，补肺，养肾，除脾病；其味咸者，补肾，养肝，除肺病。故五味应五行，四体应四时。夫人性生于四时，然后命于五行，以一补身，不死命神。以母养子，长生延年。以子守母，除病究年。"（《御览》卷984页10引《养生要略》）

《外台》引《本经》曰："小儿痫惊有一百二十种，其证候微异于常。"（《外台》卷35页984，1955年人民卫生出版社出版；《医心方》卷25而570，1955年

人民卫生出版社出版）

《博物志》引《神农经》曰：“药物有大毒，不可入口、鼻、耳、目者，入即杀人。一曰钩吻。卢氏曰：阴也，黄精不相连，根、苗独生者也。二曰鸱，状如雌鸡，生山中。三曰阴命，赤色，著木，悬其子，生海中。四曰内童，状如鹅，亦生海中。五曰鸩羽，如雀，墨头赤喙。六曰蟜烯，生海中，雄曰烯，雌曰蟜也。”（晋·张华《博物志》卷4）

《博物志》引《神农经》曰：“药毒有五物，一曰狼毒，占斯解之。二曰巴豆，霍汁解之。三曰藜芦，汤解之。四曰天雄、乌头，大豆解之。五曰斑茅，戎盐解之。毒菜害小儿，乳汁解，先食饮二升。”（晋·张华《博物志》卷4）

三、古书所引《神农本草经》药物校注

玉泉	丹沙	空青	曾青	白青
扁青	石胆	石钟乳	朴消	消石
矾石	滑石	紫石英	白石英	青石英
赤石英	黄石英	黑石英	青石脂	赤石脂
黄石脂	白石脂	黑石脂	禹馀粮	太一禹馀粮
水银	雌黄石金	孔公孽	石流黄	石流青*[1]
石流赤*	阳起石	凝水石	青琅玕	石膏
磁石	长石	礜石	代赭	白垩
石肺*	石脾*	戎盐	卤盐	卤咸
大盐	铅丹	青芝	赤芝	黄芝
白芝	黑芝	紫芝	鬼督邮	天门冬
麦门冬	术	青粘**[2]	女萎	黄精*
地黄	菖蒲	远志	薯蓣	菊
甘草	人参	石斛	牛膝	卷柏
细辛	独活	升麻*	柴胡	房葵
蓍实	菴蕳	车前实	木香	榖菜（白英）

① 凡标有“*”号的药物，《证类》都作《别录》的药物。

② 凡标有“**”号的药名，皆不见于《证类》中。

肉苁蓉　地肤　忍冬*　蒺藜　防风
龙须　落石　黄连　沙参　紫参
王不留行　景天　香蒲　草兰　草决明
芎䓖　靡芜　续断　云实　黄芪
徐长卿　杜若*　因尘　翘根　屈草实根
漏芦　蔷薇　五味　旋华　当归
秦艽　黄芩　芍药　麻黄　葛根
栝楼　玄参　苦参　地椹　狗脊
通草　败酱　白芷　紫草　紫菀
白鲜　酢浆　淫羊藿　豕首　款冬
牡丹　防己　泽兰　地榆　王孙
爵床　王瓜　水萍　海藻　纶布*
大黄　桔梗　甘遂　芫华　大戟
旋复花　钩吻　固活　藜芦　乌头
天雄　附子　羊踯躅　射干　贯众
半夏　虎掌　蜀漆　恒山　狼牙
白及　白头翁　闾茹　鬼目（羊蹄）　鹿藿
石长生　荩草　陆英　狼毒　萹蓄
商陆　女青　茯苓　松脂　箘桂
漆叶**　蕤核　辛夷　枸杞　厚朴
猪苓　枳实　山茱萸　吴茱萸　秦皮
支子　合欢　萱草*　卫茅　紫威
芜荑　桑根　黄环　巴豆　蜀椒
莽草　郁核　雷公丸　柳华　龙骨
牛黄　射香　熊脂　胶　犀牛角
灵羊角　鹿茸　麋脂　鹳骨*　丹鸡
雁肪　鸢*　鸠*　石蜜　食蜜
海蛤　文蛤　石决明　蜚廉　蛴螬
水蛭　乌贼鱼骨　蟹　沙虱（石蚕）　马陆
萤　白鱼　蝼蛄　斑猫　地胆
马刀　贝子　蒲萄　鸡头　梅核

大枣	枭桃	柰*	水芝	葵菜
芥葅	胡麻	青蘘	麻蕡	麻子
大豆黄卷	赤小豆	腐婢	神护草*	占斯*
卢精**	葧勃*	木蜜*	芋*	玳瑁*
白粱米*	阴命**	内童	蝙蝠**	苴蓴**

【玉泉】一名玉澧，味甘，平。生山谷。治脏百病，柔筋，强骨，安魂，长肌肉。久服，能忍寒暑，不饥渴，不老神仙。人临死服五斤，死三年色不变。生蓝田。（《御览》卷988页4）

又，《御览》卷805页9引《本经》云：“玉乐，一名玉醴。临死服五斤，色不变。”

按，“一名玉醴”“一名玉澧”，《证类》作“一名玉札”，并注为《别录》文。

【丹沙】味甘，微寒。生山谷。养精神，益气，明目。（《御览》卷985页4）

按，“生山谷”，《证类》作黑字《别录》文。

【空青】味甘，寒。生山谷。明目。久服轻身延年。能化铜铅作金。生益州。（《御览》卷988页4）

又，《艺文类聚》卷81引《本经》曰：“空青，生山谷。久服轻身延年。能化铜铅作金。生益州。”

按，《证类》空青条，“生山谷”“生益州”作黑字《别录》文。

【曾青】生蜀郡名山，其山有铜者，曾青出其阳，青者铜之精，能化金铜。（《御览》卷988页4）

按，“生蜀郡名山”，《证类》作“生蜀中山谷”，并作黑字《别录》文。“其山有铜者……能化金铜”，《证类》无此文。

【白青】味甘，平。生山谷。明目，利九窍耳聋，杀诸毒之虫。久服通神明，轻身延年。出豫章。（《御览》卷988页5）

按，《证类》白青条，“生山谷”“出豫章”作黑字《别录》文。

【扁青】味甘，平。生山谷。治目痛，明目，辟毒，利精神。久服轻身，不老。生朱崖。（《御览》卷988页5）

按，《证类》扁青条，“生山谷”“生朱崖”作黑字《别录》文。

【石胆】一名毕石，一名君石。生秦州羌道山谷大石间，或出句青山。其为石也，色青多白文，易破，状似空青。能化铁为铜，合成金银。练饵食之，不老。

（《御览》卷987页5）

按，此文中有“其为石也，青色多白文，易破，状似空青”等石胆形态的描述。《证类》无此语，《纲目》将此语注为《别录》文。“一名君石”，《证类》亦无此文。“生秦州羌道山谷大石间，或出句青山”，《证类》作黑字《别录》文。

【石钟乳】一名留公乳，味甘，温。生山谷。明目，益精，治咳逆上气，安五脏百节，通利九窍，下乳汁，生少室。（《御览》卷987页6）

按，《证类》石钟乳，“一名留公乳”，且“生山谷”“生少室”作黑字《别录》文。

【朴消】味苦，寒。生山谷。治百病，除寒热邪气，除六腑积聚结癖。山谷之阴有咸苦之水，状如芒消而粗，能化七十二种石。练饵服之，轻身，神仙。生益州。（《御览》卷988页2）

按，文中，“状如芒消而粗”等朴消形状描述语，《证类》无。“生山谷”“生益州”，《证类》作黑字《别录》文。“山谷之阴有咸苦之水”和《证类》中黑字《别录》文词异义同。

【消石】一名芒消。味酸、苦、寒。生山谷。治五脏积热。生益州。（《御览》卷988页2）

按，《证类》消石条，“味酸”“生山谷”“生益州”作黑字《别录》文。

【矾石】一名羽涅。味咸、酸，寒。生山谷。治寒热泄痢、恶疮、目痛、坚骨。炼饵久服，轻身不老。生河西。（《御览》卷988页4）

按，“味咸”，《证类》无“咸”字。“生山谷”“生河西”，《证类》作黑字《别录》文。《山海经》卷2云：“西次二经，女床之山，其阴多石涅。”郭璞注云：“即矾石也，楚人名为涅石，秦名为羽涅也。《本经》亦名曰石涅也。”检《证类》卷3矾石条白字，有“一名羽涅”，但无“亦名曰石涅”。故郭氏所见《本经》与《证类》白字不同。

【滑石】味苦，寒。生山谷。治身热泄癖。生棘阳。（《御览》卷988页3）

按，“生棘阳”，《证类》作“生赭阳”，并作黑字《别录》文。陶弘景注云：“赭阳先属南阳，汉哀帝置，明《本经》所出郡县，必后汉时也。”

【紫石英】味甘，温。生秦山山谷。治心腹呕逆邪气，补不足，女子风寒在子宫，绝孕十年无子。久服温中，轻身延年。（《御览》卷987页2引《本经》）

按，“生泰山山谷”，《证类》作黑字《别录》文。“呕逆”，《证类》作“咳逆”。

【白石英】味苦，微温。生山谷。主治消渴，阴痿不足，呕逆，益气，除湿

痹，隔间久寒。久服轻身长年。生华阴。（《御览》卷987页2引《本经》）

按，“生山谷”“生华阴”，《证类》作黑字《别录》文。

【青石英】形如白石英，青端赤后者是。（《御览》卷987页2）

按，此条同《吴普》青石英条文字；《证类》作“青端名青石英”，并注为《别录》文。

【赤石英】形如白石英，赤端，故赤泽有光，味苦，补心气。（《御览》卷987页2）

按，此条同《吴普》白石英条文字；《证类》作“赤端名赤石英”，并注为《别录》文。

【黄石英】形如白石英，黄色如金，在端者是。（《御览》卷987页2）

按，此条同《吴普》白石英条文字；《证类》作“其黄端白棱，名黄石英”，并注为《别录》文。

【黑石英】形如白石英，黑泽有光。（《御览》卷987页3）

按，此条同《吴普》白石英条文字，《证类》作“黑端名黑石英”。

【青石脂】味酸，平，无毒。主养肝胆气。

【赤石脂】味酸，无毒。主养心气。

【黄石脂】味苦，平，无毒。主养脾气。

【白石脂】味甘，无毒。主养肺气。

【黑石脂】味甘，无毒。主养肾气，强阴阳，蚀肠泄利。（《御览》卷987页4）

按，《御览》所引青石脂、赤石脂、黄石脂、白石脂、黑石脂等资料，在《证类》五石脂条中，皆作黑字《别录》文。从内容上来看，五石脂中五色入五脏，似有最早归经的意义。

【禹馀粮】味甘，寒。生池泽。治咳逆、寒热、烦满，下利赤白，血闭癥瘕、大热。久服轻身。生东海。（《御览》卷988页1）

按，“生池泽”“生东海”，《证类》作黑字《别录》文。

【太一禹馀粮】一名石脑。味甘，平。生山谷。治咳逆上气，癥瘕血闭，漏下，除邪。久服能忍寒暑，不饥，轻身，飞行千里，神仙。生泰山。（《御览》卷988页1）

又，三国时吴人薛综注张衡赋引《本经》云：“太乙禹馀粮，一名石脑，生山谷。”（李善注《南都赋》引《本经》文同）

按，“太一禹馀粮”，《证类》无“禹”字。“生山谷”“生泰山”，《证类》作黑字《别录》文。

【水银】味辛，寒，无毒。（《御览》卷988页6）。

按，《证类》水银条，“无毒”作“有毒”，并注为黑字《别录》文。

【雌黄石金】味辛，平。生山谷。治身痒诸毒。（《御览》卷988页3）

按，“雌黄石金”，《证类》无“石金”二字。“生山谷”，《证类》作黑字《别录》文。

【孔公孽】一名通石。味辛，温。生山谷。治食化气，利九窍，下乳汁，治恶疮疽瘘。生梁山。（《御览》卷987页7）

按，《证类》孔公孽条，“一名通石”“生山谷”“生梁山”作黑字《别录》文。

【石流黄】味酸，生谷中。治妇人阴蚀疽痔，能作金银物，生东海。（《御览》卷987页3）

按，“生谷中”“生东海”，《证类》作黑字《别录》文。

【石流青】青白色，主益肝气，明目。（《御览》卷987页3）

按，“石流青”，《证类》卷30有名未用玉石类作《别录》文。

【石流赤】生羌道山谷。（《御览》卷987页4）

按，“石流赤”，《证类》卷30有名未用玉石类作《别录》文。

【阳起石】一名白石。味酸，微温。生山谷。治崩中，补不足，内挛，脏中血结气，寒热腹痛，漏下无子，阴阳不合。生齐地。（《御览》卷987页5）

按，“味酸”，《证类》作“味咸”。又，“生山谷”“生齐地”，《证类》作黑字《别录》文。

【凝水石】味辛，寒。生山谷。治身热，腹中积聚，邪气，烦满，食之不饥。生常山。（《御览》卷987页5）

按，“生山谷”“生常山”，《证类》作黑字《别录》文。

【青琅玕】一名珠圭。（《御览》卷809页1）

按，“一名珠圭”，《证类》作“一名石珠”。

【石膏】味辛，微寒。生山谷，治心下逆，惊喘，口干舌焦不能息。（《御览》卷988页3）

按，“生川谷”，《证类》作黑字《别录》文。

【磁石】一名玄石，味辛，寒。生川谷。（《御览》卷988页3）

按，“生川谷”，《证类》作黑字《别录》文。

【长石】一名方石。味辛。治身热。(《御览》卷988页5)

【礜石】一名青分石，一名立制石，一名固羊石。味辛。生山谷。治寒热、鼠瘘、蚀疮，除热气，杀百兽。生汉中。(《御览》卷987页7)

按，“生山谷”“杀百兽”“生汉中”，《证类》作黑字《别录》文。

【代赭】一名血师，好者状如鸡肝。(《御览》卷988页6)

按，“一名血师”，《证类》作黑字《别录》文。“好者状如鸡肝”，《证类》无此文。

【白垩】白善土也。生邯郸。(《御览》卷988页6)

按，“白善土”“生邯郸”，《证类》作黑字《别录》文。

【石肺】一名石肝，黑泽有赤文，如覆肝，置水中即干濡。主益气明目。生水中。(《御览》卷987页4)

按，“石肺”，《证类》卷30有名未用玉石类有石肺条，作《别录》文，但条文与之小异。

【石脾】一名胃石，一名肾石，赤文。主治胃中寒热。(《御览》卷987页4)

按，此条，《证类》卷30有名未用玉石类作《别录》文。“一名肾石”，《证类》作“一名膏石”。

【戎盐】主牢肌骨，去毒虫也，主明目，去病，益气也。(《北堂书钞》卷146页4)一名胡盐。《吕氏春秋》曰：“本草云。戎盐，一名胡盐。”(《御览》卷865页7)

又，《御览》卷865页7及卷988页6引《本经》曰：“戎盐，主明目，益气，去毒虫。”《博物志》引《神农经》曰：“药毒有五物，五曰斑茅，戎盐解之。”

按，“去毒虫”《证类》作“去毒蛊”。

【卤盐】味苦，可以治消渴，长肌肤，治大热，除邪，下毒虫。(《北堂书钞》卷146页4)

按，“长肌肤”“下毒虫”，《证类》作“柔肌肤”“下蛊毒”。

【卤咸】一名寒石，味苦，治大热，消渴，狂烦。(《御览》卷865页7，及卷988页6)

按，《证类》无“一名寒石”。《纲目》注“寒石”为《吴普》文。

【大盐】一名胡盐。令人吐也。(《北堂书钞》卷146页2)

又，《御览》卷988引《本经》曰：“大盐，一名胡盐。令人吐，主肠胃结热。”

按，《证类》无“一名胡盐”。又，“主肠胃结热”，《证类》作黑字《别录》文。

【铅丹】味辛，微寒。生平泽。治吐逆胃反。久服成仙。生蜀都。(《御览》卷985页4)

按，“生平泽”“生蜀都”，《证类》作黑字《别录》文。“成仙”，《证类》作“神明”。

【青芝】一名龙芝。食之，轻身不老，神仙。生泰山山谷，亦生五岳地上。(《御览》卷986页6引《本经》)

按，“生泰山”，《证类》作黑字《别录》文。又“山谷，亦生五岳地上”，《证类》无此文。

【赤芝】一名丹芝。食之，为神仙。生霍山山谷。(《御览》卷986页6，《艺文类聚》卷98页1700)

按，“生霍山山谷”，《证类》作黑字《别录》文。

【黄芝】一名金芝。食之，神仙。生嵩高山山谷。(《御览》卷986页6，《艺文类聚》卷98页1700)

按，“生嵩高山山谷”，《证类》作黑字《别录》文。

【白芝】一名玉芝。(《艺文类聚》卷98页1700)

【黑芝】一名玄芝，生恒山山谷。(《御览》卷986页6，《艺文类聚》卷98页1700)

按，“生恒山山谷”，《证类》作黑字《别录》文。

【紫芝】一名木芝。久服延年神仙。生山岳地上，色紫，形如桑。(《御览》卷986页6，《艺文类聚》卷98页1700)

按，《证类》紫芝条，无“神仙。生山岳地上，色紫，形如桑”。

【鬼督邮】一名赤箭，一名离母。味辛，温。生川谷。杀鬼、精物，治虫毒、恶气。久服轻身益力，长阴肥健。生雍州。(《御览》卷991页8)

按，“生川谷”“生雍州”，《证类》作黑字《别录》文。

【天门冬】一名颠勒。味苦。杀三虫。(《艺文类聚》卷81页1384)

按，郭璞注《山海经》云：“《本经》曰：花虋冬，一名满冬，虋，今作门，俗字耳。”(《山海经》卷5页11下)《尔雅》云：“蘠蘼，虋冬。”郭璞注云：“今门冬也，一名满冬。”《说文解字系传·通释》云：“蘠蘼，虋冬也，从草墙声，臣锴按《尔雅》注虋冬，一名满冬，今本草有天门冬、麦门冬，并无满冬之名。”

郭璞所见的本草有满冬，但在唐代的本草就无“满冬”之名了，如南唐徐锴说：“今本草并无满冬之名。”

【麦门冬】 味甘，平。生川谷。治心腹结气、伤中、胃脉绝。久服轻身，不饥不老。生函谷山。（《御览》卷989页2）

按，“生川谷”“生函谷山”，《证类》作黑字《别录》文。

【术】 一名山蓟，久服不饥，轻身延年。生郑山。（《艺文类聚》卷81页1386）

郭璞注《尔雅·释草》引本草云：“术，一名山蓟”。

又，《神药经》曰：“必欲长生，当服山精。”（《御览》卷989页2，《艺文类聚》卷81页1386）

又，《抱朴子》引《神农经》曰：“黄精与术，饵之却粒，或遇凶年，可以绝粒，谓之米脯。”

按，“生郑山”，《证类》作黑字《别录》文。

【青粘】《三国志·华佗传》云：“青粘生丰沛、彭城及朝歌，一名地节，一名黄芝。主理五脏，益精气。”

按，地节为萎蕤的别名。《证类》卷6女萎条引陈藏器云：“《魏志·樊阿传》，青粘一名黄芝，一名地节，此即萎蕤，极以偏精，本功外，主聪明，调血气，令人强壮，和漆叶为散，主五脏，益精气，去三虫，轻身不老，变白，润肌肤，暖腰脚，惟有热者不可服。晋嵇绍胸中有寒疾，每酒后苦唾，服之得愈。草似竹，取根、花、叶阴干。昔华佗入山，见仙人所服，以告樊阿，服之寿百岁也。”马王堆出土帛书《养生方》云：“为醪，细斩漆（泽漆）、节（地节）各一斗……”方中“节”，即是“青粘”。

【女萎】 一名左眄，一名玉竹。味辛。生川谷。久服轻身耐老。生泰山。（《御览》卷993页5）

按，“一名左眄”“味辛。生川谷”，《证类》无此文。又“一名玉竹”“生泰山”，《证类》作黑字《别录》文。

【黄精】《抱朴子》引《神农经》：“黄精与术，饵之却粒，或遇凶年，可以绝粒，谓之米脯。”

按，《证类》卷6黄精条作黑字《别录》文。

【地黄】 一名地髓。治伤中，长肌肉。生咸阳。（《御览》卷989页9）

按，“生咸阳”，《证类》作黑字《别录》文。

【菖蒲】生石上，一寸九节者良。久服轻身，明耳目，不忘不迷惑。生上洛。（《御览》卷989页6）

又，樊光《尔雅注》引本草云："白蒲，一名苻离，楚南之药。"

按，"生石上，一寸九节者良""生上洛"，《证类》作黑字《别录》文。

【远志】一名棘菀，一名要绕。久服轻身不忘。叶名小草。生泰山及宛句。（《御览》卷989页7，梁·刘孝标注《世说新语》卷下之下）

按，"生泰山及宛句"，《证类》作黑字《别录》文。

【薯蓣】一名山芋。益气力，长肌肉。除邪气。久服轻身，耳目聪明，不饥延年。生嵩高山。（《艺文类聚》卷81页1385）

又《御览》引薯蓣云："一名山芋。味甘，温。生山谷。治伤中虚羸，补中，益气力，长肌肉，除邪气寒热。久服轻身，耳目聪明，不饥，延年。生嵩高山。"（《御览》卷989页8）

按，"生蒿高山"，《证类》作"生嵩高山谷"，并注为《别录》文。

【菊】《御览》卷996页2引《本经》曰："菊有筋菊，有白菊、黄菊。花：一名节花，一名傅公，一名延年，一名白花，一名日精，一名更生，一名阴威，一名朱嬴，一名女菊。其菊有两种，一种紫茎气香而味甘美，叶可作羹，为真菊。菊，一种青茎而大，作蒿艾气，味苦不堪食，名苦薏，非真菊也。"（《初学记》卷27菊条所引《本经》曰，其文同此）

按，"一名傅公，一名延年""一名日精，一名更生，一名阴威"，《证类》作黑字《别录》文。"其菊有两种……非真菊也"，《证类》作陶隐居的注文。至于"菊有筋菊，有白菊、黄菊""一名白花""一名朱嬴，一名女菊"，《证类》无此文。

【甘草】一名美草，一名蜜甘。（《御览》卷989页4）

又《尔雅》云："蘦，大苦。"孙炎注云："本草曰：蘦，今甘草。"

按，"一名美草，一名蜜甘"，《证类》作黑字《别录》文。又孙炎注《尔雅》所引本草有曰："蘦，今甘草"，但现存各种《本经》辑本，皆无此文。

【人参】味甘，微寒。生山谷。主补五脏，安定精神魂魄，除邪，止惊，明目，开心，益智。久服轻身延年。生上党。（《御览》卷991页2）

按，"生山谷""生上党"，《证类》作黑字《别录》文。

【石斛】一名林兰，一名禁生。味甘，平。生山谷。治伤中下气虚劳，补五脏羸瘦。久服除痹，厚肠胃，强阴。出陆安。（《御览》卷992页5）

按，“一名禁生”“强阴”“出陆安”，《证类》作黑字《别录》文。

【牛膝】一名百倍。味苦，辛。生川谷。治伤寒湿痿痹，四肢拘挛，膝痛不可屈伸。久服轻身能（耐）老。生河内，（《御览》卷992页6）

按，“生川谷”“生河内”，《证类》作黑字《别录》文。

【卷柏】一名万岁。味辛，温。生山谷。治五脏邪气。（《御览》卷989页4）

按，“生山谷”，《证类》作黑字《别录》文。

【细辛】一名少辛。味辛，温。生山谷。治咳逆，明目，通利九窍。久服，轻身。生华阴。（《御览》卷989页7）

按，“生山谷”“生华阴”，《证类》作黑字《别录》文。

【独活】一名护羌使者。味苦，平。生益州。久服，轻身。（《御览》卷992页7）

按，“生益州”，《证类》作“生雍州”。

【升麻】一名周升麻。味甘、辛。生山谷。治辟百毒，杀百老殃鬼，辟温疾瘴邪毒蛊。久服不夭。生益州。（《御览》卷990页6）

按，此条，《证类》作黑字《别录》文。

【柴胡】一名地重。味苦，平。生川谷。治心腹，祛肠胃结气。久服，轻身，明目，益精。生弘农。（《御览》卷993页5）

按，“生川谷”“生弘农”《证类》作黑字《别录》文。

【房葵】一名犁盖。味辛。冬生川谷。久服坚骨髓，益气。生临淄。（《御览》卷993页4）

按，“生川谷”“生临淄”，《证类》作黑字《别录》文。

【蓍实】味苦、酸，平，无毒。主益气，充肌肤，明目，聪慧，先知，久服，不饥，不老，轻身。生少室山谷。八月、九月采实，日干。（《御览》卷993页5）

按，“酸”“无毒”“生少室山谷。八月、九月采实，日干”，《证类》作黑字《别录》文。

【菴蕳】味苦，微寒。生川谷。治风寒湿痹，身体诸痛。久服轻身不老。生雍州。（《御览》卷991页6）

按，“生川谷”“生雍州”，《证类》作黑字《别录》文。

【车前实】一名当道，一名牛舌。（《御览》卷998页2）

按，“一名牛舌”，《证类》作“一名牛遗”，并注为《别录》文。

【木香】一名木蜜香。味辛，温，无毒。治邪气，辟毒疫温鬼，强志，主气不

足。久服，不梦寤魇寐，轻身，致神仙。生永昌山谷。(《御览》卷991页9)

按，“一名木蜜香”“温，无毒”“主气不足”“轻身，致神仙。生永昌山谷”，《证类》作黑字《别录》文。

【檠菜】一名白英。味甘，寒。生山谷。治寒热。久服轻身延年。生益州。(《御览》卷991页9)

按，“檠菜”，《证类》作“谷菜”。又《证类》对此条以“白英”为正名，以“谷菜”为异名。又“生山谷”“生益州”，《证类》作黑字《别录》文。

【肉苁蓉】味甘，微温。生山谷。治五劳七伤，补中，除茎中寒热，养五脏，强阴，益精气，多子，妇人癥瘕。久服，轻身。生河西。(《御览》卷989页8)

按，“生山谷”“生河西”，《证类》作黑字《别录》文。

【地肤】一名地华，一名地脉，一名地葵。(《御览》卷992页8)

按，“一名地华”，《证类》无此文。“一名地脉”，《证类》作“一名地麦”，并注为《别录》文。“一名地葵”，《证类》作黑字《别录》文。

【忍冬】味甘。久服轻身。(《御览》卷993页3)

按，此条，《证类》作黑字《别录》文。

【蒺藜】一名止行，一名升推，一名傍通，一名水香。(《御览》卷997页7)

按，“一名水香”，《证类》无此文。

【防风】一名铜芸。味甘，温。生川泽。治大风头眩痛，目盲无所见，烦满，风行周身，骨节疼痛。久服轻身。生沙苑。(《御览》卷992页4)

又，《水经·涑水》注云：“地有固活、女疏、铜芸、紫苑之族。”

按，“骨节疼痛”，《证类》作“骨节疼痹”。又“生川泽”“生沙苑”，《证类》作黑字《别录》文。

【龙须】《御览》卷994页6引《本经》曰：“西超之山多龙循，龙须也，一名续断。”

按，此条文字似《山海经》之文，但《山海经·中山经》云：“贾超之山，其中多龙修。”又“龙循”，《证类》作“石龙刍”。又“一名续断”，《证类》作“一名草续断”。

【落石】一名鲮石。味苦，温。生川谷。治风热。久服轻身明目，润泽，好色，不老延年。生泰山。(《御览》卷993页4引)

按，“生川谷”“生泰山”，《证类》作黑字《别录》文。

【黄连】一名王连，味苦，寒。生川谷。治热气、目痛、眦伤泣出，明目。生

巫阳。(《御览》卷991页5)

又,《艺文类聚》卷89页1550引《本经》曰:“黄莲,一名王莲。味苦,寒。治热。”

按,“生川谷”“生巫阳”,《证类》作黑字《别录》文。

【沙参】一名知母。味苦,微寒。生川谷。治血积,惊气,除寒热,补中,益肺气。生河内。(《御览》卷991页3)

按,“生川谷”“生河内”,《证类》作黑字《别录》文。

【紫参】一名牡蒙。味苦、寒,无毒。治心腹积聚,寒热邪气,利大便,通九窍。生河西及冤句。治牛病。生林阳。(《御览》卷991页3)

按,“无毒”“生河西及冤句”,《证类》作黑字《别录》文。又,“治牛病。生林阳”,《证类》无此文。

【王不留行】味苦,平。生山谷。久服轻身能(耐)老。生泰山。(《御览》卷991页6)

梁·刘孝标注《世说新语·俭啬》引《本经》云:“王不留行,生泰山,治金疮,除风,久服轻身。”

按,“生山谷”“生泰山”,《证类》作黑字《别录》文。

【景天】一名戒火,一名水母。花,主明目,轻身。(《御览》卷998页3)

按,“一名水母”,《证类》无此文。

【香蒲】一名睢蒲。味苦,平。生池泽。治五脏心下邪气,坚齿,明目,聪耳,久服,轻身,能老。生南海。(《御览》卷993页3)

按,“生池泽”“生南海”,《证类》作黑字《别录》文。

【草兰】一名水香。久服益气,轻身不老。(《御览》卷983页3)

【草决明】味咸,理目珠精。(《御览》卷988页6)

按,《证类》无“理目珠精”四字。

【芎䓖】味辛,温。治中风入头脑痛,寒痹。生武功。(《御览》卷990页6)

按,“生武功”,《证类》作黑字《别录》文。

【蘼芜】一名微芜。味辛。(《艺文类聚》卷81页1393)

按,“味辛”,《证类》作“味辛,温”。

【续断】一名龙豆。味苦,微温。生山谷。治伤寒,补不足,金疮痈伤折跌,续筋骨,妇人乳难,崩中漏血。久服益力。生常山。(《御览》卷989页7)

按,《证类》“生山谷”“生常山”,《证类》作黑字《别录》文。

【云实】味辛，温。生川谷。治泄利胀癖，杀虫蛊毒，去邪恶，多食令人狂走。久服轻身，通神明。生河间。(《御览》卷992页9)

按，“生川谷”“生河间”，《证类》作黑字《别录》文。

【黄芪】味甘，微温。生山谷。(《御览》卷991页5)

按，“生山谷”，《证类》作黑字《别录》文。

【徐长卿】一名鬼督邮。味辛，温。生山谷。治鬼物、百精、蛊毒、疾疫、邪气、温鬼。久服强悍轻身。生泰山。(《御览》卷991页6)

按，“生山谷”“生泰山”，《证类》作黑字《别录》文。

【杜若】一名杜蘅。味辛，微温。久服益气轻身。(《艺文类聚》卷81页1392)

按，“杜若”，《证类》卷8作黑字《别录》文。

【因尘】味苦。治风湿寒热、邪气结、黄疸。久服轻身，益气能老。生泰山。(《御览》卷993页8)

按，“因尘”，《证类》作“茵陈蒿”。又“生泰山”，《证类》作黑字《别录》文。

【翘根】味苦。生平泽。下热气，益阴精，令人面悦好，明目。久服轻身能老。生嵩高。(《御览》卷卯1页8)

按，“味苦”，《证类》作“味甘、寒，平”。又“生平泽”“生嵩高”，《证类》作黑字《别录》文。

【屈草实根】味苦，微寒。生川泽。治胸胁下痛邪气，腹间寒，阴痹。久服轻身，补益能老。生汉中。(《御览》卷991页9)

按，“屈草实根”，《证类》作“屈草”。又“生川泽”“生汉中”，《证类》作黑字《别录》文。

【漏芦】一名野兰。(《御览》卷991页7)

【蔷薇】一名牛膝，一名蔷麻。(《御览》卷988页4)

《艺文类聚》卷81页1397引《本经》曰：“蔷薇，一名牛棘，又曰一名牛勒，一名山枣，一名蔷蘼。”

按，“一名牛膝”，《证类》无此文。又“一名牛勒，一名山枣，一名蔷蘼”，《证类》作黑字《别录》文。

【五味】一名会及。(《御览》卷990页3)

按，“一名会及”，《证类》作黑字《别录》文。

【旋华】一名葡根，一名美草，去面皯黑，令人色悦泽。根，主腹中寒热邪

气。生豫州或预章。(《御览》卷992页2)

按,“一名美草”“生豫州或预章”,《证类》作黑字《别录》文。

【当归】一名干归。味甘,温,生川谷。主治咳逆上气、温疟寒热。生陇西。(《御览》卷989页6)

《博物志》云:“《神农经》曰:下药治病,谓大黄除实,当归止痛。”(《御览》卷989页6)

按,现存各种本草书都把当归列在中品,没有一本书是把当归列在下品的。又“生陇西”,《证类》作黑字《别录》文。

【秦艽】《证类》引肖炳曰:“秦艽,《本经》名秦瓜。”(《证类》卷8页203)

按,《证类》白字,无“秦瓜”之名。

【黄芩】一名腐肠。味苦,平。生川谷。治诸热。(《御览》卷992页2)

按,“生川谷”,《证类》作黑字《别录》文。

【芍药】味苦、辛。生川谷。主治邪气腹痛。除血痹,破坚积寒热瘕,止痛。(《御览》卷990页6)

又《艺文类聚》卷81页1383引《本经》曰:“芍药,一名白犬,生山谷及中岳。”

按,“一名白犬”,《证类》无此文。又“生山谷及中岳”,《证类》作“生中岳川谷”,并注为《别录》文。

【麻黄】一名龙沙。味苦,温。生川谷。治中风伤寒出汗,去热邪气,破坚积聚。生晋地。(《御览》卷993页4)

按,“生川谷”,《证类》无此文。“生晋地”,《证类》作黑字《别录》文。

【葛根】一名鸡齐根。味甘,平。生川谷。治消渴、身大热、呕吐。诸痹,起阴气,解毒。生汶山。(《御览》卷995页3)

按,“生川谷”“生汶山”,《证类》作黑字《别录》文。

【栝楼】一名地楼。味苦,寒。生川谷。(《御览》卷992页7)

按,“生川谷”,《证类》作黑字《别录》文。

【玄参】一名重台。味苦,微寒。生川谷。治腹中寒热,女子乳,补肾气,令人目明。生河间。(《御览》卷991页3)

按,“生川谷”“生河间”,《证类》作黑字《别录》文。又“女子乳”,《证类》作“女子产乳余疾”。

【苦参】一名水槐。(《御览》卷991页3)

【地椹】一名石龙芮，一名食果能。味苦，平。生川泽。治风寒。久服轻身，明目不老。生泰山。（《御览》卷 993 页 5）

按，“生川泽”“生泰山”，《证类》作黑字《别录》文。又“食果能”，《证类》作“鲁果能”。

【狗脊】一名百丈。味苦，平。生川谷。治腰背强，开机缓急，风痹寒湿膝痛，利老人。生常山。（《御览》卷 990 页 7）

按，“开机缓急”，《证类》作“关机缓急”。又“生川谷”“生常山”，《证类》作黑字《别录》文。

【通草】一名附支。味辛，平。生山谷。去恶虫，除脾胃寒热，利九窍血脉关节，不忘。生石城。（《御览》卷 992 页 6）

按，“生山谷”“生石城”，《证类》作黑字《别录》文。

【败酱】似桔梗，其臭如败豆酱。（《御览》卷 992 页 8）

按，“似桔梗，其臭如败豆酱”，《证类》无此文。

【白芷】一名芳香，味辛，温。生河东。（《御览》卷 983 页 5）

按，“生河东”，《证类》作黑字《别录》文。

宋·吴仁杰《离骚草木疏》云：“按本草朱字《本经》云：‘白芷，一名芳香。’此固不疑，至黑字云：‘一名虈，一名苻离，叶名蒚。’乃诸医以《尔雅》文傅益者也，是岂据哉。”

【紫草】一名地血。（《御览》卷 996 页 7）

按，“一名地血”，《证类》无此文。

【紫菀】《水经·涞水》注云：“地有紫菀之族。”

【白鲜】治头风。（《御览》卷 991 页 8）

【酢浆】一名酸浆，味酸，平，寒，无毒。生川泽及人家田园中。治热烦满，定志，益气，利水道。产难吞其实立产。（《御览》卷 998 页 5）

按，“酢浆”，《证类》作“醋浆”。又“生川泽及人家田园中”，《证类》作黑字《别录》文。

【淫羊藿】一名蜀前。味辛，寒。治阴痿伤中，益气，强志，除茎痛，利小便。生上郡阳山。（《御览》卷 993 页 3）

按，“蜀前”，《证类》作“刚前”。又“生上郡阳山”，《证类》作黑字《别录》文。

【豕首】一名剧草，一名蠡实。（《御览》卷 992 页 8）

又，《御览》卷992页8引郭璞注《尔雅》云："《本经》曰：'彘卢，一名诸兰。'今江东呼稀首。"

按，《证类》以蠡实为正名，以豕首为异名。

【款冬】一名橐吾，一名颗冬，一名虎须，一名菟奚。味辛，温。(《御览》卷992页1)

又，《艺文类聚》卷81引《本经》曰："款冬，一名颗冬，一名菟爰。生常山。"

按，"一名颗冬""一名菟爰"，《证类》作"一名颗东""一名菟爰"。又"生常山"，《证类》作黑字《别录》文。

【牡丹】一名鹿韭，一名鼠姑。味辛，寒。生山谷。治寒热症伤中风惊邪，安五脏。出巴郡。(《御览》卷992页6)

按，"生山谷""出巴郡"，《证类》作黑字《别录》文。

【防己】一名石解。味辛，平，无毒。治风寒、温疟、热气，通腠理，利九窍。生汉中。(《御览》卷991页5)

按，"通腠理，利九窍。生汉中"，《证类》作黑字《别录》文。

【泽兰】一名虎兰，一名龙来。味微温，无毒。生池泽，治乳妇衄血。生汝南，又生大泽傍。(《御览》卷990页7)

按，"无毒""生池泽""生汝南，又生大泽傍"，《证类》作黑字《别录》文。

【地榆】《御览》引《本经》曰："地榆，止汗气，消酒，明目。"又引《本经》曰："地榆，味苦，寒。主消酒。生冤句。"(《御览》卷1000页8)

按，"主消酒。生冤句"，《证类》作黑字《别录》文。

【王孙】味苦，平。治五脏邪气湿痹，四肢疼酸。生海西。(《御览》卷993页7)

按，"生海西"，《证类》作黑字《别录》文。

【爵床】生汉中。(《御览》卷991页7)

按，"爵床"，《御览》原误作"爵麻"，据《证类》改。又"生汉中"，《证类》作黑字《别录》文。

【王瓜】东汉·高诱注《淮南子》云："王瓜，本草作段契。"

按，今本《证类》无"段契"之名。

【水萍】一名水华。味辛，寒。生池泽水上。疗暴热痒，下水气，胜酒，长鬓发，久服轻身。(《御览》卷1000页2)

又，《艺文类聚》卷82页引《本经》曰："水萍，一名水华，味辛，寒，治暴热，身痒，下水，乌鬓发。久服轻身，一名水帘。"

按，"下水"，《证类》作黑字《别录》文。又"长鬓发""乌鬓发"，《证类》作"长须发"。又"一名水帘"，《证类》作"一名水花"。

【海藻】着颈下，破散结。（《御览》卷992页8）

又，《御览》卷1000页3引本草曰："海藻，一名海罗，生东海中，或生河泽，茎似乱发。"

按，此文同《尔雅》注。《尔雅》："薚，海藻。"《注》："药草也，一名海萝，如乱发，生海中。"

【纶布】一名昆布，味酸，寒，无毒。主十二种水肿、瘿瘤、聚结气、瘘疮。生东海。（《御览》卷992页9）

按，"纶布"，《证类》作"昆布"，并注为《别录》药。

【大黄】味苦，寒。生山谷。治下瘀血闭寒热，破癥瘕积聚，留饮宿食，荡涤肠胃，安五脏，推陈致新，通利水谷道，调中化食。生河西。（《御览》卷992页4）

按，"生山谷""生河西"，《证类》作黑字《别录》文。

【桔梗】味辛，微温。生山谷。治胸胁痛、肠鸣、惊悸。生嵩高。（《御览》卷993页1）

又，《庄子·徐无鬼》释文引司马彪云："桔梗治心腹血瘀瘕痹。"（《山海经》卷2"西山经，嶓冢之山，有草焉，其本如桔梗"郝懿行注中引文同）

按，"生山谷""生嵩高"，《证类》作黑字《别录》文。

【甘遂】味苦，寒。生川谷。治大腹疝瘕胀满，面目浮肿，除留饮宿食。出中山。（《御览》卷993页7）

按，"生川谷""出中山"，《证类》作黑字《别录》文。又"胀满"，《证类》作"腹满"。

【芫华】一名去水。味辛，温。治咳逆上气，杀虫。生淮原。（《御览》卷992页1）

按，"生淮原"，《证类》作黑字《别录》文。

【大戟】一名邛钜。（《御览》卷992页7）

【旋复花】一名金沸草。（《御览》卷991页7）

【钩吻】一名野葛。味辛，温。生山谷。主治金疮中恶风，咳逆上气，水肿，杀蛊毒，鬼注。（《御览》卷990页5）

晋·张华《博物志》引《神农经》曰："药有大毒，不可入口、鼻、耳、目者，入者即杀人，一曰钩吻。"

按，"生山谷"，《证类》作黑字《别录》文。

【固活】《水经·涞水》注云："地有固活。"

按，《证类》卷30有名无用类有姑活，陶隐居注云："方药亦无用此者，乃有固活丸，即是野葛一名尔。"又《证类》卷10钩吻条黑字云："折之青烟出者名固活。"此固活为钩吻的别名。

【藜芦】一名葱苒。味辛，寒。生山谷。主治蛊毒。生泰山。(《御览》卷990页3)

按，"生山谷""生泰山"，《证类》作黑字《别录》文。

【乌头】一名乌喙，一名叶毒，一名萴。味辛，温。生川谷。主治风，中恶，洗出汗，除寒湿，生朗陵。(《御览》卷990页2)

又，晋·张华《博物志》引《神农经》曰："药毒有五物，……四曰天雄、乌头，大豆解之。"

按，"一名叶毒"，《证类》作"一名溪毒"。又"生川谷""生朗陵"，《证类》作黑字《别录》文。

【天雄】味辛、甘，温、大温，有大毒。主大风，破积聚邪气，强筋骨，轻身健行，长阴气，强志，令人武勇，力作不倦。一名白幕。生少室山谷。(《御览》卷990页2)

又，晋·张华《博物志》引《神农经》曰："药毒有五物，……四曰天雄、乌头，大豆解之。"

按，"大温，有大毒""长阴气，强志，令人武勇，力作不倦""生少室山谷"，《证类》作黑字《别录》文。

【附子】味辛，温。出山谷。治风寒咳逆邪气，寒温痹躄，拘缓不起疼痛，温中、金疮。生犍为，为百药之长。(《御览》卷990页2)

按，"生山谷""生犍为，为百药之长"，《证类》作黑字《别录》文。

【羊踯躅】味辛，温。生川谷。治贼风、温痹、恶毒。生太行山。(《御览》卷992页2)

按，"生川谷""生太行山"，《证类》作黑字《别录》文。

【射干】一名乌扇，一名乌蒲。味苦、辛。生川谷。治咳逆上气。生南阳。(《御览》卷992页6)

按，"生川谷""生南阳"，《证类》作黑字《别录》文。

【贯众】一名贯节，一名百头，一名贯渠，一名虎卷，一名扁符。味苦，微寒。生山谷。治腹中邪气、诸毒，杀三虫。生玄山，亦生宛句。(《御览》卷990页4)

按，"生山谷""生玄山""亦生宛句"，《证类》作黑字《别录》文。

【半夏】一名地文、水玉。味辛，平。生川谷，生槐里。(《御览》卷992页5)

按，"生川谷""生槐里"，《证类》作黑字《别录》文。

【虎掌】味苦，温。生山谷。治心痛、寒热。(《御览》卷990页4)

按，"生山谷"，《证类》作黑字《别录》文。

【蜀漆】味辛、平。治疟及咳逆寒热，腹癥坚邪气、蛊毒、鬼疰。(《御览》卷992页3)

【恒山】一名玄草。味苦，寒。生川谷。主治伤寒，发温疟鬼毒，胸中结，吐逆。生益州。(《御览》卷992页3)

按，"玄草"，《证类》作"互草"。"生川谷""生益州"，《证类》作黑字《别录》文。

【狼牙】一名牙子。味苦，寒。生川谷。治邪气，去白虫、疥瘙。生淮南。(《御览》卷993页3)

按，"生川谷""生淮南"，《证类》作黑字《别录》文。

【白及】一名甘根，一名连及草。味苦、辛。治痈肿、恶疮，败疽。生北山。(《御览》卷990页8)

按，"辛""生北山"，《证类》作黑字《别录》文。

【白头翁】一名野丈人，一名胡王使者。味苦，温，无毒。生川谷。治温疟、瘿气、狂瘍。生嵩山。(《御览》卷990页8)

按，"生川谷""生嵩山"，《证类》作黑字《别录》文。

【闾茹】味辛，寒。生川谷。治蚀恶肉，败疮死肌，仍杀疥虫，除大风，生代郡。(《御览》卷991页7)

按，"生川谷""生代郡"，《证类》作黑字《别录》文。

【鬼目】一名东方宿，一名连虫陆，一名羊蹄。味苦，寒。生川泽。治头秃、疥瘙、阴热、无子。生陈留。(《御览》卷995页7，又卷998页4)

按，"鬼目"，《证类》以羊蹄为正名，以鬼目为异名。"无子"，《证类》无此二字。"生川泽""生陈留"，《证类》作黑字《别录》文。

【鹿藿】味苦、平，无毒。主治蛊毒，女子腰腹痛，不乐，肠痈瘰疬疡气。生汶山山谷。(《御览》卷994页7)

按，“无毒”“生汶山山谷”，《证类》作黑字《别录》文。又本条全文书写体例同《证类》。

【石长生】一名丹沙草。味咸，微寒。生山谷。治寒热恶疮火热，辟恶气不祥鬼毒。生咸阳。(《御览》卷991页8)

按，“丹沙草”，《证类》作“丹草”，无“沙”字。

【荩草】味苦。(《御览》卷991页9)

【陆英】生熊耳山。(《御览》卷991页9)

按，“生熊耳山”，《证类》作黑字《别录》文。

【狼毒】《博物志》引《神农经》曰：“药毒有五物，一曰狼毒，占斯解之。”(《御览》卷990页5)

【萹萹】一名萹竹。(《御览》卷998页4)

按，“萹萹”，《证类》作“萹蓄”。

【商陆】一名夜呼。(《御览》卷992页8)

【女青】一名雀翾。味辛，平。生山谷。治蛊毒，逐邪，杀鬼。生朱崖。(《御览》卷993页7)

按，“雀翾”，《证类》作“雀瓢”。又，“生山谷”“生朱崖”，《证类》作黑字《别录》文。

【茯苓】一名茯神。味甘，平。生山谷。治胸胁逆气，忧患悸惊。生泰山。(《御览》卷989页4)

按，“忧患”，《证类》作“忧恚”。又，“生泰山”，《证类》作黑字《别录》文。

【松脂】一名松膏，一名松肪。味苦。温中，久服轻身延年。(《御览》卷953页6，《艺文类聚》卷88页1512)

【箘桂】晋·刘逵注《蜀都赋》云：“《本经》曰：‘箘桂，出交趾，圆如竹，为众药通使’。”

按，“出交趾，圆如竹”，《证类》作黑字《别录》文。又，“为众药通使”，《证类》作“为诸药先聘通使”。

【漆叶】服之去三虫，利五脏，轻身益气，使人头不白。(《三国志·华佗传》中的漆叶青粘散)

【蕤核】味甘，温。生川谷。主治心腹邪结气，明目，赤痛伤泪出，目肿眦烂，久服益气轻身。生函谷。（《御览》卷992页8）

按，“目肿眦烂”“生函谷”，《证类》作黑字《别录》文。

【辛夷】一名辛引，一名候桃，一名房木。生汉中魏兴凉州川谷中，其树似杜仲，树高一丈余，子似冬桃而小。（《御览》卷960页2）

按，“生汉中川谷”，《证类》作黑字《别录》文。又“魏兴凉州”“其树……而小”，《证类》无此文。

【枸杞】一名杞根，一名地骨，一名地辅。服之坚筋骨，轻身耐老。（《御览》卷990页8）

【厚朴】味苦，温。生山谷。治中风伤寒热，血痹死肌，去虫。生文山。（《御览》卷989页4）

按，“去虫”，《证类》作“去三虫”。“生文山”，《证类》作“生交趾”，并注为《别录》文。

【猪苓】一名猳猪矢。味甘，平。生山谷。治痎疟，解毒蛊注不祥，利水道，久服轻身，能老。生衡山。（《御览》卷989页4）

按，“生山谷”“生衡山”，《证类》作黑字《别录》文。

【枳实】味苦，寒。生川泽。治大风在皮肤中如麻豆苦痒，除寒热结，止利，长肌肉，利五脏，益气轻身。生河内。（《御览》卷992页4）

按，“生川泽”“生河内”，《证类》作黑字《别录》文。

【山茱萸】一名蜀枣。味酸，平。生山谷。治心下邪气寒热，温中，逐寒温，去三虫，久服轻身。生汉中。（《御览》卷991页5）

按，“生山谷”“生汉中”，《证类》作黑字《别录》文。

【吴茱萸】一名藙。味辛，温。生川谷。开腠理。根：去三虫，久服轻身。生上谷。（《御览》卷991页4）

按，“去三虫”，《证类》作“杀三虫”。“生川谷”“生上谷”，《证类》作黑字《别录》文。

【秦皮】味苦，微寒。生川谷。治风湿痹寒气，除热，目中青翳，久服头不白轻身。生庐江。（《御览》卷992页3）

按，“生川谷”“生庐江”，《证类》作黑字《别录》文。

【支子】一名木丹。叶两头尖，如樗蒲形，剥其子如玺而黄赤。（《艺文类聚》卷89页1550。《御览》卷959页7）

按，“叶两头尖……而黄赤”，《证类》无此文。

【合欢】味甘，平。生川谷。安五脏，和心气，令人欢乐无忧，久服轻身明目。生益州。又云：合欢生豫州河内川谷，其树似狗骨树。（《御览》卷960页4，《艺文类聚》卷89页1547）

按，“生川谷”“生益州”，《证类》作黑字《别录》文。又，“和心气”，《艺文类聚》作“和心志”。“又云：合欢生豫州河内川谷，其树似狗骨树”，《证类》无此文。

【萱草】一名忘忧，一名宜男，一名歧女。（《御览》卷996页3）

嵇康《养生论》曰：“合欢蠲忿，萱草忘忧。”（《御览》卷960页4）

《博物志》引《神农经》曰：“上药养性，谓合欢蠲忿，萱草忘忧。”（《御览》卷996页3）

【卫茅】一名鬼箭。味苦，寒。生山谷。治女子崩中、下血、腹满、汗出，除邪，杀鬼毒。生藿山。（《御览》卷993页4）

按，“生山谷”“生藿山”，《证类》作黑字《别录》文。

【紫威】一名芙华，一名陵苕。味咸，微寒，无毒。生川谷。治妇人产乳余疾、崩中，癥瘕血闭寒热，养胎。生西海。（《御览》卷992页7）

又，《御览》引《本经》曰：“陵若，生下湿水中，七、八月华，华紫，似金紫草，可以染帛，煮沐头发即黑。”（《御览》卷996页3）又樊光《尔雅注》云：“陵时，一名陵苕。”

又，《诗义疏》引本草曰：“陵苕，一名陵时，一名鼠毛，似王刍，生下湿水，七月、八月华，紫似今紫草，可以染帛，煮沐头发即黑，叶青如兰而多华。”（《御览》卷1000页5）

按，“一名芙华，一名陵苕”“生川谷”“生西海”，《证类》作黑字《别录》文。又，“陵若，生下湿水中……煮沐头发即黑”，《证类》无此文。

【芜荑】味辛，一名无姑，一名蕨蘠。去三虫，化食，逐寸白，散腹中嗁嗁喘息。（《御览》卷992页3）

按，“逐寸白，散腹中嗁嗁喘息”，《证类》作黑字《别录》文。“腹”，《证类》作“肠”。

【桑根】旁行出土上者，名伏蛇，治心痛。（《艺文类聚》卷88页1522，《御览》卷955页7）

又桑根白皮，是今桑树根上白皮，常以四月采，或采无时，出见地上，名马

领，勿取，毒杀人。（《御览》卷955页7，《事类赋》卷25）

按，《证类》卷13桑根白皮条无此文。

【黄环】一名凌泉，一名大就。味苦。生山谷。主治虫毒、鬼魅邪气，咳逆寒热。生蜀郡。（《御览》卷993页6）

按，“生蜀郡”，《证类》作黑字《别录》文。

【巴豆】一名巴菽。味辛，温。生川谷。主治温疟伤寒热，破癖瘕结坚，通六腑，去恶肉，除鬼毒邪注，杀虫。生巴蜀郡。（《御览》卷993页2）

又，《博物志》引《神农经》曰：“药毒有五物，……二曰巴豆，藿汁解之。”

按，“生川谷”“生巴蜀郡”，《证类》作黑字《别录》文。

【蜀椒】久服之，头不白，令寒者热，热者轻，轻者重。出武都，赤色者。（《艺文类聚》卷89页1535）

按，“令寒者热，热者轻，轻者重”“赤色者”，《证类》无此文。又“出武都”，《证类》作“生武都”，并注为《别录》文。

【莽草】味辛，温。生山谷。治风头痈乳，疝瘕结气，疥瘙疽疮。生山谷。（《御览》卷993页2）

按，“生山谷”，《证类》作“生上谷”，并注为《别录》文。“疽疮”，《证类》作“杀虫鱼”。又“生还谷”，《证类》无此文。

【郁核】一名爵李。（《御览》卷993页3）

【雷公丸】一名雷矢。味苦，寒。生山谷。（《御览》卷990页3）

按，“一名雷矢”，《证类》作黑字《别录》文。

【柳华】一名柳絮。（《艺文类聚》卷89页832，《御览》卷卯7页4）

【龙骨】味甘，平。生山谷。治心腹鬼注。生晋地。（《御览》卷988页7）

按，“生山谷”“生晋地”，《证类》作黑字《别录》文。

【牛黄】味苦。生陇西平泽，特牛胆中。治惊寒热。生晋地。（《御览》卷988页7）

按，“生陇西平泽，特牛胆中”，《证类》无此文。又“生晋地”，《证类》作黑字《别录》文。

【射香】味辛。辟恶，杀鬼精。生中台山也。（《御览》卷981页5）

按，“生中台山也”，《证类》作黑字《别录》文。

【熊脂】一名熊白。味甘，微温，无毒。主风痹。（《御览》卷908页1，《艺文类聚》卷95页1646）

按，“主风痹”，《艺文类聚》卷95引《本经》作“止风痹”。

【胶】一名鹿角胶。味甘，平。治伤中，劳绝，腰痛羸瘦，补中益气，妇人无子。（《御览》卷766页2）

按，“胶”，《证类》作“白胶”。

【犀牛角】味咸。治百毒。（《御览》卷988页8）

按，“犀牛角”，《证类》作“犀角”。

【灵羊角】安心气，不魇。（《御览》卷988页8）

按，“灵”，《证类》作“羚”。

【鹿茸】强志不老。（《御览》卷988页8）

【麋脂】近阴，令人阴痿。（《御览》卷988页8）

按，“近阴，令人阴痿”，《证类》作“近阴令痿”，并注为《别录》文。

【鹳骨】味甘，无毒。治鬼蛊诸疰，五尸心腹疾。（《御览》卷925页8）

按，《证类》卷19鹳骨条作黑字《别录》文。

【丹鸡】一名载丹。（《御览》卷918页7）《本经》曰：“鸡卵可作琥珀，其法取鸡卵猳黄白浑杂熟煮，及尚软随意刻作物，以苦酒渍数宿，既坚，内著勺中，佳者乃乱真矣。此世所恒用，作无不成者。”（《御览》卷808页2，晋·张华《博物志》引文同此）

按，“一名载丹”“鸡卵可作琥珀……作无不成者”，《证类》无此文。

【雁肪】一名鹜肪。味甘，平。生池泽，治风挛拘急，偏枯，气不通，久服长发，益气不饥，不老轻身。生南海。（《御览》卷988页8）

按，“长发”，《证类》作“长毛发”，并注为《别录》文。又“生池泽”“生南海”，《证类》作黑字《别录》文。

【鸢】辟不详，生淮南。（《御览》卷988页9）又，《博物志》引《神农经》曰：“药物有大毒，不可入口、鼻、耳、目者，入即杀人，……二曰鸱，状如雌鸡，生山中。”

按，《证类》卷19云：“鸱头，味咸，平，无毒。主头风眩颠倒痫疾。”并作黑字《别录》文。又陶弘景注云：“鸱，一名鸢。”又“辟不详，生淮南”，《证类》无此文。

【鸩】生南郡，大毒，入五脏，烂杀人。（《御览》卷927页8）

鸩羽：《博物志》引《神农经》曰：“药物有大毒，不可入口、鼻、耳、目者，入即杀人，……五曰鸩羽，如雀，墨头，赤喙。”

按，《证类》卷30有名无用类云："鸩鸟毛，有大毒，入五脏烂杀人，其口主杀蝮蛇毒，一名鸲日，生南海。"并作黑字《别录》文。非《本经》文。

【石蜜】一名石饴。味甘，平。生山谷。治心邪，安五脏，益气，补中，止痛，解毒。久服轻身不老。生武都。(《御览》卷988页5及卷857页2)

按，"生山谷""生武都"，《证类》作黑字《别录》文。

【食蜜】益气，补内，解毒，除烦，主定气，养脾。(《北堂书钞》卷147页3)

【海蛤】味苦，平。生池泽。治咳逆上气喘烦，胸痛寒热。(《御览》卷988页8)

按，"生池泽"，《证类》作黑字《别录》文。

【文蛤】表有文。味咸，无毒。主除阴蚀恶创五痔，大孔尽血。生东海。(《御览》卷942页2及卷988页8)

文蛤，表有文。(《艺文类聚》卷97页1676)

按，"表有文，味咸无毒""大孔尽血，生东海"，《证类》作黑字《别录》文。

【石决明】味酸。理目珠精。(《御览》卷988页6)

按，"理目珠精"，《证类》无此文。

【蜚廉】味咸。治血瘀，逐下血，破积聚喉痹。生晋地山泽中，二月采之。(《御览》卷949页8)

按，"生晋地山泽中，二月采之"，《证类》作黑字《别录》文。

【蛴螬】一名蟦齐。主治血痹。(《御览》卷949页6)

按，"主治血痹"，《证类》作"主恶血血瘀痹气"。

【水蛭】一名至掌。味咸。治恶血瘀结月闭，破凝积，利水道。(《御览》卷950页6)

按，"瘀结""破凝积"，《证类》作"瘀血""破血瘕积聚"。

【乌贼鱼骨】治寒热惊气。(《艺文类聚》卷97页1676)

崔豹《古今注》卷中云："乌贼鱼，一名河伯度事小吏。"注云："本草作由事小吏。"

按，《证类》卷21乌贼鱼条无此文。

【蟹】味咸。治胸中邪气热结痛。(《御览》卷942页8)

【沙虱】一名石蚕。(《御览》卷950页8)

按，《证类》以石蚕为正名，以沙虱为异名。

【马陆】一名百足。(《御览》卷948页5)

【萤】一名夜光，一名即照，一名熠耀。(《御览》卷945页7)

按，“萤”，《证类》作“萤火”。又“一名即照，一名熠耀”，《证类》作黑字《别录》文。

【白鱼】一名衣鱼，治妇人疝瘕，小便不利，小儿头中风，项僵，皆宜摩之。生咸阳。(《御览》卷946页4)

按，《证类》以衣鱼为正名，以白鱼为异名。“皆宜”，《证类》作“皆起”。“生咸阳”，《证类》作黑字《别录》文。

【蝼蛄】一名天蝼，一名蟅。主产难，出刺在肉中，溃痈肿，下哽咽，解毒，愈恶疮。(《御览》卷948页6)。陆玑云：“本草又谓蝼蛄为石鼠，亦五技。”

按，“出刺在肉中”，《证类》作“出肉中刺”。又，陆玑《毛诗疏》有云“本草又谓蝼蛄为石鼠，亦五技”，今本草蝼蛄条无此文。

【斑猫】一名龙尾。味寒。生河东川谷。(《御览》卷951页8)

又，《博物志》引《神农经》曰：“药毒有五物，……五曰斑猫，戎盐解之。”

按，“生河东川谷”，《证类》作黑字《别录》文。

【地胆】芫青，春食芫华，故云芫青，秋为地胆。地胆黑，头赤。味辛，有毒，主虫毒风注，秋食葛华，故名之为葛上亭长。(《御览》卷951页8)

按，“芫青……葛上亭长”，《证类》无此文。

【马刀】一曰名蛤。(《艺文类聚》卷97页1676)

又马刀，味辛，微寒。生池泽。补中，治漏下赤白，留寒热，破石淋，杀禽兽贼鼠。生江海。(《御览》卷993页7)

按，“生江海”，《证类》作“生江湖池泽及东海”，并注为《别录》文。

【贝子】一名贝齿。生东海。(《艺文类聚》卷84页1439，《御览》卷807页8)

按，“生东海”，《证类》作黑字《别录》文。

【蒲萄】生五原、陇西、敦煌。益气强志，令人肥健，延年轻身。(《艺文类聚》卷87页1494，《御览》卷972页3)

按，“生五原、陇西、敦煌”，《证类》作黑字《别录》文。

【鸡头】一名雁实。生雷泽。(《御览》卷975页5)

又，《齐民要术》卷10引《本经》曰：“鸡头，一名雁喙。”

按，“一名雁实”“一名雁喙”，《证类》作“一名雁喙实”。又“生盏泽”，《证类》作黑字《别录》文。

【梅核】能益气不饥。(《艺文类聚》卷86页1472)

按，“梅核”，《证类》作“梅实”。“能益气不饥”，《证类》无此文。

【大枣】九月采，日干。补中益气，久服神仙。(《御览》卷965页5)

按，“九月采，日干”，《证类》作“八月采，暴干”，并注为《别录》文。又“补中益气，久服神仙”，《证类》作黑字《别录》文。

【枭桃】在树不落，杀百鬼。(《艺文类聚》卷86页1467，《御览》卷967页7，《齐民要术》卷4页70)

按，“在树不落”，《证类》作“著树不落”，并注为《别录》文。

【柰】味苦，令人臆胀，病人不可多食。(《御览》卷970页7)

按，“柰”，《证类》作《别录》药。“臆胀，病人不可多食”，《证类》作“胪胀，病人尤甚”，并注为《别录》文。

【水芝】《本经》曰：“水芝者，是白瓜、甘瓜也。”(《艺文类聚》卷87页1503)

按，《证类》卷27以白瓜子为正名，以水芝为异名。又“甘瓜”，《证类》无此二字。

【葵菜】《神农经》云：味甘，寒。久食利骨气。(《医心方》页706)

【芥葙】一名水苏。(《御览》卷977页7)

按，《证类》以“水苏”为正名，以“芥葙”为名。并注“水苏”为《本经》文，“芥葙”为《别录》文。

【胡麻】一名巨胜。味甘，平。生川泽。治伤中虚羸，补五脏，益气，久服轻身不老。生上党。(《御览》卷989页6)

按，“生川泽”“生上党”，《证类》作黑字《别录》文。

【青蘘】《齐民要术》卷2引《本经》曰：“青蘘，一名巨胜，一名鸿藏。”(《齐民要术》卷2页33)

按，“一名鸿藏”，《证类》页481作黑字《别录》文。

【麻蕡】一名麻勃，味辛，平。生川谷。治七伤，利五脏，下血气。多食令人见鬼狂走，久服轻身通神明。(《御览》卷995页2)

按，“生川谷”，《证类》作黑字《别录》文。

【麻子】味甘、无毒。主补中益气，令人肥健。(《御览》卷841页9)

麻子，补中益气，久服肥健不老。生泰山。(《御览》卷995页2)

又，《养生要集》曰：“麻子，味甘，无毒。主补中益气，服之令人肥健。麻

子一名蕡，一名麻勃。”（《御览》卷841页8）

按，“生泰山”“无毒”，《证类》作黑字《别录》文。

【大豆黄卷】味甘，平。生平泽。治湿痹、筋挛、膝痛。生大豆，张骞使外国，得胡麻、胡豆，或曰戎菽，涂痈肿。煮汁饮之，杀鬼毒，止痛。（《御览》卷841页6，《齐民要术》卷2页21大豆条）

又，《博物志》引《本经》曰：“药毒有五物，……四曰天雄、乌头，大豆解之。”

按，“生平泽”，《证类》作黑字《别录》文。又，“张骞使外国，得胡麻、胡豆，或曰戎菽”，《证类》无此文；但《齐民要术》卷2页21大豆条注云：“《本经》曰：‘张骞使外国，得胡豆’。”此“胡豆”似为“大豆”的别名。

【赤小豆】下水，排痈肿血。生泰山。（《御览》卷841页6）

按，“生泰山”，《证类》无此文。

【腐婢】小豆花也。（《御览》卷993页3）

按，“小豆花也”，《证类》作黑字《别录》文。

【神护草】《御览》引《神农本草》曰：“常山有草，名神护，置之门上，每夜叱人。”（《御览》卷39页8，《初学记》卷5）

按，《证类》卷30有名未用类云：“神护草，可使独守，叱咄人，寇盗不敢入门，生常山北，八月采。”并将之录作黑字《别录》文。

【占斯】《御览》引《本经》曰：“占斯，一名虞及，味苦。”（《御览》卷991页5）

又，《博物志》引《神农经》曰：“药毒有五物，一曰狼毒，占斯解之。”

按，“占斯”，《证类》卷30有名未用类作黑字《别录》药。

【卢精】《御览》引《本经》曰：“卢精，治蛊毒。味辛，平。生益州。”（《御览》卷991页9）

按，“卢精”《纲目》卷21草部注为《别录》药。森本《本经·考异》云：“肤青，《御览》作‘卢精’。”又，黄本注云：“肤青，按《御览》引作‘卢精’。”《纲目》视卢精为植物，列在草部。森本、黄本视卢精为矿物，作为肤青异名。

【莍勃】《御览》引《本经》曰：莍勃，一名石芸。（《御览》卷993）

按，《证类》卷30有名未用类石芸条末引掌禹锡等谨按《尔雅》注云：“莍勃，莍郭注云：‘一名石芸’。”据此，则莍勃应是《别录》药。而《御览》所引的《本经》恐系一般综合性本草的泛称。

【木蜜】《御览》引《本经》曰："木蜜，一名蜜香，味辛，温。"（《御览》卷982页4）

按，唐·陈藏器《拾遗》蜜香条云："蜜香，味辛，温，……树如椿，按《法华经》注云：'木蜜，香蜜也，树形似槐而香。'"《纲目》卷34蜜香条，谓本蜜为蜜香的别名。若《御览》所云木蜜即蜜香，则《御览》所引的《本经》，即不是古代真正的《本经》，而是一般综合性本草的泛称。

【芋】土芝，八月采。（《艺文类聚》卷87页1494，《御览》卷975页3）

按，"芋"，《证类》作黑字《别录》药。又"八月采"，《证类》无此文。

【玳瑁】《御览》引《本经》云："玳瑁，解毒，兼云辟邪。"（《御览》卷943页7）

按，玳瑁亦作"瑇瑁"。汉·饶歌《有所思曲》云："双珠瑇瑁簪。"唐·沈栓期诗云："卢家少妇郁金堂，海燕双栖玳瑁梁。"瑇瑁入药，最早见录于唐·陈藏器《拾遗》。《开宝》正式将本药作正品药收入书中（见《证类》卷20页415）。据此，玳瑁并非《本经》药物。则《御览》所引的《本经》恐指一般综合性本草而言。

【白粱米】《初学记》引《本经》曰："白粱，味甘，微寒，无毒。主除热益气。有囊阳竹根者最佳。"（《初学记》卷27）

按，"白粱米"，《证类》卷15作黑字《别录》药。"白粱米，味甘，微寒，无毒。主除热益气"，《证类》作黑字《别录》文。"有襄阳竹根者最佳"，是属陶弘景的注文。据此，则《初学记》所引《本经》，恐系一般综合性本草的泛称。

【阴命】《博物志》引《本经》曰："药物有大毒，不可入口、鼻、耳、目者，入即杀人，……三曰阴命，赤色著木，悬其子，生海中。"（《御览》卷990页5）

按，《证类》引陈藏器云："荫命，钩吻注，陶云：有一物名阴命，赤色，著木，悬其子，生海中，有毒。又云：海姜，生海中，赤色，状如龙芮，亦大毒，应是此物，今无的识之者。"

【内童】《博物志》引《神农经》曰："药物有大毒，不可入口、鼻、耳、目者，入即杀人，……四曰内童，状如鹅，亦生海中。"（《御览》卷990页5）

按，《证类》无此文。

【蝺 蟂】《博物志》引《神农经》曰："药物有大毒，不可入口、鼻、耳、目者，入即杀人，……六曰蝺 蟂。生海中。雄曰蟂，雌曰蝺也。"

按，《证类》无此文。

【苴蓴】汉·王逸注《离骚·大招》云："苴蓴（音博），蘘荷也，见本草。"（《纲目》卷15）

按，"蘘荷"，《证类》作《别录》药。有关蘘荷的文献记载很早即有，如《周礼》庶氏以嘉草除蛊毒，宗懔谓嘉草即蘘荷是也。西汉黄门令史游作《急就篇》，已有蘘荷记载，云："蕊荷冬日藏。"王逸注《离骚》云："见本草。"李时珍谓："今本草无之，则脱漏亦多矣。"日本铃木素行亦云："今本王注《楚辞》不载此注，盖亦脱漏也。"

附录二 《神农本草经》文献源流考

《本经》为中国本草专著源头经典之作，散佚较早。其内容散存在两大系统书中，一是散存在历代类书、文、史、哲注文中，二是散存在历代本草中。

散存在类书中及文、史、哲注文的《本经》资料，大多数是出于古本《本经》和诸名医修订的多种《本经》，他们都是陶弘景以前的《本经》，陶弘景称之为“诸经”。

散存在历代本草中的《本经》资料，都是陶弘景整理的《本经》文。陶弘景将“诸经”糅合为一体（陶氏称之为“苞综诸经”）收入《集注》中，以朱字书写，订为《本经》文，通过《唐本草》《开宝》《嘉祐》，保存在《证类》中，成为白字《本经》文，明代李时珍作《纲目》，又将《证类》中白字《本经》文转录在《纲目》中。明清时期国内外学者又将《证类》中白字《本经》辑出，成为现行单行本《本经》。

陶弘景整理的《本经》文，通过历代本草传抄、翻刻，以及版本不同，在文字、内容、药物总数、三品分类上，发生很大的变异。

本书对《本经》的历史演变，以陶弘景为划分界线，分为陶弘景以前的《本经》和陶弘景整理的《本经》，并将其中相关的问题，以论文形式详加讨论。这些论文，绝大部分在国内杂志发表过，其中有很多论点已得到学术界肯定。

一、陶弘景以前的《神农本草经》若干问题讨论

（一）《本经》的相关记载及成书年代

1.《本经》传说及文献上记载

关于《本经》，《隋书·经籍志》载有：

《神农本草》8卷

《神农本草》4卷　雷公集注

《神农本草经》3卷

《本草经》4卷　蔡英撰

《本草经略》1卷

《本草经类用》3卷

又《隋书·经籍志》转引梁阮孝绪《七录》有：

《神农本草》5卷

《神农本草属物》2卷

《本草经轻行》1卷

《本草经利用》1卷

《本草经》3卷　王季璞撰

《本草经》1卷　李当之撰

《本草经钞》1卷　谈道术

《本草经》1卷　赵赞撰

《隋书·经籍志》《七录》记载《神农本草》5种，《本草经》9种。

这么多《本经》，多数可能是同名异书，它们为何要冠以“神农”二字，而“神农”的意义和来历如何？我们先来谈一谈。

神农是历史传说时期的一些代表人物之一，也是原始社会某些历史阶段的代表，反映了人类医药活动的一些史实。

（1）古代文献有关神农记载。战国《孟子·滕文公章》云：“有为神农之言者许行。”《汉书·艺文志·农家类》载《神农》20篇，注云：“六国时，诸子疾时怠于农业，道耕农事，托之神农”。

《吕氏春秋》云：“神农身亲耕，妻亲绩。”班固《白虎通》云：“古之人民皆

食禽兽之肉，至于神农，人民众多，禽兽不足，于是神农因天之时分，地之利，制耒耜，教民农作，神而化之，使民宜之，故谓之神农也。”

（2）神农与医药的传说。西汉·陆贾《新语》卷上“道基篇”云：“民人食肉饮血，衣皮毛，至于神农，以为行虫走兽，难以养民，乃求可食之物，尝百草之实，察酸苦之味，教民食五谷。”（中华书局版《四部备要·子部·新语》卷上页3）

西汉·刘安《淮南子》卷19“修务训”云：“古者民茹草饮水，采树木之实，食蠃蛖之肉，时多疾病毒伤之害，于是神农乃始教民播种五谷，相土地宜燥润肥饶高下。尝百草之滋味，水泉之甘苦，令民知所避就，当此之时，一日而遇七十毒。”（中华书局版《四部备要·子部·淮南子》卷19页171）

司马迁《史记·补三皇本纪》：“神农以赭鞭鞭（辨）草木，始尝百草，始有医药。”《周礼正义》贾公彦疏云：“张仲景《金匮》云：‘神农尝百药，则炎帝者也。’”东汉·郑玄注《周礼·天官冢宰》疾医条云：“其治合之齐，则存乎神农、子仪之术。”《御览》引《世本》云：“神农和药济人。”晋·皇甫谧《针灸甲乙经·序》云：“上古神农始尝草木而知百药。……伊尹以亚圣之才，撰用《神农本草》以为汤液。”《越绝书》卷8云：“神农尝百草。”

所谓神农尝百草，也是一种传说。中国地方很大，《本经》药物很多，如南方出的干姜、肉桂，北方出的麻黄、肉苁蓉，东北出的人参、五味子，西北出的紫草、款冬，西南出的木香、大戟，四川出的巴豆、川芎，东海出的海藻、乌贼骨等。这些药物都是当地劳动人民同疾病做斗争的产物。在那交通不便的古代，神农有什么本领到全国各地尝百药呢？所有药物都是劳动人民同疾病做斗争时认识的。例如知母，《本经》记载了8个异名，《别录》记载了10个异名，一共18个异名，如：一名蚳，一名蝭，一名连母，一名货母，一名野蓼，一名水浚，一名水参，一名地参等。这么多的异名，反映知母在不同的地方，都被人们发现并使用。待交通发达了，人们认识到，这么多不同的名称，其具体东西，还是同一个知母。这就说明《本经》药物，是由劳动人民创造的，而非什么神农尝百草搞出来的。

（3）本草名称的来源。《史记·扁鹊仓公列传》有《药论》而无本草之名，而《汉书·郊祀志》有本草名称而无《药论》之名。

《汉书》已记载公元前31年有“本草待诏”的职称。《汉书·郊祀志》云：“成帝初，建始二年（前31）宰相匡衡，御史张谭奏：罢侯神、方士、使者、副佐、本草待诏，七十余人皆归家。”又云：“哀帝尽复前世所常。”

《汉书·平帝纪》云："平帝元始五年徵天下通知逸经，古记、天文、历算、钟律、小学、史篇、方术、本草，及以五经、论语、孝经、尔雅教授者，在所为驾一封轺传，遣诣京师，至者数千人。"

《汉书·楼护传》云："楼护字君卿，齐人，父世医也，护少随父为医长安，出入贵戚家，护诵医经、本草、方术数十万言，长者咸爱重之。"

上述史书记载，说明当时药物学已有一定的成就，并有"本草"的名称出现。

(4)《本经》名称的由来。本草为什么要冠以"神农"二字？这是尊古之风的假托。

《汉书·艺文志》托神农之名的书很多。如农家类有神农 20 卷，五行类有神农大幽五行 27 卷，杂占类有神农教民相土耕种 14 卷，神仙类有神农杂子道 23 卷，经方类有神农黄帝食禁 7 卷等。

2.《本经》成书年代争论

有关《本经》成书年代的争论很大。

(1) 寇宗奭认为《本经》始于黄帝。宋·寇宗奭《本草衍义·序》云："尝读《黄帝世纪》曰：'黄帝使岐伯尝味草木，定《本经》，造医方，以疗众疾。'则知本草之名自黄帝、岐伯始。"

(2) 有人认为《本经》是东汉时人所为。啖助《春秋集传·纂例》言："古之解说，悉是口传，自汉以来，乃为章句，如本草皆后汉时郡国，而题以神农。"

宋·叶梦得《书传》云："《神农本草》，初但三卷，所载甚略，议者考其出产郡名，以为东汉人所作。"

清·姚际恒《古今伪书考》云："《汉志》无本草。案《汉书·平帝纪》：'诏天下举知方术本草者。'本草之名始见于此。梁《七录》载《神农本草》三卷，《隋志》因之，书中有后汉郡县地名，以为东汉人作也。"清代崔述《补上古考信录》云："世传神农始为本草……乃沿《补本纪》之误，余按书契始于黄帝以后，然犹未有篇策，神农之世，安得有策书乎？且本草文浅陋，多用后世地名，少有识者，自然辨之。"

梁启超《中国历史研究法》云："今所称《神农本草》，《汉书·艺文志》无其目，知刘向时，决未有此书，再检《隋书·经籍志》以后诸书目，及其他史传，则知此书殆与蔡邕、吴普、陶弘景诸人，有甚深之关系……，但其书不惟非出神农，即西汉以前人参预者尚少，殆可断言。"

梁启超《古书真伪及其年代》云："此书在东汉三国间，盖已有之，至宋齐间，则已成立规模矣。著者姓名虽不能确指，著者年代则不出东汉末讫宋齐之间。”

按，现存《本经》资料有二，一是宋代以后诸本草所录的《本经》资料（包括明清国内外各家《本经》辑本），一是散存在类书及古典文、史、哲的注文中。现存各种本草所录的《本经》资料，皆出于宋代《证类》白字的文字。《证类》白字，皆出于陶弘景《集注》的朱字。《集注》中朱字是由陶弘景综合当时流行多种《本经》而成的，陶弘景在《集注》序中说过：“魏、晋以来，吴普、李当之更复损益，或五百九十五，或四百四十一，或三百一十九，或三品混糅，冷热外错，草石不分，虫树无辨，且所主治，互有得失……今辄苞综诸经，研括烦省，以神农本经三品合三百六十五种。”

由于《证类》白字来源于陶弘景综合当时多种《本经》的资料，所以《证类》白字夹杂汉以后的资料，如《颜氏家训》及陶氏序言皆提到《本经》中有后人羼入汉代地名，这就使人怀疑《本经》成书在东汉时期。

《证类》白字，不仅地名有后汉时制，而且药物也有汉时外来的药，如葡萄、薏苡仁、胡麻、枲耳。

《汉书·西域传》云：“汉武太初四年（前 101）宛王蝉封与汉约，岁献天马二匹，汉使采葡萄……种归。”《史记》云：“大宛以葡萄为酒，富人藏酒万余担。久者十数岁不败。张骞使西域，得其种还。”张骞是元朔三年（前 126）归的，说明葡萄在公元前 1 世纪即传入中国。

《证类》卷 6 薏苡仁条陶注云：“真定县属常山郡……交趾者子最大……马援大取将还，人谗以为珍珠也。”《汉书》云：“马援在交趾尝饵薏苡实，云能轻身省欲，以胜瘴气也。”按，马援是东汉光武帝时（25—57）人，即公元 1 世纪中期，那么薏苡仁传入中国，当在 1 世纪中期。

《新修》卷 19 胡麻条陶注云：“胡麻本生大宛，故名胡麻。”沈括《梦溪笔谈》卷 26 胡麻条云：“中国之麻，今谓之大麻……张骞始自大宛得油麻之种，亦谓之麻，故以胡麻别之。”

《本经》云：“（枲耳）一名胡菜”。陶弘景注云：“一名羊负来，昔中国无此，言从外国逐羊毛中来”。据此可知，菜耳（即苍耳子）亦是外来药。盖汉时，对外来药名，多加上“胡”字，以别于本土也。

从上述葡萄、薏苡仁、胡麻、枲耳传入中国的时间来看，薏苡仁最晚，约在公元 25—55 年。那么薏苡仁羼入《本经》中当在公元 1 世纪中期。

由于现存《证类》白字《本经》文有薏苡仁，而薏苡仁在东汉初由马援带入中原，因而一般人认为《本经》是东汉初年，即公元1～2世纪的作品。

（3）有人认为《本经》应与《素问》同类。《礼记·曲礼下》有“医不三世”之说，唐·孔颖达疏云：“三世者，一曰《黄帝针灸》，二曰《神农本草》，三曰《素女脉诀》”。孔志约《唐本草·序》云：“……梁弘景，雅好摄生，研精药术，以为本草经者，神农之所作。”《唐书·于志宁传》云：“班固惟记黄帝内外经，不载本草，至齐《七录》乃称之，世谓神农尝药，以拯含气，而黄帝以前，文字不传，至桐、雷乃载篇册。”宋·王应麟《困学纪闻》云：“今详神农作《本草》非也，三五之世，朴略之风，史氏不繁，纪录无见，斯实后世医工知草木之性，托名炎帝耳。”

笔者认为现存《证类》白字，虽杂有东汉时代外来药和汉代时制地名，但这并不能说明《本经》到东汉时才有。可能西汉时已有此书了。西汉《淮南子·修务训》云：“世俗之人，多尊古而贱今，故为道者，必托之神农、黄帝，而后始能入说。”这就提示本草托之神农，在《淮南子》以前就有了。

晋·张华《博物志》云：“太古之书，今见存者，《山海经》《神农经》（即《本经》）。”《本经》和《山海经》都是极古的书。

1972年底，长沙马王堆三号汉墓出土了《五十二病方》。将该方同《本经》比较一下，《五十二病方》显得更古朴，没有阴阳、五行、脏腑等名称。所讲病名如白处、瘴等，皆不见于《本经》。所用药名，如合卢、骆阮、隐夫木等，皆不见于《本经》。这些资料都提示《本经》晚于《五十二病方》。这里最值得注意的是，《五十二病方》所言经脉只有11经，《黄帝内经》有12经。据此可知，《黄帝内经》晚于《五十二病方》。而《本经》“大枣”条亦云：“养脾，助十二经。”由此也可知《本经》是晚于《五十二病方》的。这里似乎提示，《本经》与《黄帝内经》或为同时代的产物。

明·杨慎《升庵文集》云：“《大观》白字者，相传为神农之旧，未必皆出于神农，后人增之耳，然其中如肠鸣幽幽，又云：‘劳极而洒洒’，……此文近《素问》，恐非后医能为也。”

陶弘景《集注》序云：“至于药性所主，当以识识相因，不尔何由得闻，至于桐、雷，乃著在于编简，此书（指《本经》）应与素问同类，但后人多更修饰之尔。”

西汉元帝时（前48—前33），黄门令史游所著《急就篇》，有一节专门介绍药名，共书35味药名，其中属《本经》药者有32味，史游所著必有所本。这就提示在史游作《急就篇》时，可能已有本草存在了，否则史游不会集中书写35味药物的。

3. 名医在《本经》中增补内容的例证

关于名医在《本经》中增录药物，可从陶隐居序中了解之。陶隐居序云："是其本经所出郡县，乃后汉时制，疑仲景、元化等所记，魏晋以来，吴普、李当之更复损益。"从此序中，可以看出汉代名医张仲景、华元化，魏晋名医吴普、李当之等，都在《本经》中增补过资料。

另外亦可从《唐书·于志宁传》了解之。该传云："帝曰：本草，别录，何为而二？对曰：班固惟记黄帝内外经，不载本草，至梁《七录》乃称之；别录者，魏晋以来，吴普、李当之所记，其言华叶形色，佐使相须，附经为说。"传中所云"附经为说"，即指名医在《本经》中增补资料而言。

关于名医在《本经》中增录资料，不仅陶隐居序和于志宁传中提列这个问题，就连《证类》（1975年人民卫生出版社影印本）和《新修》（1955年群联出版社影印本）所引陶隐居注文，亦反映这个问题，兹举例如下。

《证类》卷3芒硝条（黑字《别录》药），陶隐居注云："按《神农本经》无芒消，后名医别录载此说。"这就是说《本经》中原无芒硝，后来名医增录了芒硝。《唐本草》也有同样的说法。《唐本草》卷3硝石条《唐本草》注云："消石，本经一名芒消，后人更出芒消条谬矣"。按《唐本草》所注，芒硝是后人增补在《本经》中的。

《证类》卷12桂条，陶隐居注云："《经》云：桂叶如柏叶泽黑，皮黄心赤。"按陶隐居所注，桂条原是载在《本经》中，否则陶隐居不会讲"经云"的话。桂条在《证类》中是黑字《别录》药，那就是说，古本《本经》原来没有桂，后来名医在《本经》中增录了桂条。陶弘景将名医增补的桂条，当作副品收入《集注》中，用墨字书写，即成为《别录》药。

《证类》卷8瞿麦条，是白字《本经》药，其条文中有黑字《别录》文"采实"字。但陶弘景在瞿麦条下注曰："按经云采实"。陶氏把"采实"二字冠以"经"云，说明采实二字原先是名医在《本经》中增补的。

又如《证类》卷20石决明条，有陶隐居注云："此一种，本亦附见在决明条中，既是异类，今为副品也。"陶注中既说石决明本来是附见在决明子条中，而决明子是《本经》药，石决明是《别录》药，这种附见，当是名医将石决明附见在决明子条中。正如于志宁传中所说的《别录》即是名医的附经为说。

按，石决明和决明子，药名相近，功用相同，所以名医将石决明附录在决明子条中。到陶弘景作《集注》时，陶氏认为石决明和决明子的名称及功用虽相似，但药物类别并不相同，石决明是虫鱼类，决明子是草类，陶氏为着符合药物天然分类，即把石决明从草木类决明子条中拨出，列入虫鱼类中。

《证类》卷3滑石条，有“生赭阳”作黑字《别录》文，陶隐居注云：“赭阳县先属南阳，汉哀帝置，明本经所注郡县，必是后汉时也。”此注文提示《本经》药之产地，有后人增录的。陶隐居序云：“是其本经所出郡县，乃后汉时制，疑仲景、元化等所记。”

《证类》卷3扁青条，有“生朱崖”，作黑字《别录》文，陶隐居注云：“朱崖郡先属交州，在南海中，晋代省之。”按，朱崖是东汉时地名，即今海南琼山。陶注所云“晋代省之”，意思是说，扁青产地朱崖，是在东汉和晋以前为名医增录在《本经》中的。按，《颜氏家训·书证》云：“秦人灭学，董卓焚书，典籍错乱，非止于此。譬犹本草，神农所述，而有豫章（今江西南昌）、朱崖（今海南琼山）、赵国（今河北邯郸）、常山（今河北元氏县）、奉高（今山东泰安）、真定（今河北正定）、临淄（今山东临淄）、冯翊（今陕西大荔）等郡县，出诸药物，皆后人所羼，非本文也。”

以上两例说明名医在《本经》中增补药物和产地等内容。

关于名医在《本经》中增补资料，亦可从类书中得到证实。查《别录》药在《御览》中，均注有“本草经曰”，说明《别录》药原先是名医在《本经》中增录的，否则《御览》不会标注“本草经曰”的。例如升麻、昆布、神护草、白粱等药，在《证类》中均作黑字《别录》药，但在《御览》中均标注有“本草经曰”。

不仅《御览》引此等药标注“本草经曰”，其他类书如《初学记》援引此等药物时，也注有“本草经曰”。例如《御览》卷39、《初学记》卷5所引《别录》药神护草皆标注“本草经曰”：“常山有草名神护，置之门上，每夜叱人。”《御览》卷842、《初学记》卷27所引白粱，标注“本草经曰：白粱，味甘、微寒、无毒。主除热益气，有襄阳竹根者最佳。”《御览》《初学记》援引此等药，既标注“本草经曰”，说明这些药原先是载在《本经》中，否则不会标注“本草经曰”字样。

但这些药在《证类》中均作黑字《别录》药。所以《证类》中黑字《别录》药原先是名医在《本经》中增补的。

（二）陶弘景以前《本经》的基本情况

4. 陶弘景以前的《本经》讨论

陶弘景作《集注》所据的古本是4卷本《本经》。梁·陶隐居序云：“汉献（190—220）迁徙，晋怀（307—312）奔迸，文籍焚糜，千不遗一，今之所存，有此四卷，是其本经”。

陶弘景所据的《本经》是经过战乱后幸存的4卷本《本经》。从此文亦可以看出，在汉献迁徙之前，可能还有和4卷本《本经》相类似的《本经》，只因战乱而遭受焚糜损失了。这些损失的《本经》，多数是托名之作。所托的名字，都是先秦人物，如神农、黄帝、岐伯、雷公、扁鹊、子仪等。这可从《吴普》及《周礼注》《周礼疏》证实之。

孙星衍辑《本经》序云：“自梁以前，神农、黄帝、岐伯、雷公、扁鹊各有成书，魏吴普见之。”汉·郑康成《周礼注》云：“五药，草、木、虫、石、谷也。其治合之齐（剂），存乎神农、子仪之术。”唐·贾公彦《周礼疏》引《中经簿》云：“《子仪本草经》一卷。仪与义一人也，若然，子仪亦周末时人也。”

像神农、扁鹊、子仪都是先秦人，如果他们在先秦时真的著有本草，则先秦文献为何不见其踪迹，《汉书·艺文志》为何不收录，马王堆出土那么多的医书，为何不见一本本草书出土。这些事实说明吴普、郑康成所见的书，都是托名之作。

这里着重介绍托名“神农”的“本草经”，即《本经》。

《本经》产生的时间，疑在西汉末，特别是在汉成帝（前32—前7）到汉平帝（1—5）之间。

《汉书》卷25“效祀志”：“汉成帝建始二年（前31），宰相匡衡，御史张谭秦：罢候神、方士、副佐、本草待诏七十余人皆归家。”颜师古注云：“本草待诏，以方术、本草而待诏。”这次被罢的有5科，共70余人，平均每科有14人以上，其中“本草待诏”者亦应当有14人。

《汉书》卷12“平帝纪”：“征天下通知逸经、古记、天文、历算、钟律、小学、史篇、方术、本草，以及五经、论语、孝经、尔雅教授者，在所为驾，一封诏传，遣诣京师，至者数千人。”这次被诏的科目有13科，被诏的人数是“数千人”。这个“数千人”，少则2000，多则9000，若以最低数2000人计算，则13科中，每科就有150余人。则本草被诏亦当有150余人。

公元前31年被罢本草人数是14人，公元5年被诏的人数增到150人。前后相隔36年，从事本草应征的人数，增长十倍以上。

从情理上讲，被诏的人为着能获得应征，总要带些资料证明自己。那么本草被诏者，当然要带些本草资料去应征。凡能参加本草待诏者，对方术、本草必有研究。他们有条件、有能力将分散在医经、经方、神仙等方中药物资料，汇编成本草专书，作为应征的凭证。他们所整理出来的本草，虽然是他们自己研究的，但是外人和上级官员未必相信，为此，他们不得不托名古人。如神农、黄帝、岐伯、扁鹊、子仪等人，藉以取信于外人和上级官员。这就是托名神农的重要原因之一。

汉代人所著之书，不仅是本草托名“神农”，其他学科也有托名“神农”的。《汉书·艺文志》中各类书，如农、兵、五行、杂占、经方、神仙等书，均有托名“神农”的。盖托名“神农”是当时一种风气。如《淮南子·修务训》所言：“世俗之人，多尊古而贱今。故为道者，必托之神农、黄帝，而后始能入说。”

上面讲过，公元5年本草官被诏者增到150余人。由于应征人数多，则托名著述之本草亦很多。但从汉末到魏晋，因战乱频繁，许多书遭到焚毁，则多种托名的本草书，也大都补焚毁或亡佚了。

从陶隐居序来看，陶弘景作《集注》时，所见到古人《本经》，仅仅是4卷本《本经》。则其托名的《本经》，陶氏认为，是汉献迁徙，晋怀奔迸亡佚了。但实际上，并未完全亡佚，因为汉以后，文、史、哲等书注释者，曾引用过《本经》，所引的资料，同陶弘景所见4卷本《本经》相勘比，不完全相同。说明古代托名的《本经》，除掉陶弘景所见4卷本《本经》外，还有一些同类托名的《本经》，没有被陶弘景所见到。

例如《御览》卷996引《本经》曰：“萱草，一名忘忧，一名宜男，一名歧女”。又引《博物志》云：“神农经曰：上药养性，谓合欢蠲忿，萱草忘忧”。《御览》引“萱草”，即冠以《本经》曰，说明“萱草”是出于《本经》所收载。而今《证类》卷11有萱草，是《嘉祐》从陈藏器《拾遗》转录的，非白字《本经》文，但张华《博物志》说“萱草”是上品药，与“合欢”并列，而合欢是《本经》药，则萱草亦当属《本经》药，但《证类》对“萱草”不作白字《本经》药，而《证类》向上推溯，源于陶弘景《集注》。那也就是说，陶氏作《集注》所据4卷本《本经》无萱草，而张华谓《本经》上品有萱草，说明张华所见到的《本经》，当是另一种托名的《本经》。

又如郭璞注《尔雅》引本草云：“门冬，一名满冬”。《证类》卷6天门冬条，其白字异名，只有“一名颠勒”，并无“一名满冬”。说明郭璞注所见到的《本经》

与陶弘景作《集注》所据4卷本《本经》不同。

类似此例很多。说明西汉末托名的《本经》很多，但大多因战乱而亡佚。陶弘景作《集注》所据的是4卷本《本经》。除此而外，还有类似托名的《本经》存在。这些同类的《本经》，曾被郭璞、张华以及唐宋类书援引过。

其次介绍关于名医增补的《本经》。

汉、魏、晋有很多名医，在古本《本经》中增补资料。所增的内容有二：一是古本《本经》中老药新内容，二是增补新的药物。这种增补，又被称为“附经为说”。

例如陶隐居序云：“是其本经，所出郡县，乃后汉时制，疑仲景、元化所记”。这就是说《本经》所存后汉的地名，是仲景、元化等所增补的。

在增补新药方面，有吴普、李当之等，在旧的《本经》中进行增补。陶隐居序云：“魏、晋以来，吴普、李当之更复损益，或五百九十五，或四百四十一，或三百一十九，或三品混糅，冷热舛错，草石不分，虫兽无辨，且所主治，互有得失。”

从陶弘景序可以了解，魏、晋以来，有很多名医在旧的《本经》中进行增补，各家名医所增补的内容多寡不同，使旧《本经》变成多种增补本《本经》。它们在收载药物数量上、三品类别上、药性标注上、自然属性上、主治内容多寡上，均各不相同。名医所增补的《本经》，既不是《本经》注释本，也不是《别录》本。

从上述事实来看，陶弘景以前的《本经》有两类：一类是古本《本经》，即西汉末诸家托名的《本经》；另一类是魏、晋时期由名医在旧的《本经》中进行增补后所形成的多种同名异书的《本经》。这两类《本经》，陶弘景统称为“诸经”。陶弘景《集注》就是在“诸经”基础上综合而成的。

5. 陶弘景以前的《本经》流传情况

在陶弘景《集注》没有问世前，一直流行有一部《本经》，不但医学家引用过，就连文学家、博物学家都曾引用过。如三国·吴普《吴普》、魏·嵇康《养生论》、西晋·张华《博物志》、东晋·葛洪《抱朴子》、晋·刘逵注《蜀都赋》、梁·刘孝标注《世说新语》、北魏·贾思勰《齐民要术》、北魏·郦道元《水经注》、北齐·祖孝徵《修文殿御览》等，都先后引用过《本经》。

根据《隋书·经籍志》记载，当时流行的《本经》不止一家，题名的有蔡英《本草经》4卷，雷公集注《神农本草》4卷，赵赞《本草经》1卷，王季璞《本草经》3卷，李当之《本草经》1卷，谈道术《本草经钞》1卷；不题名的有《神农本草》8 卷，《神农本草经》3 卷，《本草经略》1 卷，《本草经类用》3 卷，《本草经轻行》1 卷，《本草经利用》1 卷。

这么多的《本经》，到了《唐书·艺文志》只剩下《神农本草》3 卷和雷公集注《神农本草》4 卷。其余各种《本经》的本子都被淘汰了。为什么这些本子会被淘汰呢？就是因为陶弘景作《集注》时，把各种本子的《本经》都综合收入书中了，到了唐初，苏敬又以陶氏书为基础编成《新修》。陶、苏两家本草流行后，《本经》就逐渐被淘汰了。在《隋书·经籍志》中记载有 10 多种《本经》本子，到了《唐书·艺文志》只有 2 种本子，到《宋史·艺文志》就没有《本经》书名的记载了。这就说明，《本经》到宋代已亡佚了。

北宋初太宗时太平兴国年间（976—983）李昉等所编《御览》载《经史》图书纲目中，尚有《本经》的书名。到宋仁宗赵祯天圣年间（1023—1031）编的《崇文总目》，即无《本经》的书名。到嘉祐五年（1060）掌禹锡等著《嘉祐补注本草》所引《书传》，内有医书 16 家，亦无《本经》书名。这都说明《本经》到宋代亡佚了。

6. 陶弘景以前《本经》含有名医增补的内容

陶隐居序云："是其本经，所出郡县，乃后汉时制，疑仲景、元化所记，……魏晋以来，吴普、李当之更复损益，或五百九十五，或四百四十一，或三百一十九，或三品混糅，冷热舛错，草石不分……今辄苞综诸经……以本经三百六十五为主，又进名医副品亦三百六十五，……合为七卷"。

此序文是讲《本经》有很多种本子，这些本子是由汉魏晋医家在原始最古的《本经》中，增录资料而成。陶弘景作《集注》，以原始最古的本子载药 365 种为主，把其他各种本子中名医附经为说的资料，亦选择 365 种，称为名医副品，收入《集注》中。陶氏将最古本子中 365 味药，称为《本经》药，以朱书为标记；将名医副品 365 种药，称为《别录》药，以墨字书写为标记。从此以后，本草学上就出现了《本经》药和《别录》药的类别名称。

《集注》已久佚，但它的内容，通过《唐本草》《开宝》《嘉祐》保存在《证类》中。现存《证类》中白字，即当年《集注》中朱书《本经》药；《证类》中的《别录》，即当年《集注》中墨书《别录》药。所以《集注》中《本经》药来源于《本经》，而《集注》中《别录》药来源于《本经》中名医增录的资料。《证类》承袭《集注》的内容，所以《证类》黑字《别录》药和白字《本经》药一样，原先是分散在多种同名异书《本经》中的。

由于《本经》药和《别录》药原先共存于《本经》中，所以唐宋类书《初学记》《艺文类聚》《御览》等，援引古代药名，不论引《本经》药或《别录》药，统统标注“本草经曰”，因为那些药，原先皆是出于《本经》的。例如，升麻、昆布、白粱米、神护草等药，在《证类》中，均作黑字《别录》药；但在《御览》中，均标注“本草经曰”，没有一味药冠以“名医别录曰”。

不仅《御览》援引此等药标注“本草经曰”，就是其他类书，援引此等药时亦注“本草经曰”，兹以《初学记》为例说明之。

《初学记》卷5和《御览》卷39皆引“本草经曰”：“常山有草名神护，置之门上，每夜叱人。”又《初学记》卷27和《御览》卷824同引“本草经曰”：“白粱，味甘，微寒，无毒。主除热益气，有襄阳竹根者佳。”

《初学记》《御览》援引此等药，既标注“本草经曰”，说明两书所参考的本子是《本经》，否则不会标注“本草经曰”。在陶弘景作《集注》时，陶氏认为这些药虽然收录在《本经》中，但它们不是最古本子《本经》中收载的药，而是后来名医在《本经》中增录的药物。陶氏在《集注》中，把最古本子中的《本经》药，定为《本经》药，把名医在《本经》中增录的药，定为《别录》药。所以《别录》药，为陶弘景以前由名医在《本经》中增订的药物。

7. 陶弘景以前药物条文书写体例

《本经》由吴普、李当之等修订，成多种《本经》。陶氏苞综诸经著成《集注》7卷。诸经中药物条文书写体例和《集注》药物条文书写体例各不相同。

诸经中药物曾被类书《御览》所援引，其药物条文书写体例，可以《御览》为代表。《集注》药物，通过《唐本草》《开宝》《嘉祐》被保存在《证类》中，故其药物体例，可以《证类》为代表。

同一药物，名称、内容相同，但其书写体例，在《证类》《御览》中各不相同。兹以升麻条为例，说明如下。

《证类》升麻条文为：“升麻，味甘、苦，平、微寒，无毒。主解百毒……，一名周麻。生益州山谷，二月、八月采，日干。”其书写体例为：药物正名→性味→主治功用→药物一名→产地→生长环境。

《御览》升麻条引《本经》曰：“升麻，一名周升麻，味甘、寒，生山谷，主辟百毒……，生益州。”其编写体例为：药物正名→药物一名→性味→生长环境→主治功用→产地。

升麻在《证类》《御览》两书中，编写体例各不相同。《证类》将药物一名列在性味主治之后，并将药物产地及生长环境合并书写。《御览》将药物一名列在性味主治之前，并将产地、生长环境分开书写。

不仅升麻如此，其他药如忍冬、柰、昆布、白粱米、神护草、石脾、石肺、列勃、占斯、鹳骨等，在《御览》中均标注“本草经曰”，其编写体例，皆按《御览》体例书写。不仅《御览》这样，其他类书如《初学记》《艺文类聚》也是如此。但是这些药在《证类》中，均作黑字《别录》药，其编写体例，又按《证类》体例书写。同一个药物，在《御览》《证类》两书中，标注类别和编写体例均不相同。

以上所举的例子是名医依附《本经》增附的药（即《证类》所称的黑字《别录》药）。不仅名医依附《本经》增录的药如此，即便是《本经》之药，在《证类》《御览》两书中书写体例也各不相同，情况同上。

由此可见，古代药物条文书写体例有两种模式，一是《御览》体例模式，一是《证类》体例模式。《御览》体例模式，是陶弘景以前药物条文的书写模式。《证类》体例模式，是陶弘景苞综诸经整理后的书写模式。

在陶弘景以前，各种本草书中药物条文书写体例，都是《御览》模式，不仅《本经》如此，其他如《吴普》《李当之本草》《桐君药录》等亦同。例如丹参条，《吴普》书写体例为：“丹参（正名），一名赤参，一名羊乳，一名郗蝉草（别名）。神农、桐君、黄帝、雷公、扁鹊：苦，无毒。季氏：大寒。岐伯：咸（性味）。生桐柏，或生太山陵阴（产地）。茎、花小，方如荏，有毛，根赤（形态），四月花紫（生长情况），三月、五月采根（采制时月），阴干（加工方法）。治心腹痛（主治功用）。”其药物条文书写体例和《御览》相同，模式为：药物正名→一名→性味产地→形态→生长环境→主治功用。

《证类》页183丹参条白字《本经》文为：“丹参（正名），味苦，微寒（性味）。主心腹邪气，肠鸣幽幽如走水，寒热积聚，破癥除瘕，止烦渴，益气（主治功用）。一名郄蝉草（别名）。”其条文书写体例模式为：正名→性味→主治功用→别名。

《李当之药录》亦是陶弘景以前的书，其药物书写体例和《御览》亦相同，兹以溲疏条为例说明之。陶隐居注云：“李云：溲疏，一名杨栌，一名牡荆，一名空疏。皮白中空，时时有节。子似枸杞子，冬月熟，色赤。味甘、苦，末代乃无识者，此实真也，非人篱援之杨栌也”。（《证类》页353）又，《证类》页302牡荆实条，陶隐居注云：“《李当之药录》乃注溲疏下。”

陶弘景以后的古本草，都是从《集注》发展起来的，其书写体例悉同《证类》。因《证类》白字，向上推溯，即源于《集注》。

陶弘景作《集注》，是采用苞综诸经的方法，把诸经中最古的4卷本《本经》资料作为《本经》文，用朱字书写；把诸经中名医增录的药，作为“名医副品”，用墨字书写。这种朱字、墨字，通过《唐本草》《开宝》《嘉祐》传到《证类》，朱字即成《证类》白字《本经》文，墨字即成《证类》黑字《别录》文。《证类》中白字《本经》文、黑字《别录》文都是经过陶弘景苞综诸经整理而成的。所以《证类》中药物条文编写体例和《御览》不同。

（三）诸书所引《本经》的情况

8.《齐民要术》所引《本经》是陶弘景以前的《本经》

《齐民要术》由北魏贾思勰所著，它是1400多年前的农业生产技术总结的文献，其中引用本草方面资料很多。兹以商务印书馆丛书集成初编本《齐民要术》所引用《本经》资料，校以1957年人民卫生出版社影印《重修政和经史证类备用本草》（以下简称《证类》），可以看出《齐民要术》所引《本经》资料，和《证类》中白字《本经》文不完全相同。即《齐民要术》所引《本经》资料，其中含有名医增补的文字，即《证类》黑字《别录》文。现将《齐民要术》《证类》所引《本经》资料，勘比如下。

（1）《齐民要术》所引《本经》资料，和《证类》白字相同例。《齐民要术》卷5页102，紫草条引《本经》曰：“紫草一名紫丹”。《证类》页209，“紫草一名紫丹”作白字《本经》文。《齐民要术》卷10页244，引《本经》曰：“鸡头一名雁瑑”。《证类》页466，鸡头条作白字《本经》文。

（2）《齐民要术》所引《本经》资料，和《证类》白字《本经》文部分相同。例如《齐民要术》卷4页70，引《本经》曰：“桃枭在树不落，杀百鬼”。《证类》作“桃枭，杀百鬼精物，是实著树不落”。

比较《齐民要术》《证类》所引之文，不完全相同。二者引文的句中文字多寡不同，句子排列次序亦不同。

《证类》向上推溯，源于陶氏《集注》。陶氏作《集注》是苞综诸经而成，换句话说，《集注》中文字是经过陶弘景整理而成的。所以《证类》中白字《本经》文和黑字《别录》文，也是陶弘景从诸经中整理的文字。由于《证类》中《本经》文、《别录》文经过陶氏整理，故与古本《本经》文不完全相同。《齐民要术》援引的《本经》为陶氏以前流行的《本经》，因此它与《证类》中白字《本经》文不完全相同。

（3）《齐民要术》所引《本经》资料，在《证类》白字《本经》文中查不出。例如《齐民要术》卷2页21，引《本经》云："张骞使外国得胡豆。"此文在《证类》白字《本经》文中查不出。

《齐民要术》引《本经》资料，有时冠以"本草曰"。例如《齐民要术》卷10页265，引"本草曰"："王瓜一名土瓜。"《证类》页233，"王瓜一名土瓜"作白字《本经》文。则《齐民要术》所引"本草"实即"本经"。又如《齐民要术》卷3页55，引"本草曰"："水蘄一名水英"。《证类》页519，"水蘄，一名水英"作白字《本经》文。

由此可见，《齐民要术》所引"本草曰"，实即《本经》文。

《齐民要术》引的《别录》资料，所注文献出处全注"本经曰"，没有一条标注出处为"别录曰"，由此可见《齐民要术》所引本草资料，是出于《本经》，而不是出于《别录》。

例如《齐民要术》卷2页33，引《本经》曰："青蘘，一名巨胜，一名鸿藏。"《证类》页481胡麻条，对"一名巨胜"作白字《本经》文，对"一名鸿藏"作黑字《别录》文。按理《齐民要术》所引资料中既含有《别录》文，应冠以"别录曰"，但是《齐民要术》并不标"别录曰"，而是标注"本经曰"。说明《齐民要术》所引的本草书是《本经》，而不是《别录》。

又如《齐民要术》卷3页54，引《本经》曰："芥菹，一名水苏"。《证类》页514，水苏条，对"水苏"作白字《本经》文，对"芥菹"作黑字《别录》文。但《齐民要术》引此等黑字《别录》文，并不冠以"别录曰"，而冠以"本经曰"。以上也说明《齐民要术》所引的书是《本经》，而不是《别录》。

《齐民要术》卷6页135，莼条引《本经》云："治消渴热痹。"又云："冷补下气，杂鲤鱼作羹，亦逐水而性滑，谓之莼菜，或谓之水芹，服食之家，不可多啖。""治消渴热痹"6字，在《证类》卷29页519莼条，作黑字《别录》文。而《齐民要术》所引此6字，只冠以"本经云"，而不冠以"别录云"。由此可知，《齐民要术》所参考的书是《本经》，不是《别录》。

《齐民要术》卷6页136，引《本经》云："莲、菱、芡中米，上品药，食之安中补脏，养神强志，除百病，益精气，耳目聪明，轻身耐老。多蒸曝，蜜和饵之，长生神仙。"但《证类》引文略异。《证类》页460载"藕实，一名莲，主补中养神，益气力，除百疾，久服轻身耐老不饥延年”。《证类》页465载“支，一名菱，主补五脏，不饥轻身”。《证类》页466载“鸡头，一名芡，益精强志，令耳目聪明，久服轻身不饥，耐老神仙”。

按，《齐民要术》所引莲、菱、芡等条文中，既含有《本经》文，又含有《别录》文，但《齐民要术》所注文献出处，均标注为“本经曰”，并不标注“别录曰”，说明《齐民要术》参考的书是《本经》，而不是《别录》。

将《齐民要术》所引本草资料，校以《证类》，既有白字《本经》内容，也有黑字《别录》内容，但《齐民要术》所注文献出处，皆冠以“本经曰”，没有一条冠以“别录曰”。则《齐民要术》所参考的书，是《本经》，而不是《别录》。

《齐民要术》成书早于陶氏《集注》，则《齐民要术》所参考的《本经》，是陶氏作《集注》以前流行的多种同名异书《本经》的一种。按陶弘景《集注》序所云，古本《本经》经吴普、李当之等诸名医增补，形成多种《本经》，即“诸经”，诸名医在“诸经”中所增的内容，即“名医别录”。《齐民要术》所参考的《本经》就是当时诸经中的一种，《齐民要术》所参考的《本经》中含有的《别录》文，即是名医在《本经》中增补的资料。这些事实说明在陶弘景以前，只有多种同名异书《本经》存在，并无《别录》现成的书存在。

9.《御览》所引的《本经》是陶弘景以前的《本经》

《御览》引贝子、地榆、鸡卵等，冠有“神农本草经曰”；引菖蒲、麝香等218种，冠有“本草经曰”；引沙参、卫矛，冠有“本经曰”；引辛夷、桑根白皮冠有“神农本草曰”；引藕实茎冠有“神农本草注曰”；引败天公、稷，冠有“本草曰”。

以上各药所冠的书名，有6种：①《本经》，②《本草经》，③《神农本草经》，④《本草》，⑤《神农本草》，⑥《神农本草注》。前3种书名带有“经”字，后3种书名不带有“经”字。《御览》从前3种本草中所引的药物，暂称之为“本经药”；《御览》从后3种本草中所引的药物，暂称之为“本草药”。

把《御览》所引“本草药”“本经药”同《证类》比较一下，出入很大。

《御览》所引“本草药”，在《证类》中未必全非“本经药”。如《御览》卷1000页3引本草曰：“海藻，一名海罗，生东海中，或生河泽，茎似乱发。”此条药名“海藻”，在《证类》卷9页221作白字《本经》文。《御览》卷996页7引本草曰：“紫草，一名地血。”此条药名“紫草”，在《证类》卷8页209作白字《本经》文。《御览》卷998页5引本草曰：“酢（醋）浆，一名酸浆……”此条药名“酸浆”，在《证类》卷8页211作白字《本经》文。

《御览》所引“本经药”，在《证类》中，未必全是“本经药”。《御览》卷807页8引贝子、卷943页7引玳瑁、卷970页7引柰、卷978页8引土芝（芋）、卷975页3引芋、卷982页4引木蜜、卷987页4引石肺及石脾、卷988页6引石决明、卷988页8引鸢（鸱）、卷990页6引升麻、卷991页5引占斯、卷991页9引卢精、卷992页9引纶布（昆布）、卷993页3引忍冬、卷996页3引萱草等药条文，均冠有“本草经曰”。将《御览》所引这些药，以《证类》校之，没有一味药属于白字《本经》药。如柰、芋、石肺、石脾、石决明、贝子、升麻、占斯、昆布、忍冬、鸢等，在《证类》中均属《别录》药。木蜜见录于《拾遗》，玳瑁见录于《开宝》，萱草见录于《嘉祐本草》。卢精不见于《证类》，《纲目》录卢精为《别录》药。（见校点本《纲目》页1241）

《证类》中有很多药，不论是《本经》药、《别录》药，还是其他类药，见于《御览》中所引，皆冠有“本经曰”，或“本草经曰”，或“神农本经曰”，或“神农本草曰”。有时同一药，既冠有“本草经曰”，又冠有“神农本草经曰”。

例如《御览》卷1000页8引同一条地榆，就冠有两个“本草经曰”：①“本草经曰：地榆，止汗气，消酒明目。”②“神农本草经曰：地榆，苦寒，主消酒，生冤句。”

《御览》卷955页7桑白皮条亦冠有两个“本草经曰”：①“本草经曰：桑根旁行出土上者名伏蛇，治心痛。”②“神农本草经曰：桑根白皮，是今桑树根上白皮，常以四月采，或采无时，出现地上名马领，勿取，毒杀人。”

《御览》卷960页2辛夷条，也冠有两个“本草经曰”：①“本草经曰：辛夷，一名辛引，一名候桃，一名房木。”②“神农本草经曰：辛夷生汉中魏兴凉州川谷中，其树似杜仲，树高一丈余，子似冬桃而小。”

《御览》对同一药所引书目，冠有不同名称，说明《御览》所依之《本经》，不止一种本子。

《御览》所引的药，既然冠以“本草经曰”，则《御览》所援引的书，必是“本草经”一类的书。

查《隋书·经籍志》所载本草书目，题“本草经”者有9种，题“神农本草”者有5种，由于《隋书·经籍志》所载本经书目久佚，不知《御览》所引“本经”“本草经”“神农本草经”究竟是《隋书·经籍志》中哪一种，现已无法查证。但从敦煌出土《集注·序录》中仍可探索出，《御览》所引的《本经》，其中有些即是陶弘景以前流行的多种《本经》中的若干种。

敦煌《集注·序录》页3云："文籍焚靡，千不遗一，今之所存，有此四卷，是其《本经》。……魏晋以来，吴普、李当之等更复损益，或五百九十五，或四百四十一，或三百一十九，或三品混揉，冷热舛错，草石不分，虫树（疑兽之讹）无辨，且所主治，互有多少，医家不能备见。……"

从上文来看，在陶弘景以前，就流行有多种《本经》，其载药数各不相同。《御览》援引所据的《本经》，其中有些可能是陶弘景以前流行的多种同名异书的《本经》。

10.《御览》所引的"本草经文"，含有名医增补的内容

《御览》所引的《本经》，都是陶弘景以前的《本经》，这些《本经》都含有名医附经为说的内容，或者说，含有名医增补的内容（即以后所称《别录》文）。

名医增补的内容有二：一是在旧《本经》药中增补的内容；二是增补一些新药（即以后所称的《别录》药）。兹举例如下。

（1）在旧《本经》药中增补的内容。例如《御览》卷993页5"蓍实"条引本草经曰："蓍实，味苦、酸，平，无毒。主益气，充肌肤、明目、聪慧、先知。久服不饥、不老、轻身。生少室山谷。八月九月采实，日干。"用《政和》页167"蓍实"条校之，其中"味酸无毒，生少室山谷，八月九月采实，日干"17字作黑字《别录》文，不是《本经》文。该17字，在《御览》所引《本经》中，是名医增补的内容。

（2）增补一些新药。《御览》所引《本经》，其中有名医增补的新药，这些药由陶弘景作《集注》时，收入书中，以墨字书写，定为《别录》药。《集注》中《别录》药，通过历代本草，被保存在《证类》中。今日《证类》黑字《别录》药，追根到底，源于陶弘景以前《本经》中名医增补的新药。

将《御览》所引《本经》文，用《证类》校之，可以发现《御览》所引《本经》文，有不少的药，在《证类》中都作黑字《别录》药。根据这一事实，我们可以看出，《御览》所引《本经》中的药，凡与《证类》黑字《别录》药相同者，皆可以确定是名医增补的，不是原先《本经》中的，凡是名医增补的药，就不能作"本经药"看待。

由于名医增补的药，是附录在《本经》中的，所以《御览》引用此等药，仍冠以"本草经曰"。明清本草学家，往往根据《御览》所引名医增补的药，冠有"本草经曰"，即把此等药，亦作《本经》佚文来处理。这是值得商榷的。

例如顾观光辑《本经》（1955年人民卫生出版社影印本）页25，有"神农本

草经佚文附录”标题。在此标题中，列有“神护草”，并标注出典：《初学记》卷5“常山有草，名神护，置之门上，每夜叱人”。查《证类》卷30页541“神护草”条有此文，但《证类》作黑字《别录》文，不作白字《本经》文。而顾观光即把“神护草”当作《本经》佚文来处理。这是欠妥的。

不仅顾氏辑本如此，孙星衍辑本《本经》所附“校刊后记”，也是如此。

1955年商务印书馆出版孙氏辑本时，在其书末附有“校刊后记”。该后记说孙本引据本草经佚文脱漏有下列几条：①常山有草，名神护，置之门上，每夜叱人（《初学记》卷5）；②白粱，味甘，微寒，无毒，主除热益气，有襄阳竹根者最佳（《初学记》卷27）；③葥勃，一名石芸（《御览》卷993）。

“校刊后记”根据《初学记》《御览》对神护草、白粱、葥勃等药物冠有“本草经曰”，遂认为此三条即属《本经》佚文。但是根据《政和》《纲目》所标注文献出典，以上三条均属《别录》药，不是《本经》药。

第一条神护草，不是《本经》药，前已说明。兹将白粱、莿勃两条不是《本经》药的原因说明如下。

孙本末所附“校刊后记”中“白粱”条云：“白粱，味甘，微寒，无毒，主除热益气，有襄阳竹根者最佳。”这段文字，在《证类》页490分为两个部分，其中“白粱……益气”，是“白粱”的正文，作大字书写，其标记为黑字《别录》文，没有黑底白字《本经》的标记。而“有襄阳竹根者最佳”8字，作小字注文，是陶隐居的注文。《纲目》卷23页1124谷部，有“白粱米”条，并标注为“别录中品”，在“主除热益气”下，亦标注出典为“别录”；对“有襄阳竹根者最佳”8字，作陶弘景注文。

由此可见“白粱”一药，是《别录》文，不是《本经》的佚文。

孙本所附的“校刊后记”中葥勃条云：“葥勃，一名石芸。”《证类》页539石芸条，有《嘉祐》引《尔雅》云：“葥勃，郭注云一名石芸。”《证类》将“石芸”作《别录》文，列在卷30有名未用草木类中。《纲目》卷21页1094，把“石芸”列在《别录》标题下，注明“石芸”为《别录》药。

由此可见，《初学记》《御览》等类书所引的药物，虽冠有“本草经曰”，这个“本草经”与陶弘景整理的《本经》并不相同。陶弘景整理的《本经》不含有名医增补的内容，或者说，不含有名医附经为说的内容（即《别录》文）。《御览》所参考的《本经》，其中包含有名医附经为说的内容，且在同一个药名下，既有《证类》白字《本经》文，又有《证类》黑字《别录》文。由于名医附经为说资料，没有标记，因此无法区分哪些是原来的《本经》资料，哪些是名医附经为说的资料。因此《御览》在引用时，笼统地皆标注“本草经曰”。

《御览》所引本草资料，凡标注“本草经曰”，未必均属《本经》文。下列一些《别录》药，在《御览》援引时，亦均冠以“本草经曰”。

《御览》卷925页8引“神农本草”曰：“鹳骨，味甘，无毒。治鬼蛊、诸疰、五尸、心腹疾。”查《证类》页404有此文，但《证类》注此文为《别录》文。《御览》卷993页3引“本草经曰”：“忍冬，味甘，久服轻身。”查《证类》页186有此文，但《证类》作黑字《别录》文。类似此例还有芋、石流赤、石肺、占斯等。

这些药的情况，与前面神护草、白粱、菥勃等均相同。如果把神护草、白粱、菥勃认为是《本经》佚文，则鹳骨、忍冬、芋、石流赤、石肺、占斯等，岂不也是《本经》佚文吗?

11. 诸类书所引的《本经》文，不同于《证类》白字

诸类书及其他各种书所引《本经》资料，和《证类》白字《本经》文，存在不同的问题很多，兹分别时论如下。

（1）诸类书所引《本经》药物条文，书写体例不同于《证类》白字。例如《艺文类聚》卷81引《本经》曰：“薯蓣，一名山芋，益气力，长肌肉，除邪气，久服轻身，耳目聪明，不饥延年，生嵩高山。”又如《艺文类聚》卷89引《本经》曰：“合欢，味甘平，生川谷，安五脏，和心志，令人欢乐无忧，久服轻身明目，生益州。”《北堂书钞》卷147引《本经》云：“石蜜，一名石饴，味甘，主心邪气，安五脏，益气强志，除百病，服之不饥。”《御览》卷988引《本经》曰：“消石，一名芒硝，味酸、苦，寒，生山谷。治五脏积热。生益州。”《御览》989引《本经》曰：“当归，一名干归，味甘，温，生川谷，主治咳逆上气，温疟、寒热，生陇西。”

从以上药的条文叙述方式，可以看出诸类书所引《本经》药物书写体例是：药名→一名→性味→生长环境→主治功用→产地。但《证类》白字的药物书写体例是：药名→性味→主治功用→一名。《证类》白字书写体例不同于类书的原因，森立之认为是苏敬更改的。森本序云：“《御览》气味下，每有生山谷等语，必是朱书原文，苏敬新修时，一变此体，直于主治下记生太山山谷等语，《开宝》以后，全仿此体……”

森立之的看法是有问题的，《证类》白字书写体例，与《新修》文句是比较一致的，但吐鲁番出土的《集注》残简上朱字书写体例亦与《证类》白字全同，由此可知《集注》原文如此，并非苏敬著《新修》时所改。盖森氏未见过吐鲁番出土《集注》残简，所以有此错误的结论。

（2）诸类书所引《本经》资料，在内容上比较简单。例如《艺文类聚》卷81引《本经》曰："天门冬，一名颠勒，味苦，杀三虫。"而《证类》卷6天门冬条白字为："天门冬，味苦，平，主诸风湿偏痹，强骨髓，杀三虫，去伏尸，久服轻身益气延年，一名颠勒。"比较两书所引天门冬内容，《艺文类聚》引文比较简单些。

又如《艺文类聚》卷89引《本经》曰："黄连，一名王连，味苦，寒，治热。"《御览》卷991引《本经》曰："黄连，一名王连，味苦，寒，生川谷，治热气目痛，眦伤泣出，明目，生巫阳。"《证类》卷7白字云："黄连，味苦，寒。主热气目痛，眦伤泣出，明目，肠澼，腹痛下痢，妇女阴中肿痛。久服令人不忘，一名王连。"

将此三书所引黄连条文比较一下，类书所引《本经》文，比《证类》白字简单得多。类书引用《本经》资料简单的原因，可能是类书节录了《本经》的内容，也可能是类书所依据《本经》的本子中内容就简单。

（3）诸类书所引《本经》资料有形态记载。《艺文类聚》卷97引《本经》曰："文蛤，表有文。"《御览》卷960引《神农本草》曰："辛夷……其树似杜仲，树高一丈余，子似冬桃而小。"《御览》卷988引《本经》曰："代赭，一名血师。好者，状如鸡肝。"

《证类》白字对文蛤、代赭、辛夷等皆无形态记载。

又如刘逵注《蜀都赋》云："《本经》曰：箘桂，圆如竹。"按"圆如竹"是箘桂形态的描述，《证类》卷12箘桂条有此文，但作黑字《别录》文。

（4）诸类书所引《本经》资料，大多数都有产地，而《证类》白字无产地。《艺文类聚》卷81引《本经》曰："术，一名山筋，生郑山。"《御览》卷988引《本经》曰："白芷，一名芳香，生河东。"《证类》术、白芷条，所记产地，"生郑山""生河东"皆作黑字《别录》文。又如刘逵注《蜀都赋》云："《本经》曰：'箘桂，出交趾。'"《证类》卷12有此文，但作黑字《别录》文。

（5）诸类书所引《本经》资料有采制记载，《证类》白字无采制记载。《御览》卷993引《本经》曰："蓍实……八月、九月，采实日干。"《证类》蓍实条，有此文，但作黑字《别录》文。

（6）诸类书所引《本经》资料不见于《证类》白字。例如《山海经》卷2西山经云："西次二经，女床之山，其阴多石涅。"郭璞注云："即帆石也，楚人名为涅石，秦名为羽涅。《本经》亦名曰石涅也。"按，《证类》卷2矾石条白字有"一名羽涅"，但无"亦名曰石涅"。则郭氏所引《本经》资料，即不见于《证类》白字。

又，徐锴《说文解字系传·通释》云："……锴按郭璞《尔雅》注：'门冬，一名满冬。'今本草有天门条、麦门冬，并无满冬之名。"郭璞所见到的《本经》门冬条有满冬的别名，但后世本草无满冬别名。

又如《御览》卷992引郭璞《尔雅》注云："《本经》曰：'蕘卢，一名诸兰。'今江东呼稀首。"检《证类》白字无此文。

（7）诸类书所引《本经》的一些资料，《证类》作黑字《别录》文。如《御览》卷39引《本经》曰："常山有草名神护，置之门上，每夜叱人。"《证类》卷30"有名无用类"有此条，但作黑字《别录》文。

又如《御览》卷988引《本经》曰：麋脂，近阴，令人阴痿。"《证类》卷18麋脂条有此文，但作黑字《别录》文。《艺文类聚》卷86引《本经》曰："枭桃，在树不落，杀百鬼。"《证类》卷23桃核条有此文，但作黑字《别录》文。《御览》卷990引《本经》曰："升麻，一名周升麻，……生益州。"《证类》卷6升麻条作黑字《别录》文。

（8）诸类书所引《本经》资料，其内容和《证类》白字相似，但词句不同。例如《艺文类聚》卷81引《本经》曰："杜若……久服益气轻身。"同书卷82引《本经》曰："水萍……乌鬓发。"《证类》卷7白字作："杜若……久服益精明目轻身。"又卷9白字云："水萍……长鬓发。"两书所讲内容相似，但词句不完全相同。

又如《艺文类聚》卷81引《本经》曰："太一子曰，凡药上者养命，中者养性，下者养病。"《御览》卷984引《本经》曰："太一子曰，凡药上者养命，中药养性，下药养病。"《抱朴子》内篇卷11云："《神农经》曰：'上药令人身安命延，……中药养性，下药养病。'"张华《博物志》曰："神农经曰：上药养命，谓为玉石之练形，六芝之延年也。中药养性，谓合欢蠲忿，萱草忘忧也。下药治病，谓大黄除实，当归止痛也。"

以上4种书所引《本经》言三品（上药、中药、下药）的内容，和《证类》白字序论中所讲的三品内容相似，但词句各不相同。

从诸书所引《本经》资料来看，它们绝大多数不同于《证类》白字的文字。为什么不同呢？因为《本经》同名异书很多。《隋书·经籍志》记载《本经》有十数种，各种《本经》所载药物数量及其主治内容亦各不相同。所以陶弘景说："或五百九十五，或四百四十一，或三百一十九，或三品混糅，冷热舛错，草石不分，虫兽无辨，且所主治，互有得失。"陶弘景见到当时流行的各种《本经》存在缺点很多，即加以整理成为一种比较完善的本子——即今日《证类》白字的前身。诸类书所引的《本经》资料，可能是陶弘景所见的那些《本经》，所以诸类书援引《本经》资料，当然就会不同于《证类》白字的文字。

（四）其他相关问题

12.《子仪本草》辨伪

清·姚振宗《汉书艺文志拾补·方技略》载有《子仪本草经》1卷。清·邵晋涵为孙星衍所辑《本经》写的序云："贾公彦引《中经簿》有《子仪本草经》1卷"。二说由于贾公彦解释"治合之齐，存乎神农、子仪之术"从而联系到《中经簿》载有《子仪本草经》1卷。

《隋书·经籍志》序云："魏秘书郎郑默始制《中经》"。可见，《子仪本草经》最早是魏（220—265）郑默作《中经簿》时著录的。说明《子仪本草经》在魏时仍有流行本。

《子仪本草经》到魏时既未亡佚，那么在魏以前，《子仪本草经》亦应当存在。那么，汉成帝于河平三年派陈农求遗书于天下，为何征求不到《子仪本草经》呢？刘向校书时因未见到《子仪本草经》，故书目《别录》中亦无《子仪本草经》。其后刘歆《七略》、班固《汉书·艺文志》皆无《子仪本草经》。由此可见，在汉成帝时，并无《子仪本草经》存在。

查《汉书·艺文志·方技略》，收载医书有四类即医经、经方、房中、神仙。唯独没有本草类。更无《子仪本草经》存在。

1973年马王堆三号墓出土14种医书，按书的种类分，与《汉书·艺文志·方技略》医经、经方、房中、神仙四类书十分吻合，其中亦无本草书存在，更无《子仪本草经》存在。

另外，从子仪本人活动年代看，《子仪本草经》亦是可疑的。

贾公彦疏《周礼·天官冢宰》注云："又《中经簿》云，《子仪本草经》一卷。仪与义一人也。若然，子仪亦周末时人也"。但从子仪与扁鹊活动时间看，子仪又不像周末时人。因扁鹊本人活动年代也存在很多问题。

《史记·仓公扁鹊列传》记载有扁鹊医治的4个病例。其中扁鹊治虢太子病最早，约在公元前665年；治秦武王病最晚，约在公元前307年。前后相差约360年。一个人不可能活360岁。

贾公彦说子仪为周末时人，是根据刘向《说苑·辨物》记载扁鹊为赵太子治过病。赵太子是周末晋昭公大夫，则扁鹊、子仪亦当为周末时人。那么又如何知道子仪著有《本草经》且传下来呢？如果按贾公彦所云子仪为周末时人，那么周末以后的古书，为何对《子仪本草经》只字不提？

按，《本草经》的“经”字出现较晚。西汉初董仲舒罢黜百家而尊孔，把儒家三纲五常六艺之书，视为天地之常经。遂以“经”书名之。其后本草书亦沿袭旧例，称之为《本草经》。可见《本草经》三字出现很晚，绝非周末时即有此书名。

又先秦时书，原无书名，刘向校书时，始取各书篇首开头几个字，作为书名。联系到《子仪本草经》，贾公彦既然说它是周末时书，则《子仪本草经》当是先秦时书。先秦时无书名，后经刘向校阅才订有书名。如果真有《子仪本草经》，其书名亦当由刘向所订。可是《汉书·艺文志》连本草书都没有，哪儿来的《子仪本草经》呢？所以《子仪本草经》实为汉代人所伪托。

13.《本经》和《汉书·艺文志·方技略》渊源关系

《本经》，一般人认为是很古的书。晋·张华《博物志》云：“太古之书，今见存者，《山海经》和《神农经》。”梁·陶弘景《集注》序云：“至于药性所主，当以识识相运，不尔何由得闻，至于桐、雷，乃著在于编简，此书（指《本经》）应与《素问》同类。”按，中国最早图书目录《汉书·艺文志》，既有《山海经》，又有《素问》，唯独没有《本经》。

宋·掌禹锡《嘉祐本草》序云：“旧说《本经》神农所作，而不经见，《汉书·艺文志》亦无录也。”汪辟疆《目录学研究》云：“班氏……乃取向、歆父子之书，删要以志艺文。”则《汉书·艺文志》是班固根据刘向《别录》及其子刘歆《七略》编纂而成的。

刘向《别录》始于河平三年（前26），终于成帝绥和元年（前8），共历18年，而刘歆是继其父典五经作《七略》，前后不过2年。所以应劭《风俗通》云：“刘向为孝成典校书籍二十余年。”（见商务印书馆1955年出版的汪辟疆《目录学研究》页12注）

刘向所校的书是当时汉成帝使谒者陈农到全国各地征求所献之书而校定的。

《资治通鉴》卷30云："上以中秘书颇散亡，使谒者陈农求遗书于天下。诏光禄大夫刘向校经传、诸子、诗赋，步兵校尉任宏校兵书，太史令尹咸校数术，侍医李柱国校方技……"

汉代派陈农征求遗书的时间和刘向校书的时间，都从汉成帝河平三年开始，前后经过20年时间，为何在这么长的时间内，征求不到本草书呢？是不是当时并没有本草书呢？若是没有本草书，那么汉成帝时为何有"本草待诏"的职称？又楼护怎么能诵读本草呢？

《汉书·游侠传》云："楼护字君卿，齐人，父世医也，护少随父为医长安，出入贵戚家，护诵医经、本草、方术数十万言，长者咸爱重之。"楼护是汉成帝时人，本草待诏也是成帝时的事情，和陈农征求遗书及刘向校书几乎处在同一个时代。一方面有本草待诏的职称存在，又有楼护读过本草，另一方面陈农还在征求遗书于天下，而刘向校书目录中没有本草书名记载，这是什么道理呢？

笔者认为，《证类》白字的《本经》文，在刘向校书时代，可能还没有产生呢。假如当时有《本经》存在，国家如此重视，为何征求不到呢？至于"本草待诏"职称，和楼护在贵戚家读到本草是否和后世专门研究单味药物书的本草意义相同？从某些资料来看，西汉时"本草待诏"的本草，和楼护所读的本草，似乎不是专门讲单味药物书的本草，好像是论述经方的统称。何以见得呢？我们可以从《汉书·艺文志·方技略》探索得知的。

《汉书·艺文志·方技略》所校的书共分四类，即医经、经方、房中、神仙，每一类书的书末有个总结的小序。从四类书末的小序来看，其中经方类小序正是西汉时"本草"的内容。

经方类的小序云："经方者，本草石之寒温，量疾病之浅深，假药味之滋，因气感之宜，辨五苦六辛，致水火之齐，以通闭解结，反之于平。及失其宜者，以热益热，以寒增寒，精气内伤，不见于外，是所独失也。"

从这段序文中可以看出，"本草石之寒温"的开头二字"本草"可能是当时"本草"名称之由来。在这个小序中，"本草石之寒温，量疾病之浅深，假药味之滋"是言个别药物性质和作用。"辨五苦六辛，致水火之齐，以通闭解结，反之于平"是言方药的制备及其治疗功效的。

当时所谓"本草待诏"职称，也可能是从事于药物和方药制备工作的职称。

我们从《汉书·艺文志·方技略》中经方类所收集11家"经方"来看，其中有9家是各种治病的方子；有1家是讲方药制备的书，名《汤液经法》；有1家是讲食物禁忌的书，名《神农黄帝食禁》。从所收集书的内容来看，经方包括有治病的方书，方药制备的书和食物禁忌的书，所以经方有方药书和药物合称的含义。

按，《汉书·郊祀志》有方士、本草待诏，而无“经方”职称待诏，疑“本草待诏”的本草工作，即是处理“经方”中方药制备的一些工作，所以本草、经方在当时可能是并存的。

另外，从《楼护传》中看，楼护在长安贵戚家读“医经、本草数十万言”。《楼护传》把医经、本草并列，不提经方之名。而《汉书·艺文志》把医经、经方并列，不提本草之名。所以楼护所读的“本草”，疑即《汉书·艺文志·方技略》中有关“经方”的一些书，即各种治病的方书和《汤液经法》及《神农黄帝食禁》等书。

从以上资料来看，西汉末所讲的本草可能指“经方”中包含的一些内容。

从现存《证类》白字各个药物内容来看，在这些药物主治功用中，除讲治病功效外，还讲久服不老神仙的一些话，这些话，都不是经方类书中所具有的话，而是出于神仙类书中的。

按，《汉书·艺文·方技略》中专门收录神仙10家205卷，在神仙家书录末有小序云：“神仙者，所以保性命之真，……”这些话正与《证类》白字药物的内容相吻合。由此可见今日《证类》白字，是包含汉代“经方类”和“神仙类”双方的内容。这就提示《证类》白字的《本经》文，和《汉书·艺文志·方技略》中的“经方类”“神仙类”存在联系迹象。

不过《汉书·艺文志》没有收录《本经》书名，不等于汉代就没有《本经》资料存在。

又，《淮南子·修务训》云：“世俗之人，多尊古而贱今，故为道者，必托之神农、黄帝而后人说。”此即说明在西汉已有托神农、黄帝著书之事，而张华《博物志》说：“太古书今见存者，有《神农经》《山海经》。”张华把《神农经》与《山海经》相提并论，则《神农经》由来久矣。

《神农经》是什么书呢？《御览》卷984引《养生要略》曰：“《神农经》曰：‘五味养精神，强魂魄；五石养髓肌肉肥泽；诸药、其味酸者……’”根据《御览》所引，《神农经》即《本经》。

除上述嵇康《养生要略》，张华《博物志》见引《本经》外，晋·刘逵注《蜀都赋》亦引《本经》曰：“箘桂，出交趾，圆如竹，为众药通使。”这些引文皆不见于《证类》白字。

这就提示《本经》在古代有同名异书存在，各种托名的《本经》成书的时间也各不相同。

14. 在陶弘景作《集注》以前只有多种《本经》书存在，并无《别录》书存在

陶隐居序云："本经所出郡县，乃后汉时制，疑仲景、元化所记。……魏晋以来，吴普、李当之等更复损益，或五百九十五，或四百四十一，或三百一十九，或三品混糅，冷热舛错，草石不分，虫兽无辨，……今辄苞综诸经……以本经为主，又进名医副品……合为7卷（指《集注》）"。

在此序中，陶弘景讲，《本经》由吴普、李当之等损益修订，形成载药不同的（595、441、319）多种《本经》（诸经）。陶氏苞综诸经，以最古的本子为主，又进名医副品，编成《集注》7卷。

序中"名医副品"是指诸经中名医增录的资料，并不是现成的《别录》一本书。所以陶弘景作《集注》时，只有多种《本经》书存在，并无《别录》一书存在。如果有《别录》书存在，则陶氏在序中应说"苞综本经别录"，不应说"苞综诸经"。

又如《证类》卷30有石肺、石脾，是黑字《别录》药。陶弘景在芒硝条注云："皇甫士安取石脾与消石以水煮之……，但不知石脾复是何物，本草乃有石脾，石肺"。在此注中，只讲"木草乃有石脾、石肺"，但不讲"名医别录有石脾、石肺"。这就提示在陶氏作《集注》时，没有单独一本《别录》书存在。

有人说，《证类》白字中的黑字，是陶弘景从《别录》一书中取来的。笔者认为不对。如果从《别录》一书中取来，则陶序中应说"苞综本经别录"，不应说"苞综诸经"。陶序中既云"苞综诸经"，则陶氏作《集注》时，只有多种《本经》存在，并无《别录》书存在。

由于陶氏作《集注》采用苞综诸经，所以《集注》中黑字文，皆出于诸经。因此陶氏在《集注》中注释时，把条文中黑字亦注为"经云"。

例如《证类》页289桂条，陶隐居注云："《经》云：桂叶如柏叶泽黑，皮黄心赤"。按，桂条在《证类》中既是黑字《别录》药，陶氏注文中，为何不讲《别录》云，而注为"《经》云……"?《经》云，即指《本经》云。这就说明桂条是名医依附《本经》增录的资料，否则陶氏不会注为《经》云的。

《证类》页128锡铜镜鼻条，是白字《本经》药，在白字条文中，夹有黑字"生桂阳"三字。陶隐居注云："本经云生桂阳"。按陶氏所注，则"生桂阳"当从《本经》书中取来，不是从《别录》书中取来，如果从《别录》书中取来，则陶氏应注为“名医别录云生桂阳,”不应注为“本经云生桂阳”。

又如《证类》页202瞿麦条，是白字《本经》药，但在白字文中夹有黑字“采实”二字。此二字也是名医依附《本经》增录的。陶氏在“苞综诸经”时，把名医增录之“采实”二字，以墨字间于朱字，所以陶在注时云：“按经云采实”。陶注中既把“采实”二字称为“经云”，则“采实”二字当然不是从《别录》一书中取来的。如果其是从《别录》一书中取来，陶氏不会说“经云采实”，应说“别录云采实”。

这些例子，都说明陶氏作《集注》，分朱字《本经》文，墨书《别录》文。其墨书《别录》文，来自诸经中名医增录的资料，而不是从现成《别录》一本书中取来。在陶氏作《集注》时，并无现成的一本《别录》书存在。

另外从《齐民要术》所引“本草经曰”含有《别录》资料，亦可看出陶作《集注》以前，并无《别录》定型的书存在。

例如《齐民要术》卷2页33，引本草经曰：“青蘘，一名巨胜，一名鸿藏。”《证类》页481胡麻条，对“一名巨胜”作白字《本经》文，对“一名鸿藏”作黑字《别录》文。按理《齐民要术》所引资料中，既含有《别录》文，应冠以“别录曰”。但是《齐民要术》并不标“别录曰”，而是标注“本经曰”。说明《齐民要术》所引的本草书是《本经》，而不是《别录》。

又如《齐民要术》卷3页54，引本草经曰：“芥葅，一名水苏。”《证类》页514水苏条，对水苏作白字《本经》文，对“芥葅”作黑字《别录》文。但《齐民要术》引此等黑字《别录》文，并不冠以“别录曰”而冠以“本草经曰”。说明《齐民要术》所引的书是《本经》，而不是《别录》。

将《齐民要术》所引本草资料，校以《证类》，既有白字《本经》内容，也有黑字《别录》内容。但《齐民要术》所注文献出处，皆冠以“本草经曰”，没有一条冠以“别录曰”，由此可见，《齐民要术》所参考的书，是《本经》，而不是《别录》。

《齐民要术》成书早于陶弘景《集注》。则《齐民要术》所参考的《本经》，是陶弘景作《集注》以前流行的多种同名异书《本经》的一种。按陶弘景《集注》序所云，古本《本经》经魏晋吴普、李当之等诸名医修订，形成多种《本经》，陶序称之为诸经。诸名医在诸经所增的内容，陶氏称之为名医别录。《齐民要术》所参考的《本经》，就是当时诸经中的一种。《齐民要术》所参考《本经》中含有《别录》文，该文即是名医在《本经》中增录的资料。这些事实证明，在陶弘景以前，只有多种同名异书《本经》存在，并无《别录》现成的书存在。

15.《本经》药、《别录》药是陶弘景分的

所谓《本经》药、《别录》药，是陶氏《集注》中药物分类的名称。凡是《集注》未收载药物，并无以上区分。陶氏《集注》只收录药物730种，事实上在陶氏以前，曾经被人们应用的药，不止730种，还有很多药分散在其他书中，没有被陶弘景收入到《集注》中。

例如马王堆出土的《五十二病方》存药名247种，其中有半数药名，如鲋鱼、彘鱼、车故脂、百草末等，既不见于《本经》类药，又不见于《别录》类药。试问这些药物如何区分？说它们是《本经》药不行，说它们是《别录》药也不行。所谓《本经》药、《别录》药，是陶氏《集注》对药物分类的称呼，它并不能代表《集注》以外所有的药物。

在陶氏《集注》以前，所有古代药物，并不分什么《本经》药或《别录》药，也并不是所有的《本经》药出现早些，所有《别录》药出现晚些。《五十二病方》所存247种药中，属《本经》药者92种，属《别录》药者36种。如食盐、艾、桂等均属《别录》药，这些《别录》药在《五十二病方》中和《本经》药一样，同被人们所应用，并没有出现早晚之分，而《五十二病方》对这些药也无《本经》《别录》的区分。又如西汉时《急就篇》载药35种，按《本经》《别录》分，其中有32种是《本经》药，有3种是《别录》药。这3种《别录》药在《急就篇》中，和《本经》药共存，在当时同为人们所应用，并无区分，亦没有出现早晚之分。

总之，《本经》药、《别录》药是陶弘景《集注》中药物分类的名称，它不能包括《集注》以外所有的药物。而《集注》中有些《本经》药和《别录》药，在古代文献中同时并存，同为医家所习用，并无《本经》《别录》之分。

二、陶弘景整理的《神农本草经》问题讨论

（一）陶弘景整理的《本经》文与《证类》白字问题

16. 陶弘景将其以前多种《本经》糅合收入《集注》中

陶隐居序云：“本经所出郡县，乃后汉时制，疑仲景、元化所记，……魏晋吴普、李当之等更复损益，或五百九十五，或四百四十一，或三百一十九，或三品混

糅，冷热舛错，草石不分，……今辄苞诸经（指多种本草经）……以本经三百六十五为主，又进名医副品亦三百六十五，合七百三十种，合为七卷（指《集注》）。”

这个序文，说明陶弘景作《集注》采用的是苞综诸经的方法。这个“苞综诸经”，即是将陶弘景以前多种《本经》进行糅合，收入《集注》中。关于陶氏“苞综诸经”，其具体做法，有下列一些方式。

（1）诸经中，凡《本经》药有名医附经为说的资料，陶在苞综诸经时，即将其和名医附经为说的资料糅合为一体。《本经》药条文朱书，名医附经为说的资料以墨字间于朱字。

陶氏苞综诸经所成的《集注》，通过《唐本草》《开宝》《嘉祐》，被保存在《证类》中。《证类》中白字，即《集注》中朱字；《证类》中黑字，即《集注》中墨字。下文以《证类》中白字、黑字，代表《集注》朱书、墨书文进行研究。

查《证类》全书白字《本经》文，找不出一条纯白字《本经》文，每一条白字《本经》文中，都夹有黑字《别录》文。这些黑字《别录》文，原先是名医在诸经中附经为说的资料，陶在苞综诸经时，把以上资料糅合在相应的《本经》药物条文内，以墨字间于朱字，即形成《证类》全书白字中夹有名医增录资料的黑字。这也使得诸经中每味《本经》药，都有名医增录的新内容。

（2）诸经中，有些《本经》药，附有药名相近、功用相同，但类别不同的药物。陶氏在苞综诸经时，即将类别不同的药物拨出，另立为一条。

例如《证类》页415黑字石决明，不是从现成的《别录》一书中抄来，而是从古本《本经》中名医增录的资料采集而来，因为陶氏在石决明条下注云：“此一种，本亦附见在决明条中，既是异类，今为副品也”。注中“本亦附见在决明条中”，就是说石决明本来就附在《本经》药决明子条下。陶注中并未说石决明原出于《别录》中。这就提示《别录》在陶氏作《集注》时，尚未成为定型的书。

陶注中既说石决明本来是附见在决明子条下，而决明子是《本经》药，石决明是《别录》药，则附见的石决明，当是名医在《本经》决明子条下增录的。不然的话，《别录》药怎么会附见在《本经》药之中呢？名医增录时，以名称近似而归类，因石决明、决明子名称相近，功用相同，故附见在一条中。而陶氏认为石决明和决明子功用虽相近，但药物品类不同，石决明是虫鱼类，决明子是草类。《集注》序“区畛物类”，就是要把药物按自然属性分类。决明子是植物，应放在草类，石决明是动物，应放在虫鱼类。所以陶弘景把决明子条中附见的石决明拨出来，作为“名医副品”，放到虫鱼类中。

查《证类》页183决明子条是白字《本经》药。决明子条内有“石决明生豫章”6个字，说明陶氏拨石决明时，尚未拨完，还遗留石决明部分产地在决明子条中。这个事实就说明陶氏《集注》黑字《别录》药，都是由《本经》内名医增录的药物整理而成，不是从现成的《别录》一本书中抄来的。

又如《证类》页377牛角䚡条有陶隐居注云：“此朱书牛角䚡髓。其胆，本经附出牛黄条中，此以类相从耳，非上品之药，今拨出随例在此，不关件数，犹是墨书，别品之限耳”。根据陶弘景所注，牛胆，在诸经中，是列在牛黄条中，陶作《集注》时，将之拨出，列入牛角䚡条内。这也是陶弘景作《集注》时，苞综诸经的例证。

（3）诸经中，名医对同一植物，增录其不同部位供药用。陶在苞综诸经时，即将不同部位入药的资料，归并在同一药名之下。

例如《证类》页291，白字《本经》药松脂，是松树的树脂部分，供药用。但名医增录有松树的果实、叶、节、根白皮等，亦作药用，陶氏在苞综诸经时，即将松实、松叶、松节、松根白皮等作为附录药，列在松脂条下，仍以松脂为主名，总领松实、松叶、松节、松根白皮等药用部位。

（4）诸经中，各家名医，在不同本草经中，所增录药名相同，但所增内容不同，陶在“苞综诸经”时，将各家名医所增不同内容，归并在同一药名之下。

例如《证类》页194生姜条云：“生姜，味辛，微温。主伤寒头痛鼻塞，咳逆上气，止呕吐。生犍为川谷及荆州扬州。九月采。”此条生姜文字，是陶氏将一种《本经》本子中名医增录的资料整理而成。另外在《新修》韭条下有陶隐居注云：“生姜是常食物，其已随干姜在中品，今依次入食，更别须之，而复有小异处，所以弥宜书：‘生姜，微温、辛。归五脏。去痰下气，止呕吐，除风邪寒热。久服小志少智，伤心气’。如此则不可多食。”

比较这两条生姜文字，大体相同，但细节不同。说明这两个生姜条文，是来源于不同的《本经》，特别是前一条生姜中，有“生犍为川谷”一句话，把生姜的生长环境“生川谷”，和生姜产地“生犍为”，合并书写，这与《御览》所引“本草经曰”的药物条文，把药物生长环境和产地分开编写不同；与《御览》药物一名位置排列亦不同。以上证明两条生姜文字，是经过陶氏“苞综诸经”整理而成的。

《证类》页492黑字《别录》药大麦条云：“大麦，味咸，温，微寒，无毒。主消渴，除热，益气，调中。又云令人多热，为五谷长。”试看大麦条性味，既云“温”，又云“微寒”，这是两条大麦文字归并所致。否则不会记载两种相反的药性。在大麦条末，有“又云令人多热，为五谷长”10 个字，此 10 个字开头用“又云”，显然是先后参考两条大麦文字编写的。又如《证类》页 493 黑字《别录》药豉条末，有“又杀六畜胎子诸毒”。《证类》卷 13 黑字《别录》药棘刺花条末，有“又有枣针疗腰痛喉痹不通”。大麦、豉、棘刺花等条文末，有“又某某”，都说明陶弘景苞综诸经时，将不同的《本经》本子中所载的相同药物综合于一起。

（5）诸经中，个别的《本经》药与名医增录的药功用相同，但名称不同，陶氏在苞综诸经时，将不同的名称并在一起，又将二者条文合并，《本经》文用朱书，名医增录药条文以墨书间于朱字。

例如《证类》页 154，女萎、萎蕤并为一条，女萎为白字《本经》文，萎蕤为黑字《别录》文，并将萎蕤条黑字间于女萎条白字中。

查《证类》全书白字《本经》药，几乎找不出一条是纯白字，均杂有黑字。换句话说，几乎每味《本经》药，都有名医增录的资料。陶氏在苞综诸经时，将增录的资料以墨字间于朱字中。唯独女萎条是纯白字，没有名医在女萎条增录资料。但名医在诸经中增录有萎蕤条，其功用与女萎同。陶氏在“苞综诸经”时，把萎蕤当作女萎，即将女萎、萎蕤并为一条，女萎文朱书，萎蕤文以墨字间于朱字。

陶氏将女萎、萎蕤归并为一条，并在条末注云：“《本经》有女萎，无萎蕤，《别录》无女萎有萎蕤，而为用正同，疑女萎即萎蕤也，惟名异尔。”陶注中“《本经》有女萎无萎蕤”，意即诸经中女萎条下没有名医增录的资料。陶注中“《别录》无女萎有萎蕤”，意即名医在诸经中没有增过女萎资料，但增录有萎蕤资料。

（6）陶氏作《集注》时，以 365 种《本经》药为主，若诸经中所存《本经》药数多于 365 种，即将多余的《本经》药归并之。兹举例如下。

《证类》页 128 锡铜镜鼻条，陶注云：“此物与胡粉（粉锡）异类，而今共条……故以附见锡品中也。”《证类》页 512 薤条，陶注云：“葱薤异物，而今共条。本经既无韭（韭是《别录》药，故云本经无韭），以其同类故也，今亦取为副品种数。”《证类》页 487 赤小豆条，陶注云：“大小豆共条，犹如葱、薤义也。”《证类》页 416 文蛤条，陶注云：“此既异类而同条，若别之则数多，今以为附见，而在附品限也。凡有四物如此。”

以上 4 例，说明陶弘景在苞综诸经时，对《本经》药物进行归并过。

（7）陶弘景对诸经中《本经》药及名医增录资料的整理，除上述例证外，亦可从类书（《御览》《初学记》《艺文类聚》）援引诸经中“本草经曰”的资料得到证实。

按，《证类》向上推溯，源于陶氏《集注》，所以《证类》中黑字药物条文，能反映《集注》中墨字药物条文；《御览》中援引“本草经曰”的文字，能反映古本《本经》的文字。

把《证类》黑字药物条文和《御览》所引“本草经曰”的文字进行比较，发现有些药物药名相同，内容相同，但是药物条文书写格式不同。《证类》药物条文书写格式为：药物正名→性味→主治功用→药物→名→产地→生长环境→采制时月。

例如《证类》页158黑字《别录》药升麻条文为：升麻（正名），味甘、苦、平，微寒，无毒（性味）。主解百毒……（主治功用）。一名周麻（一名）。生益州（产地）山谷（生长环境），二月、八月采，日干（采制时月）。

同一个黑字《别录》药升麻条文，在《御览》援引时，冠以“本草经曰”，并不冠以“名医别录曰”，而且书写格式为：药物正名→药物一名→性味→生长环境→主治功用→产地。例如，《御览》卷990升麻条有“本草经曰：升麻（正名），一名周升麻（一名），味甘、辛（性味）。生山谷（生长环境），治辟百毒……（主治功用）。生益州（产地）。”

不只《证类》中黑字《别录》药升麻如此，其他《别录》药如忍冬、昆布、占斯、列勃、鹳骨、石脾、石肺、神护草等，在《御览》中均冠有“本草经曰”，并按《御览》格式书写；在《证类》中，俱作黑字《别录》药，并按《证类》格式书写。《证类》向上推溯，源于《集注》，所以《证类》黑字《别录》药物条文书写格式，是综合多种《本经》中名医增录的药物而成的。

17. 陶弘景整理的《本经》在中国本草史上的地位——从《本经》到《证类》发展概况

《本经》是大家公认的现存最早的中药书，总结了汉代以前劳动人民积累的药物知识，它是由若干医家陆续写成的，至于冠以“神农”，则是当时尊古之风的假托。

《本经》分为总论和各论两部分。总论是概括地记述君臣佐使、七情和合、四气五味等药物学的理论，和药物的采收时间、炮制、贮藏方法，以及用药方法等。各论是介绍每个药的具体内容。全书载药365种，其中植物药252种，动物药67种，矿物药46种，并按药物的功效和应用目的不同，分为上、中、下三品。上品药120种，多属于补养药，毒性很小或无毒，可以多服久服，能起到却病延年的作用。中品药120种，多属于治病兼有补养作用的药，有的有毒，有的无毒，一般用于治病和补虚弱。下品药125种，多属于攻治疾病的药物，毒性很大，适用于寒热积聚之证。

书中主治的病名，约有170多种。书中记载的药物功效，根据临床实践和现代科学研究证明，大多数是正确的，如：麻黄止喘，杏仁、贝母止咳，黄连、白头翁止痢，大黄泻下，半夏止吐，海藻疗瘿等，也都是有确效的。

由于历史条件的限制，书中也夹杂道家唯心思想。如：丹砂通神明不老，矾石轻身不老增年，朴硝轻身神仙等，这些都是要批判对待的。

到南北朝时，梁代陶弘景以《本经》为基础，增加《别录》的药物，进行注释，编成《集注》。

《本经》是由总论和各论组成的，陶弘景就沿用《本经》的办法把《本经》总论部分进行增补注释，成为《集注》卷1序录。又把《本经》各论部分，增加《别录》药，并按陶氏本人的见解进行注释，这就使《集注》在分量上，比《本经》要多得多，因而《集注》各论的卷数，由《本经》3卷，扩展为6卷，在这6卷中，共收录药730种，按玉石、草木、虫兽、果、菜、米、有名无用等，分为7类。除有名无用类外，其余各类又分为上、中、下三品。

在卷1序录中，除对《本经》总论部分注释外，还详论药物采集、加工、炮制、制剂、用法，并附有诸病通用药、解毒、服药食忌、药不宜入汤酒者、七情畏恶等专题性论述。这些论述也被后世本草相继沿用，而且不断地增补和扩充。

在《集注》其余6卷中，是论述每个药的具体内容。从药物资料来源上讲，6卷中的内容，由《本经》《别录》、陶弘景本人注文三部分组成。

关于《别录》资料，原有两种情况：一种情况是在《本经》的药名基础上有新的发展；另一种情况是《本经》以外的药。而《集注》把这两种情况，都收入书中。

不过对前一些情况，陶弘景把那些新发现的资料，和《本经》原有的资料，相结合而编写了，因此在同一药名条文中，既有《本经》文，又有《别录》文。陶弘景为着分辨两种文，特地采用朱、墨杂书。即以红字书写《本经》文，以黑字书写《别录》文。这种标记方法对保存《本经》文原来面貌，非常重要。后世本草都沿用陶氏这种办法，但在具体做法上各有所不同。

陶弘景《集注》问世至唐代，将近160多年，在这么长的时间里，各个药物的内容都有新的发展，而新药又不断增加，加以陶氏编书时，中国正处在南北分裂的局面，陶弘景偏居南方，所编的书也存在一些缺点，因此唐初苏敬上言重修本草，唐朝政府采纳了苏敬的意见，组织20余人，在陶弘景《集注》的基础上进行重修，经过2年时间，到659年修成，定名《新修本草》，又称《唐本草》。

《新修》由本草、药图、图经三部组成。其中，本草是正文部分，药图是由当时全国各地送来的药物标本绘画成的，图经是药图说明的部分。

本草部分在编写体例上，完全沿用陶弘景《集注》一套办法，不过在药物数量和药物内容上，都大幅度增加了。因而在卷数上也就增多了。例如《集注》卷1序录，在《唐本草》中扩充为“序”和“例”2卷，其余6卷，在《唐本草》中扩充为18卷。

《唐本草》的药物数量由陶氏书中的730种增加为850种。按《唐本草》新增药114种，应为844种，为何变成850种呢？因为《唐本草》在编纂时，对陶氏书中某些药进行了分条。如“由跋”与“鸢尾”，在陶氏书中原是一个药，而在《唐本草》中就分条为两个药了，因此是药物总数就变成850种。

在药物分类方面，陶氏书分为玉石、草木、虫兽、果、菜、米、有名无用7类；而《唐本草》把草木、虫兽拆为草、木、兽禽、虫鱼四类，合共分为9类，每一类又分为上、中、下三品，这种做法，完全是承袭陶氏的分类法。不过在各类中药物位置的安排略有不同，例如陶氏书有些不常用的药，如淮木等20种药，在《唐本草》中都安排到“有名无用”类中了。

《唐本草》中药物资料来源标记的方法，亦采用陶氏的办法，即把各个药物条文用大字书写，把陶弘景注文和《唐本草》新增的注文用小字书写，在用大字书写的各个药物条文中，凡属《别录》文，用黑字书写，凡属《唐本草》新增的药物条文，亦用黑字书写，但在条文末尾附以“唐附”二字，以区分于《别录》文。在小字书写的各个药注文中，一律用黑字书写，凡属陶弘景的注文，不加任何记号，属《唐本草》新加的注文，在注文的开头，一律冠以“谨案”二字，以示区别于陶弘景的注文。

《唐本草》是官修的，以政府命令颁布，且是最早的中国药典甚至是最早的世界药典。《唐本草》自从公元659年颁布以后，流传了300多年，后被《开宝》所代替。

《开宝》是马志等9人在《唐本草》基础上编成的，前后修了两次，一次在973年，修后名《开宝新详定本草》；一在974年，修后名《开宝重定本草》。这里所讲的《开宝》系指《开宝重定本草》而言。

《开宝》既然是继承《唐本草》发展而来的，因此在编写体例、分类、分卷上和《唐本草》相同，按玉石、草、木、禽兽、虫鱼、果、菜、米、有名无用分为9类，凡20卷，外有目录1卷。其中“序例上”1卷，“序例下”1卷，“药物”18卷，载药983种，内有133种新增药。

各卷药物排列次序，大体和《唐本草》相同，对某些个别药的位置，也做了适当地变更，例如“彼子”就退在末卷有名无用之后。

每个药的编写，分正文和注文两类，正文印成单行大字，注文印成双行小字。正文出于《本经》者印成白字；出于《别录》者印成黑字；出于《唐本草》者则于文尾加注“唐附”；出于《开宝》新增者，则于文尾加注“今附”。至于注文，出于《集注》者，在注文头上冠以“陶隐居”；出于《唐本草》者则冠以“唐本注”；出于《开宝》所注，冠以“今按”或“今注”。但是《开宝》所注不多，全书983味药，仅有200味药为《开宝》所注。其中有120味药是引用《拾遗》的资料来注的。

《开宝》问世不到90年，就被掌禹锡等在1057—1061年增订为《嘉祐补注神农本草》，简称《嘉祐本草》。

《嘉祐》既然是从《开宝》增订而成，因此在分卷、分类、编写体例、文献出典的标记上，全仿《开宝》而成。《嘉祐本草》凡21卷，收药1082种，983种承袭《开宝》旧药，新增99种药物；分类全同《开宝》，唯文献来源标记略异。正文出于《本经》者印成白字；出于《别录》者印成黑字；出于《唐本草》者标“唐本先附”；出于《开宝》者标“今附”；出于《嘉祐》新增者标“新补”或“新定”。“新补”表示择自文献，“新定”表示取于当时。至于注文标记皆沿袭《开宝》之旧，唯《嘉祐》新增的注文，则冠以“臣掌禹锡等谨案”。

《嘉祐》新增的注文很多，在“序例”的2卷和“药物”的各卷中都有它的注文，内容相当丰富，引用资料颇多，约有50余种，比《开宝》所引的文献要多10倍。各卷药物编排次序，大体沿用《开宝》旧例，对于新增的药物，多以类相从，如绿矾排在矾石之下，山姜花排在豆蔻之下。

在编辑《嘉祐》的同时，掌禹锡等人想仿照《唐本草》，制一《图经》，作为药物真伪分辨的依据，于是在1058年政府下令向全国征集各地所产药物的实图，并令注明开花结实、采收季节和功用，凡进口药物则询问收税机关和商人，辨清来源，选出样品，送到京都。苏颂等将以上材料整理，至1061年编成《本草图经》20卷、另有目录1卷。

《本草图经》每个药有药图和注文两部分。由于进献时药图存在着同名异物的现象，编者不能分辨，多兼收并存，因此同一味药有好几个不同的图。注文也是如此，各地送来的说明文各不相同，编者曾详加考订，后对某些考订不清的互异的资料也是兼收并存。

注文的内容很丰富，对有关药物历史、别名、性状、鉴别、采收、炮炙、产地、功用等都有论述，参考文献有150余种，比《嘉祐》要多3倍。

对各地送来的药图，其名称不见于《嘉祐》，即单编一类，名《本草图经外类》，外类药有103种，其中石类3种、草类75种、木蔓类25种。

《嘉祐》和《本草图经》问世后，由于分刊不便检阅，于是陈承和唐慎微分别将二书合为一书。

陈承合并本，增添陈氏本人的见闻，名“别说”，共有44条，并加林希序1篇编成23卷，定名《重广补注神农本草并图经》，于1092年刊行。

唐慎微合并本增加内容很多，举凡经、史、子、集有关药物资料，统统收入书中，定名《经史证类备急本草》，简称《证类》。

《证类》成书于1097—1100年，载药1746种，析为32卷，在分类和文献来源的标记，悉依《嘉祐本草》之旧，唯唐氏所增资料，皆冠以墨盖子“▆”标记。

唐氏所增资料分药物和注文两类，药物部分新加628种药，注文增的就更多了，特别是方论和单方，几乎全是新加的。计有古方、单方3000余首，征引经、史、方书近250家。

由于唐氏增的资料多，因此在分卷方面比《嘉祐本草》扩大了，除序、例的上、下2卷未动外，其余18卷被扩充为29卷。宋代本草到此可算是发展到最高峰了，以后虽有书名变异，但是基本内容并未更动。

唐氏《证类》和陈承《重广补注神农本草并图经》问世后不久，艾晟即把陈氏书中的“别说”和“林希序”并入唐氏书中，并在“剪草”条下增加“治劳瘵方”，及序1篇，进献政府，在1108年刊行，加上大观年号，改名《大观经史证类备急本草》，简称《大观》；到政和六年（1116）曹孝忠校刊之，又改名《政和新修经史证类备用本草》。

在《政和新修经史证类备用本草》刊行的同时，寇宗奭著成《本草衍义》20卷，另有目录1卷，首列序例3卷，次载药物17卷，收录药品470种，按玉石、草、木、禽兽、虫鱼、果、菜、米谷分为8类，各类药物排列次序，可能是按《嘉祐本草》药物目次编排的。

当南宋开始后，北方为金人所占，流行在北方的《政和新修经史证类备用本草》也被翻刻，如金皇统三年（1143）翻刻本中还有宇文虚中《书证类本草后》一文。

至1249年，张存惠不仅翻刻《政和新修经史证类备用本草》，而且还把《本草衍义》附入书中，改名为《重修政和经史证类备用本草》，简称《政和》。

南宋对唐氏书也有多次翻刻，例如1157年王继先等对其进行校刊，名《绍兴校定经史证类备急本草》。

此外有许洪、刘甫信等节略唐氏《证类》附以寇氏《本草衍义》，集成《新编类要图注本草》42卷，序例5卷，目录1卷，题署宋·寇宗奭撰。由于是书节略唐氏《证类》，无论在内容上、分量上、校勘上皆不及张存惠翻刻的《政和》完善，特别是文献来源的标记，全都省掉了，正文注文不分，因此对本草学影响不大。

总之，从《本经》到《证类》，其发展程序，可示意为：《本经》→《集注》→《唐本草》→《开宝》→《嘉祐》→《证类》。它们是一脉相承的，虽然在卷数上、药数上、注释上、内容上，历代有所发展和增加，但在体例、分类、编排上等，仍与《本经》相同。所以后世本草，可以说是在《本经》的基础上发展起来的。《本经》序文，发展成为后世本草的叙例；《本经》三品药物，发展成为后世本草药物的各卷。《本经》条文，通过宋以前主要古籍，被保存在《证类》和各种类书中。今日《证类》中白字，即是《本经》的文字。

18.《证类》白字《本经》文原出于陶弘景之手

今日所见的《本经》资料，其来源一是各种本草所录的《本经》资料，二是各种类书及其他书所引《本经》资料。

现今各种本草所录的《本经》资料，其来源皆出于宋代唐慎微《证类》黑底白字的文字。《证类》白字《本经》文的来源，向上追溯，是由陶弘景《集注》中的朱字通过唐代苏敬《新修》、宋代马志《开宝》、宋代掌禹锡《嘉祐本草》而被保存在《证类》中的。明清以来国内外各家所辑的《本经》，其资料皆出于《证类》白字，亦即现存各种辑本《本经》资料皆同出于《集注》的朱字《本经》文。

各种类书及其他书所引《本经》文，有些内容是出于陶弘景以前流行的各种《本经》。这些《本经》虽然亡逸，但书名还存在于《隋书·经籍志》中。由于《本经》同名异书很多，各家引用资料所依据《本经》本子不同，则所录的内容当然也就不同了。

诸书所引《本经》资料为什么不及《证类》白字内容丰富而完备呢？这可能与陶弘景总结当时各种《本经》内容有关。何以见得《证类》白字是经过陶弘景总结的呢？这可从下列几个问题探讨之。

（1）从陶弘景《集注》序录中“苞综诸经”测知之。陶氏在序中说道：“魏晋以来，吴普、李当之等更复损益，或五百九十五，或四百四十一，或三百一十九，或三品混糅，冷热舛错，草石不分，虫兽无辨，且所主治互有得失，医家不能备见，……今辄苞综诸经，研括烦省，以《本经》三品合三百六十五种。”从这一段序文中可以看出，陶弘景所见到的《本经》至少有3种，并说这3种《本经》在收载药物数目上各不相同，分类上亦很混乱，主治功用上亦互有得失。陶氏把各种《本经》加以综合整理，用他的话讲即“苞综诸经，研括烦省”。这就告诉大家，今日《证类》白字《本经》文是由陶弘景综合多种《本经》而成的。

由于当时各种《本经》在内容上有多寡不同，主治上又互有得失，经陶氏整理就成为一种更加完备的本子，因此陶氏书问世后，原有的各种《本经》的本子多数就淘汰了。所以历代类书中所引原始《本经》的条文都很简单，皆不及《证类》中白字的条文多而完备。

（2）从陶氏注中引用两个生姜资料测知之。《新修》卷18韭条陶注云：“生姜是常食物，其已随干姜在中品，今依次入食，更别须之，而复有小异处，所以弥宜书。生姜微温，辛，归五脏，去痰下气，止呕吐，除风邪寒热，久服少志少智，伤心气。如此则不可多食长御，有病者是所宜耳。今人啖诸辛辣物，惟此最恒，故论语云‘不撤姜食’，言可常啖但勿过多耳。”

《证类》卷28韭条中，陶隐居注无此文。《证类》将此文并在卷8生姜条的注文下，但《证类》卷8生姜条的原文是这样：“生姜味辛微温，主伤寒头痛鼻塞咳逆上气，止呕吐，久服去臭气，通神明。生犍为川谷及荆州扬州，九月采。”

两处有关生姜的条文不完全相同。陶弘景在韭条中所引生姜条文有“归五脏，去痰下气……久服少志少智，伤心气”。在干姜条下所引生姜条文有产地和采造时月，并说其“久服去臭气，通神明”。

这两个生姜条文当是陶弘景从不同的本草书中摘录来的，没有综合在一起。这两个生姜的条文的不同，正好提示了陶弘景是参阅了很多本草的。

（3）从《证类》白字言《本经》药数为365种探讨之。《证类》白字序文云：“上药一百二十种……中药一百二十种……下药一百二十五种……三品合三百六十五种，法三百六十五度，一度应一日，以成一岁。”这种说法显然与道家思想有密切关系。

《养生论》《抱朴子》《博物志》《艺文类聚》《御览》诸书所引《本经》有关三品资料，仅言上药、中药、下药，并无上品120种、中品120种、下品125种等数字，更无“三百六十五种法三百六十五度”之语。这些话仅见于陶氏《集注》中，而不见于陶氏以前的书中。笔者认为《本经》药数365似是陶氏选订的。

按《梁书·陶弘景传》所载，陶弘景读葛洪《抱朴子》，受葛氏神仙思想影响，崇奉道教，对阴阳、五行、风角、星算、遁甲之说，无不钻研，这些思想当然会渗入本草中，所以陶氏选订《本经》药数是“法三百六十五度”而成的。

《证类》卷20页416文蛤条，陶注云：“此既异类而同条，若别之则数多，今以为附见而在副品限也，凡有四物如此。”从陶氏注文“若别之则数多”来看，这个365似是硬凑的数字。所以《唐本草》对陶氏注曾批评道：“夫天地间物，无非天地间用，岂限其数为正副耶？”

（4）从药物分类探讨之。药书既以本草为名，当以草类药物为首，为何《证类》白字药物排列以玉石为首呢？

古代文献提到药物皆以“草石”名之，而“草”在前，“石”在后。例如《汉书·艺文志》云：“经方者，本草石之寒温”。这个“草石”即指药物而言，其意即以草为首。《周礼》有“五药”的记载。东汉郑康成云：“五药，草、木、虫、石、谷也，其治合之齐，存乎神农、子仪之术。”由此可推知郑康成所见药物书是以草木为首的。

《证类》白字序文云药有“草石骨肉”。这个“草石”有药物分类的含义，即以草类药为首，而石类药次之。《御览》卷984引《神农本草》曰：“土地所出，草石骨肉”。其中“草石”含义同上。陶弘景《集注》序云：“草石不分，虫兽无辨”。其中“草石”含义亦同上。

从以上资料来看，讲药物都以草石名之，并以“草”为首。但《证类》白字各个药物排列顺序是以玉石为首的，这显然与“草石”的含义是不相合的。

从陶氏序中“草石不分，虫兽无辨”可知，《本经》药物分类在当时是混乱的，但是，今日《证类》非常有系统，这种系统向上追逆可以窥测陶弘景《集注》大体也是如此。尽管细节有不同，但大的分类以石玉为首是一致的。我们检阅1900年敦煌出土的《集注》中七情畏恶药物排列次序，亦是以玉石为首。《集注》以玉石为首的药物分类方法，可能是陶弘景创立的。陶氏看到当时各种《本经》药物分类的混乱，即“草石不分，虫兽无辨”，才创出《证类》白字那样类似的分类法。

（5）从其他文献所引《本经》资料不见于《证类》白字，亦可探知古代有很多《本经》没有被陶弘景收入书中。例如《山海经》卷5云：“条谷之山，其草多芍药、门冬。”晋代郭璞注云：“《本经》曰：‘门冬，一名满冬。’”检《证类》无“满冬”之名。则郭璞所见《本经》与《证类》白字不同。

葛洪《抱朴子》内篇卷11云：“术，一名山精，故《神农药经》曰：必欲长生，常服山精。”《证类》卷6术条白字无此文。

张华《博物志》引《本经》曰：“药有大毒，不可入口、鼻、耳、目，入者即杀人，一曰钩吻，二曰鸱，三曰阴命，四曰内童，五曰鸩。”除钩吻外，其余四物在《证类》白字中均找不出。则张华所见《本经》不同于《证类》白字。

《艺文类聚》卷88引《本经》曰：“桑根旁行出土上者名伏蛇，治心痛。”（《御览》卷955引文同此）同书卷81引《本经》曰：“芍药，一名白犬，生山谷及中岳。”同书卷95引《本经》曰：“熊脂，一名熊白。味甘，微温，无毒。”以上《艺文类聚》所引《本经》的资料，皆不见于《证类》白字。

《御览》卷992引《本经》曰：“地肤，一名地华，一名地脉。”又引《本经》曰：“纶布，一名昆布，味酸无毒。”又引《本经》曰：“败酱，似桔梗，其臭如败豆酱。”又引郭璞注《尔雅》云：“《本经》曰：毙卢，一名诸兰。”同书卷918引《本经》曰：“丹鸡，一名戴丹。”同书卷996引《本经》曰：“萱草，一名忘忧，一名宜男，一名歧女。”以上《御览》所引《本经》资料皆不见于《证类》白字。

类似此例很多。由于篇幅所限，此处从略。

诸书所引《本经》资料为《证类》白字所无，说明古代《本经》本子种类很多。这些本子并没有全被陶弘景收入书中，《证类》白字也就没有这些内容了。从上述资料来看，历代本草所录的本草经资料（包括明清以来国内外诸家所辑的各种《本经》）皆出于《证类》白字的文字。该文字向上追溯乃是陶弘景《集注》朱字。这些朱字通过《唐本草》《开宝》《嘉祐》转录而成为现存的《证类》白字的文字。

现存的《证类》白字是由陶弘景综合当时流行多种《本经》的本子整理而成的。因为陶氏博学多才，又精医学，整理出来的《本经》资料压倒当时各种《本经》的本子，所以陶氏书流行后，其他各种《本经》的本子慢慢地就被淘汰了。书虽然被淘汰，但书名仍被保存在《隋书·经籍志》中，也还有部分内容散存在各种类书中和古典文、史、哲名著的注文中。

散存在类书中及古典文、史、哲注文中的《本经》资料，虽不及现存《证类》白字的文字内容丰富而完善，但它还能反映陶氏以前各种《本经》最原始的一些面貌。

19.《证类》注文中所引“本经云”，不是陶弘景整理的《本经》文

习惯认为《本经》是指中国最古的一部本草书，但要指出的是，本书名称在不同的书中，含义略有不同。

《本经》在医书目录中指两类本草。第一类是最古的本草书。如明代卢复，清代孙星衍、孙冯翼、姜国伊、顾观光、王闿运、黄奭等人，以及日本人森立之、狩谷望之志等所辑的《本经》。第二类是一般综合性的本草。例如明代缪希雍《本草经疏》，清代邹澍《本经疏证》、张璐《本经逢原》和叶天士《本草经解》等。这些书中也用“本草经”“本经”名字，但是书中内容不是单纯古代《本经》，而是包括历代本草的内容。

历代本草文献中引用的《本经》，其含义多指前一代本草。为着证实这个问题，不妨多举一些例子来说明它。

兹以《重修政和经史证类备用本草》（1957年人民卫生出版社出版，简称《证类》。以下括号中所示页数，均指本书）为例，试把书中各药注文里提到的“本经云”的资料研究一下，即可明白这个问题。现在按历代本草次序说明如下。

（1）《唐本草》注所引“本经云”，其内容除少数符合《本经》文外，大多数是《集注》的内容。如土殷孽条（页134），有《唐本草》注“本经俱云在崖上”。按土殷孽是《别录》药，并不是《本经》药，此处唐本所说“本经”，是指陶弘景《集注》。

（2）陈藏器《拾遗》注所引“本经云”，其内容大多不是《本经》文。例如接骨木（页355），是《唐本草》新增药，而陈氏却注“本经云无毒，误也”。类似此例尚有食茱萸（页322）、蝮蛇（页445）、千里水及东流水（页137）、鯆鮧鱼（页422）、木蜜（页313）等。

（3）《蜀本草》所引“本经云”，多指《唐本草》文。例如鹜肪条（页400），有《蜀本草》云“本经云鹜肪即家鸭也”。按“鹜肪即家鸭”一语，原是《唐本草》援引陶弘景的话，而《蜀本草》谓此话属“本经”，则《蜀本草》所言“本经”实指《唐本草》。

（4）《海药》注文中所引“本经云”，其内容为《别录》的资料。如秦龟条（页413），有《海药》注“按本经云生在广州山谷”。查“秦龟”是《别录》药，

则《海药》注文中的“本经云”，其内容亦非古代的《本经》文。

(5)《开宝》注文中所引“本经”，其并非全属于《本经》。例如鼹鼠条（页393），有《开宝》注“本经所说即是小于鼠”。按，鼹鼠是《别录》药，此处所言“本经”当指《唐本草》。类似此例尚有芜荑（页322）、枳实（页323）、蟹（页426）等。

(6)《嘉祐》注文中所引“本经”，其大多不是《本经》。例如马衔（页117），掌禹锡曰：“今据本经马条注中都无说马衔之事，不知此经所言何谓。”按，“马衔”是《开宝》新增药，而掌氏注中言“本经”当指《开宝》。

(7)《本草图经》注文引用“本经云”，其中属于《本经》资料者很少，大多属于《别录》《唐本草》《开宝》《嘉祐》等书的资料。如丹雄鸡条（页398）有《本草图经》注“发髲，本经云：合鸡子黄煎之，消为水，疗小儿惊热下痢”。此文原出于《别录》。硇砂（页125）是《唐本草》新增药，而《本草图经》注“本经云柔金银，可为焊药”。此“本经”当指《唐本草》。类似此例尚有“桃花石”（页117）。京三棱（页227）是《开宝》新增药，而《本草图经》注“本经作京非也”。这个“本经”当指《开宝》。类似此例尚有“黄药根”（页346）。地锦（页284）是《嘉祐》新增药，而《本草图经》注“本经络石条注中有地锦”。此“本经”是指《嘉祐》。

(8)陈承《本草别说》所引“本经云”，并非出于《本经》的资料。例如天灵盖（页365）原是《开宝》药，有《本草别说》注“按天灵盖，神农本经人部惟发髲一物外，余皆出后世医家……近数见医家用以治传尸病未见一效者，信本经”。此处所提“神农本经”及“本经”，实指《嘉祐》。

(9)《本草衍义》注文中所引“本经云”，其内容大都不是《本经》的资料。

如出于《别录》者：石蜜（页410）。《本草衍义》注：“本经以谓白如膏者良”。查石蜜条有此文，但作黑字《别录》文，这个注文中所提的“本经”当然不是真正的《本经》。类似此例尚有石决明（页415）。

出于《唐本草》者：蓼实（页509）。《本草衍义》注：“蓼实即神农本草经第十一卷中水蓼子也”。按《唐本草》卷11有水蓼一药（水蓼是《唐本草》新增药），这个“神农本草经”当指前代本草。类似此例尚有：栾荆（页356）、紫矿（页320）、鹧鸪（页400）。

出于《药性论》和《蜀本草》者：白芷（页206）。《本草衍义》注：“本经曰能蚀脓”。按“能蚀脓”三字原出于《药性论》。而《本草衍义》亦标注“本经曰”。鹜肪条（页400），有《衍义》云：“本经用鹜肪即家鸭也。”按此文原出于《蜀本草》注文，而《本草衍义》亦标注“本经曰”。

出于《开宝》者：无名异（页95）。无名异是《开宝》新增药，而《本草衍义》注：“本经云味甘平。治金疮折伤，生肌肉。”按此文出于《开宝》，这里所言“本经云”当指《开宝》文。类似此例尚有：生银（页110）、使君子（页239）、骨碎补（页274）、茄子（页520）。这些药都是《开宝》新增药，而《本草衍义》引用时均标注“本经云”。

出于《嘉祐本草》者：花乳石（页136）。花乳石是《嘉祐》新增药，而《本草衍义》曰：“花乳石其色如流黄，本经第五卷已著”。这个“本经”当指《嘉祐》。

以上是以《证类》本草为例，说明该书注文中所引“本经”资料，大都是指前代本草的内容，并非真正的古代《本经》的内容。

不仅《证类》如此，其他书所引“本经曰”“本草经”曰，也都是综合性本草内容。例如《医心方》页311引“本草经”云：“治疟煮葎草汁及生汁服。”查《证类》页277“葎草”条有此文，但“葎草”是《唐本草》新增药，则《医心方》中所讲“本草经”似指《唐本草》。《医心方》页383引“本草经”云：“捣酢浆草薄之，杀诸小虫，又治恶疮也。”查《证类》页282有此文，但“酢浆草”也是《唐本草》新增药。类似此例尚有貒肉、蓖麻子、鲫鱼等。

又如《草木典》卷60（536册页25）芥部杂录云：“神农本草经琥珀拾芥。”《证类》页73七情畏恶序中有“琥珀拾芥”，该文原是陶弘景所云。可见《草木典》中所引“神农本草经”，也是一般本草的通称，不能代表真正古代《本经》。这也是名同实异的混乱现象。

20.《证类》白字序文与药物条文内容不一致的讨论

陶弘景整理的《本经》文，原收在《集注》中，但该书久佚，幸好它的内容通过《唐本草》《开宝》《嘉祐》而被保存在《证类》中，现存的《证类》白字就是陶弘景总结当时流行多种《本经》而成的。

所以《证类》白字，即是《本经》的文字。由于《证类》白字经过多次传抄和翻刻，不免发生舛错，假如我们仔细把《证类》白字研究一下，就会发现很多问题存在。

《证类》白字分为两大部分：卷1序例上白字，是《本经》序文部分；卷3～30各卷白字，是《本经》药物各论部分。《证类》白字序文与各论之间是不一致的，兹将不一致之点列举如下。

（1）《证类》白字序文云："上药一百二十种……中药一百二十种……下药一百二十五种……"但统计该书，《本经》药物上品141种，中品113种，下品105种。另有发髲、姑活、别羇、石下长卿、翘根、屈草、淮木、彼子等8种，没有言明属何品，把这些药品加起来是367种，而不是365种。

从三品含义来讲，序文中所讲三品含义，联系到具体药物时，前后不一致的就更多了，序文言明上品轻身益气不老延年，中品遏病补虚羸，下品除寒热邪气破积聚。但是联系到具体药物时，有些药物所在品属的位置，并不符合这种精神。例如水银条言明能"久服神仙不死"，应在上品，但是《证类》水银条列在中品。又如黄芪、沙参、五味子等条文中并无"久服延年不老"等语，但是《证类》将此等药列在上品。类似此例很多。检敦煌出土《集注》七情药物三品的分类，水银是列在上品的，而黄芪、沙参、五味子等是列在中品的。此外如钟乳石，《证类》列在上品，而敦煌本《集注》列在中品；巴戟天，《证类》列在上品，而敦煌本《集注》列在下品。这种差异，可能因不同时代对药物三品理解各有不同。古代方士们认为水银能炼丹，久服成仙，所以把水银列为上品，后人发现水银有毒，久服能中毒，故把水银改列为中品。由于历代人们对三品含义理解不同，因而药物所在三品位置也就有了变迁；加以历代传抄翻刻的舛错，就造成药物三品数目不能符合上品120种、中品120种、下品125种之数。

（2）《证类》白字序文云："药有根、茎、花、实、草、石、骨肉……"从这几句话中，可以看出《本经》中的药物，应有形态的描述。

《御览》卷984引谢灵运《山居赋》曰："本草所载，……三枝六根五华九实。"是谢灵运所见本草书对药物有形态的记载。

《新修》卷12桂条有陶弘景注云："经云：'桂叶如柏叶，泽黑，皮黄，心赤。'"陶注中的"经云"，当指"本经云"。但《证类》白字各个药物条文中，没有一条是有形态记载的。

由于《证类》白字中不言形态，明清各家所辑的《本经》，亦无形态的描述。

（3）《证类》白字序文云："药有单行者，有相须者，有相使者，有相畏者，有相恶者，有相反者，有相杀者。凡此七情，……"这段经文，说明《本经》原是有七情畏恶的。

《证类》卷8前胡条陶弘景注云："本经上品有柴胡而无此，晚来医乃用之，亦有畏恶，明畏恶非尽出《本经》也。"这是陶弘景自己说，《本经》是有畏恶的。

通检《证类》各个药物畏恶资料，皆无白字标记，这也就是说《证类》白字无七情畏恶资料。

由于《证类》白字没有畏恶资料，所以明清及日本各家所辑的《本经》，没有一本辑文中提到畏恶的。

（4）《证类》白字序文云："药有寒、热、温、凉四气。"通检《证类》白字具体药物条文，只言性寒、微寒，而不言性凉。例如朴硝、栝楼根味苦寒，石膏味辛微寒，丹参、玄参、石龙刍味苦微寒。没有一个药是讲性凉的。

（5）《证类》白字序文云："药有毒无毒。"通检《证类》白字具体药物条文，没有一个药记"有毒"二字。至于"无毒"二字，只有极个别的药，如车前、干漆才有记载。顾观光所辑的《本经》全书365味，没有一条记载"有毒""无毒"字样。森氏辑本，仅干漆条记了"无毒"二字。孙氏辑本，仅车前、干漆两药记了"无毒"二字。人民卫生出版社版《政和》仅干漆条记"无毒"二字为白字，其余所记皆是黑字《别录》文。总论讲到"药有毒、无毒"，但是具体药物无此等资料记载，这显然是矛盾的。

（6）《证类》白字序文云："药有阴干、暴干、采造时月"。从这段文字，可知《本经》药物，是有采制的。

《证类》卷8瞿麦条，陶弘景注云："经云采实。"陶弘景既说"经云采实"，则陶弘景所见到《本经》是有采制的，否则陶氏不会作出这样的注，可是《证类》白字瞿麦条文虽有"采实阴干"，但作黑字《别录》文，并不作《本经》文。

又按陶弘景解释《本经》序文云："凡采药时月，皆是建寅岁首，则从汉太初①（前104）后所记也。"根据陶弘景所释，《本经》药物是有采造时月的记载的。通检《证类》全书各个药物白字的文字，仅见桑螵蛸条有"生桑枝上，采蒸之"，其余各药，皆无采造时月，因而明清各家辑本的药物中，也无采造时月的内容。

（7）《证类》白字序文云："药有土地所出。"这段经文是说《本经》药物是有产地的。

《御览》卷984引谢灵运《山居赋》曰："本草所载，山泽不一。"谢灵运所见本草书是有药物产地记载的。

---

① 汉太初：汉高祖在前202年称帝，都长安，以十月为岁首，一直到第六个皇帝武帝刘彻（前140年即位）始有年号，称建元。前104年改年号为太初，并以正月为岁首，称为太初历。

颜之推《颜氏家训》云："秦人灭学，董卓焚书，典籍错乱，非止于此，譬犹本草，神农所述，而有豫章、朱崖、赵国、常山、奉高、真定、临淄、冯翊等郡县名，出诸药物，由后人所羼，非本文也。"如《御览》卷988引《本经》曰："扁青生朱崖，白青出豫章。"

从《颜氏家训》来看，颜之推所见的《本经》有产地，并有后人增加汉制的地名。陶弘景《集注》的序云："是其本经所出郡县，乃后汉时制，疑仲景、元化等所记。"

《新修》卷5"锡镜铜鼻"条，陶弘景注云："《本经》云：'生蜀郡桂阳。'"由此可知，陶弘景所见到的《本经》，是有产地的，否则就不会讲"《本经》云生蜀郡桂阳。"

《证类》卷3"滑石"条，有陶隐居注云："赭阳县属南阳，汉哀帝置（前6—前1），明《本经》所注郡县，必后汉时也。"而《证类》滑石条有"生赭阳"，但作黑字《别录》文，并不作白字《本经》文。

今日《证类》白字各个药，除柳华生琅玡川泽外，均无产地。原来的《本经》有产地，这个产地是什么时候被删掉的呢？按吐鲁番出土的《集注》，有朱墨杂书标记，其朱字有产地。例如吐鲁番出土残简燕屎产高山平谷，天鼠矢生合浦山谷，皆作朱字。由此可知，陶弘景作《集注》时，各个药物是有产地记载的。1900年，敦煌出土的《新修》亦有朱墨杂书，但产地皆不作朱书。由此可知，《本经》的产地，似在《新修》编纂时被删掉。

（8）《证类》白字序文云："药性有宜丸者，宜散者，宜水煮者，宜酒渍者，宜膏煎者……亦有不可入汤酒者。"

这是《本经》序文中的话，但在365味药中，仅有"溲疏"条有"可作浴汤"是白字，（见《证类》卷14），其余各药所言剂型，皆作黑字。

例如《证类》卷14蜀椒条，有"可作膏药"，但作黑字《别录》文。《证类》卷12辛夷条，有"可作膏药用之"，亦作黑字《别录》文。《证类》卷12槐实条，有"可作丸"，亦作黑字《别录》文。

《证类》白字序文和各论之间的差异，使人们怀疑陶弘景《集注》的朱字，通过《唐本草》《开宝》《嘉祐》而到《证类》白字，其间可能为历代本草变动过的。以药物产地而言，吐鲁番出土的《集注》残简中的产地是朱字，而1900年敦煌出土的《新修》残卷中的产地都是黑字，这很明显，《本经》产地被删除，很可能是在唐代编纂《新修》时斧削掉的。

由于《证类》白字各药条文中不言产地，无药物形态、采制、畏恶、制剂等内容，所以各种辑本的《本经》亦无此等内容。

各种辑本《本经》对每个药条文所讲的内容，只有性味、主治功用、一名三项，孙星衍和森立之分别辑的《本经》增加药物生长环境如“生山谷”“生川泽”。

由于《证类》白字有问题，所以现存各家辑的《本经》也就存在问题了。笔者怀疑今日各家辑本《本经》很难反映原始的陶弘景《集注》朱字全文的面貌。

21.《证类》白字《本经》文，未见“七情药例”的讨论

“七情药例”指中药有相畏、相恶、相反等七种配伍宜忌的情况。陶弘景作《集注》，把许多有配伍宜忌的药罗列在一起，以“有相制使”（见敦煌本《集注》页91）名之，《证类》同。陶弘景整理《本经》序文云：“药有单行者，有相使者，有相须者，有相畏者，有相恶者，有相反者，有相杀者，凡此七情”。在此序文中，陶弘景以“七情”名药物间的有相制使。本文即将此等药例，亦以“七情药例”为题。

现行各家辑本《本经》每味药有没有“七情药例”存在，这是前人从未注意过的问题。明代卢复，清代孙星衍、顾观光，以及日本森立之等辑的《本经》均没有提及《本经》中还有“七情药例”存在。笔者以下列资料推论，《本经》有“七情药例”存在。兹讨论如下。

敦煌出土的《集注》页81～90介绍药物畏恶相反等“七情药例”。在这个“七情药例”中，载药有198种。其中有181种是《本经》的药物，17种是名医增录的药物。每个药物都载有畏恶、相须、相使等“七情药例”。《集注》是陶弘景合《本经》同名医增录的资料而成。那么《集注》中的“七情药例”，可能承袭《本经》或名医增录的资料而来，不可能是陶弘景所独创。“七情药例”，是无数次临床经验的积累，不是哪一个人在短时间能创造出来的。因此，陶氏书中的“七情药例”，不是承袭名医增录的资料，就是承袭《本经》而来。

从“七情药例”中所载药物数量来看，《本经》药物占181种，而名医增录的药仅占17种，这样有理由说陶氏书中“七情药例”是承袭《本经》而来。

其中从《集注》的“七情药例”解说（页78～81）来看，陶氏书中“七情药例”亦是承袭《本经》的“七情药例”而来。解说文中记有：“《本经》有直云茱萸、门冬者，无以辨其山、吴、天、麦之异，咸宜各题其条。又有乱误处，譬如海蛤之与鱓甲，畏恶正同，又诸芝使署预，署预复使紫芝，计无应如此。而不知何者是非，亦宜并记，当更广检正之”。

这段记载，是说明《本经》“七情药例”中的药名书写不明确，把山茱萸同吴茱萸，天门冬同麦门冬，直写成茱萸、门冬，没有分辨出山、吴、天、麦等差异，应当分别写出才对。查《集注》中“七情药例”对山茱萸、吴茱萸、天门冬、麦门冬等药物的记载，是分开写的。但是某些药物内畏恶资料，对山茱萸同吴茱萸仍没有分辨的，如石龙芮条即云“畏茱萸”（见《集注》页84第1行）。这很明显是承袭《本经》的错误而来。

陶氏又说《本经》“七情药例”内海蛤同鳣甲，薯蓣同诸芝，畏恶相使很混乱，陶氏自己也分辨不出谁是谁非，所以陶氏自己说这个问题有待以后通过实践来分辨之。

又，《集注》“七情药例”解说云：“《本经》相使止各一种，兼以《药对》参之，乃有两三。”这个资料说明，陶弘景所见到的《本经》“七情药例”中畏恶相使很简单，只有一种，而陶弘景所见到《药对》“七情药例”的畏恶相使有两三种。由此可以证明《本经》是有“七情药例”存在的。

《证类》序例上页30～31载有陶隐居序，序中引有《本经》文云：“药有……有单行者，有相须者，有相使者，有相畏者，有相恶者，有相反者，有相杀者。凡此七情，合和视之。当用相须、相使者良，勿用相恶、相反者。若有毒，宜制，可用相畏相杀者，不尔，勿合用也。”从这段《本经》文，可以了解《本经》中是有“七情药例”存在的。

宋代掌禹锡著《嘉祐》时，曾引《蜀本草》中有关《本经》“七情药例”的资料说：“凡三百六十五种，有单行者七十一种，相须者十二种，相使者九十种，相畏者七十八种，相恶者六十种，相反者十八种，相杀者三十六种。凡此七情，合和视之。”

这段资料一开头就说凡365种，显然是指陶弘景整理的《本经》药物数目365种。并把这365种药畏恶相须相使“七情药例”等资料做了全面统计。这也提示陶弘景整理的《本经》有“七情药例”存在的。

《证类》卷8草部中品之上的前胡条下，有陶隐居注云：“前胡……亦有畏恶，明畏恶非尽出《本经》也。”从这个注文来看，前胡是名医增录的药，则名医增录的药也有畏恶，证明畏恶不是完全出自《本经》。陶弘景注文含义另一面说明《本经》有畏恶，但是明清学者所辑《本经》各味《本经》药条文中，从未录过有关畏恶相反等“七情药例”的资料。

《证类》卷1序例上页31，有陶弘景解释《本经》的“七情药例”说：“右本说如此，今按其主疗虽同，而性理不和，更以成患，今检旧方用药，亦有相恶相反者，服之乃不为害，或能有制持之者……今仙方甘草丸有防己、细辛，俗方玉石散用栝楼、干姜。”

在《本经》序例中，“七情药例”中规定当用相须相使，勿用相恶相反。而陶弘景认为不一定如此，说旧方中用相恶相反者并不为害，并举出细辛同防己合用，栝楼和干姜合用。查敦煌出土的《集注》“七情药例”中防己条记有恶细辛（页88），栝楼条记有恶干姜（页85～86）。这就提示陶弘景见过《本经》有畏恶相使等“七情药例”，不然他也举不出这个例子来。

综上所述，《集注》中的“七情药例”，是陶氏根据《本经》的“七情药例”，参考《药对》编写而成。据此可知，《本经》是有“七情药例”存在的。陶弘景编《集注》时，对于《本经》的资料，都用红字书写。《唐本草》仿陶氏方法，也用红字书写《本经》资料。到《开宝》，改用黑底白字刻印《本经》资料，以后《嘉祐》《证类》都承袭《开宝》旧例，用黑底白字刻印《本经》资料。倘若把刻印《本经》资料的标记脱漏，那么《本经》资料也就随之而脱漏了。疑《本经》“七情药例”的标记，可能因脱漏未标出，因而后世就不知道《本经》中还有“七情药例”的存在了。

目前流行的本草书中都有十八反的记载，这个十八反的资料，根据《蜀本草》注和《集注》的记载，是出于陶弘景整理《本经》的“七情药例”，因《集注》中的“七情药例”就有十八反资料。兹摘录如下（括弧中页次是1955年群联出版社影印《集注》的页次）。

甘草反甘遂、大戟、芫花、海藻（页83倒1行）。

人参反黎芦（页83倒1行至页84正1行）。

细辛反黎芦（页84正3行）。

贝母反乌头（页85正5行）。

栝楼反乌头（页85倒1行）。

丹参反黎芦，玄参反黎芦，沙参反黎芦，苦参反黎芦（页861正1～2行）。

海藻反甘草（页87正1行）。

甘遂反甘草（页87正3行）。

大戟反甘草（页87正4行）。

芫花反甘草（页87正4行）。

《集注》“七情药例”中相反的药，总计有海藻、大戟、甘遂、芫花、甘草、半夏、栝楼、贝母、白蔹、白及、乌头、人参、丹参、玄参、沙参、细辛、芍药、藜芦18味，若连苦参计算，共19味。后世本草只讲藜芦反五参，但未具体讲是哪五参，编十八反歌的人，也只言“诸参辛芍叛藜芦”。十八反之名，最早见录于《蜀本草》所引（见《证类》序例上页31）。

前面讲过，《集注》的“七情药例”是承袭《本经》的“七情药例”而来。而《蜀本草》又言《本经》药365种，相反者18种。这很可能提示十八反最早出于《本经》，同时也可反证《本经》有“七情药例”存在的可能。

兹将《本经》药物七情摘录如下。

（1）《本经》上品药物七情。

玉　泉　畏款冬花。

丹　沙　恶慈石。畏咸水。

水　银　恶慈石。

曾　青　畏兔丝子。（畏，《医心方》作“恶”）

石　胆　水英为之使，畏牡桂、箘桂、芫花、辛夷、白薇。

云　母　恶徐长卿，泽泻为之使，反流水，畏鮀甲。（反，《千金方》《证类》作“及”）

朴　消　胃麦句姜。

消　石　萤火为之使，恶苦参、苦菜，畏女菀粥。

矾　石　甘草为之使，恶牡蛎。

滑　石　石韦为之使，恶曾青。

紫石英　长石为之使，不欲鮀甲、黄连、麦句姜，畏扁青、附子。

白石英　恶马目毒公。

太一禹馀粮　杜仲为之使，畏贝母、昌蒲、铁落。

六　芝　署预为之使，得发良，恶恒山，畏扁青、茵陈蒿。

茯　苓　马间为之使，恶白蔹，畏牡蒙、地榆、雄黄、秦胶、龟甲。（秦胶，《千金方》作“秦艽”）

柏　子　牡蛎、桂、瓜子为之使，恶菊花、羊蹄、诸石、面、曲。（恶，《千金方》《证类》作“畏”；诸石，《医心方》作“消石”；面、曲，《医心方》无）

天门冬　垣衣、地黄为之使，畏曾青、青耳。（《千金方》《医心方》《证类》无“青耳”二字）

麦门冬　地黄、车前为之使，恶款冬花、苦瓠，畏苦参、青蘘、青耳。（《千

金方》《医心方》《证类》无“青耳”二字）

术 防风、地榆为之使。

女 萎 畏卤咸。（女萎，《千金方》《证类》作“女萎萎蕤”）

干地黄 得麦门冬、清酒良，恶贝母，畏芜荑。（清，《集注》原作“渍”，据《千金方》《医心方》《证类》改）

昌 蒲 秦胶、秦皮为之使，恶地胆、麻黄去节。

远 志 得茯苓、冬葵子、龙骨良，畏真朱、蜚廉、梨芦、蛴螬，杀天雄、附子毒。（子，《集注》原缺，据《千金方》《医心方》《证类》补。蛴螬，《千金方》《医心方》《证类》作“蛴蛤”）

泽 泻 畏海蛤、文蛤。

署 预 紫芝为之使，恶甘遂。

菊 花 术、枸杞根、桑根白皮为之使。

甘 草 术、干漆、苦参为之使，恶远志，反甘遂、大戟、芫花、海藻。

人 参 茯苓为之使，恶溲疏，反梨芦。

石 斛 陆英为之使，恶凝水石、巴豆，畏白姜蚕、雷丸。（白姜蚕，《医心方》无“白”字）

石龙芮 大戟为之使，畏蛇蜕、茱萸。（茱萸，《千金方》《证类》作“吴茱萸”。《证类》将石龙芮列在中品）

落 石 杜仲、牡丹为之使，恶铁落、昌蒲、贝母。（《千金方》《证类》作“畏昌蒲、贝母”）

龙 胆 贯众为之使，恶防葵、地黄。

牛 膝 恶萤火、龟甲、陆英，畏白前。（白前，《千金方》《证类》作“车前”）

杜 仲 恶蛇皮、玄参。（蛇皮，《千金方》作“蛇蜕”）

干 漆 半夏为之使，畏鸡子。

细 辛 曾青、桑根白皮为之使，反梨芦，恶狼毒、山茱萸、黄耆，畏滑石、消石。（桑根白皮，《千金方》《证类》作“枣根”）

独 活 蠡实为之使。

柴 胡 半夏为之使，恶皂荚，畏女菀、梨芦。（《医心方》无“畏”字）

酸 枣 恶防已。

槐 子 景天为之使。（景字前，《千金方》有“天雄”二字）

菴䕡子 荆子、薏苡人为之使。

蛇床子 恶巴豆、牡丹、贝母。

兔丝子 得酒良，署预、松脂为之使，恶雚菌。

菥蓂子 得荆实、细辛良，恶干姜、苦参。

蒺梨子 乌头为之使。

茜 根 畏鼠姑。

天名精 垣衣为之使。

秦 椒 恶栝楼、防葵，畏雌黄。

蔓荆实 恶乌头、石膏。

辛 夷 芎䓖为之使，恶五石脂，畏昌蒲、黄连、石膏、黄环。（昌蒲后，《千金方》《证类》有“蒲黄”）

龙 骨 得人参、牛黄良，畏石膏。

蜡 蜜 恶芫花、齐蛤。（蜡蜜，《千金方》《证类》作“蜜蜡”。齐蛤，《医心方》作“文蛤”）

蜂 子 畏黄芩、芍药、牡蛎。

白 胶 得火良，畏大黄。

阿 胶 得火良，畏大黄。（畏，《医心方》作“恶”）

牡 蛎 贝母为之使，得甘草、牛膝、远志、蛇舌良，恶麻黄、茱萸、辛夷。（蛇舌、茱萸，《千金方》《证类》作“蛇床”“吴茱萸”）

大 枣 杀乌头毒。

冬葵子 黄芩为之使。

大 麻 畏牡蛎、白微，恶茯苓。（大麻，《千金方》《医心方》《证类》作“麻蕡”“麻子”）

（2）《本经》中品药物七情。

钟 乳 蛇床为之使，恶牡丹、玄石、牡蒙，畏紫石英、蘘草。（本药，《证类》列在上品，《集注》列在中品。又，蘘草是《别录》药）

殷 孽 恶术、防已。（《千金方》《证类》作“恶防已，畏术”）

孔公孽 木兰为之使，恶细辛。

慈 石 柴胡为之使，恶牡丹、莽草，畏黄石脂，杀铁毒。（黄石脂是《别录》药。《千金方》《证类》无“杀铁毒”三字）

凝水石 畏地榆，解巴豆毒。

石 膏 鸡子为之使，恶莽草、毒公。

阳起石 桑螵蛸为之使，恶泽泻、箘桂、雷丸、蛇蜕皮，畏兔丝子。

理　石 滑石为之使，畏麻黄。

防　风 恶干姜、梨芦、白蔹、芫花，杀附子毒。

秦　胶 昌蒲为之使。

黄　耆 恶龟甲。

巴戟天 覆盆为之使，恶朝生、雷丸、丹参。

吴茱萸 蓼实为之使，恶丹参、消石、白垩，畏紫石英。（白垩，《医心方》无“垩”字）

黄　连 黄芩、龙骨、理石为之使，恶菊花、芫花、玄参、白鲜，畏款冬，胜乌头，解巴豆毒。（《医心方》无“理石”）

五　味 苁蓉为之使，恶萎蕤，胜乌头。

淫羊藿 署预为之使。（《集注》缺淫羊藿。《千金方》《医心方》《证类》有淫羊藿）

决明子 蓍实为之使，恶大麻子。

芍　药 须丸为之使，恶石斛、芒消，畏消石、鳖甲、小蓟，反梨芦。（须丸，《千金方》作“雷丸”。又，芒硝是《别录》药）

桔　梗 节皮为之使，畏白及、龙眼、龙胆。（节皮，《医心方》作“秦皮”）

穹　䓖 白芷为之使，恶黄连。

藁　本 恶蔄茹。

葛　根 杀野葛、巴豆、百药毒。

贝　母 厚朴、白薇为之使，恶桃花，畏秦椒、礜石、莽草，反乌头。（秦椒，《千金方》《医心方》《证类》作“秦艽”）

栝　楼 枸杞为之使，恶干姜，畏牛膝、干漆，反乌头。

丹　参 畏咸水，反梨芦。

厚　朴 干姜为之使，恶泽泻、寒水石、消石。

玄　参 恶黄耆、干姜、大枣、山茱萸，反梨芦。

沙　参 恶防己，反梨芦。

苦　参 玄参为之使，恶贝母、漏芦、兔丝子，反梨芦。

续　断 地黄为之使，恶雷丸。

山茱萸 蓼实为之使，恶桔梗、防风、防己。

桑根白皮 续断、桂心、麻子为之使。（桂心，《医心方》无“心”字）

狗　脊　萆薢为之使，恶败酱。

石　韦　杏人为之使，得昌蒲良。（“杏人”前，《千金方》《证类》有“滑石”二字）

瞿　麦　蘘草、牡丹为之使，恶桑螵蛸。（蘘草是《别录》药。桑螵蛸，《证类》无“桑”字）

秦　皮　大戟为之使，恶茱萸。（恶茱萸，《千金方》作“恶吴茱萸”）

蜀　椒　杏人为之使，畏橐吾。（橐吾，《千金方》《证类》作“款冬”）

白　芷　当归为之使，恶旋复花。

杜　若　得辛夷、细辛良，恶柴胡、前胡。（前胡是《别录》药）

黄　蘖　恶干漆。

白　薇　恶黄耆、干姜、干漆、大枣、山茱萸。

支　子　解踯躅毒。

紫　菀　款冬为之使，恶天雄、瞿麦、雷丸、远志，畏茵陈。

白　鲜　恶桑螵蛸、桔梗、茯苓、萆薢。

薇　衔　得秦皮良。

飞　廉　得乌头良，恶麻黄。（飞，《集注》原作“蜚”，据《千金方》《证类》改）

干　姜　秦椒为之使，恶黄芩、天鼠矢，杀半夏、莨菪毒。（恶黄芩，《千金方》《医心方》《证类》作“恶黄连、黄芩”）

羖羊角　兔丝子为之使。

犀　角　松脂为之使，恶雚菌、雷丸。

牛　黄　人参为之使，恶龙骨、地黄、龙胆、蜚廉，畏牛膝。（蜚廉，《医心方》作“飞廉”，《千金方》《证类》作“蜚蠊”）

鹿　茸　麻勃为之使。

鹿　角　杜仲为之使。

伏　翼　苋实、云实为之使。

蝟　皮　得酒良，畏桔梗、麦门冬。

蜥　蜴　恶流黄、斑苗、芜荑。（蜥蜴即石龙子）

蜂　房　恶干姜、丹参、黄芩、芍药、牡蛎。（蜂房，《千金方》作“露蜂房”）

桑螵蛸　得龙骨治泄精，畏旋复花。（《千金方》《证类》无“得龙骨治泄精”六字。《证类》将桑螵蛸列在上品）

䗪　虫　畏皂荚、昌蒲。

蛴　螬　蜚虻为之使，恶附子。（蜚虻，《千金方》作“蜚虫”，《证类》作“蜚蠊”）

海　蛤　蜀漆为之使，畏狗胆、甘遂、芫花。（《证类》将海蛤列在上品）

龟　甲　恶沙参、蜚廉。（《证类》）将龟甲列在上品）

鳖　甲　恶矾石。

鮀　甲　蜀漆为之使，畏狗胆、甘遂、芫花。（鮀甲，《千金方》《证类》作“鮀鱼甲”）

乌贼鱼骨　恶白蔹、白及。

蟹　杀莨菪毒。

白马茎　得火良。（《千金方》《医心方》《证类》无此条）

大豆黄卷　恶五参、龙胆，得前胡、乌喙、杏人、牡蛎良，杀乌头毒。（大豆黄卷，《千金方》《医心方》《证类》作“大豆及黄卷”）

（3）《本经》下品药物七情。

青琅玕　得水银良，畏乌鸡骨，杀锡毒。（乌鸡骨，《千金方》《证类》作“鸡骨”，《医心方》作“乌头”）

礜　石　得火良，棘针为之使，恶毒公、虎掌、鹜矢、细辛，畏水。（畏水，《医心方》作“畏水蛭”）

代　赭　畏天雄。

大　盐　漏芦为之使。

大　黄　黄芩为之使，无所畏。（无所畏，《千金方》《证类》无此三字）

当　归　恶䕡茹，畏昌蒲、海藻、牡蒙。（当归，《集注》《千金方》《证类》列在中品。西晋·张华《博物志》引《神农经》曰：“下药治病，谓大黄除实，当归止痛。”据此当归移入下品）

巴　豆　芫花为之使，恶蘘草，畏大黄、黄连、梨芦。（蘘草是《别录》药。梨芦后，《千金方》《证类》有“杀斑猫毒”四字）

甘　遂　瓜蒂为之使，恶远志，反甘草。

亭　历　榆皮为之使，得酒良，恶姜蚕、石龙芮。

大　戟　反甘草。

泽　漆　小豆为之使，恶署预。

芫　花　决明为之使，反甘草。

钩　吻　半夏为之使，恶黄芩。

狼　毒　大豆为之使，恶麦句姜，畏天名精。（《千金方》《医心方》《证类》无“畏天名精”四字）

鬼　臼　畏垣衣。

天　雄　远志为之使，恶腐婢。

乌　头　莽草为之使，反栝楼、贝母、白蔹、白及，恶梨芦。

附　子　地胆为之使，恶吴公，畏防风、甘草、黄耆、人参、乌韭、大豆。

皂　荚　青葙子为之使，恶麦门冬，畏空青、人参、苦参。（青葙子，《医心方》作“柏子”，《千金方》《证类》作“柏实”）

麻　黄　厚朴为之使，恶辛夷、石韦。（麻黄，《集注》《千金方》《证类》原列在中品，但麻黄条文无补虚羸等语，故移入下品）

蜀　漆　栝楼为之使，恶贯众。

半　夏　射干为之使，恶皂荚，畏雄黄、生姜、干姜、秦皮、龟甲，反乌头。（《医心方》无“干姜”二字）

款　冬　杏人为之使，得紫菀良，恶皂荚、消石、玄参，畏贝母、辛夷、麻黄、黄芩、黄连、青葙。（《证类》将款冬列在中品。《医心方》缺玄参、贝母。“黄连”后，《千金方》《医心方》《证类》有“黄耆”二字）

牡　丹　畏兔丝子。

防　己　殷孽为之使，恶细辛，畏萆薢，杀雄黄毒。

黄　环　鸢尾为之使，恶茯苓。（“苓”字后，《千金方》《证类》有“防己”二字）

黄　芩　山茱萸、龙骨为之使，恶葱实，畏丹参、牡丹、梨芦。（黄芩，《集注》《千金方》《证类》列在中品，但黄芩条文无补虚羸等语，应列入下品。丹参，《千金方》《医心方》《证类》作“丹砂”）

石南草　五加为之使。

女　菀　畏卤咸。

地　榆　得发良，恶麦门冬。

五　加　远志为之使，畏蛇皮、玄参。

泽　兰　防己为之使。

紫　参　畏辛夷。

雚　菌　得酒良，畏鸡子。

雷　丸　荔实、厚朴为之使，恶葛根。

贯　众　藋菌为之使。

狼　牙　芜荑为之使，恶地榆、枣肌。（枣肌，《千金方》作“秦艽”）

梨　芦　黄连为之使，反细辛、芍药、五参，恶大黄。

蔺　茹　甘草为之使，恶麦门冬。

白　蔹　代赭为之使，反乌头。

白　及　紫石英为之使，恶理石、李核人、杏人。

海　藻　反甘草。（海藻，《集注》《千金方》《证类》原列在中品，但海藻条文无补虚羸等语，故移入下品）

虎　掌　蜀漆为之使，恶莽草。（恶，《千金方》《证类》作“畏”）

栾　花　决明为之使。

荩　草　畏鼠妇。（鼠妇，《医心方》作“鼠姑”，《纲目》作“鼠负”）

恒　山　畏玉扎。

夏枯草　土瓜为之使。

溲　疏　漏芦为之使。

麋　脂　畏大黄。（“黄”字后，《千金方》有“恶甘草”）

蛇　蜕　畏慈石及酒，少熬之良。（《千金方》《医心方》《证类》无“少熬之良”四字）

蜣　螂　畏羊角、石膏。

地　胆　恶甘草。（“地”，《医心方》作“她”）

马　刀　得水良。

天鼠矢　恶白蔹、白薇。

斑　苗　马刀为之使，畏巴豆、丹参、空青，恶肤青、豆花。（《医心方》缺“丹参，恶肤青、豆花”。《千金方》《证类》无“豆花”）

杏　核　得火良，恶黄耆、黄芩、葛根、胡粉、蘘草，解锡毒。（《千金方》作“解锡、胡粉毒，畏莽草”。《证类》《医心方》作“解锡、胡粉毒，畏襄草”。囊草是《别录》药）

22.《证类》白字《本经》文，未见药物产地的讨论

依据习惯的看法，《本经》，包括目前流行的各种《本经》辑复本，所载药物均无产地内容。现今流传的《本经》辑本，均取材于《证类》白字。鉴于《证类》白字《本经》药未标明产地，故各种《本经》辑复本，亦无药物产地记载。但从历代本草文献来看，《证类》白字无产地记载系后人更改所致。在原始的《本经》中，其实是有产地记载的，兹探析如下。

从陶隐居注文看，《证类》黑字《别录》文产地，原先即是《本经》文。

例如《证类》卷3滑石条，其黑字《别录》文有“生赭阳山谷”。陶隐居注云：“赭阳县先属南阳，南阳汉哀帝置，明《本经》所注郡县，必是汉后时也。”从陶氏注文看，陶氏所见的《本经》是有产地的。陶氏并认为《本经》药物产地是后汉时所注。

又如《证类》卷3载“扁青生朱崖”，陶注云：“朱崖郡先属交州，在南海中，晋代省之。”按，朱崖是西汉时地名，即今海南琼山。陶弘景说朱崖地名到晋代已不用了。从这句话来看，扁青药物是有产地记载的。

又如《证类》卷3，“丹砂生符陵”，陶注云：“符陵是涪州，接巴郡南，今无复采者，乃出武陵，西川诸夷中，皆通属巴地，故谓之巴砂。《仙经》亦用越砂，即出广州临漳者。”根据陶注，“丹砂生符陵”是《本经》书中最早所记的产地。由于历史的变迁，丹砂出产地已更换到武陵了。

《新修》卷14溲疏条，有“生掘耳”，陶注云：“掘耳疑应作熊耳，山名，而都无掘耳之号也。”从陶弘景所注，可知这些药所载的地名由来很久，所以陶弘景对这些地名也弄不清。

从《本经》中药以地名为别名亦可证实《本经》药是有产地的。

例如，记载麦门冬产地称“生函谷”。函谷是战国时地名，即河南灵宝。但麦门冬异名有“秦名羊韭，齐名爱韭，楚名马韭，越名羊蓍”。从这些异名来看，麦门冬不仅产于中原，而且产于西部秦，东部齐，南方楚，东南方的越。同一种麦门冬，因产地不同，其别名各异。又如薯蓣产地为“嵩高”。嵩高是春秋时地名，即今河南省登封市北。但薯蓣别名有“秦、楚名玉延，郑、越名土藷”。秦指陕西中部平原地区，楚指湖北省范围，郑即陕西汉中地区，越指浙江绍兴地区。从薯蓣别名看，薯蓣不仅产于河南，也产于陕西、湖北、浙江等地。

吐鲁番出土《集注》之燕屎条“生高谷山平谷”，及天鼠屎条“生合浦山谷”，皆作朱字。但此等朱字在《证类》中均作墨字，这就说明《证类》有关《本经》《别录》文，是朱墨杂书的，对《本经》文全作朱书，唯独产地不作朱书。《本经》药物产地朱书，从《新修》开始，就被改为墨书。唐以后的本草皆沿袭《新修》之旧，把所有的产地均改作墨书。这与本草文献是不符合的。

从本草文献来看，《本经》药原先是有产地记载的，吐鲁番出土《集注》残片，对《本经》药物产地仍作朱书。敦煌出土《新修》才作墨书。《本经》药物产地标记的更改，似始于《新修》。宋代本草沿袭《新修》旧例，将全书《本经》产地全作墨书。从吐鲁番出土《集注》对产地作朱书来看，则《证类》白字《本经》药物条文中有关产地内容，也应当含有朱书的，绝非全是墨字。由于标记脱落已久，故后人难以分辨了。所以明清学者辑录《本经》时，皆不录《证类》中药物条文的产地。

《证类》白字《本经》药所记产地，一共有200多个，从分布地域来看，大多分布在黄河流域，占3/4；其次是长江流域，占1/4，沿海一带及西南边疆较少，仅有十几个，另有地名不详者十余个。从各地区所记出产药物数目来看，黄河流域产地药最多，有300多种；其次为长江流域，产药不到100种；沿海一带及西南边疆产药较少，仅有四十几种。这里有一个情况，就是同一种药产于若干地方。例如防风既产于邯郸（河北邯郸），又产于上蔡（河南上蔡）；牡荆实既产于河间（河北河间），又产于南阳（河南南阳）。也有很多药同出于一地，例如人参、杜仲、菴蕳子、胡麻、款冬等同产于上党（山西长子）。

从地名出现时间来看，《证类》中《本经》《别录》药所记产地几乎都是汉以前地名。其中先秦地名有70多个，秦时地名有的与《本经》药产地是相同的。初步统计，《别录》药有63味与《本经》药同产于一地。其地名有36个，属先秦地名14个，秦时地名6个，西汉时地名12个，东汉时地名1个。

习惯上认为，《本经》药是最早为人们所应用的。那么这63味《别录》药，既与《本经》在同时代产生于同一个地方，则这63味《别录》药，被人发现的时间，应与《本经》药相同。这就提示，有些《别录》药并非是后来名医所记，而早就与《本经》药共存了。

《本经》《别录》药，有些药虽同产于一处，但所用的地名各不相同。

例如今日的河南登封，在古代不同时期，有不同的名称，春秋时称中岳，其县北称嵩高，或称嵩山，战国时称阳城，秦时称少室。这些不同的地名出产了不同的药物。如芍药生中岳，薯蓣、桔梗、防葵、翘根、瓜蒂、白瓜子、黄石脂等生嵩高，黄芝生嵩山，石流青、黑石脂等生阳城，赤箭、防葵、蓍实、楮实、石钟乳、矾石、莽草、天雄、贯众、葵根、封石等生少室。

从这个例子来看，中岳、嵩高、嵩山所记的药名，可能是较早为人们所应用的药物。这些药似应在春秋时期已出现了。石流青、黑石脂所记产地名称为阳城，似在战国时出现了。而赤箭、防葵等所记产地为少室，似在秦时出现的。

同一个登封，在不同时代有不同的地名，每个地名，又有不同药物用它作为产地，这就提示，这些不同药物出现的时间是不相同的。类似此例很多。

也有少数药生在同一个地方，记载不同时期的异名。如陕西汉中，春秋时称为郑、南郑、郑山，战国时称汉中。但白术条所记产地为："生郑山、汉中、南郑"。

总之，从上述各例看，《本经》药原是有产地的，吐鲁番出土的《集注》，其产地即以朱书为标记，到《新修》才改为墨书标记，与今日《证类》标记同。由此可见，《证类》"本经产地"，应来源于《集注》。所以《本经》药最早是有产地的。《本经》药产地分布于全国，也说明《本经》一书成于秦国统一之后，否则难以收罗到全国各地出产的药物。在药物产地出现时代上，从先秦到东汉各个时期都有，这也说明《本经》药物是随着时代发展逐步出现的，各个时期出现的药物又被当时医家在修订《本经》时收入书中，所以《本经》这本书不是哪一个时代哪一个人的所为，而是通过不同时代不同的作者逐渐增补修订，而成多种同名异书。

23.《证类》白字《本经》文，因版本不同而各异

《证类》《大观》《大全》《政和》的版本极多，其黑字白字则难免互有出入。本文选用以下几种《证类》版本研究之。

《大观》用日本安永四年（1775）望草玄据元大德六年宗文书院刊本翻刻，简称玄《大观》；清光绪三十年甲辰（1904）武昌柯逢时影宋并重刊，简称柯《大观》。《大全》用明万历五年丁丑（1577）宣郡王大献尚义堂刊本。《政和》用下列四种版本。①成化本：明代成化四年戊子（1468）山东巡抚原杰据晦明轩刊本重刻。②万历本：明代万历十五年丁亥（1587）经厂翻刻本。③商务本：1921—1929年商务印书馆缩印金泰和刊本。④人卫本：1957年人民卫生出版社影印金刻孤本。

在以上几种《证类》刊本中，《大观》以柯刊本为佳；《政和》以人民卫生出版社影印本最好，商务本、万历本皆由成化本翻刻而来；《大全》是宣郡王大献将《大观》和《政和》合刊为一本书。

用以上各种刊本，将其中白字《本经》文详细校之，可见互有出入。这种出入，盖由来已久了。现存的各种版本《证类》白字，向上追溯，皆源于陶弘景《集注》朱字。《集注》朱字经过《唐本草》《开宝》《嘉祐》而到《证类》，每一代在传抄时，都不能绝对保持原来面目，因此总有不同程度的舛错或脱误，抄的次数愈多，舛错的机会就愈大。所以《开宝本草·开宝重定序》云："朱字，墨字，无本得同。"这就说明宋代编修《开宝》时所搜集的各种传抄《唐本草》卷子本，其中朱字（指《本经》文）、墨字（指《别录》文）没有一本是相同的。

1900年敦煌出土的唐写卷子本《新修》卷10残卷，是朱墨杂书的，将之与《证类》白字黑字校之，也是互有出入的（见下文莨菪子条）。

从历代本草文献来看，朱书、墨书的标记或白字、黑字标记，一直是存在混乱现象的。本文仅就现存的几种《证类》刊本中的白字同异文，论述如下。

玉泉："久服耐寒暑，不饥渴，不老神仙。"两种《大观》和《大全》皆作黑字《别录》文，人卫《政和》、商务《政和》、成化《政和》作白字《本经》文。

消石："一名芒消。"两种《大观》均作白字《本经》文，森本同；各种《政和》作黑字《别录》文，《纲目》、孙本、顾本同。

曾青：人卫《政和》曾青条全文为黑字《别录》文。

石胆："久服增寿神仙。"两种《大观》和《大全》均为黑字《别录》文，各种版本《政和》均为白字《本经》文。

太一馀粮："除邪气。"《大全》录"邪气"为黑字《别录》文，两种《大观》、各种版本《政和》作白字《本经》文。

石龙刍："一名龙珠。"两种《大观》和《大全》均作黑字《别录》文，《本经续疏》同；各种版本《政和》作白字《本经》文，《纲目》、孙本、顾本同；森本不取此4字为《本经》文。

茯苓："一名茯菟。"两种《大观》和《大全》均作黑字《别录》文；各种版本《政和》作白字《本经》文。

络石："喉舌肿不通。"两种《大观》、各种版本《政和》前3字为白字，后2字为黑字；孙本、顾本、森本、《图考长编》取前3字为《本经》文，《纲目》、《品汇》取此5字为《本经》文。

柏实："疗恍惚虚。"商务《政和》作白字，人卫《政和》、两种《大观》作黑字。

菖蒲：商务《政和》、成化《政和》、万历《政和》和《大全》等全为黑字《别录》文。

白英：商务《政和》、成化《政和》、万历《政和》和《品汇》录白英条全文为黑字《别录》文。

龙胆：商务《政和》录龙胆条全文为黑字《别录》文。

牛膝："味酸平。"人卫《政和》"酸平"二字为黑字；商务《政和》"酸"字为白字，"平"字为黑字，孙本、顾本同；两种《大观》"平"字为白字，"酸"字为黑字，森本同。

车前子：“无毒。”商务《政和》为白字《本经》文；人卫《政和》，两种《大观》为黑字《别录》文。

蛇床子：“味辛甘，一名蛇粟”，两种《大观》为白字，《纲目》、森本同；各种版本《政和》为黑字，孙本、顾本同。“主妇人阴中肿痛，男子阴痿湿痒，除痹气，利关节，癫痫恶疮”，《大全》为黑字《别录》文。

水苏：“下气，杀谷，除饮食。”两种《大观》作白字《本经》文，《纲目》、森本同；各种《政和》作黑字《别录》文；孙本、顾本、《图考长编》录前二字为《本经》文。

天名精：“除小虫，去痹，除胸中结热，止烦渴。”成化《政和》、万历《政和》、商务《政和》作黑字《别录》文，两种《大观》、人卫《政和》作白字《本经》文，《纲目》、孙本、顾本同商务《政和》，《品汇》、森本同《大观》。

飞廉：“一名飞轻。”成化《政和》、万历《政和》、商务《政和》作黑字《别录》文；两种《大观》、《大全》、人卫《政和》作白字《本经》文。《纲目》、顾本同商务《政和》，孙本、森本、《图考长编》同人卫《政和》。

桑上寄生：“一名宛童。”两种《大观》和《大全》作黑字《别录》文，《本经续疏》《图考长编》同；各种《政和》作白字《本经》文，孙本、森本、顾本同。

苋实：“主青盲、白翳。”玄《大观》、《大全》注“盲”为黑字，柯《大观》注“白翳”为白字，《政和》注“白翳”为黑字。

芍药：“平。”两种《大观》作白字《本经》文，孙本、森本、顾本同；各种《政和》作黑字《别录》文，《图考长编》同。

莨菪子：“一名横唐，一各行唐。”现存各种《证类》版本注“一名横唐”为白字，注“一名行唐”为黑字。敦煌卷子本《新修》注“一名横唐”为黑字，注“一名行唐”为朱字。

栀子：“皰皶鼻白癞赤癞疮疡，一名木丹。”玄《大观》注为黑字《别录》文。柯《大观》注云：“原为黑字，柯改为白字。”各种《政和》作白字《本经》文。

五加：“温。”柯《大观》作黑字《别录》文，人卫《政和》作白字《本经》文。

麝香：成化《政和》、万历《政和》、商务《政和》录麝香条全文为黑字《别录》文。

鹿茸：商务《政和》录鹿茸条全文为黑字《别录》文。

犀角：“久服轻身。”《大全》作黑字《别录》文。

羚羊角：“久服强筋骨轻身。”两种《大观》作白字；各种《政和》作黑字，《纲目》同。

龟甲：“疟五痔。”玄《大观》作黑字《别文》文；柯《大观》注云：“原作黑字，柯改为白字。”

蓼实：“蓼实味辛温”，柯《大观》注云：“原作黑字，柯改为白字。”“主明目”“浮肿痈疡”，玄《大观》作黑字《别录》文。

肤青：“平”，“一名推青”。人卫《政和》录“平”为黑字，“一名推青”为白字。商务、成化、万历《政和》和两种《大观》录“平”为白字，“一名推青”为黑字。孙本、森本、顾本同《大观》。

礜石：“邪气除热。”两种《大观》和《大全》作白字《本经》文。成化《政和》、万历《政和》、商务《政和》作黑字《别录》文。森本同《大观》，孙本同《政和》。《纲目》、顾本注“邪气”为《本经》文，注“除热”为《别录》文。

蔓椒：“一名豕椒。”万历《政和》、孙本作“一名家椒”。

附子：“血瘕。”玄《大观》、《大全》录“血”字为黑字；柯《大观》注云：“血，原刻为黑字，柯改刻为白字，

茵芋：“如疟状。”成化《政和》、万历《政和》、商务《政和》和两种《大观》为黑字《别录》文；敦煌卷子本《新修》、人卫《政和》作白字《本经》文；孙本、森本、顾本注此三字为《本经》文。

楝实：“利小便水道。”玄《大观》、《大全》作黑字《别录》文；柯《大观》、各种《政和》作白字《本经》文。

柳华：“子汁疗渴”，“生琅邪”。两种《大观》、《大全》录“子汁疗渴”为白字，“生琅邪”为黑字；各种《政和》相反。《纲目》同《政和》，孙本、森本、顾本同《大观》。

半夏：“一名地文，一名水玉。”商务《政和》作黑字《别录》文，人卫《政和》、《大观》作白字《本经》文。

黄环：“生蜀郡。”柯《大观》注云：“原作白字，柯改为黑字。”

生大豆：《大观》作白字《本经》文，各种《政和》作黑字《别录》文。

蓬蘽：“味咸。”两种《大观》作白字《本经》文，各种《政和》作黑字《别录》文。

芜荑：“一名蕨塘。”两种《大观》作黑字《别录》文，各种《政和》作白字

《本经》文。

常山："发热。"人卫《政和》作黑字《别录》文，商务《政和》、两种《大观》作白字《本经》文。

六畜毛蹄甲：玄《大观》、《大全》录六畜毛蹄甲全文为黑字《别录》文。

姑活：商务《政和》姑活条全文中，除"老，一名冬葵子"外，余皆为黑字《别录》文。

楮实："楮实，味甘寒，主阴痿水肿，益气，充肌肤，明目，一名谷实。"柯《大观》注云："原作白字，柯改为黑字。"

乌贼鱼骨："寒肿令。"《大观》作黑字《别录》文，人卫《政和》、商务《政和》作白字《本经》文。

白垩："阴肿痛漏下无子。"两种《大观》、《大全》作白字，商务《政和》作黑字。《纲目》《品汇》同《政和》，森本、狩本同《大观》。

伏翼："生太山川谷。"《证类》白字药物皆无产地，唯伏翼条有产地。

天鼠屎："一名鼠法，一名石肝。"柯《大观》作黑字《别录》文，人卫《政和》作白字《本经》文。

青葙子："五月六月采子。"人卫《政和》作白字《本经》文，柯《大观》、商务《政和》作黑字《别录》文。

升麻：柯《大观》注云："据《御览》此条当为阴文（即白字）。"

丹雄鸡："通神杀毒辟不祥""肪主耳聋""肠主遗溺"，各种《政和》作白字《本经》文，《大观》作黑字《别录》文。"东门上者尤良""腥胜微寒""黑雌鸡主风寒湿痹五缓六急，安胎"，两种《大观》作白字《本经》文，各种《政和》作黑字《别录》文。

《证类》中某些药，同一句中，白字、黑字共存，兹列举如下。

天名精："止烦渴。"人卫《政和》前二字作白字，后一字作黑字；商务《政和》全作黑字；两种《大观》全作白字。

白薇："疗伤中。"人卫《政和》、商务《政和》录"疗"为白字，"伤中"为黑字。

蜀羊泉："疗龋齿。"人卫《政和》、商务《政和》录"疗龋"为白字，"齿"为黑字；柯《大观》全作黑字。

酸枣："生河东。"人卫《政和》录"生"为白字，"河东"为黑字；商务《政和》、柯《大观》全作黑字。

松萝："生熊耳山。"人卫《政和》、商务《政和》录"生熊"为白字，"耳山"为黑字；柯《大观》全作黑字。

乌贼鱼骨："阴中寒肿，令人有子。"人卫《政和》、商务《政和》录"寒肿""令"为白字；柯《大观》全作黑字。

《证类》白字是《本经》的文字。由于《证类》版本不同，其白字标记也各不相同。如1957年人卫《政和》卷3页97曾青条全作黑字《别录》文，没有白字《本经》标记。如果以人卫《政和》为依据，说曾青不是《本经》药，那就错了。又商务《政和》中，菖蒲、龙胆、白英、麝香、鹿茸、姑活等条，皆作黑字《别录》文，俱无白字《本经》标记，如果以其为依据，说菖蒲、龙胆等条不是《本经》药，那也就错了。所以要确定《本经》文，必须用多种《证类》善本互勘，如此才能得出比较正确的《本经》文。

此外各种《证类》版本，不仅白字互有差异，就是非白字的文字亦存在很多差异。因此现存的各种《证类》版本要进行校勘，搞出一本比较正确的文字，使人应用时，不会产生错误的结果。

24. 陶弘景订《本经》药总数为365种

《证类》卷1序例上载有上药120种，中药120种，下药125种，三品合365种，这个数字是陶弘景所定。

《证类》向上推溯源于《嘉祐》，《嘉祐》源于《开宝》，《开宝》源于《新修》，《新修》源于陶弘景《集注》。敦煌出土《集注·序录》页5所载与《证类》所载"梁陶隐居序"文同。陶弘景所作《集注》，是将当时流行的多种《本经》综合整理而成的，用陶氏话来讲，是"苞综诸经"而成。

敦煌《集注·序录》页3云："文籍焚糜，千不遗一，今之所存，有此四卷，是其本经。魏晋以来，吴普、李当之等更复损益，或五百九十五，或四百四十一，或三百一十九。"

从上文来看，大量古书被焚，本经所存，只有4卷本，自魏晋以来，经过吴普、李当之增修，又出现一些增修本，按其收载药数不同，有595种，或441种，或319种。事实上，可能要多些，因《隋书·经籍志》和阮孝绪《七录》所载《神农本草》有5种，《本草经》有9种。

在上述陶弘景《集注·序录》所载595、441、319三种数目中，其中载药441种的本子，即是华佗弟子吴普修订的《本经》。《证类》卷1序例中载有掌禹锡《补注所引书传》云："吴普，华佗弟子，修神农本草四百四十一种。"

其中载药319种，应是369种之误。而载药369种的本子，可能是陶弘景作《集注》时所用的蓝本。因为陶弘景的序中云："以神农本经三品合三百六十五为主"。在这365种之中，有4个药是归并在他条中，如文蛤归并在海蛤条内。陶氏并注云："此既异类而同条，若别之，则数多，今以附见，而在副品限也。凡有四物如此"（《证类》卷21）。在《证类》卷28薤条陶隐居注云："葱薤异物，而今共条"。《证类》卷25赤小豆条陶隐居注云："大小豆共条，犹如葱薤义也"。《证类》卷5锡铜镜鼻条陶注云："此物与胡粉（粉锡别名）异类，而今共条"。从陶隐居注文来看，《本经》365味药中，有4味是归并的。如果把这4味被归并的药拆开，则《本经》药不是365种，而是369种。陶弘景以载药369种的《本经》为蓝本，归并其中4味，使药物总数成为365种。后来就以365种为《本经》药物总数。

各家名医在《本经》增录药物，不仅药数多寡不同，而且在内容上也不相同。例如陶隐居序云："或三品混糅，冷热舛错，草石不分，虫兽无辨，且所主治，互有得失，医家不能备见，则识者有浅深，今辄苞综诸经，研括烦省……"

从这段序文中，可以了解陶弘景所见到多种《本经》，在三品类别上各不相同；在性味上也各不相同；在药物分类上，是草石不分，虫兽也不分；在主治上是互有得失。这些不同的《本经》本子，医家不能全部见到。所以陶氏把这些不同的《本经》综合起来，进行总结，著成《集注》。所以说，陶弘景作《集注》是参考多种《本经》的。用陶隐居序中话来讲，即采用"苞综诸经，研括烦省"的办法进行的。

陶弘景《集注》载《本经》药365种。这365种《本经》药，通过历代本草，被保存在《证类》中。所以《证类》中365种《本经》药，也是陶弘景所订。

25.《证类》因药物合并、分条，使陶弘景所订《本经》365种发生变异

陶弘景整理的《本经》文，通过历代本草，保存在《证类》白字中。所以《证类》白字《本经》文，源出于陶弘景之手。关于陶弘景所订《本经》药365种数字变异，亦可从《证类》白字考察之。

《证类》白字序文云："上药一百二十种，……中药一百二十种，……下药一百二十五种"，合共365种。但《证类》各卷所记《本经》药物数为玉石上18，中16，下12；草上38+34，草中32+14，草下30+18；木上19，木中17，木下18；人1；兽上6，兽中7，兽下4；禽5；虫上10，虫中16，虫下18；果9；米上3，米中2，米下1；菜上5，菜中5，菜下2，唐退6，宋退1。共计367种，为什么会

多出 2 种？因为《本经》药物存在合并和分条的情况。

《证类》卷 25 赤小豆条，引苏颂《图经》云："赤小豆旧与大豆同条，苏恭分之。"按，苏恭即苏敬，是《唐本草》的编纂者，苏敬作《唐本草》，是在《集注》基础上编写的。《图经》所云"赤小豆旧与大豆同条"中的"旧"字，即指《集注》而言。换句话说，在《集注》中，赤小豆与大豆是并为一条的，到苏敬编《唐本草》时，把赤小豆从大豆中分出。

在《集注》中，赤小豆与大豆并为一条，也是陶弘景并的，《证类》卷 25 赤小豆条，有陶隐居注云："大小豆共条犹如葱薤义也。"从陶隐居注可以了解到赤小豆并入大豆条，是陶弘景并的。陶弘景不仅把赤小豆并入大豆条，而且还把薤并入葱实条，锡铜镜鼻并入粉锡条，文蛤并入海蛤条。兹将陶氏所并的注文摘录如下。

《证类》卷 5 锡铜镜鼻条，陶隐居注云："此药与胡粉（粉锡）异类，而今共条。"同书卷 28 薤条，陶注云："葱、薤异物，而今共条。"同书卷 20 文蛤条，陶注云："海蛤、文蛤，此既异类而同条，凡此有四物如此。"陶注所言四物即赤小豆、锡铜镜鼻、薤、文蛤。

陶弘景为什么要把这四物归并呢？陶弘景在文蛤条注云："此既异物而同条，若别之则数多，今以为附见，而在附品限也。凡有四物如此。"所谓"数多"，就是陶氏作《集注》所用的《本经》载药数多于 365。陶弘景为着牵合 365 种数字，不得不把多出的四物进行归并，作为副品来看待。《唐本草》对这种数字的规定，曾在文蛤条注文中批评道："夫天地间物，无非天地间用，岂限其数为正副耶？"（《政和》页 416）

陶弘景作《集注》所归并的四物（赤小豆、锡铜镜鼻、薤、文蛤），到苏敬作《唐本草》时，均拆出，各自独立成条，《医心方》卷 1 页 21 ~ 24 及《千金翼》卷 2 页 14 ~ 45 所载《唐本草》目录，对此四物是各自独立为条的。《证类》沿袭《唐本草》旧例。对此四物也是各自独立为条的。

陶弘景《集注》所言 365 种药，是将赤小豆、锡铜镜鼻、薤、文蛤四物归并后的情况。到《唐本草》以上 4 药又被拆开。所以《唐本草》中《本经》药数，由 365 加上拆出的 4 种，就变成 369 种，《证类》沿袭《唐本草》旧例，所以《证类》中《本经》药物总数也是 369 种，但是各种版本《证类》白字《本经》药物总数，经统计是 367 种，《证类》所载"唐本注"，也说《唐本草》中《本经》药物总数是 367 种。如人卫《政和》页 30 陶隐居序中引"唐本注"有云"三百六十一种本经”，同书页544～546《唐本草》有云“六种神农本经”。361加6，恰好为367种。

在《证类》中《本经》药物总数为367种，其中赤小豆、锡铜镜鼻、薤、文蛤四物皆已被拆开独立成条的，如果把这四物按照陶弘景的归并，其总数不是367种，而是363种，比365种要短少两种。

为什么会短少两种呢？短少哪两种呢？短少的原因有二，一是《唐本草》不仅对《集注》中合并的药拆出，而且对另一些药也进行了合并；二是《唐本草》或《证类》中有关“本草经标记”有舛错。现在讨论如下。

关于《唐本草》对《集注》中《本经》药进行归并的例子，可见于麻蕡条。

例如卷子本《新修》卷19麻蕡条，《唐本草》注云：“蕡即麻实，非花也。陶以为花，重出子条，误矣。”《唐本草》所云“重出子条”，就意味着麻子在陶氏《集注》中，是单独立为一条的。《证类》卷1诸病主治，在发脱落和虚劳两病名下，均有麻子药名，说明麻子在古代是单独作为一味药来用的。苏敬认为麻蕡不是花，而是子，它与麻子是同物异名；并认为陶弘景把麻蕡当作花，而重出麻子条是不对的。于是《唐本草》把《集注》中麻蕡、麻子合并成一条。这样的合并，就会使《本经》药短少一味了。《证类》是沿袭《唐本草》旧例而来的。所以在《证类》中，麻子并在麻蕡条内，其目录中也无麻子的药名。

其次是《证类》有关本经标记的舛错。现存不同版本《证类》，对《本经》药所做的白字标记，常有脱漏。例如人卫《政和》页91曾青条，即脱漏白字标记。商务印书馆缩印本（四页合一页）《政和》页140菖蒲、页162龙胆、页165白英、页390麝香、页399鹿茸，页588姑活等条，俱无白字标记。脱漏白字标记，就容易把《本经》药误为《别录》药。

例如升麻，在《证类》即无白字标记。但是《御览》卷990页6升麻，却冠有“本草经曰”。说明《御览》所参考的《本经》是有升麻的。否则《御览》不会注有“本草经曰”。由于《证类》中升麻条无白字标记，所以有些书就不以升麻为《本经》药。如卢复辑的《本经》、清代顾观光所辑的《本经》以及《纲目》卷2所载《本经》目录，皆无升麻。但是《纲目》正文部分、孙星衍辑本、森立之辑本等，俱以升麻为《本经》药。又，《证类》诸病主治药，在口疮病名下，有“升麻”作白字《本经》药。这些事实都证明，因本经标记脱漏，易使《本经》药讹为《别录》药。像升麻条就是一个很好的例子。我们根据《御览》在升麻条冠有“本草经曰”，可以确认“升麻”为《本经》药。这样就可以查出另一个短少之药了。

通过本草文献的研究，把查出的麻子和升麻两药作为 2 条看待，那么，上述 363 种，加上查出的 2 种，即变成 365 种。

现在总起来讲，陶弘景作《集注》，是取《本经》药 365 种。其中有 4 个药名，是由两个药合并组成的。如：粉锡和锡铜镜鼻、葱实和薤、大豆黄卷和赤小豆、海蛤和文蛤。到《唐本草》编修时，苏敬把赤小豆、锡铜镜鼻、文蛤、薤拆出，使《唐本草》中《本经》药总数由 365 种变成 369 种。但现在所存《证类》经统计，只有 367 种。在这 367 种内，其中赤小豆、锡铜镜鼻、文蛤、薤四物皆各自独立成条的。如果把这四物，按照陶弘景进行归并，其总数只有 363 种，短少 2 种。短的原因，一是《唐本草》把麻子并入麻蕡条内；二是《证类》对升麻脱漏标记。如果把麻子从麻蕡条中拆出，再将升麻确认为《本经》药，则仍为 365 种。

26. 历代本草有关《本经》药三品位置变异的讨论

《证类》白字序文云：“上药一百二十种，……欲轻身益气，不老延年者，本上经。中药一百二十种，……欲遏病，补虚羸者，本中经。下药一百二十五种，……欲除寒热邪气，破积聚，愈疾者，本下经。”

根据序文，可以看出《本经》药物按功用分为三类。有延年益寿功用的为上品，有遏病补虚的功用的为中品，有除寒热破积聚的功用的为下品。

《证类》白字药物三品的来源，向上推溯，是始于陶弘景《集注》。《集注》已佚传，仅存序录。《唐本草》亦大部分失传，还有小部分卷子本及目录存在。《开宝》《嘉祐》已失传了，只有《证类》尚存。关于《本经》药物三品类别，可以《集注·序录》中七情畏恶药物，和《唐本草》目录及《证类》药物三品分类来考察之。

《集注》仅有敦煌石室出土的序录残卷，1955 年群联出版社加以影印，该影印本页 81 ~ 90 有七情畏恶药物群（简称“七情药”）。这个“七情药”和《医心方》页 21 ~ 24、《千金方》页 5 ~ 9 所录“七情药”大体相同。

《唐本草》目录载于《本草和名》《医心方》及《千金翼》中。《证类》可以《大观》《政和》为代表。《唐本草》目录和《证类》药物三品类别大体是相近的，与“七情药”三品类别不同。

例如水银、石龙芮、秦椒，“七情药”列在上品，《唐本草》《证类》列在中品。石钟乳、防风、黄连、沙参、丹参、决明子、桑螵蛸、海蛤、龟甲、檗木、五味子、芎䓖、续断、黄芪、杜若、薇衔，“七情药”列在中品，《唐本草》《证类》

列在上品。巴戟天、飞廉、五加，“七情药”列在下品，《唐本草》《证类》列在上品。桔梗，“七情药”列在中品，《唐本草》《证类》列在下品。款冬、牡丹、防己、女菀、泽兰、地榆，“七情药”列在下品，《唐本草》《证类》列在中品。天鼠屎，“七情药”列在下品，《唐本草》《证类》列在中品。

按《集注》中“七情药”，是现存最早的三品分类，其次是《唐本草》，再次是《证类》。从上面列举药物三品的差异可以看出，《唐本草》和《证类》是一致的。《集注》的“七情药”三品分类与他们不同。这种不同的原因，有些可能出于传抄的舛错，有些可能出于对三品看法的差异。

例如水银，古代人认为它能炼丹，可以久服成仙，故列为上品。黄芪、续断并不能久服成仙，只有补虚羸，故入列中品。巴戟天、飞廉只能治病愈疾，故入下品。但后人发现水银有毒，并不能多服久服，故改入中品。黄芪、续断、巴戟天无毒，能多服久服，故移入上品。由于人们对药物的作用和毒性认识不同，因此，对药物三品分类也就产生了差异，这就是《唐本草》对前代本草三品分类进行更改的原因之一。

由于《唐本草》对前代药物三品分类做了变动，而《证类》是沿袭《唐本草》之旧，所以《证类》药物三品分类和“七情药”也就有所不同了。《证类》药物三品分类，虽然是沿袭《唐本草》之旧，但也不完全相同。例如燕屎，《唐本草》列在下品，而《证类》改在中品。又如水蛭，《唐本草》列在中品，而《证类》列在下品。

宋代以后，由于《集注》和《唐本草》失传，人们所能见到的是《证类》，故宋代以后诸家本草所摘录的《本经》资料，皆是从《证类》白字而来的。又由于《证类》版本很多，内容也互有出入，各个医家所据《证类》版本不同，抄录《本经》资料也不尽相同，加以传抄翻刻的舛错，和各个医家主观意见的掺杂，使《本经》药物三品分类越来越混乱。例如《纲目》《品汇》，明清以来诸家所辑的《本经》，皆是摘录《证类》白字而成的。试比较这些书中三品分类，几乎很少有完全相同的。

这里值得一提的是，《纲目》卷2记载一个“神农本草经目录”，在这个目录中，药物三品分类变动更多，它和《纲目》全书中《本经》药物三品分类亦大不相同。兹以孙本、森本、顾本三书为例，将各书药物三品类别不同者，比较如下。

石胆、白青、扁青、柴胡、芎䓖、茜根、白兔藿、蓍实、木兰、发髲、牛黄、丹雄鸡、雁肪、蠡鱼、鲤鱼胆，孙本、森本列在上品，顾本列在中品。

瓜蒂，孙本、森本列在上品，顾本列在下品。

殷孽、孔公孽、铁、铁精、铁落、松萝、蜻皮、蟹、樗鸡、蛞蝓、木虻、蜚虻、蜚蠊、䗪虫、大豆黄卷等药物，孙本、森本列在中品，顾本列在下品。

桃核、杏核、豚卵、水蘄、麋脂等药物，孙本、森本列在下品，顾本列在中品。

薇衔、檗木、海蛤、文蛤，孙本列在上品，森本、顾本列在中品。

燕屎、天鼠屎，孙本列在中品，森本、顾本列在下品。

五加，孙本列在上品，顾本列在中品，森本列在下品。

又如《纲目》《品汇》、孙本、黄本、王本原与《证类》白字分类相近，但是他们之间对于《本经》药物三品分类也略有差异。

兹列表如下。

药名	《证类》	《品汇》	《纲目》	《孙本》
石钟乳	上	中	上	上
龙　胆	上	上	中	上
白　胶	上	中	中	上
白　芷	中	中	上	中
龙　眼	中	下	中	中
白马茎	中	上	中	中
牛角鰓	中	上	中	中
麋　脂	下	中	下	下
卤　咸	下	中	下	下
石　灰	下	下	中	下
皂　荚	下	下	中	下
伏　翼	中	中	上	中

总之，按现存诸家本草，凡录有《本经》药物三品分类别者，大致可分为以下四类。

第一类，《集注》序录中“七情药”类，包括《医心方》《千金方》所载的“七情药”。第二类，《唐本草》类，包括《医心方》所载《唐本草》目录，《千金翼》所录《唐本草》药物，森本，狩本。第三类，《证类》类，包括《纲目》《品汇》、孙本、黄本、王本。第四类，《纲目》卷2所载《本经》目录类，包括卢本、顾本、姜本。

在这四类中，第一类是比较最原始的分类，第二类、三类已有所变动，以第四类变动最大。换句话说，《本经》药物三品分类，随着历代传抄次数的增多而越来越混乱。盖陶弘景《集注》以后，诸家采集前人的书时，多少都带一些主观的看法，会对原文加以删改；而且在唐代时，书的流传又是靠手工抄写的，各人抄时所据的本子又不尽相同；加以历代传写翻刻的脱误等等，很难保持原书原来的面目，因此各家所引据《本经》资料，在药物三品分类上，当然就会产生混乱的现象。

本书所用的三品分类，主要是以《集注》所载《七情药》为主，如《七情药》中药物所缺，则依《唐本草》目录次序补之，并参考《证类》白字序文上、中、下三品定义准则拟订之。

例如：《证类》将黄芪列在上品，水银、秦椒、女菀列在中品，桔梗列在下品；本书根据《七情药》药物三品分类，将水银、秦椒列在上品，黄芪、桔梗列在中品，地榆、女菀列在下品。

又如《唐本草》退的姑活、别羇、淮木、屈草、翘根、石下长卿，和《开宝》退的彼子，在《证类》中列在卷末有名无用类，没有注明三品类别。孙本、顾本、森本对此等药所标注的品类，各不相同。如下表。

书名	姑活	别羇	淮木	屈草	翘根	石下长卿	彼子
孙本	上	上	上	上	中	○	下
顾本	下	下	下	下	中	下	中
森本	下	下	下	下	下	下	下

森本对上述七味药全作下品。孙本缺石下长卿，将翘根列为中品，彼子列为下品，其余皆列为上品。顾本列翘根、彼子为中品，其余皆列为下品。

看孙、顾、森三家对上述七味所订的品属，似无标准，各随自已主观意志。本书根据《证类》白字序文上、中、下三品的定义，认为姑活、屈草、翘根三药条文中均有“久服轻身益气耐老”等语，符合序文上品定义，应列为上品；别羇、石下长卿、彼子条文中有“治寒热邪气愈疾”等语，符合序文下品定义，应列入下品；淮木条中有“治伤中虚羸”等语，符合序文中品定义，应列入中品。

（二）陶弘景整理的《本经》文与明清中日学者所辑《本经》问题

27. 诸家《本经》辑本简介

（1）宋·王炎辑《本草正经》。王炎又名王晦叔，是宋代文人，著有《双溪文集》。王氏所辑的《本经》，名《本草正经》，全书3卷，明代陈氏续书目，犹有著录，现仅有一序，存于《双溪文集》中。

其自序云："世莫古于上古，人莫圣于三皇，伏羲有《易》，神农有《本草》，黄帝有《素问》等书。医卜在后世为方技，是圣人济天下之仁术也。古书竹简火于秦，易以卜筮在，本草以方技存，其天乎？西汉去古未远，班固《艺文志》序医八百零一卷三十六家，独弃本草不录。淮南王安曰：'神农尝百草之滋味，一日遇七十毒，医道始兴'。楼护少诵医经本草方术数十万言。平帝元始五年（公元5年）举天下通医术本草者。时重本草如此，固何不录也？梁《七录》始载《神农本草》三卷。本草旧经三卷，药三百六十五种，梁陶弘景附《别录》亦三百六十五种，分为七卷。唐显庆中，苏恭增百十有四种。国朝（指宋朝）开宝中卢多逊重定，增百三十有三种。嘉祐中掌禹锡补注，附以新补八十有二种，新定十有七种，合一千八十有二种，分二十有一卷。新旧混并，经之本文遂晦，今摭旧辑为三卷……存古者，不忘其初也"。

（2）明·卢复辑《本经》。卢复是明代万历年间（1573—1619）浙江钱塘人，号不远。他著有《医种子》四集。即《医经种子》《医论种子》《医方种子》《医案种子》。其中《医经种子》首编为《难经》，次编即是《本经》。（清·曹禾《医学读书志》卷下卢之颐条）

卢氏所辑《本经》，其自序谓始于万历三十年壬寅（1602），终于万历四十四年丙辰（1616），前后共14年时间。他的著作，是在李时珍《纲目》成书之后完成。日本丹波元坚为森立之所辑《本经》作序说："明卢不远有见于斯，摘录为编，以收入于医种子中。然不远本无学识，徒采之李氏《纲目》，纰缪百出，何有于古本乎？"

按，卢复辑本所用目录，是取于《纲目》卷2所载的"本草经目录"，但药物条文，仍用《证类》白字的文字，因卢氏辑本的文字，与《纲目》所引《本经》文不完全相同，而与《证类》白字《本经》文相同，所以丹波元坚的说法，不一定正确。

卢氏辑本，载药365种，分上、中、下三卷。卢氏自序云："本经草木性也……余壬寅（1602）于本草有省，今十四年矣。本经、别录颇能分别，……万历丙辰冬（1616），钱塘卢复记。"

卢氏辑本的版本有五；一是明刊医种子本；二是精抄本；三是日本元禄书籍目录所载的刊本；四是日本宽保三年（1743）泉屋卯兵卫再版；五是日本宽政十一

年（1799），江户铃木良知翻刻本，书首有日本医官杉本良仲温序云："玉池铃本良知……近者获本经槧本一卷，乃医种子中所收也，爰翻雕广刷，……而请序于余……时岁在己未宽政十一年秋九月。"又有江户铃木（文）良知序云："宽政丁已……访蒹葭堂主人，谈及予购华本一事，主人素藏医种子残本一卷，出以示之，遂使斋以赠予……遂命剞劂，……宽政十一年，岁次己未秋九月。"

（3）清·孙星衍等辑《本经》。孙星衍字渊如，阳湖人，清乾隆年间进士，通晓经史文字训诂之学，是清代有名的考据学家。他和孙冯翼合辑《本经》，从1783年开始到1799年成书，刊入问经堂丛书中。全书共3卷，载药357种，分上、中、下三品。上品为卷1，中品为卷2，下品为卷3。卷3后附有《本经》序例、《本经》佚文、《吴普》十二条以及诸药制使（即药物七情畏恶资料汇辑）。

二孙合辑本所用《本经》资料，悉取《证类》白字文。其药物条文书写体例亦同《证类》白字，并根据《御览》引《本经》"上云生山谷，生川泽；下云生某郡县"及薛综注《张衡赋》引《本经》"太一禹馀粮，一名石脑，生山谷"，乃订"生山谷""生川泽"等生境为《本经》文。所以二孙合辑本，对每个药物条文增加《证类》墨字生境内容，为《本经》文。此外在每个药物条文之后，又增添三种资料：一是《吴普》资料；二是《别录》资料；三是药物文献考证资料。这三种资料是其他辑本所无。

全书目录，大体依《证类》白字目录编排，少数药物位置略有移动。如橘柚、伏翼，《证类》原分别在果部、禽部，而孙氏分别移到木部、虫部。又将木部芫华、菜部假苏、米部青蘘，皆移入草部。另外《证类》有名未用类中有7个《本经》药物，孙氏取了6个，脱漏石下长卿一条。孙氏又根据《吴普》药性将凡引有《本经》性味者，亦作《本经》药物来处理。因此把黍米、粟米亦视为《本经》药收入书中。又据《御览》引《本经》有升麻，所以升麻亦收入书中。《证类》对黍米、粟米、升麻等均作黑字《别录》文。

清代乾隆、嘉庆年间考据学风很盛，孙氏又是当时有名的考据学家，所以孙氏辑本亦受考据学的影响。如书中增加的药物文献考证资料，并以字书解释药物名义，都是很好的例证。

正因为孙氏辑本受考据学影响，所以孙氏在辑校时比较严谨。其书很受读书界重视，翻刻者亦多，现今已知版本有7种，连抄本共有8种本子。

（4）日本狩谷望之志辑《本经》。日本仁孝天皇文政七年（1824）狩谷望之志辑《本经》3卷。他在自序中说，本书是考据《证类》《本草和名》《千金翼》《唐本草》等书而成。

涩江籀斋为之作序云："日本文政年间，学者汤岛狩谷望之志由《证类》《本草和名》《千金翼》考据。谓上品142种，中品114种，下品105种，《唐本草》退药6种，总计361种，不与所谓上品120种，中品120种，下品125种，共365种相合"。

南京图书馆藏有日本抄本1册。书后有"原本友人涩江籀斋所手订"字样。因此该馆书目遂署涩江籀斋所辑。

(5)清·顾观光辑《本经》。顾观光，字尚之，又名漱泉，别号武陵山人，江苏金山人。是清代道光年间(1821—1850)考据学家，他从道光九年(1829)到道光二十四年(1844)，辑成《本经》，后刻入《武陵山人遗书》中。

全书共4卷。卷1为序录，卷2为上品药，卷3为中品药，卷4为下品药。全书载药365种，药物排列次序，是按《纲目》卷2所载《本经》目录编排的。顾氏深信这个目录是最古而且最完整的《本经》目录，并批评孙星衍等辑本说："惜其不考本经目录，故三品种数，显与名例相违"。其实那个目录，并不如顾氏所信的那样，是最古的目录，而是宋以后的人将《证类》白字药物目次拼凑而成的。因为那个目录编排次序，和《证类》白字药物目次极为相近；而与《本草和名》所载《唐本草》目录，相差甚远；而与《集注》卷1序录所载七情条例药物排列目次，相差就更远了。

顾氏辑本所用《本经》资料，皆取于《证类》白字文字，其编写体例，亦同《证类》白字。由于顾氏擅长考据，对辑文亦多加考证，其所辑《本经》同二孙合辑本，互有优劣。二孙合辑本，用字书说明药物名义较详。顾本对某些药物条文做了一些校勘。从文献角度来讲，顾本仍不及二孙合辑本精美完善，所以顾本亦不及二孙合辑本流行广。顾本的刊刻，有3种版本，连抄本共有4种本子。

(6)日本森立之辑《本经》。森立之是日本人，他研究本草有30年左右的工夫，又能利用佚存于日本的中国古本医书，所以森氏辑本亦有他独特的优点。

全书载药357种，分上、中、下三品。上品为卷上，中品为卷中，下品为卷下。在上卷之前有《本经》序录；在下卷，附有考异1卷。书的开头有丹波元坚序和森立之序，题署嘉永七年(1854)。则森氏辑本成于1854年。

森氏辑本资料，悉取于《证类》白字文字，并在药物条文中增加"生山谷""生川泽"等生境内容。这一点和二孙合辑本相同。森本所用的目录，以《千金方》《医心方》所载七情条例，参以《新修》及《本草和名》等目次拟定。

森本每个药条文书写体例，都是采用《御览》所引《本经》的文字体例书写的。森氏认为《御览》的体例即是陶弘景时用的体例，到唐代苏敬作《新修》时，才变更为今日《证类》白字的体例。森氏的看法是有问题的。因为吐鲁番出土的《集注》残简所存燕屎、天鼠屎药物条文朱字的体例，全同《证类》白字体例。由此可知《证类》白字体例，并非由苏敬所改而来的。

森本对药物条文都做了校勘，并把校勘结果写成校记，名之曰“考异”，附在书末。校勘所用的书籍，有很多皆不见于国内医书目录中。森本无论从校勘数量还是质量上均胜过孙、顾二家辑本。不过有些校勘也不完全正确。例如森本序录页15，有“又可一君三臣九佐”一句，森氏在《本经·考异》（页110）中云：“九佐下，二本（指《大全》《政和》）并有‘使也’二字，今据真本《千金方》及释性全《顿医钞》正。”按敦煌出土《集注·序录》即有“使也”二字，森氏把“使也”二字删掉，反而使对的变为错误了。

森氏书的版本有二：一是日本嘉永七年（1854）温知药室重刊本；一是1955年群联出版社据以影印本。1957—1958年上海卫生出版社又用前版重印。

（7）清·黄奭辑《本经》。黄奭字右原，江苏甘泉人，世为富商，曾辑佚书280种，同治四年（1865）辑《本经》3卷，收入《黄氏逸书考》中。

黄氏辑本全同二孙合辑本，仅多补遗22条，所补多半摘自《御览》和《证类》之文。杨守敬《日本访书志》卷9云：“案此本与孙氏问经堂从书本全同，唯卷末多补遗二十二条。考孙氏自序，于此书源流甚晰，不应是窃人之书。而卷末二十二条，非平日用力此学，亦不能得也。……然不应没孙氏名而直署已作。”范行准亦云：“二孙辑本，即被当时富商黄奭所窃，删去叙录，辑入《黄氏逸书考》中。”龙伯坚云：“黄奭年代在孙星衍之后，是黄氏抄袭孙氏无疑。”

由于黄奭抄袭二孙合辑本，故其内容全同孙本，书分3卷，末附《本经》佚文、《吴普》12条、诸药制使、补遗22条。

黄奭辑本有清光绪成都尊经书院刊本，1893年汉学堂丛书子史钩沉本，以及清刻本。

（8）清·王闿运辑《本经》。王闿运字任秋，湖南湘潭人，为清末文学家（卒于清亡之后）。著有《湘绮楼集》，集外有《本经》3卷。（清史稿卷482王闿运传）

王氏辑本成于光绪十一年乙酉（1885）。书首有王氏序云：“……今世所传，唯嘉祐刊本，尚有圈别，如陶朱、墨之异，而湘蜀均无其书，求之六年，严生始从长安得明翻刻本，……于时岁在阏逢裙鸿秋七月。甲寅王闿运题记。”

王氏序中号称得明翻刻嘉祐刊本，是可疑的。范行准说：“按我未看到有明翻嘉祐官本神农本草的记载。”

王氏辑本，载药360种，分上、中、下3卷。是书对某些药物做了归并，如并青蘘入胡麻条，蘼芜入芎䓖条，大盐入戎盐条，锡铜镜鼻入粉锡条，殷孽入孔公孽条；并脱漏水蛭、蠮螉两条；另附“本说”一卷，实即三品序例。

王氏辑本有清光绪十一年乙酉（1885）成都尊经书院刻本。

（9）清·姜国伊辑《本经》。姜国伊字伊人，四川岷阳人，清朝末年从事医学著述，著有姜氏医学丛书五种，其中第三种是《本经》。

姜氏辑本共3卷，首有序，题著时间光绪十八年壬辰（1892）。并有凡例、名例、名例补正四则、神农本经目录、本经旧目补正、本经考正、《本经》药品补正。书末有跋，姜国伊自题光绪十八年。

姜氏序云：“……光绪壬辰（1892），春闱下第……归万里，居成都……兹据本经旧目，考次李本（指《纲目》），详附吴本（即序称粤东蜀局所刊孙氏辑本经题吴普本），所多六药补正附记。（国伊）经注，另列卷幅……大清光绪十有八年秋七月戊子。岷阳姜国伊谨序。”姜氏又识云：“咸丰庚申（1860），久病不愈，究心医学，岁辛酉日（1861）注《神农本经》，同治壬戌季冬（1862）得一百八十药，……迄岁辛未（1871），复得药百种，……（光绪）壬辰夏（1892），乃全注之，撰用《内经》，详加诠释。姜国伊又识。”

按姜氏所识，姜氏辑本，始于咸丰十一年辛酉（1861），终于光绪十八年壬辰（1892）。姜氏辑本是用《纲目》卷2所载《本经》目录，采摘《纲目》中所引的《本经》文而成书。

姜氏辑本有清光绪十八年壬辰（1892）成都黄氏茹古书局刊姜氏医学丛书本。

28. 诸家《本经》辑本文字皆出《证类》白字

《本经》原书早已失传，但是它的内容，通过陶弘景《集注》、苏敬《新修》、马志《开宝》、掌禹锡《嘉祐》等被保存在宋代唐慎微《证类》中。最早辑《本经》的是宋代王炎，惜该辑本没有传下来，仅有一序留存于王氏《双溪文集》中。现存的辑本有9家（共26种版本），兹列举如下。

卢复辑《本经》（简称卢本），不分卷，成书于1616年，1种抄本，2种刊本。

孙星衍、孙冯翼合辑《本经》（简称孙本），3卷，成书于1799年，1种抄本，7种刊本。

顾观光辑《本经》（简称顾本），4 种刊本。

王闿运辑《本经》（简称王本），3 卷，附本说 1 卷，成书于 1885 年，1 种刊本。

姜国伊辑《本经》（简称姜本），1 卷，成书于 1892 年，1 种刊本。

黄奭辑《本经》（简称黄本），3 卷，成书于 1893 年，3 种刊本。

林屋洞仙九芝《本草经摘读》（简称林本），成书于 1894 年，1 种抄本。

日本森立之辑《本经》（简称森本），3 卷，附序录 1 卷，考异 1 卷，成书于 1854 年，3 种刊本。

日本狩谷望之志辑《本经》（简称狩本）3 卷，澀江籀斋订，成书于 1824 年，1 种抄本。《全国中医图书联合目录》将此辑本排在《本经》注解一类中，从该书内容来看，亦可视为辑本之一。

以上辑本中所采录的《本经》各个条文，都是出于宋代唐慎微《证类》中的黑底白字文。

日本丹波元坚为森本作序谓："明代卢不远（指卢复）徒采之李氏《纲目》。"但是卢本辑文与《证类》的白字相同，和《纲目》所引《本经》文并不相同，惟书中药物目次与《纲目》所载目录相同。可见卢本的资料是出于《证类》，并非出于李氏《纲目》。其实《纲目》所引的《本经》文，也是出于《证类》中的白字。

《证类》白字的《本经》文，最早始于陶弘景《集注》中的朱字，经过《唐本草》《开宝》《嘉祐》而被保存在《证类》中。现存的各种辑本《本经》的内容基本上是相同的，所不同的有以下四点。

第一，所用目录不同。卢本、顾本、姜本是采用《纲目》卷 2 所载的《本经》目录；孙本、黄本、王本是按《证类》药物目次编排的；森本是按《千金方》《医心方》所载七情药物目次和《唐本草》目录编排的。

第二，药物三品类别不同。由于各种辑本所用的目录不同，因此在药物三品类别方面也各不相同。《纲目》全书中所载《本经》药物品属，和卷 2《本经》目录药物三品类别相差很大，却和《证类》白字《本经》药物品属大体相同。而各种辑本中，卢本、顾本、姜本药物三品类别和《纲目》卷 2 所载《本经》目录一致（以顾本为代表）；孙本、黄本、王本药物三品类别和《证类》一致（以孙本为代表）；森本药物三品类别和《唐本草》目录一致。兹用顾本、孙本、森本为代表，将其中药物三品有别之处比较如下。

孙本、森本列为上品，而顾本视为中品的药物有：白青、扁青、石胆、芎䓖、柴胡、茜根、营实、木兰、白兔藿、发髲、牛黄、雁肪、丹雄鸡、蠡鱼、鲤鱼胆。

孙本、森本列为上品，顾本视为下品的药物有：瓜蒂。

孙本、森本列为下品，顾本视为中品药物有：豚卵、麋脂、桃核、杏核、水蘄。

孙本、森本列为中品，顾本视为下品的药物有：殷孽、孔公孽、铁、铁精、铁落、松萝、猬皮、蟹、樗鸡、蛞蝓、大豆黄卷。

孙本列在上品，而森本、顾本列在中品的药物有：薇衔、檗木、海蛤、文蛤。

孙本列在中品，森本、顾本列在下品的药物有：燕屎。

孙本列在上品，顾本列在中品，森本列在下品的药物有：五加。

总的来说，孙本、森本两书，药物三品类别差异较小，但和顾本的差异较大。

第三，书写体例不同。各种辑本条文书写体例，大体分为两类：一是按《证类》白字的格式书写；一是按《御览》所引《本经》的文字格式书写。在上述9种辑本中，除森本是按《御览》的格式书写外，国内各种辑本都是按《证类》的格式书写。

第四，选订《本经》药物品种不同。孙本、黄本以黍米、粟米、升麻为《本经》药物。按，此三药在《证类》中作黑字《别录》文。除森本以升麻为《本经》药外，其他各种辑本皆不取此三药为《本经》药。又孙本缺石下长卿。王本缺蠮螉、水蛭。

第五，各种辑本对《本经》药物进行合并、分条的情况不同。如卢本、顾本把青蘘并入胡麻条下，赤小豆并入大豆黄卷条下。孙本、黄本并六芝（青芝、赤芝、黄芝、白芝、黑芝、紫芝）为一条，并赤小豆、大豆黄卷为一条，并葱、薤为一条，并戎盐、大盐、卤咸为一条，并粉锡、锡铜镜鼻为一条，并铁、铁精、铁落为一条。森本将铁、铁精、铁落并为一条，粉锡、锡铜镜鼻并为一条，戎盐、大盐、卤咸并为一条，赤小豆、大豆黄卷并为一条，葱、薤并为一条，又将文蛤并入海蛤，牛角鰓并入牛黄中，鼠李并在郁核条下，鼺鼠并入六畜毛蹄甲中。王本把大盐并入戎盐条下，锡铜镜鼻并入粉锡条下，殷孽并入孔公孽条下，蘼芜并入芎䓖条下，青蘘并入胡麻条下。

各种辑本对《本经》药物合并、分条或对某些药物选择取舍的不同，带来了各辑本药物总数不同的问题。单就“灵芝”而言，孙本、黄本当作1条药计算，而卢本、顾本、森本当作6条计算，因而出现了卢本、顾本、姜本的药物总数是365种，孙本、黄本、森本为357种，王本是360种等的不同。

1949年以来刊印的《本经》有4种：1955年人民卫生出版社影印的顾本《本经》和商务印书馆重印的孙本《本经》，1957年群联出版社影印的森本《本经》，1982年中医古籍出版社影印的黄本《本经》。

顾氏辑本，主要是根据《纲目》卷2所载的《本经》目录来重辑的。那个目录虽然符合上品120种、中品120种、下品125种的要求，但是那个目录存在很多疑问，并不如顾氏所相信的那样，是最古而最可靠的。首先那个目录在编排顺序上，按玉石、草、木、果、米、菜、兽、禽、虫鱼等分类，每类药物排列次序，和《证类》白字药物排列次序几乎完全相同，和《唐本草》中《本经》药排列次序不同，这就提示顾本目次是后人伪造的。陶弘景曾批评过古代《本经》目次是草、石不分，虫、兽无辨。而顾本目次这样完整而有系统，显然是后人根据《证类》白字《本经》药物目次拼凑而成的。

孙氏所辑的《本经》，是以校定古书为宗旨的，除以《证类》白字辑出《本经》外，在每个药物后面，还将《吴普》《别录》《说文》《尔雅》等古代文献资料补充进去。但是对全书药物目录编排和上、中、下三品归类，袭用《证类》方式。因此书中药物总数和上、中、下三品归类的数字，不符合上品120种、中品120种、下品125种的要求。

森立之所辑的《本经》是根据《千金方》《医心方》所载七情条例中药物排列次序，参考《唐本草》药物目录而编排的。每个药物条文书写体例，悉依《御览》所引《本经》药物条文体例，即药名→一名→气味→出处→主治等次序书写。但所辑条文内容，全依《证类》白字。所以森氏的辑本，在内容上和其他各种辑本大体相同，仅仅书写体例不同而已。另外森氏辑本所录药物总数也不符合365种要求。上、中、下三品数字也不符合上品120种、中品120种、下品125种要求。

29. 诸家《本经》辑本因药物合并、分条，使陶弘景所订《本经》药365种发生变异

《证类》白字序文云："上药一百二十种，……中药一百二十种，……下药一百二十五种……"合共365种。

但《证类》各卷所记《本经》药物种数为玉石上18，玉石中16，玉石下12；草上38+34，草中32+14，草下30+18；木上19，木中17，木下18；人1；兽上6，兽中7，兽下4；禽5；虫上10，虫中16，虫下18；果9；米上3，米中2，米下1；菜上5，菜中5，菜下2；唐退6，宋退1。共计367种。为什么会多出2种？这就是《本经》药物存在合并和分条的缘故。

《证类》卷5锡铜镜鼻条，陶隐居注云："此药与胡粉异类，而今共条。"按胡粉即粉锡，陶弘景注粉锡条云："即今化铅所作胡粉也。"据此可知，陶弘景作《集注》时，把锡铜镜鼻和粉锡并为一条。《证类》卷20文蛤条，陶注云："海蛤至滑泽……文蛤小，……此既异类而同条，……凡有四物如此。"《证类》卷25赤小豆条，陶注云："大、小豆共条，犹如葱、薤义也。"《证类》卷28薤条，陶注云："葱、薤异物，而今共条。"

今本《证类》对锡铜镜鼻、粉锡、海蛤、文蛤、大豆、赤小豆、葱、薤，作8味药计算的，如按陶弘景所注，这些药在《集注》中是作4味药计算的。

不独陶弘景《集注》言明《本经》药物有合并和分条，即后世本草也有类似的情况。如《纲目》和明清以来国内外诸家所辑《本经》亦存在合并分条的问题。

《纲目》卷1上，"采集诸家本草药品总数"标题下云："《本经》三百四十七种，除并入一十八种外，……"这是说《纲目》全书载药1892种，采自《本经》347种，其余18种，或与《纲目》中某些药有重复关系，而被归并了。兹将《纲目》中归并的《本经》药，列举如下。

（1）锡铜镜鼻附在古镜条后。按，古镜是《纲目》采自陈藏器《拾遗》的药，时珍以古镜为正目，以锡铜镜鼻为子目，分别作两条述之。

（2）肤青，《纲目》列在白青条附录中，并改名为录肤青，标注《别录》字样。肤青，《证类》作白字《本经》文。

（3）大盐并在食盐条下，按食盐是《别录》药，非《本经》药。

（4）玉泉并在玉条下，《纲目》注玉为《别录》上品。

（5）石下长卿并入徐长卿条中。

（6）翘根并入连翘条中。

（7）蜀漆并在常山条下，以常山为正目，以蜀漆为子目，分别作两条述之。

（8）药实根，《纲目》列在解毒子条附录中，并改名为海药实根。

（9）蒲黄并在香蒲条下，以香蒲为正目，以蒲黄为子目，分别作两条述之。

（10）青、赤、黄、白、黑、紫六芝，并在芝条中。

（11）瓜蒂并在甜瓜条中，按甜瓜是《纲目》采自《嘉祐本草》的药。

（12）天鼠屎并在伏翼条下，以伏翼为正目，以天鼠屎为子目，分别作两条述之。

（13）白胶、鹿茸皆并在鹿条中。

从上述例子来看，《纲目》对《本经》药，也有合并的做法，如翘根与连翘，石下长卿与徐长卿，香蒲与蒲黄，蜀漆与常山，天鼠屎与伏翼，鹿茸与白胶，青、赤、黄、白、黑、紫六芝等。不过这里要说明一点，就是《纲目》对《本经》药物归并，不局限于《本经》药物之间相互归并，同时也会把《本经》药归并在非《本经》药物中。如锡铜镜鼻并在古镜条后，大盐并在食盐条下，瓜蒂并在甜瓜条下。古镜、食盐、甜瓜皆非《本经》药物，所以《纲目》中归并18种《本经》药，并不意味着重复18种。但是日本久保田晴光《汉药研究纲要》云："《本经》载药365种，其中除重复18种外，得347种。"因此就产生《本经》重复18种药的误传。

各种辑本《本经》皆对《本经》药物亦进行了合并和分条。

孙星衍、孙冯翼合辑《本经》和黄奭辑《本经》并六芝（青、赤、黄、白、黑、紫）为1条，并赤小豆、大豆黄卷为1条，并葱、薤为1条，并大盐、卤盐于戎盐下，并粉锡、锡铜镜鼻为1条，并铁、铁精、铁落为1条（名铁精落）。

森立之辑《本经》将铁、铁精、铁落并为1条，粉锡、锡铜镜鼻并为1条，戎盐、大盐、卤咸并为1条，葱、薤并为1条，文蛤并入海蛤，牛角䚡并入牛黄（按《唐本草》注云，其胆《本经》附出牛黄条中……今拔出随例在此），鼠李并入郁核，鼺鼠并入六畜毛蹄甲（按陶弘景注云，今亦在附品限也）。

王闿运辑的《本经》，将大盐、戎盐并为1条，粉锡、锡铜镜鼻并为1条，殷孽并入孔公孽，蘼芜并入芎䓖，青蘘并入胡麻。

顾观光辑的《本经》和卢复辑的《本经》是用《纲目》卷2所载的《本经》目录，该目录把青蘘并入胡麻，赤小豆并入大豆黄卷，并把青、赤、黄、白、黑、紫六芝作6条计算。

《本经》药物历来存在合并与分条的问题，因而使《本经》药数很难确定了，例如青、赤、黄、白、黑、紫六芝，原来究竟是作1条计算，还是作6条计算？敦煌出土的《集注》（1955年群联出版社影印本）页82第2行云："草上六芝，薯蓣为之使，……"此六芝似作1条计算的。但《证类》的六芝，是作6条计算的。森立之、顾观光等辑本，亦作6条计算的。但孙星衍、孙冯翼合辑本，是作1条计算的。

此外如铁、铁精、铁落，大盐、戎盐、卤咸，粉锡、锡铜镜鼻，殷孽、孔公孽，海蛤、文蛤，牛黄、牛角䚡，鼺鼠、六畜毛蹄甲，鼠李、郁核，葱、薤，蘼芜、芎䓖，胡麻、青蘘，大豆黄卷、赤小豆等，在各种辑本中，随着医家主观意志或合并或分条，皆各不相同。

按陶弘景作《集注》时，仅言海蛤与文蛤，粉锡与锡铜镜鼻，大、小豆，葱与薤等共条，其他各药并未有注明共条，而各种辑本增加这么多的共条药物，其结果是使《本经》药物总数难以符合365种数目了。

30. 顾观光辑《本经》药物合并、分条的讨论

（1）顾观光误《集注》为《别录》。顾观光辑《本经》序云："梁陶隐居《别录》始分玉石草木三品为三卷，虫兽果菜米食有名未用三品为三卷，又有序录一卷，合为七卷。故《别录》序后云：'本草经卷上，叙药性之原本，论病名之形诊，记题品录，详览施用。本草经卷中，玉石草木三品。本草经卷下，虫兽果菜米食三品，有名未用三品。右三卷，其中下二卷，药合七百三十种，个别有目录，并朱墨杂书并子注，今大书分为七卷。'"

从这段序文来看，顾氏误解《证类》卷1"梁陶隐居序"为《别录》序。序文中所讲"《别录》序后云"的资料，即"梁陶隐居序"的资料。《证类》卷1所载"梁陶隐居序"，不是《别录》序，而是陶弘景《集注》序。此序和敦煌出土陶弘景《集注》卷1序录前半截全同。由此可见顾氏辑《本经》序中所言"《别录》"，实为《集注》之误。

（2）青蘘分条的疑问。顾氏《本经》序云："《别录》于《本经》诸条，间有并析。……青蘘之分，盖自《别录》始。赤小豆之分，则自《唐本草》始，是为三百六十七种。"

上文讲过，顾氏《本经》序中所言"《别录》"，实乃《集注》。顾氏谓"青蘘之分，盖自《别录》始"，意即青蘘之分，盖自《集注》始。但是现存古本草，查不出顾氏所说的话有何根据。查《证类》卷24胡麻条有《唐本草》注，其注文为"青蘘，《本经》在草部上品，既堪噉（同啖），今从胡麻条下。"

按，《唐本草》由苏敬在《集注》基础上编纂而成，《唐本草》注文中所讲的"《本经》"，当为《集注》。从《唐本草》注文可以看出，青蘘在陶氏《集注》中，是列在草部。《唐本草》认为青蘘可食，即把青蘘从草部移到米谷部，列在胡麻条下。但《唐本草》并没有讲过陶弘景从《本经》胡麻条中分出青蘘。顾氏《本经》序所云"青蘘之分，盖自《别录》始"是从《唐本草》注文中的"本经"二字望文生义揣测而来的。

有很多人，对古本草注文中的"本经"含义并不了解。"本经"二字，在历代本草中，多指前代本草而言。例如《政和》卷5页134"土殷孽"条有《唐本草》注云："本经俱云在崖上"。按，"土殷孽"是《别录》药，非《本经》药。而《唐本草》注说，"本经俱云在崖上。"这个"本经"当指《集注》而言。同书页

509 蓼实条，《本草衍义》注云："翏实即《本经》第十一卷水蓼子也。"水蓼是《唐本草》新增的药，列在《唐本草》卷 11，由此可见，《本草衍义》所讲的"本经"，并非古代真正的《本经》，而是泛指前代本草而言。关于此问题，另见专文。

（3）顾本药物因合并分条的不同，使药物总数的意义也不同。顾氏《本经》收载药物 365 种。其中青蘘并在胡麻条内，赤小豆并在大豆黄卷条内。《证类》和《唐本草》中，青蘘和赤小豆是独立成条的。所以《证类》和《唐本草》中所载《本经》药总数均为 367 种。其中包括上品药 141 种，中品药 113 种，下品药 105 种，未分何品药入部 1 种，有名未用药 7 种。

《证类》中青蘘、赤小豆独立成条。顾氏在其《本经》序中说："青蘘之分，盖自《别录》始。赤小豆之分，则自《唐本草》始，是为三百六十七种。"关于"青蘘之分，盖自《别录》始"并无文献根据；而"赤小豆之分，则自《唐本草》始"是有文献根据的。前文已言，此不赘述。

现在再来考察顾氏《本经》药物合并分条的情况。

1）顾氏把青蘘并在胡麻条内。顾本卷 2 页 47 胡麻条末注云："《本经》目录（指《纲目》卷 2 所载《本经》目录）有胡麻无青蘘，考经文通例，无有以一物而分为两种者，此文上云叶名青蘘，下云巨胜苗也。明本是一条矣，其拆为二，盖自陶氏《别录》（当指《集注》）始。而《唐本草》复合之，注云：'青蘘本经草部上品中，既堪噉，今从胡麻条下。'"

按顾氏所注，青蘘由陶氏分出，又由《唐本草》复合之。顾氏说陶弘景分出青蘘，并未提出陶弘景拆分青蘘文献的根据。仅提出所谓经文通例，无有以一物分为二种者。而顾氏所言"经文通例"并不符合事实，在《本经》中同一物，其不同部分作两药者，例子也是有的。例如同一种动物"牛"，其牛角鳃、牛黄，《本经》就作 2 条计算的，顾本也是分为 2 条的。铁、铁精同为一物，《本经》是作 2 条计算的，顾本也是分为 2 条的。又如白石英、紫石英同为石英一物，顾本也是分为 2 条的。顾本说："经文通例，无有一物而分为二种者"，是难以成立的。所以将胡麻苗（巨胜）和胡麻叶（青蘘）分为 2 条。这与牛角鳃、牛黄分立为 2 条有什么不同呢？顾氏说青蘘为陶氏作《别录》（即《集注》）时分出，其文献根据是不足的。

2）顾本卷 2 麻蕡条内并有麻子条，此与《唐本草》注不合。《证类》卷 24 麻蕡条，《唐本草》注云："蕡即麻实，非花也……陶以为花，重出子条，误矣。"根据《唐本草》注，陶弘景作《集注》时，麻蕡、麻子是分为 2 条的，《唐本草》并为 1 条。按照陶弘景所言《本经》药 365 种，麻子是单独作为 1 条计算的，今顾本把麻子并入麻蕡条内，显与陶弘景所言《本经》药具体数字不符。

3）顾本卷3 薤条（页71）、文蛤（页76），卷4 锡铜镜鼻（页79），皆各自独立成条。按陶弘景作《集注》时，取《本经》药365 种，其中有4 种是由两个药合并组成的。陶弘景在文蛤条注云：“此既异类而同条……凡有四物如此。”四物即赤小豆、锡铜镜鼻、文蛤、薤。此四物在陶弘景作《集注》时归并入其他条中，使《本经》药总数符合365 种之数。这四物到唐代苏敬作《唐本草》时又被拆开，各自独立成条。顾氏只见到《本草图经》所云“赤小豆旧与大豆同条，苏恭分之”，因而把赤小豆并入大豆黄卷条中，而将其他三物（锡铜镜鼻、文蛤、薤），仍各自独立成条。这样一来，顾本中《本经》总数，虽是365 种，但是论及具体药，就与陶弘景作《集注》时所取的《本经》药365 种的含义不同了。

31. 顾观光辑《本经》所用目录，是后人从《证类》改编的

《纲目》卷2 载有《本经》目录，下有时珍曰：“《神农古本草》凡三卷三品共三百六十五种，……逮乎唐、宋，屡经变易，旧制莫考，今又并入已多，故存此目，以备考古云耳。”

明代卢复，清代顾观光即以此目录辑成单行本《本经》，而顾氏又深信这个目录是最古而最可靠的目录，故在其辑本序言中说：“幸而《纲目》卷2 具载《本经》目录，得以寻其原委，而析其异同，《本经》三百六十五种之文，章章可考，无阙佚，无羡衍，岂非天之未丧斯文，而留以有待乎？”

顾氏以为这个目录最可靠，就认为孙星衍所辑《本经》的目录不可靠，并批评孙氏说：“近孙渊如尝辑是书（指《本经》），刊入问经堂中，惜其不考《本经》目录，故三品种数，显与名例相违。”孙氏辑本的目录固然不可靠，但是《纲目》卷2 所载《本经》目录，也并不如顾氏所相信的那样，是最古、最可靠的目录。

顾氏辑本目录，即《纲目》卷2 所载《本经》目录。该目录也是根据《证类》白字《本经》药物目次改编而成的，何以见得呢？试将顾本目录上品120 种药物，顺次标以自然号码，即可看出上品120 种药物，基本上是和《证类》目录大体相同的。

顾本目录，开头15 味是玉石上品：

1. 丹砂　2. 云母　3. 玉泉　4. 石钟乳　5. 矾石　6. 消石　7. 朴硝　8. 滑石　9. 空青　10. 曾青　11. 禹馀粮　12. 太一馀粮　13. 白石英　14. 紫石英　15. 五色石脂

把顾本玉石上品15 味药，和《证类》玉石上品比较一下，在第8 号滑石条后，《证类》多一个石胆，在第15 号五色石脂后，《证类》多白青、扁青两个药。其余药物，《证类》、顾本两个目录排列次序全部相同。由此可知，顾本玉石上品15味药物目次，是由《证类》卷3玉石上品白字目次改编而成的。顾本把石胆、白青、扁青，迁移到中品去了。

再看顾本目次上品第16号到52号药：

16. 菖蒲　17. 菊花　18. 人参　19. 天门冬　20. 甘草　21. 干地黄　22. 术　23. 菟丝子　24. 牛膝　25. 茺蔚子　26. 女萎　27. 防葵　28. 麦门冬　29. 独活　30. 车前子　31. 木香　32. 薯蓣　33. 薏苡仁　34. 泽泻　35. 远志　36. 龙胆　37. 细辛　38. 石斛　39. 巴戟天　40. 白英　41. 白蒿　42. 赤箭　43. 菴蕳子　44. 菥蓂子　45. 蓍实　46. 赤芝　47. 黑芝　48. 青芝　49. 白芝　50. 黄芝　51. 紫芝　52. 卷柏

自16号菖蒲到52号卷柏，共计37味。把这37味药和《证类》上品目次菖蒲到卷柏比较一下，顾本在27号防葵后缺一个柴胡，如加一个柴胡，即和《证类》卷6草部上品之上白字全同。这就说明顾本上品目次第16号菖蒲到52号卷柏，共37味药，是《证类》卷6草部上品之上38味药，剔除一味柴胡改编而成的。

再看顾本上品目次第53号蓝实到81号王不留行，共29味，该29味与《证类》卷7草部上品之下白字目次相同，所以顾本上品第53~81号药物目次，实即由《证类》卷7白字去掉芎䓖、营实、茜根、白菟藿、薇衔等药（迁入中品）而成。

再看顾本上品目次，自82号牡桂到98号蕤核，共17味，这17味和《证类》卷12木部上品白字目次相同。所以这17味药品，也是由《证类》卷12木部上品，剔除檗木、五加皮、木兰3味，又进橘柚而成的。

又顾本上品目次自99号藕实到120号桑螵蛸，都是从《证类》各卷白字《本经》药物目次改编而成的。

把顾本上品120种药物目次，同《证类》各卷白字相比较，可得出如下的结果。

1~15号同《证类》玉石上品。

16~52号同《证类》草部上品之上。

53~81号同《证类》草部上品之下。

82~98号同《证类》木部上品。

99~103号同《证类》果部上品。

104~105号同《证类》米谷部上品。

106～109 号同《证类》菜部上品。

110～114 号同《证类》兽部上品。

115～120 号同《证类》虫鱼部上品。

再把顾本中品、下品药物目次，与《证类》中、下品各卷白字目录相比较，发现大致相同。说明顾本中、下品药物目次，也是由《证类》各卷白字改编而成的。由于篇幅所限，具体比较目次，此处从略。

总之顾本目次，是由《证类》白字《本经》药物目次改编而成，并把《证类》白字某些药物位置进行移动，计移动的药物有下列数种。

移上品入中品：石胆、白青、扁青、柴胡、芎䓖、营实、茜根、白菟藿、薇衔、檗木、五加皮、木兰、牛黄、丹雄鸡、雁肪、海蛤、文蛤、蠡鱼、鲤鱼胆。

移上品入下品：瓜蒂。

移中品入下品：孔公孽、殷孽、铁落、铁、松罗、燕屎、伏翼、猬皮、蟹、蛴螬、樗鸡、蛞蝓、木虻、蜚虻、蜚蠊、䗪虫、青蘘、赤小豆、大豆黄卷。

移下品入中品：豚卵、麋脂、桃核仁、杏核仁、水靳。

这种迁移的结果，使《纲目》卷 2 所载《本经》目录在三品类别上更混乱。

把《唐本草》目录中所载《本经》药物顺次抄下来，同《纲目》卷 2 所载《本经》目次比较一下，发现二者《本经》药物排列次序差得很远。而《证类》白字药物次序，基本上和《纲目》卷 2 所载《本经》目次是相同的。按理讲，《唐本草》比宋代《证类》更古些，《唐本草》目次和《纲目》卷 2 所载《本经》目次应相近才对。可是事实上，他们之间相似的反而更少了。这就使人怀疑《纲目》卷 2 所载《本经》目次，并非如顾氏所相信的那样是最古的。

比《唐本草》更早的书是陶弘景《集注》。1900 年敦煌石室出土了陶弘景《集注·序录》（1955 年群联出版社加以影印），该书页 81～90 有陶弘景摘录药物畏恶七情资料汇编（原书无标题，为着研究方便，以下简称“七情表”）。这个“七情表”，载药 198 种，其中《本经》药 181 种，《别录》药 17 种。该 181 种《本经》药是按玉石、草木、虫兽、果、菜、米分类的，每类又分上、中、下三品。

在这个“七情表”中，《本经》药物分类，是目前已知最早的分类，也是已知最古的《本经》药物目次的雏形。顾氏认为《纲目》卷 2 所载《本经》目录是最古的目录，既然是最古的目录，应该与“七情表”中《本经》目次相同，可是实际对比一下，二者相差更大。《纲目》卷 2 所载《本经》目录，既与“七情表”中《本经》目次不相同，又与《唐本草》中《本经》目次不相同，而与《证类》白字目次相同，这就使人怀疑，《纲目》卷2所载《本经》目次，是由《证类》白字目次改编而成的。

另外陶弘景《集注》卷1序录云："此书（指《本经》）应与《素问》同类，但后人更修饰之耳……魏晋以来，吴普、李当之等更复损益，或五百九十五，或四百四十一，或三百一十九，或三品混糅，冷热舛错，草石不分，虫树无辨……"从这一段话，可以了解陶弘景所见到的《本经》目录，不仅药物总数不同，而草、石、虫、树分类也不明确。但是看一看《纲目》卷2所载《本经》目录，其对玉石、草、木、虫兽、果、菜、米等药物分类很明确，1～15号是纯玉石类，16～81号是纯草类，82～98号是纯木类，99～103号是纯果类，104～105号是纯米类，106～109号是纯菜类，110～114号是纯兽类，115～120号是纯虫类等。这样完整的分类，非常有条理的排列次序，和陶弘景所见《本经》"三品混糅，冷热舛错，草石不分，虫树无辨"是极为矛盾的。

从本草文献发展来看，现存《证类》白字，是沿《本经》→《集注》→《唐本草》→《开宝》→《嘉祐》→《证类》发展而来的。各代本草都是承前代本草之书而成的，所以《本经》文，基本上的被保存在《证类》中。但是《本经》各个药物的位置，并非原封不动被抄下来，它们在历代本草编纂时，都有所改动，且编纂次数愈多，被改动的数量就愈多。如今《纲目》卷2所载《本经》目录，和"七情表"中《本经》目次相去甚远，而与《证类》白字目次相去甚近。很明显，《纲目》卷2所载《本经》目录是宋以后的人从《证类》白字改编而成的。同时改编的人，既未见过《唐本草》目录，更无缘得见敦煌出土《集注》中"七情表"《本经》药物目次。顾观光自言："为考古计，非为业医计也。"其实顾观光也未见过这些资料，仅凭主观揣测，而产生一些不必要的误解。

（三）陶弘景整理的《本经》文与《纲目》中"本经"问题

32.《纲目》卷2所载《本经》目录上品与《政和》《唐本草》勘比分析

《纲目》卷2载有《本经》目录，下有时珍曰："《本经》凡三卷三品共三百六十五种，……逮乎唐、宋，屡经变易，旧制莫考，今又并入已多，故存此目，以备考古云耳。"明代卢复、清代顾观光即以此目录辑成单行本《本经》。而顾氏又深信这个目录是最古老而最可靠的目录，并在其辑本序言中说："幸而《纲目》卷2具载《本经》目录，得以寻其原委，而析其异同，《本经》三百六十五种之文，章章可考，无阙佚，无羡衍，岂非天之未丧斯文，而留以有待乎?"顾氏以为这个目录最可靠，就认为孙星衍所辑《本经》的目录不可靠，并批评孙氏说："近孙渊如尝辑是书（指《本经》），刊入问经堂中，惜其不考《本经》目录，故三品种数，显与名例相违。"孙氏辑本的目录固然不可靠，但是《纲目》卷2所载《本经》目录也并不如顾氏所相信的那样，是最古、最可靠的。

为了研究方便，选用3种《本经》目录药物排列次序进行比较：一是《纲目》卷2所载古《本经》目录次序；二是《政和》中白字《本经》药物排列次序；三是《唐本草》中《本经》药物排列次序。兹将3种《本经》上品药物排列次序按玉石部上品、草部上品、木部上品、果部上品、米部上品、菜部上品、兽禽部上品、虫鱼部上品分别比较如下。

（1）玉石部上品。

《纲目》玉石部上品	《政和》玉石部上品	《唐本草》玉石部上品
1 丹砂	1 丹砂	3 玉泉
2 云母	2 云母	1 丹砂
3 玉泉	3 玉泉	9 空青
4 石钟乳	4 石钟乳	10 曾青
5 矾石	5 矾石	132 白青(《纲目》排在玉石部中品)
6 硝石	6 硝石	133 扁青(《纲目》排在玉石部中品)
7 朴硝	7 朴硝	131 石胆(《纲目》排在玉石部中品)
8 滑石	8 滑石	2 云母
9 空青	131 石胆(《纲目》排在玉石部中品)	4 石钟乳
10 曾青	9 空青	7 朴硝
11 禹馀粮	10 曾青	6 硝石
12 太一馀粮	11 禹馀粮	5 矾石
13 白石英	12 太一馀粮	8 滑石
14 紫石英	13 白石英	14 紫石英
15 五色石脂	14 紫石英	13 白石英
	15 五色石脂	15 五色石脂
	132 白青(《纲目》排在玉石部中品)	12 太一馀粮
	133 扁青(《纲目》排在玉石部中品)	11 禹馀粮

注：第1列15种药物前各标以自然号码，代表《纲目》所载古《本经》目录的药物排列次序。第2列中18种药物是按《政和》白字《本经》药物次序排列的，各药名前号码代表该药在《纲目》排列次序中的相应位置。第3列中18种药物是按《唐本草》中《本经》药物次序排列，各药名前号码代表该药在《纲目》排列次序中的相应位置。下皆仿此。

在上表中，《纲目》《政和》《唐本草》三种《本经》药物目录（另外还有《集注》七情药《本经》目录，未列出），其药名排列次序都是按各书原有的顺序排列的。《纲目》卷2古《本经》目录，各药名前号码是按《纲目》药物排列次序编以自然号码；《政和》《唐本草》药名前号码，是按《纲目》自然顺序中的数字来标的。这样可以比较《政和》《唐本草》中药名前的号码排列次序与《纲目》卷2古《本经》目录中药物排列次序是否相同。排列次序相同的越多，即表示二者关系更密切，排列次序相同的越少，则表示二者密切度亦小。

先比较三种《本经》玉石部上品药物排列次序。《纲目》玉石部上品，从1号丹砂到15号五色石脂共15种，将之同《政和》《唐本草》各个药名前所注的号码相比较，勘比的结果是：《政和》药名前号码符合自然顺序的较多，亦即和《纲目》药物排列顺次大体相同；而《唐本草》药名前号码，符合自然顺序的极少，亦即和《纲目》药物排列次序不相同的多。

这里要注意，李时珍一再声称《纲目》卷2古《本经》目录是最古的目录。按本草发展，《唐本草》比《政和》要早出书600年。那么古《本经》目录中的药物排列次序应与成书较早的《唐本草》相同，不应与晚成书的《政和》完全相同。《唐本草》从公元659年成书起，经过《开宝》《嘉祐》《证类》《大观》而到《政和》，中间经过多次编纂与翻刻，其目录亦相应地不断变更。到《政和》时，其《本经》目次与《唐本草》的差异已很大了。

《政和》中的《本经》药物排列次序，既然不与《唐本草》相同，又如何能同更早成书的古《本经》目录相同呢？但事实上，《政和》《本经》药物排列次序与《纲目》卷2古《本经》目录完全相同。这就证明《纲目》古《本经》目录不是最古的目录。它的排列次序与《唐本草》不相同，说明《纲目》古《本经》目录与《唐本草》关系很小；它的排列次序与《政和》完全相同，说明《纲目》古《本经》目录与《政和》关系极为密切。根据上述的事实，从《政和》目次中，剔除石胆、白青、扁青三药后，剩下的药物目次，即变成《纲目》古《本经》目录玉石部上品的目次了。

（2）草部上品。

《纲目》草部上品	《政和》草部上品	《唐本草》草部上品
16　菖蒲	16　菖蒲	48　青芝
17　菊花	17　菊花	46　赤芝

续表

《纲目》草部上品	《政和》草部上品	《唐本草》草部上品
18　人参	18　人参	50　黄芝
19　天门冬	19　天门冬	49　白芝
20　甘草	20　甘草	47　黑芝
21　干地黄	21　干地黄	51　紫芝
22　术	22　术	42　赤箭
23　菟丝子	23　菟丝子	19　天门冬
24　牛膝	24　牛膝	28　麦门冬
25　茺蔚子	25　茺蔚子	22　术
26　女萎	26　女萎	26　女萎
27　防葵	27　防葵	21　干地黄
28　麦门冬	140　柴胡(《纲目》排在草部中品)	16　菖蒲
29　独活	28　麦门冬	35　远志
30　车前子	29　独活	34　泽泻
31　木香	30　车前子	32　薯蓣
32　薯蓣	31　木香	17　菊花
33　薏苡仁	32　薯蓣	20　甘草
34　泽泻	33　薏苡仁	18　人参
35　远志	34　泽泻	38　石斛
36　龙胆	35　远志	24　牛膝
37　细辛	36　龙胆	52　卷柏
38　石斛	37　细辛	37　细辛
39　巴戟天	38　石斛	29　独活
40　白英	39　巴戟天	141　升麻(《纲目》排在草部中品)
41　白蒿	40　白英	27　防葵
42　赤箭	41　白蒿	45　蓍实
43　菴蕳子	42　赤箭	43　菴蕳子
44　菥蓂子	43　菴蕳子	33　薏苡仁
45　蓍实	44　菥蓂子	30　车前子
46　赤芝	45　蓍实	44　菥蓂子
47　黑芝	46　赤芝	25　茺蔚子
48　青芝	47　黑芝	31　木香
49　白芝	48　青芝	36　龙胆

续表

《纲目》草部上品	《政和》草部上品	《唐本草》草部上品
50　黄芝	49　白芝	23　菟丝子
51　紫芝	50　黄芝	39　巴戟天
52　卷柏	51　紫芝	40　白英
53　蓝实	52　卷柏	41　白蒿
54　蘼芜	53　蓝实	59　肉苁蓉
55　黄连	141　芎䓖(《纲目》排在草部中品)	73　地肤子
56　络石	54　蘼芜	57　蒺藜子
57　蒺藜子	55　黄连	60　防风
58　黄芪	56　络石	79　石龙刍
59　肉苁蓉	57　蒺藜子	56　络石
60　防风	58　黄芪	55　黄连
61　蒲黄	59　肉苁蓉	77　沙参
62　香蒲	60　防风	67　丹参
63　续断	61　蒲黄	81　王不留行
64　漏芦	62　香蒲	53　蓝实
65　天名精	63　续断	74　景天
66　决明子	64　漏芦	65　天名精
67　丹参	169　营实(《纲目》排在草部中品)	61　蒲黄
68　飞廉	65　天名精	62　香蒲
69　五味子	66　决明子	71　兰草
70　旋花	67　丹参	66　决明子
71　兰草	160　茜草(《纲目》排在草部中品)	141　芎䓖(《纲目》排在草部中品)
72　蛇床子	68　飞廉	54　蘼芜
73　地肤子	69　五味子	63　续断
	70　旋花	80　云实
	71　兰草	58　黄芪
	72　蛇床子	78　徐长卿
	73　地肤子	76　杜若
	169　营实(《纲目》排在草部中品)	72　蛇床子
	74　景天	75　茵陈蒿
	75　茵陈蒿	64　漏芦
	76　杜若	160　茜根(《纲目》排在草部中品)

《纲目》草部上品	《政和》草部上品	《唐本草》草部上品
	77　沙参	171　薇衔(《纲目》排在草部中品)
	168　白兔藿(《纲目》排在草部中品)	69　五味子
	78　徐长卿	70　旋花
	79　石龙刍	168　白兔藿(《纲目》排在草部中品)
	171　薇衔(《纲目》排在草部中品)	
	80　云实	
	81　王不留行	

从表中三种《本经》药名前自然序码的比较来看，《纲目》与《政和》几乎完全相同，《纲目》与《唐本草》却不相同。

《纲目》草部上品从16号菖蒲到81号王不留行共66味药，与《政和》相比，少柴胡、芎䓖、营实、茜根、白兔藿、薇衔6味。当《政和》除去此6味药后，剩下的药在名称、数字、排列次序上与《纲目》完全相同。把《纲目》和《唐本草》相比，《唐本草》亦比《纲目》多芎䓖、营实、茜根、白兔藿、薇衔、柴胡6味药，但除此以外，《唐本草》所剩下的药物在数字上和排列顺序上，与《纲目》并不相同。

（3）木部上品。

《纲目》木部上品	《政和》木部上品	《唐本草》木部上品
82　牡桂	82　牡桂	89　茯苓
83　箘桂	83　箘桂	84　松脂
84　松脂	84　松脂	88　柏实
85　槐实	85　槐实	83　箘桂
86　枸杞	86　枸杞	82　牡桂
87　橘柚(《政和》列在果部上品)	88　柏实	95　杜仲
	89　茯苓	92　干漆
88　柏实	90　榆皮	93　蔓荆实
89　茯苓	91　酸枣	97　女贞实
90　榆皮	190　檗木(《纲目》列在木部中品)	96　桑上寄生
91　酸枣	92　干漆	98　蕤核
92　干漆	204　五加(《纲目》列在木部中品)	204　五加(《纲目》列在木部中品)
93　蔓荆实	93　蔓荆实	190　檗木(《纲目》列在木部中品)

续表

《纲目》木部上品	《政和》木部上品	《唐本草》木部上品
94　辛夷	94　辛夷	94　辛夷
95　杜仲	96　桑上寄生	203　木兰(《纲目》列在木部中品)
96　桑上寄生	95　杜仲	90　榆皮
97　女贞实	97　女贞实	91　酸枣
98　蕤核	203　木兰(《纲目》列在木部中品)	85　槐实
	98　蕤核	86　枸杞
		87　橘柚

《纲目》木部上品从82号牡桂到98号蕤核，共17味药，同《政和》相比较几乎全相同，所不同的是《政和》多檗木、五加皮、木兰，少橘柚；再和《唐本草》相比，《唐本草》也比《纲目》多檗木、五加皮、木兰，不少橘柚，但《唐本草》中其余的药物在数字上和排列次序上，和《纲目》都不相同。这就提示《纲目》把《政和》木部上品中的檗木、五加皮、木兰3味药移入中品，又把果部上品橘柚移在木部上品86号枸杞之后，从而编成《纲目》木部上品《本经》药物排列次序。

但也有人不同意这种看法，其认为《政和》一书将《本经》原来的药物分类做了更改，而《纲目》的目录则仍依原书。说者又云："橘柚一药，在《政和》卷23果部上品。原注云：'自木部今移'。可知其原为木部上品药。而在《纲目》的目录中，橘柚药列入木部上品。"

按说者所云，《政和》一书将《本经》原来的药物分类做了更改，并以橘柚"自木部今移"为例来证明，笔者认为未必正确。橘柚自木部移到果部，其位置更改并非始于《政和》。查人卫《政和》卷23果部上品药名下有小字注："自木部今移。"这5个字原出于《开宝》所注。人卫《政和》页28"开宝重定序"云："橘柚附于果实。"《开宝》的注，通过《嘉祐》《大观》被保存在《政和》中。所以橘柚位置的更改，是始于《开宝》，而非《政和》。

至于所云"橘柚的位置，《纲目》的目录则仍依原书"，此话也未必可靠。笔者认为《纲目》的目录"编造"者，根据《政和》卷23果部橘柚下的小字"自木部今移"的注文，将橘柚从果部迁还到木部。现在要问：把橘柚从果部迁到木部，放在什么位置呢？《纲目》目录编造者把橘柚迁回木部排在86号枸杞之后，这样是否就符合古《本经》原来的面貌呢？笔者认为可疑。

按，橘柚是《开宝》从木部移入果部的，《开宝》是在《唐本草》基础上编纂的，那《唐本草》将橘柚摆在什么地方呢？我们从《医心方》《本草和名》《千金翼》三书所载《唐本草》目录来看，三书均将橘柚列在木部上品最末的位置，此与《纲目》将橘柚列在木部上品第7位大不相同。由此可见《纲目》的目录编造者，是未见过《唐本草》目录的，其所言“《纲目》的目录仍依原书”云云，是难以令人信服的。

（4）果部上品。

《纲目》果部上品	《政和》果部上品	《唐本草》果部上品
99 藕实茎	99 藕实茎	101 葡萄
100 大枣	87 橘柚（《纲目》列在木部上品）	102 蓬蘽
101 葡萄	100 大枣	100 大枣
102 蓬蘽	101 葡萄	99 藕实茎
103 鸡头实	102 蓬蘽	103 鸡头实
	103 鸡头实	

《纲目》《政和》《唐本草》三书果部上品《本经》药目基本相同，唯《政和》多橘柚。按《开宝重定序》所云“橘柚附于果实”，则知橘柚从木部移到果部，是《开宝》所移。《嘉祐》沿袭《开宝》之旧，而《政和》又沿袭《嘉祐》之旧，将橘柚排在果部。《唐本草》果部上品无橘柚。如把《政和》果部上品的橘柚除去，则《纲目》《政和》《唐本草》三书果部上品《本经》药的药名与药数完全相同。但有一点要注意，即三书果部上品药物排列次序，《纲目》与《政和》相同，《纲目》与《唐本草》不相同。如果说《纲目》卷2《本经》目录是最古的，其排列次序应与《唐本草》相同才对。但事实上，《纲目》果部上品《本经》药物排列次序与《唐本草》不相同，反而与《政和》完全相同。这就可以证明，《纲目》卷2果部上品《本经》药物目录，是由《政和》果部上品迁出橘柚而成的。

（5）米部上品。

《纲目》米部上品	《政和》米部上品	《唐本草》米部上品
104 胡麻(并有青蘘条)	104 胡麻	104 胡麻
105 麻蕡	104 青蘘(《纲目》并在胡麻条)	104 青蘘(《纲目》并在胡麻条下)
	105 麻蕡	105 麻蕡

在此3种《本经》药物目录中，《政和》与《唐本草》完全相同，而《纲目》把青蘘并在胡麻条内，使表面药数变成2味，但《唐本草》《政和》均把青蘘作独立一条。

《纲目》卷2有《本经》目录之标题。在此标题下，李时珍曰："神农古本草凡三卷，三品共三百六十五种……至陶氏作《别录》乃拆分各部，而三品亦移改。又拆出青蘘，赤小豆二条，共有三百六十七种"。

从《纲目》这段文字来看，所云"拆出青蘘"并未言明是谁拆的。清代顾观光辑《本经》时，他其序中云："别录于本经诸条，间有并拆。如胡麻，《经》云：'叶名青蘘'，即在胡麻条下，而别录乃分之。青蘘之分，盖自别录始。"照顾观光所云，青蘘之分，始于《别录》。

这里要说明的一个问题，就是李时珍所云"陶氏作别录"，实乃是陶氏作《集注》。因《纲目》中所云"别录"资料，校以敦煌出土的《集注》，全是《集注》的内容，并非是《别录》的内容。盖李时珍未见过陶弘景《集注》原书的缘故。清代顾观光亦误《集注》为《别录》。顾观光所云"青蘘之分，盖自别录始"，其意即是青蘘自胡麻条内分出，盖自陶弘景作《集注》之始。考之事实，陶弘景作《集注》，并未从胡麻中拆出青蘘来。

但也有人认为青蘘是《唐本草》从胡麻中分出的。说者认为："青蘘，此药《本经》原属胡麻条内。《唐本草》青蘘条注云：'青蘘：《本经》在草部上品中，既堪啖，今从胡麻条下'。故知此药系自《唐本草》始分出者。"说者所云的一段话，有误解。

按《唐本草》是在《集注》基础上编修而成的。《唐本草》所言"本经"，实指《集注》而言，并非指真正的古代《本经》而言，例如卷子本《新修》卷20女贞条有陶注云："叶茂盛，凌冬不凋，皮肉白，与秦皮为表里……"《唐本草》注："《经》云与秦皮为表里，误矣"。此《唐本草》注文中"《经》云"的话，是陶弘景所说的话，并不是《本经》的原文，类似此例极多。所以《唐本草》注文中的"《经》"，是指《集注》而言。同理，《唐本草》对青蘘条作的注，所称的"《经》"，也是指《集注》而言。陶氏作《集注》将青蘘排在草部上品，到苏敬作《唐本草》时，认为青蘘可食，即把青蘘自草部迁移到米谷部，从属于胡麻条下。而说者把《唐本草》注文"今从胡麻条下"，误解为"今从胡麻条下分出"，所以说者即得出错误的看法，说什么"故知此药系自《唐本草》始分出者"。

话再说回来，《政和》白字《本经》药数是367个，不符《本经》365之数，多出2个。编造者认为多出的是青蘘和赤小豆，故为了符合《本经》365之数，将青蘘并入胡麻条内，把赤小豆并入大豆黄卷条内。其目的是使《政和》的《本经》药数目变为365。

（6）菜部上品。

《纲目》菜部上品	《政和》菜部上品	《唐本草》菜部上品
106　冬葵子	106　冬葵子	108　白瓜子
107　苋实	107　苋实	332　瓜蒂(《纲目》列在菜部下品)
108　白瓜子	332　瓜蒂(《纲目》列在菜部下品)	106　冬葵子
109　苦菜	108　白瓜子	107　苋实
	109　苦菜	

《纲目》菜部上品自106号冬葵子到109号苦菜，共4种，同《政和》相比，少一条瓜蒂，《纲目》将瓜蒂排在下品，编号为332号。《纲目》同《唐本草》相比，亦少一条瓜蒂。如果把《政和》瓜蒂剔除，剩下的药名及药物数字和《纲目》相同。即便是剔除了瓜蒂，《唐本草》药物排列次序和《纲目》也不相同。这就提示《纲目》菜部上品目次也是由《政和》目次改编而成。

（7）兽禽部上品。

《纲目》兽禽部上品	《政和》兽禽部上品	《唐本草》兽禽部上品
110　龙骨	217　发髲(《纲目》列在兽禽部中品)	110　龙骨
111　麝香	110　龙骨	225　牛黄(《纲目》列在兽禽部中品)
112　熊脂	111　麝香	111　麝香
113　白胶	225　牛黄(《纲目》列在兽禽部中品)	217　发髲(《纲目》列在兽禽部中品)
114　阿胶	112　熊脂	112　熊脂
	113　白胶	113　白胶
	114　阿胶	114　阿胶
	228　丹雄鸡(《纲目》列在兽禽部中品)	228　丹雄鸡(《纲目》列在兽禽部中品)
	229　雁肪(《纲目》列在兽禽部中品)	229　雁肪(《纲目》列在兽禽部中品)

《纲目》兽禽部上品，自110号龙骨到114号阿胶，共5种，缺禽部，比《政和》少发髲、牛黄、丹雄鸡、雁肪。《纲目》将上4味药列在中品，分别编号为217、225、228、229。如果《政和》除去此4味药，则剩下药名及药数与《纲目》全同。《唐本草》亦比《纲目》多此4味药。如果《唐本草》亦除去此4味药，剩

下的药名及药数，亦与《纲目》相同。但比较三家《本经》药物名称前的自然顺序号码，《纲目》与《政和》完全相同，而《纲目》与《唐本草》不相同。这就是提示《纲目》的目次，也是由《政和》目次迁出4味药而成的。

（8）虫鱼部上品。

《纲目》虫鱼部上品	《政和》虫鱼部上品	《唐本草》虫鱼部上品
115　石蜜	115　石蜜	115　石蜜
116　蜂子	116　蜂子	117　蜜蜡
117　蜜蜡	117　蜜蜡	116　蜂子
118　牡蛎	118　牡蛎	118　牡蛎
119　龟甲	119　龟甲	120　桑螵蛸
120　桑螵蛸	120　桑螵蛸	235　海蛤(《纲目》列在虫鱼部中品)
	235　海蛤(《纲目》列在虫鱼部中品)	236　文蛤(《纲目》列在虫鱼部中品)
	236　文蛤(《纲目》列在虫鱼部中品)	119　龟甲
	232　蠡鱼(《纲目》列在虫鱼部中品)	233　鲤鱼胆(《纲目》列在虫鱼部中品)
	233　鲤鱼胆(《纲目》列在虫鱼部中品)	232　蠡鱼(《纲目》列在虫鱼部中品)

《纲目》虫鱼部上品，自115号石蜜到120号桑螵蛸，共6味药，同《政和》相比，少海蛤、文蛤、蠡鱼、鲤鱼胆。《纲目》将此4味药列入中品，并分别编号为235、236、232、233。从《政和》中剔除此4味药，剩下的虫鱼部上品药物的药名及药数与《纲目》皆相同。而《唐本草》和《政和》一样，也比《纲目》多此4种药。如果也剔除《唐本草》虫鱼部上品中的此4种药物，则剩下药物的药名及药数与《纲目》均相同。这里要注意三家本草中《本经》药物的排列次序，《纲目》与《政和》为完全相同，而《纲目》与《唐本草》并不相同。这就提示《纲目》的目次，是由《政和》目次迁出4味药后而成的。

总之，《政和》中所载《本经》上品药物总数是141种，比《纲目》多石胆、白青、扁青、柴胡、芎䓖、营实、茜根、白兔藿、薇衔、檗木、五加皮、木兰、牛黄、丹雄鸡、雁肪、海蛤、文蛤、蠡鱼、鲤鱼胆、青蘘、瓜蒂21种。如果《政和》除去此21种，剩下的药数与《纲目》中古《本经》目次相同。《唐本草》比《纲目》也多此21种。如果《唐本草》剔除此21种，剩下的药数与《纲目》亦相同。但从上表中比较，《政和》药名前号码排列次序符合自然排列顺序，与《纲目》完全相同，而《唐本草》药名前号码不符合自然排列顺序，与《纲目》中《本经》药物排列顺序大不相同。

按《唐本草》比《政和》成书早600年，从《唐本草》到《政和》，其间经过《开宝》《嘉祐》《证类》《大观》等多次的更改，所以《政和》中《本经》药物目次与《唐本草》全不相同。《唐本草》的目录是比较早的目录。早出的目录与《纲目》古《本经》目录上品目次不相同，那么比《唐本草》晚600年的《政和》又如何能与《纲目》相同呢？但事实上，《政和》与《纲目》却是全相同。这就提示，《纲目》古《本经》目录并非最古，而且是由《政和》目次改编而成的。请看上表各类药物排列顺序：《纲目》药物编号1—15号，与《政和》玉石上品相同；16—81号与《政和》草部上品相同；82—98号与《政和》木部上品相同；99—103号与《政和》果部上品相同；104—105号与《政和》米谷部上品相同；106—114号与《政和》兽部上品相同；115—120号与《政和》虫鱼部上品相同。这些事实都证明，《纲目》中《本经》上品药物目次是由《政和》中《本经》上品药物改编而成的。

33.《纲目》卷2所载《本经》目录中品与《政和》《唐本草》勘比分析

兹将《纲目》《政和》《唐本草》三书中所载的《本经》中品药物排列次序，按玉石部中品、草部中品、木部中品、果部中品、米部中品、菜部中品、兽禽部中品、虫鱼部中品分别比较如下。

（1）玉石部中品。

《纲目》玉石部中品	《政和》玉石部中品	《唐本草》玉石部中品
121　雄黄	121　雄黄	124　水银
122　雌黄	123　石硫黄	121　雄黄
123　石硫黄	122　雌黄	122　雌黄
124　水银	124　水银	242　殷孽（《纲目》列在玉石部下品）
125　石膏	125　石膏	241　孔公孽（《纲目》列在玉石部下品）
126　磁石	126　磁石	123　石硫黄
127　凝水石	127　凝水石	128　阳起石
128　阳起石	128　阳起石	127　凝水石
129　理石	241　孔公孽（《纲目》列在玉石部下品）	125　石膏
130　长石		126　磁石
131　石胆（《政和》列在玉石部上品）	242　殷孽（《纲目》列在玉石部下品）	129　理石
		130　长石

续表

《纲目》玉石部中品	《政和》玉石部中品	《唐本草》玉石部中品
132　白青（《政和》列在玉石部上品）	243　铁精（《纲目》列在玉石部下品）	134　肤青
133　扁青（《政和》列在玉石部上品）	244　铁落（《纲目》列在玉石部下品）	244　铁落（《纲目》列在玉石部下品）
134　肤青	245　铁（《纲目》列在玉石部下品）	245　铁　（《纲目》列在玉石部下品）
	129　理石	243　铁精（《纲目》列在玉石部下品）
	130　长石	
	134　肤青	

《纲目》玉石部中品，从212号雄黄到134号肤青，共14味药。同《政和》《唐本草》相比，《纲目》多石胆、白青、扁青3味药。如果把此3味药从《纲目》中剔出，则《纲目》玉石部中品剩下的11味药，即为三家目录所共有的药物。《纲目》对此11味药排列顺序标有自然序码。《政和》药物排列顺序与《纲目》自然序码多相同，而《唐本草》药物排列次序与《纲目》自然序码不相同。这就提示，《纲目》与《政和》关系密切，而《纲目》与《唐本草》关系很小。

《唐本草》成书比《政和》早600年，《唐本草》的目录经过《开宝》《嘉祐本草》《证类》《大观》等多次的更改，到了《政和》时，其排列次序有了很多的变更。如今《唐本草》与《纲目》中《本经》药物排列次序不相同，比《唐本草》更晚的《政和》《本经》药物排列次序又如何能与《纲目》相同呢？从上表比较来看，《政和》的目次就是与《纲目》相同，唯一的解释就是《纲目》古《本经》玉石中品目录，由编造者以《政和》玉石中品为基础，将孔公孽等5味药迁入下品，又从《政和》玉石部上品迁入石胆、白青、扁青3药组合而成。

这里值得注意的是，《纲目》迁移至下品的5味药，其排列次序在《政和》玉石中品内是连号的，但在《唐本草》中并不连号。《纲目》将此5味药移入玉石部下品时也是连号排列在一起的，即241号孔公孽、242号殷孽、243号铁精、244号铁落、245号铁，这些事实都证明《纲目》与《政和》关系密切，与《唐本草》关系不密切。

又《纲目》从《政和》玉石部上品内迁出的石胆、白青、扁青也是连号排列的，这些事实都证明《纲目》玉石部中品是由《政和》目次改编而成的。

(2) 草部中品。

《纲目》草部中品	《政和》草部中品	《唐本草》草部中品
135　干姜	135　干姜	142　当归
136　葈耳实	136　葈耳实	149　秦艽
137　葛根	137　葛根	155　黄芩
138　栝楼	138　栝楼	145　芍药
139　苦参	139　苦参	135　干姜
140　柴胡(《政和》列在草部上品)	142　当归	165　藁本
141　芎䓖(《证和》列在草部上品)	143　麻黄	143　麻黄
142　当归	144　通草	137　葛根
143　麻黄	145　芍药	151　知母
144　通草	146　蠡实	152　贝母
145　芍药	147　瞿麦	138　栝楼
146　蠡实	148　玄参	148　玄参
147　瞿麦	149　秦艽	139　苦参
148　玄参	150　百合	156　石龙芮
149　秦艽	151　知母	181　石韦
150　百合	152　贝母	166　狗脊
151　知母	153　白芷	167　萆薢
152　贝母	154　淫羊藿	144　通草
153　白芷	155　黄芩	147　瞿麦
154　淫羊藿	166　狗脊	161　败酱
155　黄芩	156　石龙芮	153　白芷
156　石龙芮	157　茅根	159　紫草
157　茅根	158　紫菀	158　紫菀
158　紫菀	159　紫草	162　白鲜皮
159　紫草	161　败酱	170　白薇
160　茜根(《政和》列在草部上品)	162　白鲜皮	136　葈耳实
161　败酱	163　酸浆	157　茅根
162　白鲜皮	164　紫参	150　百合
163　酸浆	165　藁本	163　酸浆

续表

《纲目》草部中品	《政和》草部中品	《唐本草》草部中品
164　紫参	181　石韦	164　紫参
165　蒿本	167　萆薢	154　淫羊藿
166　狗脊	170　白薇	146　蠡实
167　萆薢	173　水萍	180　款冬
168　白兔藿(《政和》列在草部上品)	174　王瓜	179　牡丹
169　营实(《政和》列在草部上品)	175　地榆	178　防己
170　白薇	176　海藻	184　女菀
171　薇衔(《政和》列在草部上品)	177　泽兰	177　泽兰
172　翘根(《政和》列在唐退)	178　防己	175　地榆
173　水萍	180　款冬花	185　王孙
174　王瓜	179　牡丹	187　爵床
175　地榆	182　马先蒿	174　王瓜
176　海藻	183　积雪草	182　马先蒿
177　泽兰	184　女菀	186　蜀羊泉
178　防己	185　王孙	183　积雪草
179　牡丹	186　蜀羊泉	173　水萍
180　款冬花	187　爵床	176　海藻
181　石韦		
182　马先蒿		
183　积雪草		
184　女菀		
185　王孙		
186　蜀羊泉		
187　爵床		

《纲目》草部中品，从135号干姜到187号爵床，共53种，比《政和》《唐本草》皆多柴胡、芎䓖、茜根、白兔藿、营实、薇衔、翘根7种。《政和》《唐本草》将前6种列在上品，末一种列在有名无用类中。如果把柴胡等7种药从《纲目》中剔除，则剩下的药数与《政和》《唐本草》就相同了。这里应注意的是，《纲目》剔除7味药后，剩下的46味药在排列次序上应当与《唐本草》相同，但从表中比

较可知其并不与《唐本草》相同，反而与《政和》相同。从这里可以看出，《纲目》草部中品是用《政和》的目次，增添柴胡等7味药改编而成的。

（3）木部中品。

《纲目》木部中品	《政和》木部中品	《唐本草》木部中品
188　栀子	192　桑根白皮	202　龙眼
189　竹叶	189　竹叶	195　厚朴
190　檗木(《政和》列在木部上品)	191　吴茱萸	200　猪苓
191　吴茱萸	188　栀子	189　竹叶
192　桑根白皮	193　芜荑	194　枳实
193　芜荑	194　枳实	198　山茱萸
194　枳实	195　厚朴	191　吴茱萸
195　厚朴	196　秦皮	196　秦皮
196　秦皮	197　秦椒	188　栀子
197　秦椒	198　山茱萸	206　合欢
198　山茱萸	199　紫薇	197　秦椒
199　紫薇	200　猪苓	205　卫矛
200　猪苓	201　白棘	199　紫薇
201　白棘	202　龙眼	193　芜荑
202　龙眼	325　松罗(《纲目》列在木部下品)	192　桑根白皮
203　木兰(《政和》列在木部上品)	205　卫矛	325　松罗(《纲目》列在木部下品)
204　五加(《政和》列在木部上品)	206　合欢	201　白棘
205　卫矛		
206　合欢		

《纲目》木部中品，从188号栀子到206号合欢，共19味，比《政和》《唐本草》多檗木、木兰、五加皮3味，少松罗1味，如从《纲目》中除去檗木、木兰、五加皮，又从《政和》《唐本草》中除去松罗，三家所剩下的药均是16种。比较此16种药名前的号码排列顺序，《唐本草》与《纲目》全不相同，比《唐本草》晚600年的《政和》反而与《纲目》相同。如表中自193号芜荑到206号合欢等，《纲目》药物排列顺序与《政和》全同。这就证明《纲目》古《本经》木部上品目录也是由《政和》目次改编而成的。

（4）果部中品。

《纲目》果部中品	《政和》果部中品	《唐本草》果部中品
207　彼子(《政和》列在有名无用类) 208　梅实 209　桃核仁(《政和》列在果部下品) 210　杏核仁(《政和》列在果部下品)	208　梅实	208　梅实

比较三种本草果部中品，《纲目》有4种，《政和》《唐本草》各1种，在《纲目》果部中品，彼子是从有名未用类迁来的，桃核仁、杏核仁是从《政和》下品迁来的。按，《唐本草》亦将桃核仁、杏核仁列在下品，但《唐本草》将杏核仁排在前，桃核仁排在后，与《政和》正相反。按理《纲目》古《本经》目录是最古的，《唐本草》应与《纲目》一致。但事实上，《唐本草》与《纲目》并不一致，反而《政和》与《纲目》一致。由此可知，《纲目》古《本经》目录是后人重新编造的，所以它不与《唐本草》一致。

按，《医心方》《本草和名》所载《唐本草》目录，彼子是列在虫鱼下品雀瓮和鼠妇之间的，并不列在果部。到《开宝》编纂时，因对彼子不了解，故将彼子退在有名未用类中，到明代李时珍编《纲目》时，将彼子附在卷31榧实条下。李氏并做校正云："别录木部有榧实，又有棑华。神农本草虫鱼部有彼子，宋开宝退彼子入有名未用。今据苏恭之说，合并于下。"

李时珍有云："神农本草虫鱼部有彼子"。李氏是怎么知道的呢？李氏是根据《政和》卷30有名未用类柳华条下掌禹锡注文得知的。掌禹锡引陈藏器云："本经云虫部有彼子"。李氏认为陈藏器所云"本经"即"神农本草"。其实陈藏器文中提到的"本经"，并非"神农本草"，而是指《唐本草》而言。例如《政和》卷14接骨木条，有"味甘平无毒"，掌禹锡引陈藏器云："按骨木有小毒……本经云无毒，误也"。按接骨木是《唐本草》新增的药物，并非《本经》药，尽管陈藏器注文，称"本经云"，但此"本经"并不指《本经》，当指《唐本草》。类似此例有木蜜、鳢鱼肝等。陈藏器注彼子文的"本经"，亦是指《唐本草》而言。李时珍误陈藏器注文中"本经"为"神农本草"，所以李氏在榧实条下校正文中说"神农本草虫鱼部有彼子"，其实应该说"《唐本草》虫鱼部有彼子"。

《政和》卷14榧实条，《唐本草》注云："此物是虫部中彼子"，李时珍据苏恭（即苏敬，因避宋讳改为苏恭，是《唐本草》编者）所注，即把彼子附在榧实条下。又《政和》卷30彼子条有《唐本草》注云："此彼子误入虫部，又榧子，陶于木部出之，此条宜在果部中也"。李时珍据苏恭注，将榧实、彼子并为一条，列为卷31果部。

从上述文献来看，彼子，《唐本草》列在虫鱼部雀瓮与鼠妇间。苏敬在彼子条注云，彼子是误入虫部；苏敬又认为彼子即是榧实，榧实是可食的，应入果部。李时珍据苏敬所云，将彼子、榧实并为一条，列入果部。由此可见，彼子最初位置不是在果部，而是在虫鱼部。《纲目》卷2古《本经》目录，将彼子排在果部，完全受《政和》卷14榧实条及同书卷30彼子条《唐本草》注的影响。这也可以证明《纲目》卷2古《本经》目录是后人据《政和》改编而成的，并非是最古的目录。

（5）米部中品。

《纲目》米部中品	《政和》米部中品	《唐本草》米部中品
	赤小豆(《纲目》缺)	330　大豆黄卷(《纲目》列在米部下品)
	330　大豆黄卷(《纲目》列在米部下品)	赤小豆(《纲目》缺)

《纲目》米部中品部无药，故不与《政和》《唐本草》做比较。

（6）菜部中品。

《纲目》菜部中品	《政和》菜部中品	《唐本草》菜部中品
211　蓼实	211　蓼实	211　蓼实
212　葱实	212　葱实	212　葱实
213　薤	213　薤	213　薤
214　假苏	214　假苏	215　水苏
215　水苏	215　水苏	214　假苏
216　水蕲(《政和》列在菜部下品)		

《纲目》菜部中品，自211号蓼实到216号水蕲，共6味药，比《政和》《唐本草》多水蕲1味。《政和》《唐本草》将水蕲列在下品。如果《纲目》除去水蕲，剩下的药数与《政和》《唐本草》完全相同。但排列次序上，《纲目》与《政和》相一致，与《唐本草》不相一致。按理《纲目》卷2古《本经》目录应与《唐本草》相同，不应与《政和》相同。这就说明《纲目》草部中品目次是由《政和》目次加上水蕲改编而成。

（7）兽禽部中品。

《纲目》兽禽部中品	《政和》兽禽部中品	《唐本草》兽禽部中品
217　发髲(《政和》列在人部)	218　白马茎	224　犀角
218　白马茎	219　鹿茸	223　羚羊角
219　鹿茸	220　牛角䚡	221　羖羊角
220　牛角䚡	221　羖羊角	220　牛角䚡
221　羖羊角	222　牡狗阴茎	218　白马茎
222　牡狗阴茎	223　羚羊角	222　牡狗阴茎
223　羚羊角	224　犀角	219　鹿茸
224　犀角	335　燕屎(《纲目》列在兽禽部下品)	
225　牛黄(《政和》列在兽禽部上品)		
226　豚卵(《政和》列在兽禽部下品)	338　伏翼(《纲目》列在兽禽部下品)	
227　麋脂(《政和》列在兽禽部下品)		
228　丹雄鸡(《政和》列在兽禽部上品)	336　天鼠屎(《纲目》列在兽禽部下品)	
229　雁肪(《政和》列在兽禽部上品)		

《纲目》兽禽部中品，自217号发髲到229号雁肪，共13味药，其中发髲、牛黄、丹雄鸡、雁肪，《唐本草》《政和》均列在上品，豚卵、麋脂，《唐本草》《政和》列在下品，其余的如白马茎等7味药，是三家目录共有的。比较此7味药物的排列次序，《纲目》与《政和》完全相同，《纲目》与《唐本草》不相同。按理《纲目》古《本经》目录是最古的，其排列次序应与《唐本草》相同才对，事实上《纲目》与《唐本草》不相同，反而与《政和》相同。很明显，《纲目》兽禽部中品药目也是由《政和》目次改编而成的。

（8）虫鱼部中品。

《纲目》虫鱼部中品	《政和》虫鱼部中品	《唐本草》虫鱼部中品
230　鳖甲	343　猬皮(《纲目》列在虫鱼部下品)	338　伏翼(《纲目》列在虫鱼部下品)
231　鮀鱼甲	238　露蜂房	343　猬皮(《纲目》列在虫鱼部下品)
232　蠡鱼(《政和》列在虫鱼部上品)	230　鳖甲	237　石龙子
	341　蟹(《纲目》列在虫鱼部下品)	238　露蜂房

续表

《纲目》虫鱼部中品	《政和》虫鱼部中品	《唐本草》虫鱼部中品
233 鲤鱼胆(《政和》列在虫鱼部上品)	239 蚱蝉	351 樗鸡(《纲目》列在虫鱼部下品)
234 乌贼鱼骨	348 蛴螬(《纲目》列在虫鱼部下品)	239 蚱蝉
235 海蛤(《政和》列在虫鱼部上品)	234 乌贼鱼骨	240 白姜蚕
236 文蛤(《政和》列在虫鱼部上品)	240 白姜蚕	361 木虻(《纲目》列在虫鱼部下品)
237 石龙子	231 鮀甲	362 蜚虻(《纲目》列在虫鱼部下品)
238 露蜂房	351 樗鸡(《纲目》列在虫鱼部下品)	363 蜚蠊(《纲目》列在虫鱼部下品)
239 蚱蝉	346 蛞蝓(《纲目》列在虫鱼部下品)	364 䗪虫(《纲目》列在虫鱼部下品)
240 白姜蚕	237 石龙子	348 蛴螬(《纲目》列在虫鱼部下品)
	361 木虻(《纲目》列在虫鱼部下品)	346 蛞蝓(《纲目》列在虫鱼部下品)
	362 蜚虻(《纲目》列在虫鱼部下品)	360 水蛭(《纲目》列在虫鱼部下品)
	363 蜚蠊(《纲目》列在虫鱼部下品)	230 鳖甲
	364 䗪虫(《纲目》列在虫鱼部下品)	231 鮀鱼甲
		234 乌贼鱼骨
		341 蟹(《纲目》列在虫鱼部下品)
		336 天鼠屎(《纲目》列在虫鱼部下品)

《纲目》虫鱼部中品，从230号鳖甲到240号白姜蚕，共11味药，其中蠡鱼、鲤鱼胆、海蛤、文蛤，《唐本草》《政和》皆列在上品，其余7味药，三家目录共有，但在排列次序中各不相同。《纲目》将水族类排在前，虫类排在后，在水族类中把有足的鳖类排在前，无足的鱼类和蚌壳排在后，这种动物分类方法，在《唐本草》《政和》中均无体现。这就令人深思，《唐本草》《政和》对虫鱼类是混杂排列的，没有规律可循，那么在唐以前古《本经》中虫鱼类排列更不会有规律可循。《政和》卷1"梁陶隐居序"对古《本经》目录曾批评说："三品混糅，冷热舛错，草石不分，虫兽无辨"。陶弘景所见的古《本经》目次是虫兽不分的，意即是混杂乱排的。但《纲目》古《本经》目录不仅把虫兽分得很清楚，而且对虫鱼排列次序又有一定的规律，此与陶弘景所见的《本经》情况全不相同，这就提示《纲目》古《本经》目录是后人改编的。

34.《纲目》卷2所载《本经》目录下品与《政和》《唐本草》勘比分析

兹将《纲目》《政和》《唐本草》三书中所载的《本经》下品药物排列次序，按玉石部下品、草部下品、木部下品、果部下品、米部下品、菜部下品、兽禽部下品、虫鱼部下品、有名无用类分别比较如下。

（1）玉石部下品。

《纲目》玉石部下品	《政和》玉石部下品	《唐本草》玉石部下品
241　孔公蘖(《政和》列在玉石部中品)	255　石灰	253　青琅玕
242　殷蘖(《政和》列在玉石部中品)	254　礜石	254　礜石
243　铁精(《政和》列在玉石部中品)	246　铅丹	249　代赭
244　铁落(《政和》列在玉石部中品)	247　粉锡	252　卤咸
245　铁(《政和》列在玉石部中品)	248　锡铜镜鼻	251　大盐
246　铅丹	249　代赭	250　戎盐
247　粉锡	250　戎盐	256　白垩
248　锡铜镜鼻	251　大盐	246　铅丹
249　代赭	252　卤咸	247　粉锡
250　戎盐	256　白垩	248　锡铜镜鼻
251　大盐	257　冬灰	255　石灰
252　卤咸	253　青琅玕	257　冬灰
253　青琅玕		
254　礜石		
255　石灰		
256　白垩		
257　冬灰		

《纲目》玉石部下品，从241号孔公蘖到257号冬灰，共17味药，比《政和》《唐本草》多开头的5味。如把开头5味药剔除，剩下12味药为三家目录所共有。在此12味药中，《政和》的排列次序与《纲目》基本相同，但《唐本草》的排列次序与《纲目》大不相同。假如《唐本草》目次是从《纲目》古《本经》目录改编而来，则《唐本草》药物排列次序应与《纲目》相同。但请看上表，《唐本草》与《纲目》并不相同，而《政和》与《纲目》基本相同。《政和》比《唐本草》晚600年，中间经过《开宝》《嘉祐》《证类》《大观》多次变更，其目次已与《唐本草》不相同，又如何能与《纲目》古《本经》目录相同呢？这是不符合历史发展规律的。

另外，再看表中《纲目》玉石部下品开头的5味药。其排列次序为241号孔公蘖、242号殷蘖、243号铁精、244号铁落、245号铁。《政和》《唐本草》中品也有此5味药，《唐本草》中此5味药排列次序为242、241、244、245、243，而《政和》中此五味药排列次序为241、242、243、244、245，《政和》与《纲目》完全相同。从这个事实来看，无法说明《唐本草》是由《纲目》古《本经》目录改编的。《唐本草》既然不是由古《本经》目录改编的，那《政和》离《唐本草》有600年，更不会从古《本经》目录改编。根据目录学研究，到《政和》成书年间，根本就没有古《本经》存在。那么《政和》从哪儿得到古《本经》目录并进行改编呢？《纲目》玉石部下品头5味药排列次序与《政和》完全相同，唯一的解释，就是《纲目》古《本经》目录是从《政和》改编而来的。

（2）草部下品。

《纲目》草部下品	《政和》草部下品	《唐本草》草部下品
258　附子	258　附子	264　大黄
259　乌头	259　乌头	266　桔梗
260　天雄	260　天雄	276　甘遂
261　半夏	261　半夏	265　葶苈
262　虎掌	262　虎掌	288　芫花
263　鸢尾	263　鸢尾	282　泽漆
264　大黄	264　大黄	281　大戟
265　葶苈	265　葶苈	285　荛花
266　桔梗	266　桔梗	269　旋覆花
267　莨菪子	267　莨菪子	271　钩吻
268　草蒿	268　草蒿	270　藜芦
269　旋覆花	269　旋覆花	259　乌头
270　藜芦	270　藜芦	260　附子
271　钩吻	271　钩吻	258　天雄
272　射干	272　射干	287　羊踯躅
273　蛇含	273　蛇含	283　茵芋
274　常山	274　常山	272　射干
275　蜀漆	275　蜀漆	263　鸢尾
276　甘遂	276　甘遂	284　贯众
277　白蔹	277　白蔹	261　半夏
278　青葙子	278　青葙子	262　虎掌
279　藋菌	279　藋菌	267　莨菪子
280　白及	280　白及	275　蜀漆

续表

《纲目》草部下品	《政和》草部下品	《唐本草》草部下品
281 大戟	281 大戟	274 常山
282 泽漆	282 泽漆	278 青葙子
283 茵芋	283 茵芋	286 牙子
284 贯众	284 贯众	277 白蔹
285 荛花	285 荛花	280 白及
286 牙子	286 牙子	273 蛇含
287 羊踯躅	287 羊踯躅	268 草蒿
288 芫花(《政和》列在木部下品)	292 羊蹄	279 雚菌
289 姑活(《政和》列在有名无用类)	293 萹蓄	299 连翘
290 别羁(《政和》列在有名无用类)	294 狼毒	296 白头翁
291 商陆	296 白头翁	301 蔄茹
292 羊蹄	295 鬼臼	297 羊桃
293 萹蓄	297 羊桃	292 羊蹄
294 狼毒	298 女青	303 鹿藿
295 鬼臼	299 连翘	308 牛扁
296 白头翁	301 蔄茹	306 陆英
297 羊桃	302 乌韭	307 荩草
298 女青	303 鹿藿	309 夏枯草
299 连翘	304 蚤休	302 乌韭
300 石下长卿(《政和》列在有名无用类)	305 石长生	304 蚤休
301 蔄茹	306 陆英	305 石长生
302 乌韭	307 荩草	294 狼毒
303 鹿藿	308 牛扁	295 鬼臼
304 蚤休	309 夏枯草	293 萹蓄
305 石长生		291 商陆
306 陆英		298 女青
307 荩草		
308 牛扁		
309 夏枯草		
310 屈草(《政和》列在有名无用类)		

《纲目》草部下品，从258号附子到310号屈草，共53味药，比《政和》多芫花、姑活、别羁、石下长卿、屈草5味药，比《唐本草》多姑活、别羁、石下长

卿、屈草4味药。如果《纲目》除去芫花、姑活、别羇、石下长卿、屈草5味药，剩下的48味药物，是三家目录所共有的。把三家目录所共有的48味药物排列次序比较一下，《政和》各药物名前号码排列次序与《纲目》完全相同，《唐本草》各药名前号码排列次序与《纲目》大不相同，这就提示《纲目》与《政和》关系极为密切，与《唐本草》关系极小。

由此可知，《纲目》草部下品目次，是由《政和》目次加芫花、别羇、姑活、石下长卿、屈草5味组合而成。其中，芫花《唐本草》原列在草部，宋代时移在木部，所以《政和》卷14木部末尾芫花条有小字注云："本在草部今移"，编造者根据此注，将芫花迁回草部。要么要问：芫花迁回草部下品应排在什么地方呢？请看上表，芫花是288号，《纲目》将之排在287号羊踯躅之后。这种排法对不对呢？查《医心方》《本草和名》所载《唐本草》目次，芫花是列在草部下品之上第5号，即在葶苈之下，敦煌出土《新修》卷10残卷，在葶苈之后载有芫花，由此可以证实，《纲目》古《本经》目录编造者未见过《唐本草》目录，将芫花迁回草部是随意而为。

（3）木部下品。

《纲目》木部下品	《政和》木部下品	《唐本草》木部下品
311　巴豆	311　巴豆	322　黄环
312　蜀椒	312　蜀椒	321　石南
313　皂荚	313　皂荚	311　巴豆
314　柳华	314　柳华	312　蜀椒
315　楝实	315　楝实	317　莽草
316　郁李仁	316　郁李仁	316　郁李仁
317　莽草	317　莽草	324　鼠李
318　雷丸	318　雷丸	328　栾华
319　梓白皮	320　桐叶	327　蔓椒
320　桐叶	319　梓白皮	318　雷丸
321　石南	321　石南	323　溲疏
322　黄环	322　黄环	326　药实根
323　溲疏	323　溲疏	313　皂荚
324　鼠李	324　鼠李	315　楝实
325　松萝(《政和》列在木部中品)	326　药实根	314　柳华
326　药实根	328　栾华	320　桐叶

续表

《纲目》木部下品	《政和》木部下品	《唐本草》木部下品
327　蔓椒	327　蔓椒	319　梓白皮
328　栾华	288　芫花(《纲目》列在草部下品)	
329　淮木(《政和》列在有名无用类)		

《纲目》木部下品，从311号巴豆到329号淮木，共19味药，比《政和》《唐本草》多松萝、淮木2味。《政和》《唐本草》皆把松萝列在木部中品，把淮木列在有名无用类。如果《纲目》除去这2味药，剩下17味就是三家目录共有的药目。比较这17味药药名前号码，《政和》基本上符合《纲目》的排列顺序，但《唐本草》药名前号码不符合《纲目》排列序号。这就提示《纲目》与《政和》关系密切，与《唐本草》关系极小。据此可知，《纲目》中的古《本经》目录木部下品，也是由《政和》木部下品加入松萝、淮木改编而成。

（4）果部下品。

《纲目》果部下品	《政和》果部下品	《唐本草》果部下品
	209　核核仁	210　杏核仁
	210　杏核仁	209　桃核仁

《纲目》果部下品缺。《纲目》将桃核仁、杏核仁移在果部中品，其排列次序同《政和》，而不同于《唐本草》（详见《纲目》果部中品目次的比较）。

（5）米部下品。

《纲目》米部下品	《政和》米部下品	《唐本草》米部下品
330　大豆黄卷(《政和》列在米部中品)	331　腐婢	331　腐婢
331　腐婢		

《纲目》米部下品，只有2味药，即330号大豆黄卷、331号腐婢，比《政和》《唐本草》多大豆黄卷。如果《纲目》除去大豆黄卷，剩下一味腐婢，即为三家《本经》目录所共有的药物。《政和》《唐本草》均将大豆黄卷列在米部中品，与大豆黄卷相邻的还有一味赤小豆。《纲目》卷2“神农本草经目录”标题下，有李时珍曰：“神农古本草，三品共三百六十五种，又拆出青蘘、赤小豆二

条，共有三百六十七种”。《纲目》认为青蘘、赤小豆的拆分，使《政和》白字《本经》药数多2味，由365种变成367种。为了使其还原为365种，应除去青蘘、赤小豆两条，所以《纲目》古《本经》目录中无青蘘、赤小豆。顾观光辑《本经》时，采用《纲目》古《本经》目录即把青蘘并入胡麻条下，把赤小豆并入大豆黄卷条内。

在这里，笔者拟补充说明一个问题，就是《政和》白字《本经》药数367种，并非单纯由于拆青蘘、赤小豆所致的结果，兹说明如下。

陶弘景作《集注》，所选用《本经》药目365种，其中有4种是由两个药组成一个药名。例如《政和》卷5锡铜镜鼻条，陶注云："此药与胡粉（粉锡）异类，而今共条"。卷25赤小豆条，陶注云："大、小豆共条，犹如葱、薤义也"。卷28薤条陶注云："葱、薤异物，而今共条"。卷26蛤条，陶注云："此即异类而同条，若别之，则数多，今以为附见，而在副品限也，凡有四物如此。"

从陶注可以看出《集注》中，粉锡、锡铜镜鼻、葱、薤、海蛤、文蛤、大豆黄卷、赤小豆8味药归并成四条，到苏敬以《集注》为基础编修《唐本草》时，将陶氏归并药拆开，使365种增加4种，即成369种。《唐本草》编纂时把其中麻子并入麻蕡条内，又把升麻作《别录》药计算，使369种少2种，即变成367种。《开宝》《嘉祐》《大观》《政和》皆沿袭《唐本草》之旧，所以《政和》白字《本经》药数亦是367种。因此《政和》白字《本经》药数367种，并非单纯拆青蘘、赤小豆所致，而是上述的原因所致。

（6）菜部下品。

《纲目》菜部下品	《政和》菜部下品	《唐本草》菜部下品
332　瓜蒂(《政和》列在菜部上品)	333　苦瓠	333　苦瓠
333　苦瓠	216　水靳(《纲目》列在菜部中品)	216　水靳(《纲目》列在菜部中品)

《纲目》菜部下品，只有2味药，即332号瓜蒂、333号苦瓠，比《政和》《唐本草》多一味瓜蒂，少一味水靳。三家相同的《本经》药物就是苦瓠。其中瓜蒂，《政和》《唐本草》均列在上品；水靳，《政和》《唐本草》均列在下品。如果《纲目》菜部下品是古《本经》目次，其药物应与《唐本草》目次相同，事实上并不相同。《纲目》的药物排列目次，还是用《政和》目次除去水靳，加入瓜蒂组合而成。

（7）兽禽部下品。

《纲目》兽禽部下品	《政和》兽禽部下品	《唐本草》兽禽部下品
334 六畜毛蹄甲	226 豚卵（《纲目》列在兽禽部中品）	334 六畜毛蹄甲
335 燕屎（《政和》列在兽禽部中品）	227 麋脂（《纲目》列在兽禽部中品）	337 鼺鼠
336 天鼠屎（《政和》列在兽禽部中品）	337 鼺鼠	227 麋脂（《纲目》列在兽禽部中品）
337 鼺鼠	334 六畜毛蹄甲	226 豚卵（《纲目》列在虫兽部中品）
338 伏翼（《政和》列在兽禽部中品，《政和》注云："自虫鱼部今移。"）		335 燕屎（《政和》列在兽禽部中品）

《纲目》兽禽部下品，从334号六畜毛蹄甲到338号伏翼，共5味药。此5味药，在名称、数目、排列次序上，均与《政和》《唐本草》不相同。所以《纲目》兽禽部下品是另行组合的，是将《政和》兽禽部下品加入《政和》兽禽部中品的燕屎、天鼠屎、伏翼3味药物而成。

另外，有人认为《纲目》兽禽部下品在古《本经》中原来就是这样，笔者认为不对。假如《纲目》中的古《本经》目录是最古的，其药物为何不与《唐本草》相同？《唐本草》兽禽部下品有麋脂、豚卵2味，《纲目》古《本经》目录为何没有？

《纲目》兽禽部下品第336号天鼠屎及338号伏翼，《唐本草》排在虫鱼部中品。《唐本草》将伏翼排在虫鱼部中品第1位，天鼠屎排在虫鱼部中品第19位（在蟹条之下）。到《开宝》编修时，伏翼才由虫鱼部移到禽部。《开宝重定序》云："伏翼实禽也，由虫鱼部而移焉"。《嘉祐》《大观》《政和》皆沿袭《开宝》之旧，将伏翼列在禽部中品。《政和》卷19禽部中品伏翼条下注云："自虫鱼部今移"。《唐本草》把伏翼、天鼠屎列在虫鱼部，《纲目》中的古《本经》目录为何不把伏翼、天鼠屎列在虫鱼部，反而同《政和》一样列在禽部。由此可以证明《纲目》中的古《本经》目录并非是真正的古本，乃是古人根据《政和》目次改编的。

（8）虫鱼部下品。

《纲目》虫鱼部下品	《政和》虫鱼部下品	《唐本草》虫鱼部下品
339　虾蟆	339　虾蟆	339　虾蟆
340　马刀	340　马刀	349　石蚕
341　蟹(《政和》列在虫鱼部中品)	342　蛇蜕	342　蛇蜕
342　蛇蜕	347　白颈蚯蚓	354　蜈蚣
343　猬皮(《政和》列在虫鱼部中品)	344　蠮螉	355　马陆
344　蠮螉	354　蜈蚣	344　蠮螉
345　蜣螂	360　水蛭	350　雀瓮
346　蛞蝓(《政和》列在虫鱼部中品)	352　斑蝥	207　彼子(《纲目》列在果部中品)
347　白颈蚯蚓	365　贝子	359　鼠妇
348　蛴螬(《政和》列在虫鱼部中品)	349　石蚕	357　萤火
349　石蚕	350　雀瓮	358　衣鱼
350　雀瓮	345　蜣螂	347　白颈蚯蚓
351　樗鸡(《政和》列在虫鱼部中品)	353　蝼蛄	353　蝼蛄
352　斑蝥	355　马陆	345　蜣螂
353　蝼蛄	356　地胆	352　斑蝥
354　蜈蚣	359　鼠妇	356　地胆
355　马陆	357　萤火	340　马刀
356　地胆	358　衣鱼	365　贝子
357　萤火		
358　衣鱼		
359　鼠妇		
360　水蛭		
361　木虻(《政和》列在虫鱼部中品)		
362　蜚虻(《政和》列在虫鱼部中品)		
363　蜚蠊(《政和》列在虫鱼部中品)		
364　䗪虫(《政和》列在虫鱼部中品)		
365　贝子		

《纲目》虫鱼部下品，从339号蛤蟆到365号贝子，共27味药。此27味药在名称、数目、排列次序上均与《政和》《唐本草》不相同，所以《纲目》虫鱼部下品是另行组合的。在此27味药中，341号蟹、343号猬皮、345号蛞蝓、348号蛴螬、351号樗鸡、361号木虻、362号蜚虻、363号蜚蠊、364号䗪虫等9种，《唐本

草》皆列在中品。假如《纲目》中的古《本经》目录是最古的，则其不应将此9种列在下品，应和《唐本草》一样，列在中品才对。另外，《唐本草》虫鱼部下品有彼子，而《纲目》将彼子列在果部中品，这一点《纲目》是不符合古本草精神的。从这些例子来看，《纲目》与《唐本草》关系很小。

假如从《纲目》虫鱼部下品27种中，剔除蟹等9种，剩下18种与《政和》药名及数目皆相同，在排列次序上也有部分相同。这就提示：《纲目》与《政和》比较密切。由此可见，《纲目》虫鱼部下品药物目次，也是由《政和》虫鱼部下品加入蟹等9味药组合而成。

（9）有名无用类。

《纲目》有名无用类	《政和》有名无用类	《唐本草》有名无用类
	289　姑活	289　姑活
	290　别羁	290　别羁
	300　石下长卿	300　石下长卿
	172　翘根	172　翘根
	310　屈草	310　屈草
	329　淮木	329　淮木
	207　彼子	

《纲目》有名无用类缺。《政和》有名无用类共7种药物，《唐本草》有名无用类共6种药物。《纲目》将此7种药物分散在各类中（详见各类的比较）。

35.《纲目》标注“本经”药物总数的讨论

《纲目》采集的《本经》药物总数，究竟是多少？采集的《本经》药物名称是什么？现在就用1957年人民卫生出版社影印的《纲目》来研究（文中所讲《纲目》卷数、页数，均指此版而言。按此版是用合肥张绍棠刻的版本影印的。这个版本非善本）。《纲目》卷1页350，采集诸家本草药品总数说：“神农本草经三百四十七种，除并入一十八种外，草部一百六十四种，谷部七种，莱部一十三种，果部一十一种，木部四十四种，土部二种，金石部四十一种，虫部二十九种，介部八种，鳞部七种，禽部五种，兽部一十五种，人部一种”。

按此文所记数字来看，《本经》的药数原是365种，《纲目》归并了18种，只采集347种。那么这个347种药究竟是些什么药？归并的18种药，是什么名字？归并在何处？《纲目》没有详细说明。不过《纲目》全书中每个药出处，均在药名底下标注有文献来源，凡是引用《本经》的药物或《本经》的资料，均标注“本经”二字，现在根据这样一个特点，把《纲目》所采集的《本经》药347种摘录如下。

卷7页574土部2种：白垩、冬灰。

卷8页591金石部41种：粉锡、铅丹、铁、铁落、铁精、白石英、紫石英、青琅玕、云母、阳起石、磁石、代赭石、禹馀粮、太一馀粮、空青、曾青、绿青、扁青、白青、石胆、礜石、丹砂、水银、雄黄、石膏、理石、长石、滑石、五色石脂、石钟乳、孔公孽、殷孽、石灰、戎盐、卤咸、凝水石、朴硝、硝石、石硫黄、矾石。

在此41种药中，绿青在其他药书上均注“别录”，而《纲目》卷10页668注“本经上品”。

卷12页715题注“神农本草经”160余种，分载在卷12～21中，如下。

甘草、黄芪、人参、沙参、桔梗、萎蕤、知母、肉苁蓉、天麻、术、狗脊、贯众、巴戟天、远志、淫羊藿、玄参、地榆、丹参、紫参、王孙、紫草、白头翁、白及、黄连、黄芩、秦艽、柴胡、防风、独活、升麻、苦参、白鲜皮、贝母、茅根、龙胆、细辛、徐长卿、白薇、当归、芎䓖、蘼芜、蛇床、藁本、白芷、芍药、牡丹、木香、杜若、兰草、爵床、假苏、积雪草、水苏、菊、菴蕳、蓍实、茵陈、青蒿、白及、马先蒿、茺蔚、薇衔、夏枯草、旋覆花、青葙子、续断、漏芦、蜚蠊、蠡实、枲耳、天名精、麻黄、石龙刍、地黄、牛膝、紫菀、女菀、麦门冬、冬葵子、酸浆、蜀羊泉、败酱、款冬花、决明、地肤、瞿麦、葶苈、车前、蛇含、女青、连翘、陆英、蓝实、蓼、萹蓄、荩草、蒺藜子、大黄、商陆、狼毒、防葵、狼牙、蔺茹、大戟、泽漆、甘遂、莨菪、云实、常山、藜芦、附子、天雄、乌头、虎掌、由跋、半夏、蚤休、鬼臼、射干、鸢尾、羊踯躅、芫花、荛花、莽草、茵芋、石龙芮、牛扁、钩吻、菟丝子、五味子、蓬蘽、旋花、紫薇、营实、栝楼、王瓜、葛根、黄环、天门冬、白蔹、赭魁、茜根、防己、通草、白菟藿、白英、羊桃、络石、泽泻、羊蹄、菖蒲、香蒲、水萍、海藻、石斛、石韦、石长生、景天、乌韭、卷柏、屈草、别羇、泽兰。

按《纲目》草类药中，标注“本经”者，仅有上述163种。另有王不留行和萆薢2味药，在其他本草中均作“本经”药，而《纲目》标注“别录”。如王不留行在页915中标注“别录上品”。而萆薢在页1031标注“别录中品”。而在萆薢条下的主治文中标注“本经”等语。似乎萆薢应属《本经》药。若把萆薢算一味的话，则草药就有164种了。不过这里还有一个问题要说明，就是在这164种药物中，有“升麻”和“由跋”二种在其他本草中均作《别录》药，而纲目作《本经》药，页775升麻标注“本经上品”，页979由跋标注“本经下品”。查纲目页399的《本经》目录中亦无由跋和升麻。同一书中也出现这样的矛盾。

卷22页1100题注“谷部有神农本草经药七种”：胡麻、大麻、薏苡、大豆、大豆黄卷、赤小豆、腐婢。在此7味中，大豆和赤小豆二药是自大豆黄卷中分出来的，实际应属一种药，但是李时珍把它们分出当作3味药。例如《纲目》卷24页1133谷之三目录题注药名14种，把大豆、大豆黄卷、赤小豆等当作3味药计算，在此3味药名下均标注“本经”二字。这种分条的结果，使《纲目》中所言“本经”药物总数就靠不住了。

卷26页1170菜部药题注《本经》药13种：干姜、水蘄、菥蓂、苋实、苦菜、鹿藿、薯蓣、百合、苦瓠、冬瓜、芝、木耳、雚菌。在此13味药中，木耳在其他本草中是桑根白皮药内容的一部分，是不作单独一味药来计算的，而《纲目》卷28页1229菜之五，把“木耳”当作单独一味药来计算。这也是李时珍对《本经》药分条的例证。

卷29页1248果部题注《本经》药11种：桃、梅、枣、橘、秦椒、蜀椒、曼椒、吴茱萸、葡萄、莲藕、芡实（鸡头实）。

卷24页1348木部题注《本经》药43种：柏、桂、箘桂、木兰、辛夷、檗木、厚朴、杜仲、干漆、梓白皮、桐叶、楝、槐、秦皮、合欢、皂荚、栾华、柳、榆、巴豆、桑、枳、栀子、酸枣、白棘、蕤核、山茱萸、郁李、鼠李、女贞、卫矛、五加、枸杞、溲疏、石南、蔓荆、伏苓、猪苓、雷丸、桑寄生、松罗、竹、淮木。

按《纲目》木部药分列在卷34到卷37中，在此4卷中药物标注“本经”者，仅有上述43种，和题注44种不符。但另外有2味药松脂和芜荑在其他本草中均作《本经》药，而《纲目》反作《别录》药，如页1351松条下标注“别录上品”，页1418芜荑标注“别录中品”。可是在这两味药的主治文中又标注“本经”等语。这样标注不清，使题注44种品名就无所适从了。

卷39页1501虫部题注《本经》药29种：蜂蜜（石蜜）、蜜蜡、露蜂房、蠮螉、桑螵蛸、雀瓮、蚕、石蚕、樗鸡、斑蝥、地胆、水蛭、蛴螬、蚱蝉、蜣螂、蝼蛄、萤火、衣鱼、鼠妇、䗪虫、蜚蠊、木虻、蜚虻、虾蟆、蜈蚣、马陆、蚯蚓、蛞蝓。

卷43页1573鳞部题注《本经》药7种：龙、龟鼍（鮀鱼甲）、石龙子、蛇蜕、鲤鱼、鳢鱼（蠡鱼）、乌贼鱼。

卷45页1624介部题注《本经》药8种：水龟、鳖甲、蟹、牡蛎、马刀、海蛤、文蛤、贝子。

卷47至卷49禽部题注《本经》药5种：雁、鸡、伏翼、鼺鼠、鹰屎白（此药在其他本草中均作《别录》药。）

卷50页1708兽部题注《本经》药15种：豕、狗、羊、牛（牛角䚡）、马、阿胶、牛黄、六畜毛蹄甲、犀角、熊、羚羊角、鹿（鹿茸）、麋、麝香、猬皮。

卷52页1811人部题注《本经》药1种：发髲。

总计上述题注“本经”药总数是347种，但是检查《纲目》全书1892种中标注“本经”二字的药物，仅有上述346种，和题注347种不符。而且在上述346种之中，有绿青、升麻、由跋、赭魁及鹰屎白等7味药，在其他本草中均说不是《本经》药，而《纲目》却标注为《本经》药。同时在这346种之中，有大豆、赤小豆自大豆黄卷中分出来，有木耳自桑根白皮中分出来。照这样看来，把非《本经》的药当作《本经》药来看待，又把《本经》药进行分条，那么上述346种数据也就失去可靠性了。另外，还有9味药，在其他本草中均说是《本经》药，但《纲目》却标注为《别录》药。兹将这9味药列举如下。

（1）王不留行，页915标注“别录上品”。

（2）萆薢，页1031标注“别录中品”。

（3）姑活，页1095标注“别录”。

（4）葱，页1175标注“别录中品”。

（5）薤，页1179标注“别录中品”。

（6）杏核仁，页1250标注“别录下品”。

（7）龙眼，页1300标注“别录中品”。

（8）松脂，页1351标注“别录上品”。

（9）燕屎，页1686标注“别录中品”。

从这些资料来看，《纲目》所标注的《本经》药物，存在混乱现象。所言347种，并不能代表《本经》药物总数。

36.《汉药研究纲要》所提18种重复《本经》药辨疑

日本久保田晴光《汉药研究纲要》（1955年人民卫生出版社出版）中说：“神农本草经……收载药品365种，其中除重复18种外，得347种。大体分类如次：草部164种，谷部7种，菜部13种，果部11种，木部44种，合共植物239种。土部2种，金石41种，合共矿物43种。又虫部29种，介部8种，鳞部7种，禽部5

种，兽部15种，人部1种，合共动物65种。”

从这一段文字中，可以看出日本久保田晴光提出所谓《本经》中365种药，有18种重复，实数只有347种。这种说法，得到国内很多人支持。他们各自在其著述中，采用了此说，兹列举部分例证如下。

（1）南京中医学院（现为南京中医药大学）编的《中医学概论》（高等医药院校试用教材，1959年人民卫生出版社出版，页4）说：“神农本草经，载药365种（内重复18种，实得347种）。”

（2）南京中医学院编的《中药学》（1959年，人民卫生出版社出版，页2）说：“本书（指《本经》）共分三卷，载药365种（除去重复18种，实数347）。”

（3）南京中医学院编《中药学概论》（高等医药院校试用教材，1959年人民卫生出版社出版，页1）。“神农本草经……载药365中（除去重复18种，实数347种）。”

（4）南京药学院编的《药材学》（1960年，人民卫生出版社出版，页3）说：“《本经》载药365种，重复18种，实数347种。动物药65种，矿物药43种，重复18种，实数347种。”

（5）南通市中医院编的《中医学人门》（1959年，江苏人民出版社出版，页17）载：“《本经》内，共叙述了365种药，除去重复的18种外，实有347种。”

（6）南京中医学院编的《祖国医学史讲义》（1959年1月，南京中医学院印，页20）载：“《本经》的内容，共分三卷，收载药物365种，除去重复，实得347种，计植物药239种，动物药65种，矿物药43种。”

（7）中医研究院（现为中国中医科学院）中医教材编辑委员会编的《中国医学史》（未经审定教材草稿，1956年8月中医研究院印，页29）载：“《本经》……弘景把他整理成为365种……此三百六十五种中，除去重复18种以外，得347种；内植物品239种，动物品65种，矿物品43种。”此文加有注文号码，言明参考日本久保田晴光《汉药研究纲要》。

（8）南京药学院编的《药剂学》（1960年，人民卫生出版社出版，页4）中说：“《本经》共载药365种（内有重复者18种）。”

为着节省篇幅，不再举了。上述八种书一致地认为《本经》365种，其中有18种重复，实数是347种。

上述各种书，都是国内外大专医药院校及研究机关所编著，在国内富有很高的威望。因此这些书所讲的话，当然是很可靠的，毋庸怀疑的。但是有人问，《本经》365种药中，究竟有哪18种重复。上述诸家，均未介绍此问题。现在讨论如下。

其实久保田晴光《汉药研究纲要》所言18种重复，并非久保田晴光亲自研究的。乃是抄录《纲目》的资料时因误解而引起的。《纲目》卷1页350采集诸家本草药品总数说："《本经》三百四十七种，除并入一十八种外，草部一百六十四种，谷部七种，菜部一十三种，果部一十一种，木部四十四种，土部二种，金石部四十一种，虫部二十九种，介部八种，鳞部七种，禽部五种，兽部一十五种，人部一种。"此资料和《汉药研究纲要》所录资料基本相同，足证久保田晴光是抄录《纲目》的。

《纲目》所言《本经》347种，是指《纲目》药物总数中，有347种出于《本经》。李时珍把其余的18种，归并在其他各药条下，所归并的，并不等于重复。所谓归并，那就是这18种药，不能单独列为一条，故分散附列在《纲目》其他药条下。被归并的18种药，在《纲目》的目录中是找不到的，只能在其他药物条下寻找。例如大盐并在食盐条下（卷11页685），玉泉并在玉条下（卷8页614），药实根并在解毒子条下（卷18页1037），彼子并在榧实条下（卷31页1304），瓜蒂并在甜瓜条下（卷33页1331）。大盐、玉泉、药实根、彼子、瓜蒂等都是《本经》药物，但归并入的某些药物如食盐、玉、解毒子、榧实、甜瓜等，都不是《本经》药。这样怎能说是《本经》中药物的重复呢？这完全是一种误解。

《纲目》收载药物1892种，是从历代本草中采集而来的。从《本经》采集347种，从《别录》采集307种，从李当之《药录》采集1种，从《唐本草》采集111种，从《证类》采集8种……这样使总数成1892种（实数1894种）。不能把李时珍采用的药物数目，误为某本草药物总数。

总之，《本经》药物总数是365种，李时珍编著《纲目》时，采用其中347种作为《纲目》主药1892种内容之一，把其余18种归并在其他条下。白胶并在鹿条下，天鼠屎并在伏翼条下，蒲黄并在香蒲条下，石下长卿并在徐长卿条下，蜀漆并在常山条下，翘根并在连翘条下，六芝并为一条，大盐并在食盐条下，药实根并在解毒子条下，彼子并在榧实条下，瓜蒂并在甜瓜条下，玉泉并在玉条下，锡铜镜鼻并在古镜条下，肤青并在白青条下。有些药归并在非《本经》的药物条下，就不能算为重复了。而久保田晴光把李时珍采集的《本经》药347种，当作《本经》药物总数来看，又把李时珍归并的18种当作《本经》中重复的18种药，完全出于误解。

37.《纲目》中《本经》文考异

《纲目》中《本经》文，是摘自《证类》白字而成的。但是《纲目》摘录

《本经》文，不像诸家辑本全文抄录，而是按照《纲目》的释名、气味、主治等项目分别摘录的，因此《本经》文在《纲目》中是被分割而脔切的，很难看出《本经》药物条文的全貌。

《本经》文在《纲目》中，不仅被割裂，而且文句亦有所变动，并在文献来源标注上，亦存在一些混乱现象。如以《纲目》同《证类》白字核对一下，即可看出其中问题了。但是《纲目》有30多种版本，版本不同，所存在的问题也各不相同。本文中所讲的《纲目》是指1957年人民卫生出版社影印的《纲目》。

至于《证类》的版本，那就更多了。本文所讲的《证类》是指下列三种版本：①《大观》，指清光绪三十年甲辰（1904）武昌柯逢时影刻宋·唐慎微《经史证类大观本草》；②商务《政和》，指1921—1929年商务印书馆影印金太和甲子下己酉晦明轩刊本（四部丛刊补编子部）；③人卫《政和》，指1957年人民卫生出版社据扬州季范董氏藏金太和张存惠晦明轩本影印（四页合一页平装本）。

本文以1957年人民卫生出版社《纲目》同3种《证类》白字校对，所得歧异问题，分为两类。第一类是《纲目》所引《本经》文标记有异；第二类是《纲目》对所引《本经》文略有删改。

（1）第一类。这类问题又有四种情况：①《纲目》引用《证类》白字，标注为《别录》文，如：王不留行、姑活、鹿角、石下长卿等，皆注为《别录》文；②《纲目》引用《证类》黑字，标注为《本经》文；③《纲目》引用《证类》白字，标注为其他文；④《纲目》引用其他文，标注为《本经》文。

兹将上述四种情况，分别列表如下。

1）《纲目》注《本经》文为《别录》文。下列资料，《纲目》标注《别录》文，而《大观》《政和》作白字《本经》文。

药名	具体内容	《纲目》* 页次	《大观》 卷页	商务《政和》 页次	人卫《政和》 页次
朴　硝	味苦	692	3　18	81	87
空　青	能化铜铁铅锡作金	667	3　25	84	90
青　芝	一名龙芝	1240	6　86	167	168
曾　青	能化金铜	668	3　26	85	无标记

续表

药名	具体内容	《纲目》* 页次	《大观》卷页	商务《政和》页次	人卫《政和》页次
石　斛	轻身延年	1076	6　76	164	164
石　胆	能化铁为铜，合成金银	670	3　23	84	89
龙　胆	久服益智不忘，轻身耐老	785	6　72	无标记	163
赤　箭	轻身增年	739	6　80	166	166
络　石	久服轻身明目润泽好颜色，不老延年	1049	7　11	176	176
石龙芮	鲁果能	995	8　45	212	208
卷　柏	温，万岁	1090	6　88	168	168
茅　根	其苗（茅针）主下水	784	8　46	212	208
菟丝子	久服明目，轻身延年	1002	6　33	150	151
石　韦	一名石韀	1077	8　61	217	212
青　蘘	巨胜苗也	1105	24　3	519	482
天名精	除小虫，去痹，除胸中结热止烦渴	878	7　29	183 黑字	132
白　英	谷菜	1046	6　78	165	165
旋　花	利小便，久服不饥，轻身。花，一名金沸	1015	7　38	186	185
王不留行	治金疮，止血，逐痛出刺，除风痹内寒，久服轻身耐老增寿	915	7　54	192	191
蘼　芜	薇芜	798	7　7	174	175
姑　活	味甘温，主大风邪气湿痹寒痛，久服轻身益气耐老，一名葵子	1095	30　15	588	545
羚羊角	久服强筋骨轻身	1773	17　15 白字	406 黑字	382 黑字
白马茎	马眼味平主惊痫腹满疟疾	1742	17　1	397	374
牡狗阴茎	狗精	1720	17　3	404	381
鹿　茸	角，主恶疮痈肿逐邪恶气，留血在阴中	1775	17　5	无标记	376
石龙子	五癃邪结气，利小便水道石淋下血，一名蜥蜴	1579	21　19	463	432
樗　鸡	味苦平	1526	21　19	462	431
蚱　蝉	生杨柳上	1544	21　8	456	427
桑螵蛸	生桑枝上采蒸	1514	20　11	443	415

续表

药名	具体内容	《纲目》* 页次	《大观》卷页	商务《政和》页次	人卫《政和》页次
青琅玕	石珠	617	5　22	129	132
肤　青	主虫毒及蛇菜肉诸毒恶疮	670	4　39	113	117
半　夏	地文	980	10　11	253	245
甘　遂	主田	951	10　33	264	254
附　子	温中	962	10　1	249	241
蚤　休	癫疾痈疮阴蚀，下三虫。去蛇毒，一名蚩休	984	11　46	292	279
藜　芦	葱苒	960	10　26	260	251
梓白皮	叶捣付猪疮，饲猪肥大三倍	1392	14　29	370	351
雷　丸	作摩膏，除小儿百病	1473	14　21	366	347
竹　叶	汁（沥）主风痉	1478	13　5	332	317
白　蔹	兔核	1033	10　34	264	255
连　翘	折根、三廉	924	11　35	286	275
淮　木	女子阴蚀漏下赤白沃	1480	30　16	588	546
石下长卿	味咸平，主鬼疰精物，邪恶气杀百精蛊毒老魅注易亡走啼哭悲伤恍惚	789	30　15	588	546
溲　疏	可作浴汤	1455	14　34	373	353
蔓　椒	豕椒	1319	14　45	378	358
萤　火	小儿火疮热气蛊毒，鬼疰通神精	1549	22　32	488	455
白颈蚯蚓	化为水	1565	22　10	476	445
蝼　蛄	夜出者良	1548	22　27	485	453
燕　屎	蛊毒鬼疰逐不祥邪气破五癃利小便	1686	19　10	429	401
桃核仁	桃毛主血瘕寒热积聚无子	1257	23　25	506	471
柳　华	叶主马疥痂疮实主溃痈逐脓血	1412	14　10	361	343
龙　骨	龙角久服轻身通神明延年	1574	16　1	389	368
蜂　子	心腹胀满痛，轻身益气	1505	20　4	439	411
丹雄鸡	肉补虚温中止血肶胵里黄皮主泄利屎白主消渴伤寒寒热翮主下血闭鸡子除热火灼烂疮痫痓可作虎珀神物，鸡肠平主遗溺，肪主耳聋	1637	19　1	423	397
蓬　蘽	一名覆盆	1005	23　12	498	464

续表

药名	具体内容	《纲目》* 页次	《大观》卷页	商务《政和》页次	人卫《政和》页次
麻　蕡	利五脏下血寒气久服通神明轻身	1106	24　3	519	482
防　风	烦满	771	7　19	179	179
沙　参	久服利人	728	7　48	191	189
酸　浆	产难吞其实立产	908	8　56	215	211
续　断	龙豆	867	7　24	181	181
营　实	蔷薇	1017	7　28	182	182
松　萝	女萝	1475	13　38	348	330
白　棘	棘针	1441	13　34	346	329
卫　矛	鬼箭	1448	13　41	349	331
紫　草	紫丹，通水道	756	8　50	213	209
知　母	野蓼	736	8　34	208	205
贝　母	空草	780	8　36	209	205

注：＊表示此版《纲目》为1957年人民卫生出版社影印光绪十一年合肥张绍棠刊本。

2）《纲目》注《别录》文为《本经》文。下列资料，《纲目》标注《本经》文，而《大观》《政和》作黑字《别录》文。

药名	具体内容	《纲目》页次	《大观》卷页	商务《政和》页次	人卫《政和》页次
玉　泉	利血脉	615	3　19	76	82
空　青	益肝气	667	3　25	84	90
太一馀粮	肢节不利	666	3　27	86	91
天门冬	不饥	1025	6　20	144	147
菖　蒲	主耳聋痈疮温肠胃止小便利，益心智，高志不老	1063	6　8	140	143
薯　蓣	强阴	1223	6　62	159	160
石　斛	益精	1076	6　76	164	164
枸　杞	风湿，耐寒暑	1452	12　11	306	293
蛇床子	好颜色	798	7　40	187	186

续表

药名	具体内容	《纲目》页次	《大观》卷页	商务《政和》页次	人卫《政和》页次
茵陈蒿	面白悦长年白兔食之仙	851	7　45	189	188
屈　草	无毒	1093	30　16	588	546
蕤　核	目肿眦烂	1442	12　41	321	306
龙　骨	齿主小儿五惊十二痫	1574	16　1	389	368
熊　脂	长年	1772	16　7	392	370
石　蜜	延年神仙	1502	20　1	437	410
麻　仁	久服神仙	1106	24　3	519	482
殷　孽	腿冷疼弱	653	4　28	108	113
长　石	胃中结气	643	4　37	112	117
录　青	录青条全文	668	3　34	89	95
桔　梗	荠苨	730	10　20	258	249
白　芷	颜色	800	8　38	210	206
白　棘	决刺结	1441	13　34	346	329
杜　若	令人不忘	808	7　46	190	189
檗　木	根治心腹百病，安魂魄不饥渴，久服轻身延年通神（见《纲目》檀桓条下）	1380	12　24	313	299
紫　薇	陵苕	1016	13　30	344	327
白兔藿	风疰诸大毒不可入口皆消除之，又去血，可末着痛上立消，毒入腹者煮饮之即解	1045	7　49	191	190
白　薇	春草	789	8　66	218	213
营　实	蔷蘼	1017	7　28	182	182
越　砥	目盲止痛除热瘙	678	30　4	583	540
鹰屎白	伤挞灭瘢	1702	19　12	429	402
伏　翼	痒痛	1687	19　11	429	402
蠡　鱼	五痔	1607	20　15	445	417
大　盐	肠胃结热喘逆胸中病	685	5　17	126	130
大　黄	黄良	941	10　15	255	246
由　跋	毒肿结热	979	10　14	255	246
半　夏	守田	980	10　11	253	245

续表

药名	具体内容	《纲目》页次	《大观》卷页	商务《政和》页次	人卫《政和》页次
赭　魁	心腹积聚除三虫	1034	10　41	267	257
鸢　尾	乌园	988	10　14	255	246
白　蔹	下赤白	1033	10　34	264	255
泽　漆	漆茎	950	10　40	266	256
溲　疏	利水道	1455	14　34	373	353
蛇蜕皮	弄舌摇头	1582	22　9	475	443
腐　婢	止消渴	1140	26　6	537	497

3）《纲目》注《本经》文为其他文。

药名	具体内容	《纲目》页次	《大观》卷页	商务《政和》页次	人卫《政和》页次
连　翘	“一名异翘”“一名兰华”。《纲目》注“异翘”为《尔雅》文，注“兰华”为《吴普》文	924	11　35	286	275
薯　蓣	“一名山芋”，《纲目》注为《吴普》文	1223	6　62	159	160
葈耳实	“风头寒痛，风湿周痹，四肢拘挛痛，恶肉死肌，久服益气”，《纲目》注为陈藏器《拾遗》文	876	8　5	197	195
紫　草	“一名紫芙”，《纲目》注为《尔雅》文	756	8　50	213	209
白菟藿	“一名白葛”，《纲目》注为《吴普》文	1045	7　49	191	190
大　戟	“一名邛钜”，《纲目》注为《尔雅》文	949	10　39	266	256
款　冬	“一名颗东”“一名菟奚”，《纲目》注为《尔雅》文	910	9　24	232	226
鼠　妇	“一名负蟠”，《纲目》注为《尔雅》文；“主气癃，不得小便，妇人月闭血瘕痫痉寒热，利水道”，《纲目》注为《日华子》文	1551	22　31	488	455

4）《纲目》注其他文为《本经》文。

药名	具体内容	《纲目》页次	《大观》卷页	商务《政和》页次	人卫《政和》页次
榆　皮	“久服断谷”，按“断谷”原出于陶弘景《注》文，《纲目》注为《本经》文	1416	12　21	311	298
梅　实	“蚀恶肉”，按此文原出于陶弘景《注》文，《纲目》注为《本经》文	1254	23　16	501	466
蔓　椒	“煎汤蒸浴取汗”，按此文原出于陶弘景《注》文，《纲目》注为《本经》文	1319	14　45	378	358
牛角䚡	“燔之，酒服”，按“燔之”原为《别录》文，《纲目》注为《本经》文。“酒服”二字原为《蜀本草》注，《纲目》注为《本经》文	1738	17　7	400	377

（2）第二类。关于第二类问题，即《纲目》对《本经》文的删改，所改动的情况有下列数种。

1）对某些药物条文句子重行排列，排列后，使文气更通顺些。例如大枣条，《证类》白字云：“养脾，助十二经，平胃气，通九窍。”《纲目》重行排列为“养脾气，平胃气，通九窍，助十二经。”《纲目》这样排列后，文气比原来更好些。

2）删除不必要的字。例如玉泉条，《证类》白字云：“人临死服五斤，死三年色不变。”此句中两个“死”字，从修辞角度讲，后一个“死”字，是赘词，《纲目》摘录时，把后一个“死”字删除了。又如空青条，《证类》白字有云：“延年、不老”，因“延年”“不老”义同，《纲目》引用时，删去“不老”二字。

3）加一些字，使文意更通顺明确。例如生大豆条，《证类》白字云：“生大豆涂痈肿。”这句话看起来，说的不具体，生大豆是一粒一粒的，怎么好涂痈肿呢？《纲目》引用时，改为“大豆，生研，涂痈肿。”又如赤小豆条，《证类》白字云：“下水”，《纲目》改为“下水肿”。

4）《纲目》引《本经》文，未有注明《本经》。例如络石、龙胆、芫荑等，《证类》白字分别有“一名石鲮”“一名陵游”“一名蔽塘”，而《纲目》引此等药，在“释名”项下，均未注明“本经”字样。

5）《纲目》引《本经》文，少数存在笔误现象。例如礜石，《证类》白字云："一名青分石"。"分"，《纲目》作"介"。盖"分""介"字形相似易笔误。又如腐婢条，《证类》白字云："痎疟"，《纲目》作"痰疟"，按"瘵""痰"字形相似易舛误。

6）还有些《本经》文，《纲目》没有引用，这可能由于《纲目》脱漏。例如营实、苦菜、吴茱萸等，《证类》白字，分别有"一名蔷麻""一名选""一名藙"，《纲目》引用此等药物时，在"释名"项下，皆无著录，此可能由于《纲目》脱漏。

兹将《纲目》引用《本经》文和《证类》白字不同点列表如下。

药名	《纲目》中《本经》文，和《证类》白字不同点	《纲目》页次	《大观》卷页	商务《政和》页次	人卫《政和》页次
玉　泉	"死三年色不变"，《纲目》无"死"字。	615	3　9	75	82
空　青	"延年不老"，《纲目》无"不老"二字。	667	3　25	84	90
白　青	"轻身延年不老"，《纲目》无"延年不老"四字	669	3　33	89	94
冬　灰	"主黑子去疣"，《纲目》作"去黑子疣"。	589	5　21	129	132
青琅玕	"痈伤"，《纲目》作"痈疡"。	617	5　22	128	132
礜　石	"青分石"，《纲目》作"青介石"。	671	5　4	119	124
殷　孽	"一名姜石"，《纲目》未注明"本经"。	653	4　28	108	113
锡铜镜鼻	"伏肠"，《纲目》作"伏阳"。	606	5　13	124	128
酸　浆	"主热烦满"，《纲目》作"治热烦满"。	908	8　56	215	211
决明子	"眼赤痛泪出"，《纲目》无"痛"字。	912	7　31	184	183
蛇　全	"蛇全""鼠瘘恶疮"，《纲目》作"蛇含""鼠瘘疮"	921	10　30	262	253
蓼　实	"面目浮肿"，《纲目》作"面浮肿"。	929	28　1	551	509
蜀　漆	"癥坚痞结"，《纲目》无"结"字。	958	10　32	263	254
乌　头	"一名即子"，《纲目》无此文。	972	10　6	251	243
云　实	"花主见鬼精物"，《纲目》无"物"字。	955	7　52	192	190
营　实	"一名蔷麻"，《纲目》无此文。	1017	7　28	182	182
葛　根	"一名鸡齐根"，《纲目》无"根"字	1022	8　8	198	196
苦　菜	"一名荼草""一名选"，《纲目》无"草""一名选"	1213	27　13	548	506

续表

药名	《纲目》中《本经》文，和《证类》白字不同点	《纲目》页次	《大观》卷页	商务《政和》页次	人卫《政和》页次
吴茱萸	“一名藙”，《纲目》无此文	1322	13 8	334	318
紫　参	“味苦辛寒”，《纲目》无“辛”字	755	8 59	216	211
牡　丹	“瘛疭痉”，《纲目》无“痉”字	804	9 26	233	227
兰　泽	“乳妇内衄，中风余疾，大腹水肿，身面四肢浮肿，骨节中水”，《纲目》脱此文	832	9 21	228	222
杜　若	“多涕泪出”，《纲目》无“多”“出”二字	808	7 46	190	189
茺　蔚	“茎主瘾疹痒”，《纲目》无“痒”字	856	6 38	152	153
巴　豆	“大腹水胀”，《纲目》无“水胀”二字	1423	14 1	357	339
溲　疏	“主身皮肤中热”，《纲目》无“身”字	1455	14 34	383	353
葈耳实	“葈耳实，……久服益气，耳目聪明，强志轻身”，《纲目》无“耳目聪明，强志轻身”	876	8 5	197	195
络　石	“一名石鲮”，《纲目》未注明“本经”	1049	7 11	176	176
龙　胆	“一名陵游”，《纲目》未注明“本经”	785	6 72	162 作墨字	163
芫　荑	“一名蕨塘”，《纲目》未注明“本经”	1418	13 18	339	322
地　榆	“妇人乳”“带下病，止痛，除恶肉止汗”，《纲目》作“妇人乳产”“带下五漏，止痛，止汗，除恶肉”	753	9 7	225	220
䕡　茹	“善忘不乐”，《纲目》作“善忘不寐”	948	11 39	288	276
商　陆	“水胀”，《纲目》作“水肿”	944	11 3	272	263
半　夏	“下气，喉咽肿痛，头眩胸胀咳逆肠鸣”，《纲目》作“胸胀咳逆，头眩。咽喉肿痛，肠鸣，下气”	980	10 11	253	245
芫　花	“蛊毒鬼疰”，《纲目》作“虫毒鬼疰”	991	14 51	380	360
白头翁	“狂易、止痛”，《纲目》作“狂猲”“止腹痛”	757	11 21	281	270
辛　夷	“辛矧”，《纲目》作“辛雉”	1361	12 33	318	303
房　葵	“咳逆温疟”，《纲目》作“咳逆湿痞”	947	6 43	153	155
姑　活	“益寿”，《纲目》作“益气”。又《纲目》注“姑活”条全文为《别录》文	1095	30 15	588	545

续表

药名	《纲目》中《本经》文，和《证类》白字不同点	《纲目》页次	《大观》卷页	商务《政和》页次	人卫《政和》页次
蒺藜	“豺羽”，《纲目》作“休羽”	935	7 13	177	177
秦椒	“主风邪气，除寒痹”，《纲目》作“去寒痹”“除风邪气”	1316	13 27	343	326
藕实茎	“藕实茎”“一名水芝丹”，《纲目》作“莲实”“水芝”	1339	23 2	493	460
玄参	“令人目明”，《纲目》作“令人明目”	752	8 27	206	203
续断	“痈伤”，《纲目》作“痈疡”	867	7 24	181	181
白芷	“头风”，《纲目》作“风头”	800	8 38	210	206
茅根	“其苗下水”，《纲目》作“茅针下水”	783	8 46	212	208
蜀羊泉	“头秃”，《纲目》作“秃疮”	909	9 59	245	237
假苏	“除湿痹”，《纲目》作“除湿疸”	836	28 8	555	513
海藻	“主瘿瘤气颈下核，破散结气”“腹中上下鸣”，《纲目》作“主瘿瘤结气，散颈下硬核痛”“腹中上下雷鸣”	1072	9 10	227	221 186
兰草	“水香”，《纲目》作“蔄水香”	831	7 38	187	186
漏芦	“皮肤热”，《纲目》作“皮肤热毒”	868	7 27	182	181
水苏	“去毒”，《纲目》作“去邪毒”	842	28 13	557	514
蓬虆	“长阴令坚”，《纲目》作“长阴令人坚”	1005	23 12	498	464
蕤核	“心腹邪”，《纲目》作“心腹邪热”	1442	12 41	321	306
大枣	“养脾，助十二经，平胃气，通九窍”，《纲目》作“养脾气，平胃气，通九窍，助十二经”	1264	23 7	496	462
桃仁	“血闭瘕”，《纲目》作“血闭癥瘕”	1256	23 25	506	471
当归	“煮饮之”，《纲目》作“煮汁饮之”	794	8 15	202	199
梓白皮	“主热”，《纲目》作“主治热毒”	1392	14 29	370	351
五加	“小儿不能行”，《纲目》作“小儿三岁不能行”	1450	12 29	316	301
葱实	“温补中”，《纲目》作“大温。补中气”	1175	28 3	552	510
葱白	“可作汤主伤寒寒热出汗，中风，面目肿”，《纲目》作“作汤治伤寒寒热，中风，面目浮肿，能出汗”	1175	28 3	552	510

续表

药名	《纲目》中《本经》文，和《证类》白字不同点	《纲目》页次	《大观》卷页	商务《政和》页次	人卫《政和》页次
通　草	“去恶虫，除脾胃寒热，通利九窍血脉关节，令人不忘”，《纲目》作“除脾胃寒热，通利九窍血脉关节。令人不忘，去恶虫”	1043	8　21	204	200
羊　桃	“风水积聚恶疡，除小儿热”，《纲目》作“除小儿热，风水积聚恶疡”	1049	11　28	284	273
吴茱萸	“咳逆寒热，除湿血痹，逐风邪，开腠理”，《纲目》作“除湿血痹，逐风邪，开腠理咳逆寒热”	1322	13　8	334	318
生大豆	“生大豆，涂痈肿”，《纲目》作“黑大豆，生研涂痈肿”	1134	25　1	523	486
腐　婢	“痎疟”，《纲目》作“痰疟”	1140	26　6	537	497
赤小豆	“下水”，《纲目》作“下水肿”	1138	25　3	524	487
丹雄鸡	“赤白沃”“杀毒”，《纲目》作“赤白带”“杀恶毒”	1667	19　1	423	397
鮀鱼甲	“鮀鱼甲”“女子崩中下血五色，小腹阴中相引痛疮疥”，《纲目》作“鼍甲”“女子腹阴中相引痛，崩中下血五色，及疮疥”	1577	21　14	461	431
马　刀	“主漏下”，《纲目》作“主治妇人漏下”	1640	22　4	472	441
贝　子	“主目翳鬼疰蛊毒腹痛下血，五癃，利水道，烧用之良”，《纲目》作“主治目翳五癃，利水道，鬼疰蛊毒，腹痛下血”	1648	22　20	481	449
雀　瓮	“小儿惊痫，寒热结气，蛊毒，鬼疰”，《纲目》作“寒结气，蛊毒鬼疰，小儿惊痫”	1516	22　21	482	450
蚯　蚓	“仍自化作水”，《纲目》作“化为水”并注为《别录》文	1565	22　10	476	445
发　髲	“疗小儿痫”，《纲目》作“疗小儿惊”	1812	15　1	383	363
麋　脂	“宫脂”“拘缓不收”，《纲目》作“官脂”“拘挛不收”	1781	18　5	415	390
豚　卵	“悬蹄”“伏热在肠”，《纲目》作“悬蹄甲”“伏热在腹中”	1718	18　1	413	380

续表

药名	《纲目》中《本经》文，和《证类》白字不同点	《纲目》页次	《大观》卷页	商务《政和》页次	人卫《政和》页次
羚羊角	“安心气，常不魇寐”，《纲目》无“安心气”三字	1773	17　15	406	382
羖羊角	“杀疥虫，止寒泄，辟恶鬼虎狼，止惊悸久服安心益气轻身”，《纲目》作“止惊悸寒泄，久服安心益气轻身，杀疥虫，人山烧之，辟恶鬼虎狼”	1731	17　9	402	379
龙　齿	“齿主小儿大人惊痫癫疾狂走心结下气，不能喘息，诸痉，杀精物”，《纲目》作“杀精物，大人惊痫诸痉，癫疾狂走，心下结气，不能喘息，小儿五惊十二痫”	1575	16　13	893	68
天鼠屎	“皮肤洗洗”，《纲目》作“皮肤洒洒”	1689	19　11	430	402
斑　蝥	“鼠瘘恶疮”，《纲目》无“恶”字	1527	22　19	480	448
蜚　虻	“破下血积”，《纲目》无“下”字	1554	21　21	464	433
蜣　螂	“一名蛣蜣”“火熬之良”，《纲目》对“一名蛣蜣”未注明“本经”，又《纲目》无“火熬之良”四字	1546	22　24	484	451
石　蜜	“石蜜”，《纲目》作“蜂蜜”	1502	20　1	437	410
蚕	“肉解结气”，《纲目》作“其肉解结气”	1521	22　21	481	449
蛇　蜕	“瘛疭，癫疾，寒热，肠痔，虫毒，蛇痫”，《纲目》作“蛇痫，癫疾，瘛疭，弄舌摇头，寒热肠痔，蛊毒”	1582	22　9	475	443

38.《纲目》标注其他资料为《本经》文的讨论

《纲目》原是以《证类》为蓝本编撰的，将《证类》中白字《本经》文收入书中，并均标注“本经”二字，以示和其他文的区分。但是用各种《证类》版本校之，《纲目》所注“本经”二字的文字，并非全出于《证类》白字《本经》，往往夹杂有非《本经》文的资料。

兹以1957年人民卫生出版社影印1885年张绍棠重刊《纲目》（以下简称张本），和1977—1981人民卫生出版社铅印校点本《纲目》（以下简称校点本）为例，将其中标注其他资料为《本经》文的情况讨论如下。

本文选用三种《证类》来校证。一是《大观》，即是清代光绪三十年甲辰（1904）武昌柯逢时影刻宋代唐慎微《经史证类大观本草》；二是人卫《政和》，即1957年人民卫生出版社影印唐慎微《重修政和经史证类备用本草》；三是商务《政和》，即1921—1929年商务印书馆影印《重修政和经史证类备用本草》。

将《纲目》标注“本经”的资料，以三种《证类》版本校之，发现其中有49条的文字，并非出于《证类》白字《本经》文。在此49条中，有45条是出自《证类》黑字《别录》文，有3条出于陶弘景注文，有1条出于《蜀本草》注文。

兹将《纲目》注其他书资料为《本经》文的情况摘录如下。药名后括弧中号码为张本《纲目》页次。

（1）《纲目》注《别录》资料为《本经》文。

1）在《别录》药名下标注“本经”二字。绿青（668），鹰屎白（1702），由跋（979），升麻（775），赭魁（1034）。

2）将《别录》一名注为《本经》文。桔梗一名荠苨（730），紫威一名陵苕（1016），白薇一名春草（789），营实一名蘠蘼（1017），大黄一名黄良（941），半夏一名守田（980），鸢尾一名乌园（988），泽漆一名漆茎（950）。

3）将《别录》部分主治文，注为《本经》文。玉泉利血脉（615）。空青酸，益肝气（667）。太一馀粮主肢节不利（666），天门冬不饥（1025）。昌蒲，主耳聋痈疮，温肠胃，止小便利，益心智，高志不老（1063）。薯蓣主强阴（1223）。石斛主益精（1076）。枸杞主风湿，耐寒暑（1452）。蛇床子，好颜色（798）。茵陈蒿主面白悦长年，白兔食之仙（851）。蕤核主目肿眦烂（1442）。龙骨、齿，主小儿五惊十二痫（1574）。殷孽主脚冷疼弱（653）。长石主胃中结气（643）。白棘决刺结（1441）。白兔藿主风疰诸大毒不可入口者皆消除之，又去血，可末着痛上立消，毒入腹者煮饮之即解（1045）。越砥主目盲止痛，除热瘙（678）。伏翼主痒痛（1687）。蠡鱼主五痔（1607）。大盐主肠胃结热，喘逆，胸中病（685）。白蔹主下赤白（1033）。溲疏利水道（1455）。蛇蜕皮主弄舌摇头（1582）。腐婢止消渴（1140）。櫱木，根治心腹百病，安魂魄，不饥渴，久服轻身延年通神（1383，见《纲目》檀桓条下）。熊脂久服长年（1772）。石蜜延年神仙（1502）。麻仁久服神仙（1106）。杜若令人不忘（808）。屈草无毒（1093）。白芷润颜色（800）。牛角鳃燔之（1733）。

（2）《纲目》注陶弘景文为《本经》文。榆皮，久服断谷。按“断谷”二字原出于陶弘景注文,《纲目》标作“本经”(1416)。梅实,蚀恶肉。按此文原出于陶弘景注,《纲目》标注“本经”(1254)。蔓椒,煎汤蒸浴取汗。按此文原出于陶弘景注,《纲目》标注“本经”(1319)。

(3)《纲目》注《蜀本草》为《本经》文。牛角䚡,燔之,酒服。按“酒服”二字原出于《蜀本草》注,《纲目》注为《本经》文(1738)。

(4)《纲目》注《药性论》为《本经》文。五加,主小儿三岁不能行。按“三岁”二字为《药性论》文,《纲目》注为《本经》文(1450)。

以上是张本《纲目》标注其他书资料为《本经》文者,共49条。校点本《纲目》对此49条,有14条已改正;有31条做了注文说明,但未改正;另有4条,既无注文,亦未改正。例如校点本《纲目》卷32页1857蔓椒条主治下有“煎汤蒸浴,取汗”,并标“本经”二字。校以人卫《政和》页358、商务《政和》页378、《大观》卷14页45蔓椒条白字,俱无此文。唯蔓椒条陶隐居注中有“可以蒸病出汗也”。《纲目》移陶弘景注文化裁为“煎汤蒸浴,取汗”,续于《本经》文之后,标注“本经”二字。又如校点本《纲目》卷18页1299赭魁条主治下有“心腹积聚,除三虫”,标注“本经”二字。校以人卫《政和》页257,商务《政和》页267,《大观》卷10页41俱作黑字《别录》文,非《本经》文。类似此例还有大黄、营实等条。

39.《纲目》引《本经》文化裁举例

《纲目》援引《证类》白字《本经》文,并非原文转录,多数是加以化裁。今以1957年人民卫生出版社影印《纲目》所引《本经》文校以《证类》,发现经过《纲目》化裁的文字,有84条。兹将化裁文举例如下。每条先列《证类》白字《本经》文,后列《纲目》化裁文,文末括弧中号码为张本《纲目》页次。

(1)《纲目》引《本经》文,删去个别字。玉泉,死三年色不变。《纲目》删“死”字(615)。空青,延年不老。《纲目》删“不老”二字(667)。决明子,主眼赤痛泪出。《纲目》删“痛”字(912)。蛇全,主鼠瘘恶疮。《纲目》删“恶”字(921)。蓼实,主面目浮肿。《纲目》删“目”字(929)。蜀漆,主癥坚痞结。《纲目》删“结”字(958)。云实,花主见鬼精物。《纲目》删“物”字(955)。葛根,一名鸡齐根。《纲目》删“根”字(1022)。苦菜,一名荼草,一名选。《纲目》删“草”“选”二字(1213)。紫参,味苦辛寒。《纲目》删“辛”字(755)。牡丹,主瘈疭痉。《纲目》删“痉”字(804)。溲疏,主身皮肤中热。《纲目》删“身”字(1455)。杜若,主多涕泪出。《纲目》删“多”“出”二字(808)。芫蔚，茎主瘾疹痒。《纲目》删“痒”字（856）。巴豆，主大腹水胀。《纲目》删“水胀”二字（1423）。斑蝥，主鼠瘘恶疮。《纲目》删“恶”字（1527）。蜚虻，破下血积。《纲目》删“下”字（1554）。

（2）《纲目》引《本经》文，增加个别字。海藻，腹中上下鸣。《纲目》在“鸣”字前增“雷”字（1072）。兰草，一名水香。《纲目》在“水”字前增“荷”字（831）。漏芦，皮肤热。《纲目》在“热”字后增“毒”字（868）。水苏，去毒。《纲目》在“毒”字前增“邪”字（842）。蓬蘽，长阴令坚。《纲目》在“令”字后增“人”字（1005）。蕤核，心腹邪。《纲目》在“邪”字后增“热”字（1442）。桃仁，血闭瘕。《纲目》在“瘕”字前增“癥”字（1256）。白头翁，止痛。《纲目》在“痛”字前增“腹”字（757）。当归，煮饮之。《纲目》在“煮”字后增“汁”字（794）。地榆，主妇人乳。《纲目》在“乳”字后增“产”字（753）。梓白皮，主热。《纲目》增“治”“毒”二字作“主治热毒”（1392）。五加，小儿不能行。《纲目》在“儿”字后增“三岁”二字（1450）。赤小豆，下水。《纲目》在“水”字后增“肿”字（1138）。丹雄鸡，主杀毒。《纲目》在“毒”字前增“恶”字（1667）。马刀，主漏下。《纲目》在“主”字后增“妇人”二字（1640）。石蚕，肉解结气。《纲目》在“肉”字前增“其”字（1521）。葱实，温，补中。《纲目》作“大温，补中气”（1175）。

（3）《纲目》引《本经》文，改动个别字。青琅玕，主痈伤。《纲目》改“伤”为“疡”（617）。矾石，一名青分石。《纲目》改“分”为“介”（671）。锡铜镜鼻，主伏肠绝孕。《纲目》改“肠”为“阳”（606）。酸浆，主热烦满。《纲目》改“主”为“治”（908）。蔄茹，主善忘不乐。《纲目》改“乐”为“寐”（948）。商陆，主水胀。《纲目》改“胀”为“肿”（944）。芫花，主蛊毒。《纲目》改“蛊”为“虫”（991）。辛夷，一名辛矧。《纲目》改“矧”为“雉”（1361）。白头翁，主狂易。《纲目》改“易”为“猲”（757）。房葵，主咳逆温疟。《纲目》改“温疟”为“湿痞”（947）。姑活，益寿。《纲目》改“寿”为“气”（1095）。蒺藜，一名豺羽。《纲目》改“豺”为“休”（935）。秦椒，主风邪气，除寒痹。《纲目》改作“除风邪气，去寒痹”（1316）。藕实茎，一名水芝丹。《纲目》改作“莲实，水芝”（1339）。玄参，令人目明。《纲目》改“目明”为“明目”（752）。续断，主痈伤。《纲目》改“伤”为“疡”（867）。白芷，主头风。《纲目》作“主风头”（800）。茅根，其苗下水。《纲目》改“其苗”为“茅针”（783）。蜀羊泉，主头秃。《纲目》作“主秃疮”（909）。假苏，除湿痹。

《纲目》改“痹”为“疸”（836）。腐婢，主痎疟。《纲目》改“痎”为“痰”（1140）。丹雄鸡，主赤白沃。《纲目》改“沃”为“带”（1667）。蚯蚓，仍自化作水。《纲目》作“化为水”（1565）。发髲，疗小儿痫。《纲目》改“痫”为“惊”（1812）。麋脂，一名宫脂，拘缓不收。《纲目》改“宫”“缓”为“官”“挛”（1781）。豚卵，悬蹄，伏热在肠。《纲目》作“悬蹄甲，伏热在腹中”（1709）。天鼠屎，主皮肤洗洗。《纲目》作“皮肤洒洒”（1689）。蜣螂，主大人癫疾狂易。《纲目》改“易”为“阳”（1546）。

（4）《纲目》引《本经》文，进行化裁。地榆，主带下病，止痛，除恶肉，止汗。《纲目》化裁为“主带下五漏，止痛，止汗，除恶肉”（753）。海藻，主瘿瘤气颈下核，破散结气。《纲目》化裁为“主瘿瘤结气，散颈下硬核痛”（1072）。葱白，可作汤，主伤寒寒热出汗，中风，面目肿。《纲目》化裁为“作汤治伤寒寒热，中风，面目肿，能出汗”（1175）。生大豆，涂痈肿。《纲目》作“黑大豆，生研涂痈肿”（1134）。鮀鱼甲，主女子崩中下血五色，小腹阴中相引痛、疮疥。《纲目》作“鼍甲，主女子小腹阴中相引痛，崩中下血五色及疮疥”（1577）。贝子，主目翳鬼疰蛊毒腹痛下血，五癃，利水道。《纲目》作“主治目翳五癃，利水道，鬼疰蛊毒，腹痛下血”（1648）。羖羊角，杀疥虫，止寒泄，辟恶鬼虎狼，止惊悸，久服安心益气轻身。《纲目》作“止惊悸寒泄，久服安心益气轻身，杀疥虫，入山烧之，辟恶鬼虎狼”（1731）。龙齿，主小儿大人惊痫癫疾狂走，心下结气，不能喘息，诸痉，杀精物。《纲目》作“杀精物，大人惊痫诸痉，癫疾狂走，心下结气，不能喘息，小儿五惊十二痫”（1575）。蛇蜕，主瘈疭，癫疾，寒热，肠痔，虫毒，蛇痫。《纲目》作“蛇痫，癫疾，瘈疭，弄舌摇头，寒热肠痔，蛊毒”（1582）。冬灰，主黑子去疣。《纲目》作“去黑子疣”（589）。大枣，养脾，助十二经，平胃气，通九窍。《纲目》作“养脾气，平胃气，通九窍，助十二经”（1264）。

（5）《纲目》引《本经》文，对文句进行重排。通草，去恶虫，除脾胃寒热，通利九窍血脉关节，令人不忘。《纲目》作“除脾胃寒热，通利九窍血脉关节，令人不忘，去恶虫”（1043）。羊桃，主风水积聚恶疡，除小儿热。《纲目》作“除小儿热，风水积聚恶疡”（1049）。吴茱萸，主咳逆寒热，除湿血痹，逐风邪，开腠理。《纲目》作“除湿血痹，逐风邪，开腠理，咳逆寒热”（1681）。雀瓮，主小儿惊痫，寒热结气，蛊毒，鬼疰。《纲目》作“主寒热结气，蛊毒鬼疰，小儿惊痫”（1516）。半夏，下气，咽喉肿痛，头眩胸胀，咳逆肠鸣。《纲目》作“胸胀咳逆，头眩，咽喉肿痛，肠鸣，下气”（980）。

（6）《纲目》引《本经》，脱漏标注之“本经”。殷孽，一名姜石（653）。络石，一名石鲮（1049）。龙胆，一名陵游（785）。芫荑，一名蕨塘（1418）。蜣螂，一名蛣蜣。以上《本经》别名，《纲目》援引时，均未标“本经”二字。

（7）《证类》中还有些白字《本经》文，《纲目》未加收录。白青，延年不老（669）。乌头，一名即子（972）。营实，一名蘠麻（1017）。苦菜，一名选（1213）。吴茱萸，一名藙（1322）。葈耳实，久服耳目聪明，强志轻身（876）。泽兰，主乳妇内衄，中风余疾，大腹水肿，身面四肢浮肿，骨节中水（832）。羚羊角，安心气（1773）。蜣螂，火熬之良（1546）。此等《本经》文，均未见《纲目》收录。

以上是用张本《纲目》同《证类》白字《本经》文校勘的。若用1977—1981人民卫生出版社校点本《纲目》来校勘，在上述84条中，有31条已改正。

（四）陶弘景整理的《本经》文其他的问题

40. 陶弘景整理的《本经》文掺杂方士思想的考察

《证类》白字序文云：“上药一百二十种为君，主养命以应天，无毒，多服久服不伤人，欲轻身益气，不老延年者，本上经。中药一百二十种为臣，主养性以应人，无毒有毒，斟酌其宜，欲遏病补虚羸者，本中经。下药一百二五种为佐使，主治病以应地，多毒，不可久服，欲除寒热邪气，破积聚愈疾者，本下经。”

从《证类》白字序文，可以了解《本经》时代，人们对药物的应用分三类：一类以不老神仙为主，一类以补虚强身为主，一类以治病愈疾为主。并把有祛老延年作用的药物定为上品，有补虚强身作用的药物定为中品，有治病愈疾作用的药物定为下品。从我们现代观点来看，服药能够不老神仙的，并不为人们所相信了。服药能够补虚强身和治病愈疾的，还是为人们所相信的。

在《本经》中，不老神仙药、补虚强身药、治病愈疾药，三者几乎各占1/3。但是在现代来看，《本经》的上品，绝大部分也是治病愈疾的药物，久服并不能使人不老神仙。由于时代不同，人们对客观事物的认识各有不同，我们今日并不相信有什么药能够久服延年，不老神仙。因为人是有机体，有它自己发展的规律，到时总是要死的，到目前为止，还没有发现什么药久服能使人不死。可是在《本经》时代，人们并没有这样的认识，总以为世界上还有仙人世界，人们只要久服某些上品药，就可以长生不死。特别是那些权贵们，有了金银和权势，还愁寿命太短，不能永享富贵，为着能永享富贵，到处寻求长生不死之药，因此大量方士活动就应运而生了。我们翻开《史记》《汉书》看一看，有关方士，史料记载的很多。兹举例如下。

《汉书·郊祀志》云："汉宣帝时（前73—前49），京兆尹张鳞奏请：斥远方士虚语，游心帝王之术，令尚方待诏皆罢。"颜师古注云："尚方者，主方药也。"《汉书·郊祀志》云："建始二年（前31年），宰相匡衡，御史张谭奏：罢候神方士、使者、付左、本草待诏，七十余人皆归家。"颜师古注云："以方术、本草而待诏者。"

这就说明在公元前73年到公元前31年，已有"方士、本草待诏"的职称。

盖古代统治者既要多得金银，又要能够长寿，于是养些方士，替他们炼金银和仙丹，以求长生不死，永享富贵万年。《史记·封禅书》李少君言上曰："祠灶则致物，致物而丹沙可化为黄金，黄金成为饮食器则益寿，益寿而海中蓬莱仙可见。"从这些史料来看，汉代确有方士炼丹事实的存在。另外东汉王充（27—104）《论衡·道虚篇》云："夫服食药物，轻身益气，颇有其验，若夫延年度世，世无其效，百药愈病，病愈而气复，气复而身轻矣。"

从王充的批判，可以看出汉代人是有服食药物谋求长生的风气。叶德辉辑《淮南万毕术》云："曾青为药，令人不老。服玉浆则不老。以茯苓、术、稻米为粉末而服之，则气力益盛，发白再黑，齿落再生，目冥复明，延年益寿，老而更少。术者，山之精也，结阴阳之气，令人绝谷致神仙。"《后汉书·何颙别传》："张仲景令王仲宣服五石汤。"

这种风气，延续到晋代，还是在流行的。所以晋代服玉石风气亦很盛行。《晋书·皇甫谧传》云："谧之上书，又服寒食药违错节度，辛苦荼毒，于今七年，隆冬裸袒食冰，当暑烦闷。"《晋·中兴书》蕲邵云："本草、经方，览无不通究，裁方治疗，意出众见，创置五石散，礜石散。晋朝士大夫无服饵获效焉。"（《御览》）《世说·新语》引何晏云："服五石散，非唯治病，亦觉精神开朗。"

从服食的风气，可以了解古人确信某些药物经过久服，可以达到长生不死成仙的，所以《本经》中上品药，记载了大量久服轻身益气，不老延年神仙等资料。如下。

玉泉，……久服耐寒暑，不饥渴，不老神仙。人临死服五斤，死三年色不变。

朴硝，……能化七十二种石，炼服之，轻身神仙。

太一馀粮，……久服耐寒暑，不饥，轻身，飞行千里，神仙。

蒲黄，……久服轻身，益气力，延年神仙。

杜仲，……久服轻身耐老，一名思仙。

鸡头实，……久服轻身不饥，耐老神仙。

黄雄，……炼食之，轻身神仙。

水银，……久服神仙不死。

胆石，……久服增寿神仙。

这些久服神仙不死的资料掺杂于《本经》药物中，可能与当时方士及服食思想有密切的关系。

从历史资料来看，汉代不仅方士活动频繁，服食药物误求长生的风气盛行，而且在文献上，有神仙专著的记载，尽管所记载的书失传，但是那些书名，还保存在古代图书目录中。

中国目前最古的图书目录，是班固著的《汉书·艺文志》。该志把所有的古书分为七大类，又称“七略”，其中有一类名方技略。《汉书·艺文志·方技略》所记载的书，又分医经、经方、房中、神仙四小类，每一小类书的末尾，有个小结，在这四个小结中，经方类、神仙类两个小结，和本草关系最为密切。经方类小结云：“经方者，本草石之寒温，量疾病之浅深，假药味之滋，因气感之宜，辨五苦六辛，致水火之齐，以通闭解结，反之于平。及失其宜者，以热益热，以寒增寒，精气内伤，不见于外，是所独失也。”

从这个小结中可以看出，“本草石之寒温，量疾病之浅深，假药味之滋”，是论个别药物性质和作用；“辨五苦六辛，致水火之齐，以通闭解结，反之于平”，是讲方药的制备及其治疗功效的。

《汉书·郊祀志》所言“本草待诏”职称，也可能是从事方药制备工作的职称，因《方技略·经方》小类中，所收集“经方”有11家，其中9家是各种治病的方子，一家是方药的制备，名《汤液经法》，一家是讲食物禁忌的书，名《神农黄帝食禁》。所以“经方”包含有治病的方药、方药的制备和食物禁忌等内容。

《方技略》中神仙类，收集有关神仙著述共10家，计205卷。神仙类书录末尾，也有个小结云：“神仙者，所以保性命之真，而游求于其外者也……”这些话，正和《证类》白字上品药物：“久服耐寒暑，不饥渴，不老神仙……”等内容相吻合。

按《方技略》中经方类，是专论防病治病的。而神仙类，是论述“保性命之真，而游求于外者也（即成仙）”。但《本经》药物，既有防病治病的内容，又有久服神仙的内容。所以，《本经》药物资料，具有《方技略》中经方类和神仙类双重内容。不像后世本草仅有防病治病的内容，并无神仙等内容。

晋代葛洪《肘后方》卷4云："《本草》有不饥之文，而《医方》莫言斯术者，当以其涉在仙奇之境，非庸俗所能遵故也。"葛洪的话，正可反证《本经》包含医方和神仙两方面内容。医方单讲治病，莫言不饥神仙等问题；而《本经》既有治病医方的内容，又有不饥神仙等内容。

《本经》掺杂神仙思想，不仅表现在药物内容上，而且表现在药物分类上。按本草书之药物，以草类药最多，当以草类药为首，为何《本经》药物，以玉石为首？这显然是受方士影响所致。

从古代所引本草书资料来看，古代药物分类，似乎是以草类为首的。例如陶弘景《集注》序云："或草石不分，虫兽无辨……"其所言"草石不分"的"草石"，草在石字之前，这就提示本草书以草类药为首。东汉郑康成注《周礼》云："五药，草、木、虫、石、谷，其治合之齐，存乎神农子仪之术。"由此可知郑康成所见的本草书，亦是以草类为首的。《汉书·艺文志》云："经方者，本草石之寒温，……"这个"本草石之寒温"，亦是以草为首的。从"本草"名称来讲，既以"本草"为药书的名称，当以草类药为首的。

《证类》白字又为何以玉石为首呢？这与古代方士思想有关。草类药物经不起加热，加热则炭化，而玉石类药物，可以加热炼化，方士信以为玉石炼化可以成仙丹。在方士们的心目中，玉石药比草木药更重要，所以在《本经》时代，人们都重视玉石药，故对药物分类亦以玉石为首。

41.《本经》和《山海经》

《山海经》是我国古代各科汇编的文献，记载了我国古代地理、动物、植物、矿物、医药、氏族、民情习俗、祭祀、小说以及传奇神怪等，内容庞杂，涉及面很广。本书对于研究我国古代自然科学史，有重要参考价值。

《山海经》和《本经》都是我国较早的古书，晋代张华《博物志》云："太古书，今见存者，有《神农经》（指《本经》）和《山海经》。"

（1）两书相同点。两书中有相似或相同的药名。《山海经》记载动物、植物、矿物品名772种。其中有139种讲到医药功用，在这139种中，有44种和《本经》药物相近或相同。后世作《本经》药物注解时，都引用《山海经》资料来注释。兹将《证类》《纲目》及孙星衍辑《本经》（下称孙本）等所引《山海经》资料作为《本经》药物注解者，摘录如下。

丹　砂　《山海经》云：丹粟，粟砂。（孙本页3）

雄　黄　西山经云：高山，其下多雄黄。（孙本页59）

空　青　曾青，西山经云：皇人之山，其下多青。郭璞云：空青、曾青之属。（孙本页 7）

硝　石　北山经云：京山，其阴有玄硝。（孙本页 6）

慈　石　北山经云：灌题之山，其中多磁石。（孙本页 60）

矾　石　时珍引《山海经》云：女床之山，其阴多涅石。郭璞注云：矾石也。（《纲目》页 706）

礜　石　时珍引西山经云：皋涂之山有白石，其名曰礜，可以毒鼠。（《纲目》页 671）

青琅玕　苏颂引《山海经》云：昆仑山有琅玕。（《纲目》页 617，《证类》页 132）

代　赭　苏颂引《山海经》云：西山经石鄃之山，其阴灌水出也，而北流于愚水，其中有流赭，以涂牛马无病。（《纲目》页 663，《证类》页 128）

白　垩　苏颂引《山海经》云：大次之山，其阳多垩。又北山经，天池之山，其中多黄垩。又中山经葱聋之山，其中有大谷多白、黑、青、黄垩。（《纲目》页 576，《证类》页 132）

戎　盐　北山经云：景山南望盐贩之泽。（孙本页 98）

蘼　芜　《山海经》云：臭如蘼芜。（孙本页 26，《证类》页 213，《纲目》页 787）

白　芷　西山经云：号山，其草多药虈。郭璞云：药，白芷。虈，香草。（孙本页 68）

芎　䓖　西山经云：号山，其草多芎䓖。（孙本页 25）

络　石　西山经云：上申之山多络石。（孙本页 26）

乌　韭　西山经云：萆荔，状如乌韭。（孙本页 112）

紫　草　《山海经》云：劳山多茈草。郭璞云：一各紫莀，中染紫也。（孙本页 70）

通　草　中山经云：升山其草多寇脱。（孙本页 64）

狼　毒　中山经云：大騩之山有草焉，其状如蓍而毛。青华而白实，其名曰狼，服之不夭，可以为腹病。（孙本页 110）

术　中山经云：首山草多术。（孙本页 13）

麦门冬　中山经云：青要之山是多仆累。（孙本页 17）

天门冬　《山海经》云：条谷之山，其草多芍药，门冬。（《证类》页 147）

署　预　《山海经》云：景山北望少泽，其草多藷薁（音同署预）。（《证类》页160，《纲目》页1223）

石龙刍　时珍引《山海经》名龙条。（《纲目》页889）

芫　花　《山海经》云：首山，其草多芫。（《纲目》页991）

细　辛　时珍引《山海经》云：浮戏之山多少辛。（《纲目》页786）

藁　本　《山海经》名藁茇。（纲目页799）

莽　草　《山海经》名芒草。（《纲目》页994）

芍　药　北山经云：绣山，其草多芍药。（孙本页65）又《山海经》云："条谷之山，其草多芍药。"（《证类》页147天门冬条下图经引）

秦　椒　北山经云：景山多秦椒。（孙本页81）

木　香　李珣引《山海经》云：生东海昆仑山。（《证类》页160，按李珣所引"《山海经》云"，系后人注文，非《山海经》原文）

女贞实　苏颂引《山海经》云：太山多桢木。桢木即女贞。（《证类》页306，《纲目》页1447）

楝　实　中山经云：其实如楝。（孙本页116）

栾　华　《山海经》云：云雨之山，有木名栾。黄本赤枝青叶。（孙本页119）

桑上寄生　中山经云：龙山上多寓木。（孙本页42）

桂　　南山经云：招摇之山，多桂。（孙本页38）

郁　李　时珍曰：郁，《山海经》作栯。（《纲目》页1445）

鸡　头　《山海经》祠鬼神皆用雄鸡。（《纲目》页1670）

羚　羊　《山海经》作羬。（《纲目》页1773）

犀　《山海经》有白犀。（《纲目》页1767）

鼺　鼠　《山海经》云：耳鼠状如鼠，兔首、麋耳，以其尾飞，食之不眯。（《纲目》页1689）

蛇　蜕　中山经云：来山多空夺。郭璞云：即蛇皮脱也。（孙本页122）

石　蜜　中山经云：平逢之山多沙石，实惟蜂蜜之庐。（孙本页48）

蛞　蝓　苏敬引《山海经》云：貐，彘身，人面，音如婴儿，食人兽。（《证类》页432。按《唐本草》注，苏敬把蛞蝓当作兽，其余各种本草皆作虫类）又孙星衍引中山经云：青要之山多仆累。（孙本页89）

《山海经》收载实物772种，注明医疗功用者有139种，在这139种药物中，同《本经》相似或相同的药名，只有上述44种。

（2）两书不同点。若把两本书比较一下，有很多不同点，兹分别介绍如下。

1）《山海经》的物品和《本经》的药品暗合的很少。《山海经》中记载名物有772种，而各家《本经》注文引用《山海经》资料只有44处，《本经》载药物是365种，那就有321种药物不见于《山海经》的物品中。这就提示《本经》的药物，大都是在《山海经》以后被人们发现其医疗功用的。从《本经》注文引用《山海经》44个药物来看，有下列几个特点。

①名称大都不相同：在这44个药物中，除掉雄黄、芍药、芎藭、蘼芜、秦椒、乌韭等名称相同外，其余名称皆不相同。②功用不明：《本经》注文所引的44个药物，除礜石、代赭、狼毒、鼺鼠、莽草5味药在《山海经》中注明功用外，其余39味药物，在《山海经》中均未注明功用。③所讲的功用对不上号：《本经》注文所引《山海经》资料，言明有医疗功用者只有上述5味药，可是这5味药在《山海经》中所注明的功用，和《本经》中所讲的功用全对不上号。例如《山海经》说：代赭，涂牛马无病；狼毒，服之不夭，可以为腹病；鼺鼠，食之不眯。这些功用，在《本经》皆无。

2）《山海经》药物来源与《本经》不同。《山海经》的药物有139种，其中动物76种，植物55种，矿物5种，另有类别不详者3种。《本经》载药365种，植物药252种，动物药67种，矿物药46种。

在《山海经》中，以动物药为最多，而《本经》中以植物药为最多。说明在《山海经》时，人民尚未完全摆脱游牧生活；而在《本经》时，人民却以农业生活为主了。

3）两书药物分类不同。《山海经》中所言药物主治功用，是分散的，并没有分类的迹象，纯属自然状态。而《本经》中的药物有上、中、下三品的分类。

4）理论有无不同。《山海经》中的药物主治，只讲简单的使用方法，纯属原始状态。《本经》中的药物，有君臣佐使配伍、七情合和、四气、五味等理论。

5）主治病名多寡不同。《山海经》中药物主治病名只有数种，而《本经》药物主治病名有170多种。

6）治疗术语不同。《山海经》中药物治疗，不言“治”，多简称“为”“已”（西汉时多用“已”，如《淮南子》云：“鸡头已瘘”）等字。在预防方面，亦不言“预防”，而用“不”“无”，或“御”等字。

7）药物使用方法不同。《山海经》中药物使用方法有食、饮、服、席、佩、涂、浴、养等用法。

8）制剂的有无。《山海经》中药物，没有讲到炮炙和制剂，但是《本经》有炮炙和制剂。

9）掺杂神仙思想有无。《山海经》药物功用是表现医药原始状态，并没有讲到久服延年神仙的话。而《本经》掺杂道家思想，很多药物杂有“久服延年益寿，不老神仙”等语。

从上述资料来看，《山海经》中的药物是表现医药原始状态的，它的出现要早于《本经》。但《山海经》和《本经》之间，似无密切的渊源关系。

42.《本经》和《五十二病方》

《五十二病方》是方书，《本经》是药书。方书以方为主，药书以药为主，二者本来就不相同。但是二者之间也有不可分割的关系。如所讲的药物，在名称、产地、性味、功效等方面，也有相互联系之处，本文拟就两书有关药物方面若干问题，讨论如下。

（1）两书所用药名，相同者各占半数。《五十二病方》所载药名247个（不包残片中药名），这247个药名，不是以动、植物个体为单元计算，而是把个体内各个药用部分，分别立为若干条计算。如按《证类》《纲目》，把动、植物个体作为一个单元计算，（即个体内各个药用部分，不分别立为若干条，仅附在个体名下，作为一条计算），则《五十二病方》药物实数是196个，不是247个。

在这196个品名中，有94个药名和《本经》药名相同。也就是说《五十二病方》中，有半数药物见录于《本经》中，还有半数药物不见录于《本经》。为什么这半数药物不见录于《本经》呢？《五十二病方》页189论文说：“有些药物到《本经》已经失传。这种情形，和后世本草书对《本经》和《别录》等书中的若干药名已不知究为何物，只能归于‘有名未用’类，可以说是一样的”。这种解释也有些理由，若用“失传”作为主要理由，还是不够全面的，为什么呢？

《五十二病方》现存药名247个，按古本草计算应为196个，而见录于《本经》是94个，从196个药名中，剔除94个，还有102个药物不见于《本经》中，如果说这102个药物是失传了，《本经》不能收录，那么晚于《本经》书的《别录》，又为何能收录36个药物呢？显然用“失传”来解释是不够全面的。

笔者认为，方书中药物流传不广的，不一定被当时本草书所采录。本草书中所采录的药物，一般是流传比较广的，也是多数人所公认有效的药物。那些地方性的草药，若没有普遍流传开来，当时的本草书可能是不加采录的。例如葛洪《肘后方》一书中所用的药物，其中有很多药物，如丁香、甘松香、黄芚、白花芚、都淋芼、柞树皮等，就没被当时的《别录》，以及稍后的《集注》所采录，连后来的《唐本草》也未采录。直到宋代《开宝》，才收录部分，如丁香、甘松香等。到明代李时珍《纲目》才大部分被采录。这就说明，方书中所用的药物，不一定为当时本草书所采录，必待多次实践，证明确实有效，才被后世本草书所收录。

（2）两书所讲药物名称各不相同。如《五十二病方》用的雷矢、龙须、蘼芜本、庆良、赤荅、葵种、策蓂、大菽、莤荚、鲋鱼、羸牛、长足、鼢鼠、茹卢本、莔根、仆累、灶黄土等，在《本经》中均不作正名，或作别名，或者不用了。

例如《五十二病方》用的“雷矢”，《本经》把它作为“雷丸”的别名。《五十二病方》用的“龙须”，《本经》把它作为“石龙刍”的别名。又如《五十二病方》用的蘼芜本（根），《本经》无此名，仅在芎䓖条中说：“其叶名蘼芜，……三月、四月采根”。从文义上察知“蘼芜本”，即《本经》所记的芎䓖。很显然，“蘼芜本”是芎䓖最原始的自然称呼，这也反映《五十二病方》中某些药名是原始的命名。又如《五十二病方》用的赤荅，《本经》无此名。按《说文》云：“荅，小尗也”。《证类》卷26稷条陶弘景引西汉董仲舒注云：“小豆，一名荅”。故赤荅即赤小豆。《本经》有赤小豆名称，但无赤荅名称。类似此例还有庆良，《本经》有蜣螂，但无庆良之名。

《本经》为什么不见赤荅、蘼芜本、庆良等药名？这些名称，在《五十二病方》时代是流行的名称，到《本经》时代，逐渐被新的名称所取代，老的名称不为人们所用了，所以《本经》也就没有见录了。这些事实都反映《本经》成书的时间晚于《五十二病方》。

（3）两书所记药物有地区性差别。《五十二病方》所用的药物偏于南方产者较多，如生姜、桂、竹、茯苓、水银等，都产于南方。北方出的麻黄、大黄、肉苁蓉、当归、细辛等，《五十二病方》中都未见过。而《武威汉代医简》就用过这些药物。但是《本经》收载之药物，其产地遍于全国。如南方的乌梅、生姜、桂，北方出的肉苁蓉，东北产的人参，西北产的麻黄、大黄，四川产的巴豆、蜀椒，西南产的犀角，东南沿海产的海藻、海蛤等，《本经》皆有记载。若非全国统一，很难如此全面地搜罗物产。这也提示《本经》似在秦统一以后才产生的。而《五十二病方》所用药名局限于古代荆楚之地。例如《五十二病方》页89所云“青蒿者，荆名曰［䓎］（《五十二病方》释作［萩］，按陆玑《毛诗疏》应释为［䓎］，孙炎《尔雅注》同）”，是一个很好的例证。

从两本书所记药物地区性差别来看，《五十二病方》是早于《本经》的。

（4）两书记载药物性状的差别。作为方书，药物性味、性状、一名、产地等，都是不做介绍的，不过有时也会提一提。

《汉书·艺文志·方技略》经方类，有刘向做的提要云：“经方者，本草石之寒温”。这句话就提示《汉书·艺文志》所收经方11家274卷中，对于药物性味是有论述的，否则刘向不会说出“本草石之寒温”的话。

《五十二病方》对药物性味、采治、阴干、暴干、一名、产地，有时亦有介绍。

例如，《五十二病方》页68云：“毒堇不暴，以夏日至到［时］，［取］毒堇，阴干，取叶，实并治，裹以韦臧。”又云：“毒堇……堇叶异小，赤茎，叶从（纵）纗者，□叶实味苦。”这一段文记载了药物采治、阴干、暴干、保存方法，以及药物的味。又如，《五十二病方》页89云：“蔮者，荆名曰卢茹，其叶可亨而酸。”这一段文记载了“蔮”产于荆地，并记异名叫“卢茹”，其叶味酸。

值得注意的是，《五十二病方》从未提及药性寒热。而《汉书·艺文志》所收的经方11家274卷中已提到药物寒热药性了。这也提示《五十二病方》比《汉书·艺文志》中所收的经方要更早而更原始，也可能那时对药物寒热药性，还没有进入认识阶段？而《本经》对药物寒热药性和药物异名记载较详。这就提示《本经》产生的时间比《五十二病方》要晚得多。

（5）两书所受迷信思想影响不同。《本经》把药物分成上、中、下三品，谓上品药久服延年不老神仙。这种久服延年神仙，很显然是受秦汉时代方士的影响。《五十二病方》以治病为主，没有提到久服不老神仙之说。但《五十二病方》有祝由治病的方法，这种祝由治病与战国时楚国盛行巫风很有关系。

按，神仙之说盛于秦汉方士，巫风“祝由”盛于战国楚地，从这种迷信思想来看，《本经》成书亦是晚于《五十二病方》的。

（6）两书对脏腑经脉概念不同。《本经》在记载药物作用时，联系到脏腑经脉概念很多。

例如，玉泉条：“主五脏百病”。朴硝条：“朴硝，……逐六腑积聚，结固留癖”。大枣条：“主心腹邪气，安中养脾，助十二经，平胃气”。在玉泉条提到五脏，在朴硝条提到六腑，在大枣条提到经脉助十二经。而《五十二病方》无脏腑概念。所言经脉，在《足臂十一脉灸经》和《阴阳十一脉灸经甲本》两书中，仅提到十一经，没有十二经。而《本经》大枣条云：“助十二经”。这也是《本经》晚于《五十二病方》的证据之一。

总之，从以上资料来看，《五十二病方》所用的药物，有很多不见于《本经》。《五十二病方》中有些药名如靡芜本，都是原始的命名。《五十二病方》有些药物虽有性状、气味、产地、别名等叙述，但未见有“寒热”药性的记载。从药物产地方来看，《病方》所记药物，大多数是南方出产的，北方出产的药很少，有些北方药物甚至没有用过。如大黄、麻黄、肉苁蓉等，在《武威汉代医简》中已见用了，而《五十二病方》中却未见用过。这都说明《五十二病方》有地方性的特点。又《五十二病方》有祝由治病方法，但无神仙方士的影响，这也说明《五十二病方》是产于秦汉以前的医书，而《本经》正与《五十二病方》相反。《本经》所载药物遍产于全国各地，这就说明该书似在秦汉统一以后产生，否则所收罗的药物，其产地不会如此的全面。《本经》每个药物寒热性味记述颇详，掺杂神仙方士思想很浓厚，这也提示其成于秦汉时期。换句话说，也是晚于《五十二病方》的。《五十二病方》无脏腑概念，所言经脉只有十一经，而《本经》言药物功用联系脏腑很多，所言经脉是十二经。这都是《本经》晚于《五十二病方》的有力证据。

以上的比较，是就两书具体内容而言，若从两书药物主治上看，又有很多是相同的。不过《本经》的书和《本经》的药物，二者在产生时代上，是两回事。陶弘景《集注》序云：“药性所主，当以识识相因，不尔何由得闻，至于桐雷，乃著在于编简，此书（指《本经》）应与《素问》同类，但后人多更修饰之尔。”陶序所言，《本经》药的产生在前，《本经》书的产生在后。由于药物发现得早，不同时代的书，所记药物主治功用，有些是相同的。关于这个问题，笔者曾撰“《五十二病方》与古代本草”一文，对此做了专题讨论，此处从略。

药名索引

（括号内数字为药物条目序次）

五画

六画

七画

八画

九画

十画

十一画

十二画

十三画

十四画

十五画

十六画

十七画

十八画及以上

校注后记

一、《神农本草经》书名不见于先秦文献

《本经》，相传为先秦神农所作，其书名应见于先秦。但是中国最早图书目录《汉书・艺文志》，未收载《本经》的书名。

《汉书・艺文志》"方技略"，收载医书有四类，即医经、经方、房中、神仙。医经7家216卷，经方11家274卷，房中8家186卷，神仙10家205卷，共计36家868卷。唯独没有本草类。

按，《汉书・艺文志》源于刘歆《七略》，刘歆《七略》源于刘向《别录》。《汉书・成帝纪》："河平三年（前26）秋，八月，刘向校中秘书"。由此可知，刘向校书是从公元前26年开始的。

刘向校的书，是陈农从全国各地搜集来的。《汉书・艺文志》序云："成帝时（前32—前7），以书颇散亡，使谒者陈农求遗书于天下，诏光禄大夫刘向校……"由于当时陈农未征求到《本经》，所以刘向《别录》中亦无《本经》。《汉书・艺文志》中《七略》沿袭《别录》旧例，亦无《本经》。

刘向校书，是从汉成帝河平三年开始的，则陈农求遗书于天下，当在公元前26年之前已有了。陈农征求不到《本经》，说明在公元前26年，此书或无，或流行极少。

1972年马王堆出土医书14种，其中亦无《本经》。马王堆3号墓主，生前是西汉初年长沙国国相轶侯利苍之子，死于汉文帝十二年（前168），年方30余岁。死者随葬很多帛书、竹木简，其内容有历史、天文、地理、哲学、军事、医学等20余种，约有12万字。其中医籍14种，约3万字（内有帛书5张，抄写10种医书。竹木简200枚，抄写医书4种）。

马王堆出土医书，同《汉书·艺文志》“方技略”相比，十分相近，兹列表比较如下。

汉书·艺文志	马王堆医书
医经类	《足臂十一脉灸经》
	《阴阳十一脉灸经》
	《脉法》《阴阳脉死候》
经方类	《五十二病方》《胎产书》
	《杂疗方》《杂禁方》
房中类	《十问》《天下至道谈》
	《合阴阳方》
神仙类	《却谷食气》《导引图》《养生方》

以上马王堆出土14种医书，按书的种类分，与《汉书·艺文志》“方技略”医经、经方、房中、神仙四类十分吻合，亦无《本经》。

按，马王堆墓主，30余岁即死，应是早亡，墓主是轶侯利苍之子，当属贵族公子，他不是医家而收集许多医书，说明贵公子平日多病，想从当时最先进的医学文献中，求得疗其疾的效方。因此，贵公子所收的医书几乎与后来陈农征求到的医书情况相似。二者均未收到《本经》。由此可见，当时并无《本经》存在。或者有药书存在，由于质量低下，不为贵公子所重视，因而未能同一般医书作为随葬品入墓。盖墓穴空间有限，不可能将贵公子生前所有的东西均入墓，只能选择其平日最喜爱的珍品作为随葬品入墓。这种设想，可从下列事实推测之。

先秦虽无《本经》，但《药论》是有的。《史记》卷105“扁鹊仓公列传”言：“太仓公，高后八年（前180），受师同郡元里公乘阳庆，庆传黄帝、扁鹊脉书、五色诊病及《药论》。”说明在公元前180年已有《药论》书存在。

1977年安徽阜阳出土西汉文帝十五年（前165）汝阴侯夏侯灶的随葬品中，有汉代医简133枚，定名为《万物》，各简所记事物多是孤立的。所记内容，医药占9/10，非医药占1/10。在医药内容中，或以病为主（似方书），或以药为主（似药书）。以病为主的，一病用一药治之有 27 简，一病用两药治之有 25 简。以药为主的，记述一药治一病，或记述药物制备。

在 133 枚医简中，可辨出药名有 110 多种，有些药名残缺，实际当不止 110 种。所记药名，或在病名之前，或在病名之后，仅与病或症状相联系。这些医简既不像方书又不像药书，而且其中掺杂大量非医药的内容，又在医药内容中，言病而不讲病因、病证，言药而不讲性味、性状，好像是一位有经验的长者传授的各方面知识的纪录。其内容庞杂，没有分类，没有系统，每简前后无联系，又由于口授重复，故有些简内容完全相同。

将《万物》同《五十二病方》勘比一下，在内容上，《万物》远不及《五十二病方》丰富，分类及条理性亦远不及《五十二病方》完备。《五十二病方》很有系统，以病名为纲，在同一病名下，罗列若干个治疗的方子。

《万物》所记药物，在数量上远不及《五十二病方》多，在药物内容上，也不及《病方》广泛。《万物》仅记某病用某药，或某药治某病，只有少数药提到制备而已，不像《五十二病方》对药物性味、性状、形态、炮制、剂型、用量、用法都有记载。这都说明《万物》所记药物内容很原始，很简单，很难说它是一本药物书，或说它是一本方书。

从随葬时间来讲，《五十二病方》是在汉文帝十二年（前 168）入墓，而《万物》是在汉文帝十五年（前 165）入墓。二者入墓时间极相近，都在楚地。说明二者是同一时期和同一地区流行的文献，或因《万物》是初级的或更原始的资料，不及《五十二病方》内容先进，故不为长沙国国相轪侯利苍所重视。

如果将《万物》同今日流行的最古《本经》相比，则其无论在药物数量上，药物内容上，药物分类上，主治内容上，药物排列条理性、系统性等，都无法企及。如果说《万物》是药物书的话，那也只能说《万物》中的药物资料是在萌芽阶段，而《本经》已发展到开花结果成熟的阶段了。《本经》不仅比《万物》十分先进，也比《五十二病方》中药物内容丰富。当时如果真有这样先进的《本经》，或《子仪本草》书存在，必当为墓主生前所搜罗。

按，马王堆墓主生前如此重视医书，凭借他的权势若想得到这样先进的《本经》《子仪本草》，又有何难？但马王堆 14 本医书中，竟无 1 本本草。这只能说明当时确无《本经》存在。证之《汉书·艺文志》“方技略”，其理基本相同。

根据这些事实，可以确认，先秦并无像今日十分完善的《本经》书存在。文献所讲的诸般《本经》及《子仪本草》均是秦汉以后的人托名之作。

二、《神农本草经》书名出于汉代本草官之手

从现存所有先秦文献来看，未见任何一本先秦文献记载过《本经》。不仅《本经》未见过，连“本草”二字亦未见过。如果先秦有《本经》存在，为何现存所有的先秦文献不见其踪迹。联系上述的事实来看，先秦没有《本经》存在，它是秦以后托名之作。究竟何时何人托名，兹讨论如下。

托名《本经》，不见于先秦，而见于西汉，此与西汉成帝“征天下通知逸经、方术、本草待诏”有关。为了弄清这个问题，先从方士讲起。

方士是鼓吹神仙的，其目的是想得到权贵重视，可以封官致富，因此从事方士活动之人很多。《汉书·郊祀志》记载方士活动，从战国已有。

《汉书·郊祀志》云：“自齐威（前378—前343）、宣（前342—前324）时，驺子之徒论者，以阴阳主运，显于诸侯，而燕、齐海上之方士传其术，不可胜数。”又云：“秦始皇初并天下，甘心于神仙之道，遣徐福、韩终之属，多资童男童女入海求神仙采药。”又云：“汉兴、新垣平、齐人少翁、公孙卿、栾大等，皆以仙人黄冶祭祠事鬼使物，入海求神仙采药。贵幸，赏赐累千金，大尤尊盛，至妻公主，爵位重累，震动海内。元鼎（前116—前111）、元封（前110—前105）之际，燕齐之间方士，言有神仙祭祀致福之术者，以万数。”这段记载，说明方士吹嘘神仙封官致富，因此从事方士之术者，数以万计。

汉武帝元鼎四年（前113）“以二千户封栾大为乐通侯……贵震天下，而海上燕齐之间方士，莫不自言有禁方”（《史记》卷28“封禅书”）。方士以其方术贵震天下，而从事本草者，又何尝不能仿效方士？

在汉成帝、汉平帝时，就有本草待诏职称。

汉成帝建始二年（前31）丞相衡（匡衡）、御史大夫谭（张谭）奏言：“罢候神、方士、使者、副佐、本草（以方药本草而待诏）待诏，七十余人皆归家。”共罢5科70余人，平均每科约15人，则从事本草当有15人。

《汉书·平帝纪》元始五年（5）“征天下通知逸经、古记、天文、历算、钟律、小学、史篇、方术、本草，以及五经、论语、孝经、尔雅教授者，在所为驾一封诏传，遣诣京师，至者数千人”。

在此文中，诏传的项目有13种，其中本草也算是独立的一门。而应征的人有数千人。所谓数千之“数”，少则为2，多则为9。若以最低两千人计算，则13科

分摊，平均每科有154人，而从事本草者亦当有150余人。

从公元前31年本草官被罢，到公元5年本草官被诏，前后相隔36年，而从事本草职称活动的人由15人增至150人。

被诏的本草官做什么事呢？唐·颜师古注《汉书》云："本草待诏，以方术本草待诏。"这里提示，本草官是从事方术本草工作。《汉书·艺文志方技略·经方类》序云："本草石之寒温，量疾病之深浅，假药味之滋（以上言个别药物作用），因气感之宜，辨五苦六辛，致水火之齐（剂）（以上言方剂调制），以通闭解结，反之于平（以上言治疗）。"从这个序文看，本草官从事方药配制和治疗等一些技术工作。所以颜师古称之为："本草待诏，以方术本草而待诏。"

郑康成注《周礼·疾医》云："五药，草、木、虫、石、谷，其治合之齐（剂），存乎神农、子仪之术。"贾公彦疏注："云治合之齐（剂），存乎神农、子仪之术者，言此二人能合和此术耳。"所云"合和"，义同现在配方制剂，供病人服用。贾公彦所疏，与颜师古所注"方术、本草者"，其义全同。

从上述资料看，汉代本草官主要负责方药合和，将之调成适合病人服用的制剂。在合和时，首先要根据药性"本草石之寒温"。如果不依药性，以热益热，以寒增寒，精气内伤，是所独失（见《汉志·经方小序》）。本草官为着合和的需要，必须掌握药性及其主治功用。本草官一方面从合和实际工作中掌握药性，另一方面也可从经方中的方子内药物，掌握药物主治功用知识。

《证类》白字《本经》文包含两大内容，一是治病内容，二是延年神仙内容。在全书365味药物中，有160味提到"久服不饥，轻身延年不老，神仙"。《本经》为什么会有大量药物记载久服不老神仙呢？这与汉代方士有关。方士是鼓吹神仙不死的。《汉书·艺文志·方技略》收载神仙著述10家，205卷，并对"神仙"解释说，"神仙者，所以保性命之真，而游求于其外者也"。说明"神仙"在当时深受一般人信任，其著述亦多，因而神仙著述就会渗入《本经》中。

例如，《本经》记载"久服轻身益气，延年不老神仙"的药如下：云母，"久服轻身延年神仙"；玉泉，"久服不老神仙"；朴硝，"炼饵服之，轻身神仙"；石胆，"久服增寿神仙"；太一馀粮，"久服轻身神仙"；雄黄，"久服轻身神仙"；水银，"久服神仙不死"；蒲黄，"久服延年神仙"；青芝、赤芝、黄芝、白芝、黑芝，"久服轻身不老，延年神仙"；鸡头实，"久服耐老神仙"等。类似此例有160余条。

《本经》不仅记载人久服神仙，有些动物吃了也能成仙。例如，菴蕳子记有

"驵騊食之神仙"；茵陈蒿记有"白兔食之神仙"。这些"久服轻身益气，延年不老神仙"的药物当是方士们所收入《仙经》中，本草待诏的一些官，为着取信于帝王，当然也会把方士们的一些话收入书中。

方士们除寻求仙药外，还搞炼丹、炼黄金。在炼丹、炼黄金过程中，出现很多化学反应变化。这些化学反应变化，与医疗可以说是不相关的。但是《本经》中有很多药物均记载此等化学反应变化。兹举例如下。

朴硝，"能化七十二石"；石胆，"能化铁为金银"；空青，"能化铁铅锡作金"；曾青，"能化金铜"；白青，"可消为铜剑"。石硫黄，"能化金银铜铁奇物"；水银，"杀金银铜锡毒，溶化还复为丹"；铅丹，"炼化还成九光"；雄黄，"得铜可作金"。

这些化学反应，都是方士们冶炼时的实践经验。方士们将之收入《仙经》中，作《本经》者，又将之从《仙经》录入《本经》中。

例如《证类》页107"水银"条，白字《本经》文有"水银杀金、银、铜、锡毒，溶化还复为丹"。其下有陶弘景注云："还复为丹，事出《仙经》。"由此可见《本经》所记有关"久服延年不老神仙"之说，以及炼丹时出现的化学反应等资料，当是转录自方士们所著的《仙经》的内容。

又，方士讲究炼丹服食，以期神仙不死。因此《本经》中记载很多"炼饵服食"的内容。例如，消石条记有"炼之如膏，久服轻身"；矾石条记有"炼饵服之，轻身不老增年"；朴硝条记有"炼饵服之，轻身神仙"；雄黄条记有"炼食之，轻身神仙"；松脂条记有"炼之令白，久服轻身不老"。

上述大量事实，说明方士所撰的神仙著作对《本经》有一定的影响。结合前面的论述，可以确认汉代被诏的本草官，在长期从事的药物合和工作中获得药性知识，从经方中获得药物治疗知识，从神仙著作中获得药物养生知识，并把这三部分知识糅合为一体，以药物为纲，撰写成本草专书。书成后，为着取信于世人，不得不托名神农、子仪等先秦人物，以取得上级官员的信任，从而更好地获得"本草待诏"的机会。所以《本经》疑是汉代本草待诏者托名之作。

三、汉代托名《神农本草经》者不止一家

汉代托名《本经》者有很多家，这可从吴普本草所引诸家药性测知之。从历代类书和诸书所引《吴普》残文统计，吴普在编撰本草时，曾引用前人药性资料467条，其中引"神农"药性118条、"岐伯"药性57条、"黄帝"药性53条、

“扁鹊”药性50条、“雷公”药性83条、“桐君”药性42条、“李氏”药性52条、“医和”药性4条、“一经”药性8条。这些所引的资料，绝大多数是讲药物的性味。下面就《吴普》所引述的诸家药性资料考察如下。

1. 神农

西汉《淮南子·修务训》云：“神农乃始教民，尝百草之滋味，识水泉之甘苦，……当此之时，一日而遇七十毒，由是医方兴焉。”故神农被传为我国农业与医药发明者。《吴普》引“神农”药性118条，是《吴普》援引诸家药性资料最多的一类。将《吴普》所引“神农”药性校以《证类》白字《本经》的药性，两者并不相同。例如：牛膝，《证类》白字作味苦酸，《吴普》引作味甘；女萎，《证类》白字作甘平，《吴普》引作味苦；菴蕳子，《证类》白字作味苦微寒，《吴普》引作味苦小温无毒；泽兰，《证类》白字作苦微温，《吴普》引作酸无毒。类似例子还有很多。此外，还有些药如粟米、黍米、乌喙、侧子等，在《证类》中均作《别录》药，而《吴普》在此等药名下均引作“神农”药性。粟米，《吴普》引“神农”作苦无毒；黍米，引“神农”作甘无毒；乌喙，引“神农”作有毒；侧子，引“神农”作有大毒。由上可见，《吴普》所引“神农”药性不同于现传世本《证类》白字《本经》药性。这也就是说，《吴普》所引的“神农”药性，疑是另一种《神农本草》或《本经》。

2. 岐伯

据《中医人物词典》载：“岐伯，传为黄帝臣，黄帝使其尝味草木，典主医病，经方本草。”《吴普》引“岐伯”药性57条。如：丹沙，苦有毒；人参、桔梗，甘无毒；蜀漆、巴豆，辛有毒；狼牙，苦无毒；马刀，咸有毒；菴闾，苦小温无毒。按《吴普》所引“岐伯”药性，和《中医人物词典》所载内容看，古代似有岐伯药书，否则《吴普》何以能引到岐伯的药性？《证类》（卷8）狗脊条下载有《吴普》曰：“狗脊，岐伯经云，茎无节……”经对照《御览》（卷990）狗脊条《吴普》引文，乃为“岐伯，一经”，而非“岐伯经”，此属《证类》脱漏“一”致谬。

3. 黄帝、扁鹊

黄帝，传说中中原各族的共同祖先。举凡兵器、舟车、文字、医药等，相传皆创始于黄帝时期。现存《内经》，系托名黄帝与岐伯、伯高、少俞、桐君等，讨论医药学的著作。扁鹊，战国时著名医学家，姓秦，名越人，以医术精湛，治病多奇效。在《史记》《战国策》《列子》等书中都有他的传记和病案。《史记·扁鹊传》载其曾用针刺、药熨、汤剂等综合疗法而治愈虢太子“尸厥”垂死重症。《吴普》引“黄帝”药性53条，又引“扁鹊”药性50条。如：人参，“黄帝”甘无毒，“扁鹊”有毒；芎䓖，“黄帝”辛无毒，“扁鹊”酸无毒；防风，“黄帝”“扁鹊”甘无毒；丹参，“黄帝”“扁鹊”苦无毒；山茱萸，“黄帝”“扁鹊”酸无毒；贯众，“黄帝”咸酸微苦无毒，“扁鹊”苦等。在是书蜚蠊条下引“黄帝”云：“治妇人寒热。”从以上所引药性分析，黄帝、扁鹊似有药书。《史记·淳于意传》也提到黄帝、扁鹊有药书。该传云：“高后八年（前180），更受师同郡元里公乘阳庆，……传黄帝、扁鹊之脉书及药论甚精……意避席再拜谒，受其脉书上、下经，……药论，受读解验之。”按《史记》所载，《吴普》中所引的黄帝、扁鹊，疑是公乘阳庆所传的《黄帝药论》和《扁鹊药论》。

4. 雷公、桐君

《中医人物词典》载：“雷公，传说中上古医药学家。相传为黄帝臣。《黄帝内经》中有数篇以黄帝与雷公论医药的体裁写成，故有黄帝与雷公论医药而医道兴亡之说。”“桐君中上古药学家。相传黄帝臣。识草木金石性味，定三品药物，立医方君臣佐使理论。”《吴普》引“雷公”药性83条，引“桐君”药性42条。如：阳起石，“雷公”“桐君”咸无毒；委萎，“雷公”“桐君”甘无毒；细辛，“雷公”“桐君”辛小温；落石，“雷公”苦无毒，“桐君”甘无毒；芍药，“雷公”酸，“桐君”甘无毒等。据陶弘景《集注》序云：“至于药性所主，当以识识相因，不尔何由得闻，至乎桐、雷乃著在于篇简。”又云：“有《桐君采药录》，说其花叶形色；《药对》四卷，论其佐使相须。”清·姚振宗《汉书艺文志拾补·方技略》收集汉代散佚的书中有《药对》2卷，《桐君药录》3卷。据上分析，《吴普》中的雷公、桐君，很可能指的是《药对》和《桐君药录》。

5. 李氏

查历代人物志和书志，均未见载有李氏。《吴普》引“李氏”（有些条文作“季氏”）药性有52条。如：钟乳大寒，麦门冬甘、小温，黄连小寒，附子苦有毒，巴豆生温、熟寒等。《隋书·经籍志》载有《李当之药录》6卷，《李当之本草经》1卷。《中医人物词典》载：“李当之，汉魏间医学家。华佗弟子。少通医经，得师传，尤精本草。”《证类》（卷12）牡荆实条有陶隐居云：“《李当之药录》乃注溲疏下云，溲疏，一名阳栌，……味甘苦，冬月熟。”据上可见，李当之是讲药性的。按李当之、吴普同为华佗弟子，如果吴普所引“李氏”药性为《李当之本草》或《李当之药录》，则李当之药书应早于《吴普》，否则吴普如何能引用到“李氏”药性？

6. 医和

医和，春秋秦医学家。《吴普》引“医和”药性 4 条，它们是：石钟乳味甘，石硫黄味苦无毒，凝水石味甘无毒，桔梗味苦无毒。据《左传》记载：“晋候有疾，求医于秦，秦伯使医和至晋，诊而后曰：疾不可为也。是谓近女色，惑以丧志，疾如蛊而非鬼非食，乃惑蛊之疾。”吴普虽引有“医和”药性，然遍查古代医药书目，均不见医和药书，故不知《吴普》所引的“医和”是否即《左传》中记载的医和？还是别有《医和药书》？

上述各家，除李氏外，其余七家各有别本，称为一经，并分别记有不同的药物性味。

按，以上《吴普》所引 8 家药性资料，其中神农、黄帝、岐伯、扁鹊、雷公、桐君、医和都是先秦医家，若这些医家在那个时代果真著有药书，为何在先秦各种文献（包括先秦出土资料）中均不见其踪迹？因此，我们认为诸家所言药性，很可能是汉代人托名之作，后为《吴普》所引用。

四、陶弘景以前古《神农本草经》概况

古本《本经》，即古人托名神农所著《神农本草经》。当时托名的不止一家，后因战乱损失，只剩下 4 卷本。梁·陶弘景序云：“汉献迁徙，晋怀奔进，文籍焚靡，千不遗一，今之所存，有此四卷，是其《本经》。”

4 卷本《本经》经过魏晋名医增补，形成多种《本经》，它们在收载药物数目、三品分类、自然属性分类、药性寒热。主治内容多寡，均各不相同。陶弘景将诸家《本经》，统称之为“诸经”。在“诸经”中，4 卷本《本经》是最古的本子，其余都是名医增补的本子。

兹将 4 卷本《本经》内容讨论如下。

1. 书写体例

4 卷本《本经》药物条文书写体例为：正名→一名→性味→生境→主治功用→形态→采造时月→阴干暴干→产地→七情畏恶。

例如，《御览》所引《本经》的药物条文，均是按此例写的。陶弘景“苞综诸经”时，将这种体例改为：正名→性味→主治功用→一名。

日本森立之辑的《本经》，即把《证类》白字《本经》文录出，按《御览》体例书写，收入书中。森氏在其序中说明此问题时，认为《本经》药条文书写体例，由《御览》体例改成《证类》体例，是唐·苏敬著《新修》时改的。森氏在其序中注云：“苏敬新修时，一变此体。”其实，“一变此体”者，并不是苏敬《新修》，而是陶弘景《集注》，因吐鲁番出土的《集注》残片中，药物书写体例与《证类》书写体例完全相同。

明清以来，国内各家所辑的《本经》，其药物条文书写体例均按《证类》白字《本经》文体例书写。要知《证类》白字《本经》文，归根结底来源于《集注》，它是陶弘景“苞综诸经”所改变的书写体例，不是4卷本《本经》原来体例。因此，明清国内诸家《本经》辑本的药物条文书写体例，不符合4卷本《本经》原来风貌。

2. 药物内容

4卷本《本经》文与《证类》白字《本经》文不同。4卷本《本经》文与《证类》白字《本经》文有很多不同。为着讨论方便，先从《证类》白字《本经》序文和《本经》药物条文之间差异勘比分析之。

《证类》白字《本经》序文共有13条。此13条所言内容，在《证类》白字各药条文中，或不一致，或标记有出入，或缺少。兹勘比如下。

（1）《证类》白字《本经》序文第1～3条，是讲《本经》药三品定义：上品药久服延年不老神仙；中品药遏病，补虚羸；下品药除寒热，破积聚愈疾。联系《证类》白字《本经》药，其三品位置并不符合序文三品定义。兹将《证类》白字《本经》药不符三品定义者列举如下。

1）上品药。不符合上品定义者有：83石钟乳（药名前号码，指1957年人民卫生出版社影印《政和》页次，下同）、165巴戟天、175黄连、185五味子、174芎䓖、183丹参、189沙参、301五加、190白菟藿、182营实、190薇衔、363发髲、370牛黄、397丹雄鸡、415桑螵蛸、416海蛤、417蠡鱼、461橘柚、299黄檗、306木兰、503瓜蒂。

2）中品药。不符中品定义者有：107水银、330龙眼、328猪苓、208石龙芮、514水苏、326秦椒、332合欢（以上各药，按三品定义，应列在上品）；401燕屎、402天鼠屎、433木虻、433蜚虻、433蜚蠊、448水蛭、230马先蒿、117肤青、

199 当归、513 假苏、233 积雪草、226 款冬、227 牡丹、223 防已、207 黄芩、237 女菀、220 地榆、237 蜀羊泉、222 泽兰、211 紫参、221 海藻、210 败酱（以上各药，按三品定义，应列在下品）。

3）下品药。不符下品定义者有：126 铅丹、249 莨菪子、340 蜀椒、357 药实根、519 水靳、249 桔梗、189 杜若。

按，上述药物三品位置，均不符合三品定义的要求。这里面除陶氏作《集注》“苞综诸经”时更改外，亦与后世本草作者更改有关。查敦煌出土《集注》“七情畏恶药例”，各药三品位置，与《唐本草》及《证类》互有出入。说明《证类》中某些白字《本经》药三品位置由本草编者所更改。

例如水银，自《新修》以后，都列在中品，但《集注》“七情畏恶药例”将之列在上品。按，《本经》上品药定义是“久服不老延年，轻身神仙”，而《本经》水银条云：“水银……熔化还复为丹，久服神仙不死”，与《本经》上品定义合，故列在上品。后世人们发现水银有毒，不能列入上品，改从中品。又如黄芪，自《新修》以后，列入上品，但黄芪并无“久服神仙”，故《本经》列入中品，后世发现黄芪有补益功能，改从于上品。

这些例子，说明《证类》白字《本经》药三品，有些是后世改动的，故三品位置与《本经》三品定义不相吻合。

（2）《证类》白字序文第4条，讲《本经》药三品共365种，但《证类》白字《本经》药数实为367种。按，《证类》卷20文蛤条陶弘景注云：“海蛤、文蛤，此既异类而同条，凡有四物如此。”所言“四物如此”，除海蛤、文蛤、共条外，还有大豆、赤小豆共条（《证类》卷25赤小豆），葱、薤共条（《证类》卷28薤），锡铜镜鼻、粉锡共条（《证类》卷5锡铜镜鼻）。以上共条药，在4卷本《本经》原是各自独立为条的，陶弘景作《集注》，为着使《本经》药总数符合365种数目，将上述药分别共条，成为4味药。

陶弘景归并上述8味药时，并在文蛤条下注云：“此既异类而同条，若别之，则数多，今以为附见，而在附品限也。”注中所云“则数多”，其义为：不共条，则总数即将超出365种之数。陶氏为着牵合《本经》药数符合365种，将海蛤、赤小豆、葱、粉锡等药，分别归并在其他条中，作为副品看待。苏敬作《新修》时，曾批评道：“夫天地间物，无非天地间用，岂限其数为正副耶？”

根据陶弘景注文可以看出，陶在作《集注》“苞综诸经”时，对4卷本《本经》药物进行归并过。除上述8种外，还有牛角鰓、牛黄等条。此等归并，都不是

4卷本《本经》实际情况。

（3）《证类》白字序文第5条讲药物君臣佐使。按理《本经》药物应注有君、臣、佐、使内容，但通检明清时期国内外各家所辑《本经》，未见任何《本经》药注有君、臣、佐、使内容。然而《证类》白字《本经》药，仅少数记有君、臣、佐、使内容，且所记内容均作黑小字。

例如，152牛膝、156麦门冬、163远志等，其下各自注有“为君”二字。148甘草，其下注有“国老”二字。246大黄，其下注有“将军”二字。而且所注说明文，均作黑小字，不是白小字，不易使人看到，此等黑小字，也是《本经》文。由于《证类》白字序文“药有君、臣、佐、使”的条例，可以确认《证类》白字《本经》药名下所标的“为君”“将军”“国老”等文字，应是《本经》文。而陶弘景注释此条时，亦明言“门冬、远志，别有君臣，甘草国老，大黄将军”。

（4）《证类》白字序文第6条，讲《本经》药形态和七情畏恶。

1）关于《本经》药的形态记载，在白字《本经》序文已记明“药有根、茎、花、实、草、石、骨肉”。

《御览》卷959页7栀子条引《本经》曰：“栀子，一名木丹，叶两头尖，如樗蒲形，剥其子如玺而黄赤。”卷992页8败酱条引《本经》曰：“败酱，似桔梗，其臭如败豆酱。”卷960页2辛夷条引《本经》曰：“辛夷生汉中魏兴凉州川谷中，其树似杜仲，树高一丈余，子似冬桃而小。”

上述3例，说明《本经》药物是有形态记载的。但《证类》白字《本经》药，所记药物形态，均作黑字《别录》文。兹举例如下。

92白石英：“大如指，长二三寸，六面如削，白澈有光。”

112凝水石：“色如云母，可析者良。”

117长石：“理如马齿，方而润泽玉色。”

290箘桂：“无骨，正圆如竹。”

306木兰：“皮似桂而香。”

416文蛤：“表有文。”

500苋实：“叶如蓝。”

以上各药，在《征类》均作白字《本经》文，但各药所记的形态，均作黑字《别录》文。《证类》白字序文和《御览》所引《本经》的药物，是有药物形态记载的。疑上述《本经》药所记药物形态，当属《本经》佚文。

2）《本经》药有七情畏恶内容。《证类》白字《本经》序文，明言药有“七情”。但《证类》白字《本经》药条末，所记“七情畏恶”资料，全作黑字《别录》文。疑此等黑字《别录》文，当为白字《本经》文传写之误。其理由如下。

第一，《证类》白字序文已记明“药有单行者，有相须者，有相使者，有相畏者。有相恶者，有相反者，有相杀者，凡此七情，合和视之”。

第二，《蜀本草》注云：“凡三百六十五种，有单行者七十一种，相须者十二种，相使者九十种，相畏者七十八种，相恶者六十种，相反者十八种，相杀者三十六种，凡此七情，合和视之。”按，《本经》药必有七情畏恶资料，否则《蜀本草》注从何统计此等数字？

第三，敦煌出土《集注》“七情畏恶药例表”中，载《本经》药181种，《别录》药17种，证明此表中药物大部分出自《本经》。又，在此表开头解说文中提到“《本经》有直云茱萸、门冬者，无以辨其山、吴、天、麦之异”。又云：“《本经》相使止各一种。”在此表中既然两次提到“《本经》”，说明《集注》“七情畏恶药例表”是参考过《本经》的，这就意味着《本经》药是有“七情畏恶”的内容。

第四，210前胡条，陶弘景注云：“前胡（《别录》药）亦有畏恶，明畏恶非尽出《本经》也。”

以上几点证明《本经》有七情畏恶的内容。据此可以确认《证类》白字《本经》药条文末，所附小黑字“七情畏恶”资料，应属《本经》佚文。

（5）《证类》白字序文第7条，讲《本经》药物性味、有毒无毒、阴干曝干、采造时月、生熟土地所出、真伪陈新，并各有法。兹分述如下。

1）四气、五味。《证类》白字序文云：“药有酸、咸、甘、苦、辛五味，又有寒、热、温、凉四气。”其中通检《证类》白字《本经》药，未见记有“凉”性的；但药物条文记有“平”性者，多作黑字《别录》文。

2）有毒无毒。《证类》白字序文明言《本经》药有相关毒性记载，但白字《本经》药中仅有少数记载“无毒”，未见一条记载过“有毒”。

《本经》药记载“无毒”的，有下列几味药。

270白头翁、301干漆，《本经》云“无毒”。456衣鱼，《本经》云“无毒”，但《大观》作黑字《别录》文。其余白字《本经》药，未见记载无毒或有毒。连剧毒药钩吻、乌头、狼毒、羊踯躅、大戟、芫花、甘遂、巴豆等，均无白字“有毒”记载。所记“有毒”字样，均作黑字《别录》文。

按，古人对药物毒性早有认识，所谓“神农尝百草，一日而遇七十毒”。《周礼·天官冢宰》云："聚毒药以供医事。"为何《证类》白字《本经》药所记"有毒"，均作黑字《别录》文呢？疑是传抄舛误所致。

3）阴干曝干。《证类》白字序文有"阴干曝干"规定。但《证类》白字《本经》药所记"阴干曝干"，全作黑字《别录》文，疑是传抄舛误。

4）采造时月。《证类》白字序文明言有"采造时月"，但《证类》白字《本经》药所载"采造时月"，只有255青葙条有"五月六月采子"作白字《本经》文，但《大观》作黑字《别录》文。其余白字《本经》药所记"采造时月"，均作黑字《别录》文。兹举例如下。

202瞿麦条是白字《本经》药，其条末有"立秋采实"作黑字《别录》文。其下有陶弘景注云："按《经》云采实。实中子至细，燥熟便脱尽。"从陶氏注文提"《经》云采实"，说明《证类》白字瞿麦条下"立秋采实"作黑字，当是白字传写舛误所致。否则陶氏不会讲"经云采实"之语。

167蓍实条，是白字《本经》药，其下有"八月九月采实"作黑字《别录》文。《御览》卷993页5引《本经》曰："蓍实……八月九月采实。"两书文字全同。其中"八月九月采实"，在《证类》中作黑字《别录》文，在《御览》中作《本经》文。由此可见，《证类》蓍实条中"八月九月采实"作黑字，当是传抄舛误所致。

315桑根白皮，《证类》白字无"采造时月"记载。《御览》卷955引《本经》曰："桑根白皮，常以四月采，或采无时。"由此可见《本经》是有采造时月的。

5）药有生熟。《证类》白字序文记载药有"生熟"。《证类》白字《本经》药365种中，仅几味药有此内容，兹举例如下。

193干姜、194干地黄皆有"生者尤良"，作白字《本经》文。

424露蜂房、443蛇蜕、451蜣螂皆有"火熬之良"，作白字《本经》文。

449贝子有"烧用之良"，作白字《本经》文。

除上述各药有"生熟"记载外，其余各药未见有"生熟"记载。

6）药有土地所出。《证类》白字《本经》序文，记有"药物土地所出"，但《证类》白字《本经》药所记产地，全作黑字《别录》文，未见一条所记产地作白字《本经》文。

从陶弘景注文看，《证类》白字《本经》药所记产地是《本经》文。例如88滑石条，是白字《本经》药，其条文所记产地为"生赭阳山谷"，作黑字《别录》文。陶弘景注云："赭阳县先属南阳，南阳汉哀帝置，明《本经》所注郡县，必是后汉后时也。”陶注中所言“《本经》”，当指古本《本经》而言，说明陶氏所见到的《本经》是有药物产地的。

《证类》页128锡铜镜鼻条是白字《本经》药，其条中所记产地为“桂阳山谷”，作黑字《别录》文。陶弘景注云：“铅与锡，《本经》云‘生桂阳’。”陶注谓“生桂阳”出于《本经》，则陶氏所见古本《本经》是有产地记载的。

《证类》页401燕屎条，是白字《本经》药，其条文所记产地“高山平谷”，作黑字《别录》文。《证类》页402天鼠屎条，是白字《本经》药，其条文所记产地“合浦山谷”，作黑字《别录》文。但吐鲁番出土《集注》残片中燕屎条“生高山平谷”、天鼠屎条“生合浦山谷”，俱作朱字《本经》文。说明古本《本经》药物是有产地的。现今《证类》白字《本经》药产地全作黑字《别录》文，当为后人所改。

查敦煌出土《新修》卷10残卷，是朱墨杂书。其《本经》文皆作朱书，唯独《本经》文中产地作墨书。由此可见，《本经》药物产地改为墨书，盖始于《唐本草》。

通过上述《证类》白字《本经》序文和白字《本经》药物条文勘比，白字《本经》序文所言药有生境、产地、药物形态、采收时月、阴干曝干、生熟、七情畏恶等内容，在白字《本经》药物条文中，全作黑字《别录》文。这些黑字《别录》文，原先在4卷本《本经》中，也是属于《本经》文，其中有些是陶弘景作《集注》时所更改，有些是后世本草编者所更改。这些更改，造成今日《证类》白字《本经》药存在大量佚文。这些佚文也正是4卷本《本经》内容的一部分。所以4卷本《本经》内容，除包含《证类》白字《本经》文外，还包含上述大量的佚文。

五、陶弘景整理《神农本草经》例证

现行各家辑本《本经》文，皆出于《证类》白字，此白字即源于《集注》朱字，该朱字则是陶弘景将当时流行的多种《本经》文字糅合而成。此结论来自以下的考察。

陶弘景在《集注·序录》中言他所见的《本经》有3种，载药数分别为595、441、319，其分类混乱，药物主治功用各不相同，遂“苞综诸经”，收入《集注》中。

陶氏注文中引用有2个生姜资料：《新修》卷18韭条引陶注云："生姜……言可常啖，但勿过多耳"；但《证类》卷28韭条中，无陶氏此注，而并入卷8生姜条下，两者内容不完全相同。这正好提示了陶弘景是参阅了多种本草的。

《证类》白字序文云，上药120种，中药120种，下药125种，"三品合三百六十五种，法三百六十五度，一度应一日，以成一岁"。查嵇康《养生论》、《抱朴子》《博物志》《艺文类聚》《御览》等书所引《本经》有关资料，仅言上、中、下三品，并无上、中品各120种，下品125种的数字，更无"三百六十五种法三百六十五度"之语。这些话亦不见于陶氏以前的书中，仅见于陶氏《集注》中。这些说法与道家思想有密切关系。据史书记载，陶弘景为道教中人，这些思想当然会渗入本草中。

古代文献如《汉书·艺文志》《御览》等书所论药物，皆以"草石"名之，以"草"为首，"石"次之，但《证类》白字各个药物排列顺序，是以玉石为首的，这显然与"草石"的含义是不相合的。从敦煌发现的《集注》中七情畏恶药物排列次序，亦是以玉石为首的。这种以玉石为首的药物分类方法，可能是陶弘景看到当时各种《本经》药物分类的混乱，即"草石不分，虫兽无辨"才提出来的。

从其他文献所引《本经》资料，亦可知古代有很多种《本经》的内容没有被陶弘景收入书中。如晋代郭璞注"门冬"云："一名满冬。"《抱朴子·内篇》卷11云："术，一名山精，故《神农药经》曰：'必欲长生，常服山精。'"《博物志》引曰：药有大毒，不可入口、鼻、耳、目，入者即杀人，……二曰鸱，三曰阴命，四曰内童，五曰鸠。"《艺文类聚》卷88引曰："桑根旁行出土上者名伏蛇，治心痛。"（《御览》卷955引文同）《御览》卷992引曰："地肤，一名地华，一名地脉；又纶布，一名昆布，味酸无毒；败浆，似桔梗，其臭如败酱。"又引郭璞注《尔雅》云："《本经》曰：'毳卢，一名诸兰。'"同书卷981引曰："丹鸡，一名载丹。"同书卷996引曰："萱草，一名忘忧，一名宜男，一名歧女。"以上诸书所引《本经》资料，皆不见于《证类》白字。

陶弘景总结的《本经》条文内容、书写体例与以前的不同。陶弘景总结的《本经》，原有产地，但无药物性状、形态、生态，亦无七情畏恶等内容，其书写体例为：正名→性味→主治功用→一名→生境。陶弘景以前的《本经》，在内容上，有产地，有药物性状、形态、生态、七情畏恶等内容，书写体例是：正名→一名→性味→产地→形态→主治功用。

现存的《证类》白字，向上推溯，是由陶弘景综合当时流行的多种《本经》

本子整理而成的。而明清时期国内外学者，又从《证类》白字辑成各种单行本《本经》，这些单行本《本经》文字，实际上是陶弘景整理的文字，并不是原始古本《本经》的文字。

六、《神农本草经》辑本概况

关于《本经》的辑本，早在800年前，就有了，那就是南宋王炎辑的《本草正经》。王氏辑本已佚，它的序文尚存于王氏《双溪文集》中。以后明代卢复，清代的孙星衍、孙冯翼、顾观光、黄奭、王闿运、姜国伊，以及日本狩谷望之志、森立之等，分别辑有《本经》单行本。

这些辑本所用的目录，选择药品的数字，药物三品的位置，某些药物合并或分条，几乎很少是完全相同。各种辑本所录的药物条文，虽然皆从《证类》白字采集，但是他们对药物条文书写格式，有两种不同的写法。

国内各种辑本药物条文书写格式，悉依《证类》白字的体例。日本森立之辑本中药物条文书写格式，完全仿照《御览》援引《本经》药物条文的体例，但森氏书中药物条文内容，仍用《证类》白字的文字。

森立之认为《证类》白字书写格式，是唐代苏敬编修《唐本草》变更的。他在序中注云："苏敬新修，一变此体，……开宝以后，全仿此体，古色不可见，今依《御览》补生山谷等字，陶氏以前的旧面，盖如此矣。"按照森氏的说法，则《御览》书写体例是陶弘景的原貌，而《证类》白字书写体例是苏敬更改陶书而成的。其实不然，吐鲁番出土的《集注》残简，有燕屎、天鼠屎两条仍保留朱字、墨字杂书，而朱字格式全同《证类》白字。由于森氏未见过吐鲁番出土的资料，故仅凭主观臆测而得出错误的结论。

至于药物产地，可能为苏敬《新修》所删削。因为吐鲁番出土的《集注》药物产地，仍是朱书，而《证类》药物产地全作墨书。按，《证类》原本于《嘉祐》，《嘉祐》本于《开宝》，《开宝》本于《唐本草》，1900年敦煌出土卷子本《唐本草》药物产地，已非朱书。则《本经》药物产地，由朱书改为墨书，是始于《唐本草》。

类似这样的问题很多，如《本经》药物的数字、目录、七情畏恶、三品位置，以及药物合并与分条等，都存在一些问题。顾本采用《纲目》卷2所载《本经》目录，顾氏在序中说那个目录是最古的目录，其实那个目录是宋以后人改编的。

《本经》不仅在文献上存在一些问题，即是药物条文也存在不少分歧。试把现行各家辑本加以比较，虽说它们同是取材于《证类》白字，但是其间文字分歧亦很多。就《证类》白字本身而言，由于各种版本不同，其白字也不完全相同。

它们分歧的原因，可能是《本经》文经过历代传抄时，不免有舛错或脱误；加以有些著作家，采用前人之书，多少都带一点主观的看法，往往进行删改。这样一来，就给《本经》文带来很多分歧。尤以《纲目》援引文分歧很大。类似这样问题很多，由于篇幅所限，此处从略。

跋

《〈神农本草经〉校注》一书虽然因为有着详尽的校注和（或）按语，而被命名曰“校注”，但它首先是一个《本经》的辑复本，其次才是一个关于《本经》的校注性的、研究性的著作。

《本经》是大家公认的现存最早的中药书，它总结了汉代以前劳动人民积累的药物知识，并由若干医家陆续写成，至于冠以“神农”，则是当时尊古之风的假托。

《本经》分为总论和各论两部分。总论概括地记述君臣佐使、七情和合、四气五味等药物学的理论和药物的采收时间、炮制、贮藏方法，以及用药方法等。各论介绍每个药的具体内容。全书载药365种，其中植物药252种，动物药67种，矿物药46种，并按药物的功效和应用目的不同，分为上、中、下三品。上品药120种，多属于补养药，毒性很小或无毒，可以多服久服，能起到却病延年的作用。中品药120种，多属于治病兼有补养作用的药物，有的有毒，有的无毒，一般用于治病和补虚弱。下品药125种，多属于攻治疾病的药物，毒性很大，适用于寒热积聚等证候。

书中主治的病名，约有170多种，各种疾病都有。书中记载的药物功效，根据临床实践和现代科学研究证明，大多数是正确的，如麻黄治喘，杏仁、贝母治咳，黄连、白头翁治痢，大黄泻下，半夏治吐，海藻疗瘿等。

《本经》一书久佚，历史上对其进行辑复的中外学者非止一家，但尚老的辑本具有鲜明的学术特点。首先，尚志钧先生依据《本经》三品定义，对其中365种具体药物及其三品分类重加考订。这项工作是开创性的、基础性的，这项工作的扎实展开，使尚辑本与以往的众辑本，在格调根基上产生了很大的区别。其次，尚老明确地指出，以陶弘景《集注》为分界点，将《集注》以前的多种《本经》，称为陶弘景以前的《本经》；将收载在《集注》中的《本经》，称为陶弘景整理的《本经》。陶弘景整理的《本经》保存于历代主流本草著作中；陶弘景以前的《本经》保存于宋以前类书和文、史、哲古书的注文中。而本书所辑录的《本经》，按其出处，也相应地分作两大部分：一是主流本草著作中的《本经》文；二是古书所引之《本经》文。对宋以前类书和文、史、哲古书的注文中的《本经》文的全面辑录与关注也是本书特点之一。再次，本书所附"《神农本草经》文献源流考"由非常重要的个人专题学术论文集成。这部分内容分类收集了尚老历年来对《本经》研究考证性的多篇论文。这部分内容，从字数、页码上来看，几乎等同于《本经》辑校部分的分量，这部分研究、考证性质的文字，事实上是本书辑校成功的理论支撑。虽然部分篇章有内容重复的现象，但这不妨碍它成为进一步深入研究的良好引导者。我真心地希望本书的出版，有助于人们加深对《本经》一书的认知与学习。

在文章的结束，我想谈谈我与尚老的交往。我们是通过书信讨论本草问题相识、相知的，我与尚老先生从未见过面，仅是互相交换过照片。2003年的下半年，我曾帮助尚老利用业余时间在电脑里录入了《吴氏本草经》一书的手稿，该书辑录药物凡270味，是文献记载《吴氏本草经》原书全部441味药物的3/5。对于1800年前写成的、亡佚已久的这部本草著作来说，能够做到这一点是不容易的。尚老的这个辑本，到目前为止，是国内外辑复《吴普》最为完整的一个本子。更为重要的是该书首次全文附录并校注了清代焦循所辑的《吴氏本草》——这个清乾隆年间的辑本是国内现存最早的《吴普》的辑本。据尚老讲："1958年我在北京中药研究班进修时，托范行准先生弄个焦循照相手稿本。我用黑纸袋装着，内容至今仍能模模糊糊识出。我请一位年轻目力好的人抄出，加以复制，剪贴校注。"2003年10月27日尚志钧先生把这个珍贵的抄本的复印件寄赠一份给我以作留念。虽然焦循的辑本很薄，他仅辑有179味药（较尚老的辑本少91味药），但这份薄薄的资料却是我和尚老友谊的象征，我将永远珍藏这份情谊、这份缘。

我与尚老书信中讨论的主要内容是各种学术问题，当然关乎本草的最多，仅有一次我们谈到了芜湖的小吃，更确切一点说是身在太原的我，而不是身在芜湖的尚老谈到了芜湖的小吃。我在2003年6月6日的《太原晚报》上看到一篇关于芜湖小吃的小品文，提到藕香居的牛肉面、双桐巷的赤豆糊、凉粉、拌面，鸠江饭店门口的炒面皮和鱼头火锅，耕读巷的酒酿水子，以及到处都有的炒板栗、糖藕粥等，都让人感到古朴和亲切。我看了那篇署名黑白的文章都恨不得去芜湖，可是尚老的饭菜却十分朴素、简单。他的老伴井子东说过：“哪怕我准备的菜再多，每个菜他至多叨两次。平时，他极少吃荤菜，素菜也只简单地吃一点。”尚老自己说：“早上，吃碗烫饭，一个鸡蛋，喝点豆浆，这就足矣。中午、晚上，都是米饭。‘人是铁，饭是钢’——民谚不会错。至于荤菜，隔几天吃两个猪肉圆子就足够了。”这就是生活中的尚志钧。

2003 年 12 月 12 日我还去信与尚老讨论一个小小的药名问题，信的大意如下。我偶然看到《本草纲目·降真香》中有“痈疽恶毒：番降末，枫、乳香，等分为丸，熏之，去恶气甚妙。集简方”一方。按以上常见的标点法，一般认为，此方由降真香、枫香、乳香 3 味药组成。然而，此处的“枫”和“乳香”之间似乎不应点断，理由是：第一，如果方中有 3 味药，那么前后 2 味用全称，中间 1 味用简称，文法上有失均衡；第二，《本草纲目·枫香脂》中曾说“枫香、松脂皆可乱乳香，其功虽次于乳香，而亦仿佛不远”，说明在形态和功能上，有把“枫香”叫作“枫乳香”的基础；第三，若将“乳香”和功用仿佛不远的“枫香”在同一首方剂中等分使用，医理上有失简约。因此，我推测“枫乳香”就是“枫香”。尚老 12 月 17 日便提笔复信，没有多少客套，用的信纸也极为陈旧，红的横栏上头印的是“安徽省全椒县棉麻公司革命委员会”。信头第一句便是“关于枫香即枫乳香，我同意你的看法”，我高兴极了，虽然究其实，这仅仅是一个药名、一个标点的考量，但尚老却是那么仔细，那么认真。一时间我也品不清是一个小小发现得到认同的一时喜悦，还是老人的那份执着、那份热情让我感动。生活中的他是如此简单，如此朴素，学业中的他是如此仔细，如此认真。这就是我所知道的尚志钧老先生。

我曾经见到两部他所辑校的本草书籍被他人抄袭出版，但限于经济实力，这两部抄袭之作我都未能购买，因此无法做出更深入的评价。我没有权利为谁鸣不平，但我希望尚老健康长寿，更希望他的书都能以他的名义出齐、出好。

赵怀舟

2007 年 11 月 11 日